曹禺全集

·6·

北京出版集团
北京十月文艺出版社

主编：王风

本卷责任编委：陈改玲

1946年

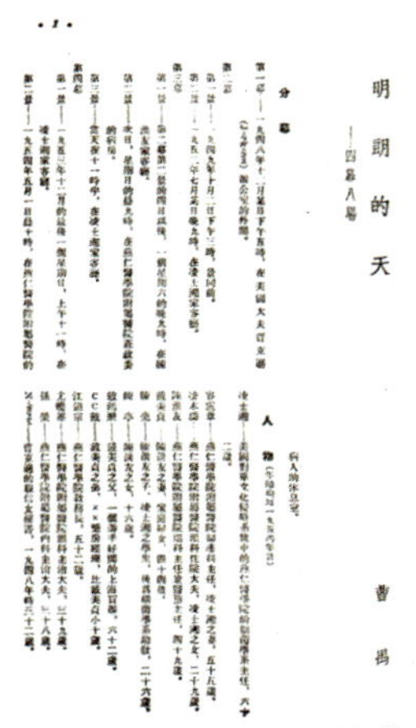
明朗的天

——四幕八場

曹禺

分幕

人物

《人民文学》1954年第7期
《明朗的天》初刊首页

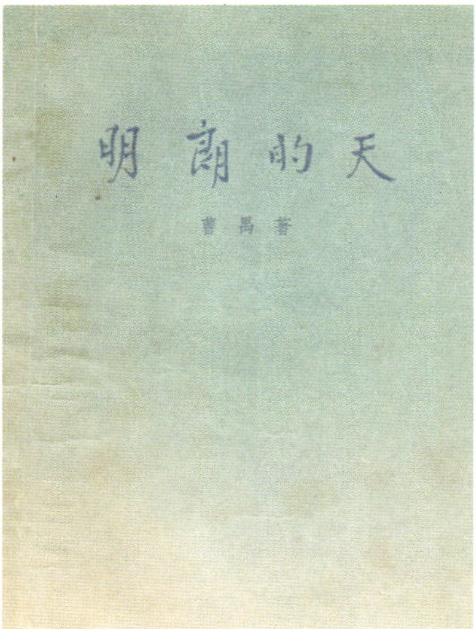

《明朗的天》人民文学出版社
1956年11月初版书影

1954年12月北京人民艺术剧院《明朗的天》
首演剧照

中華人民共和國文化部

奬狀

北京人民艺術剧院在第一屆全國話劇
觀摩演出会上演出 明朗的天
獲得 一等演出 奬

此狀

中華人民共和國文化部部長
沈雁冰

1956年4月《明朗的天》获得全国第一届话剧
观摩演出会一等演出奖

《胆剑篇》中国戏剧出版社
1962年10月初版书影

1961年10月北京人艺在首都剧场首演
《胆剑篇》剧照

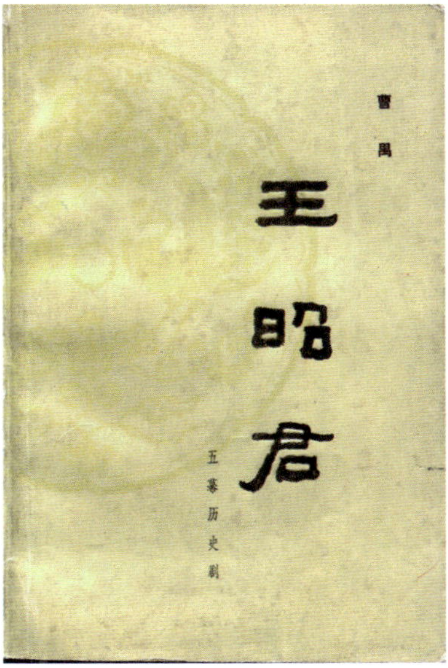

《王昭君》四川人民出版社
1979年2月初版书影

初版《王昭君》作者照，1978年摄

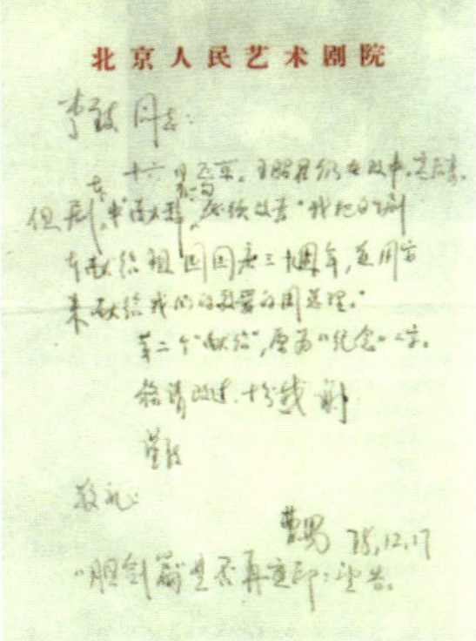

北京人民艺术剧院

李致同志：

敬礼

曹禺 78,12,17

1978年12月17日致李致函，
提到《王昭君》"献词"中的修改

1979年6月曹禺与北京人民艺术剧院
《王昭君》剧组

1979年7月北京人艺在京公演
《王昭君》剧照

《艳阳天》书影，
1948年5月
文化生活出版社初版

电影《艳阳天》剧照，曹禺导演，
1948年文化影片公司出品

1950年
曹禺在治淮工地上讲话

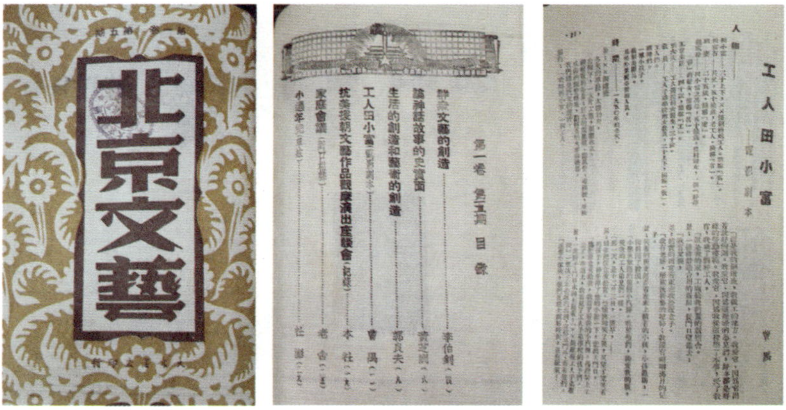

1951年电影剧本《工人田小富》
发表于《北京文艺》第1卷第5期

目　录

版本叙录

陈改玲

《明朗的天》

1952年初，周恩来与曹禺谈话，使他“对中国知识分子的特点和发展道路有了更明确更深刻的认识和理解。”(《曹禺谈〈明朗的天的创作〉》,《文艺报》1955年第17期。）为创作这个以思想改造为主题的剧本，他曾到协和医院深入生活，收集材料。该剧发表于《人民文学》1954年第9、10期，第9期题下标“四幕八场”，第10期剧末有曹禺“附言”:“《明朗的天》前两幕发表之后，我把全剧又读了一遍，觉得第四幕缺点最多，也太长，非大大删改不可。修改以后……时间与上期分幕表上写的有了出入……”下附修改后的分幕表，改为四幕七场。

1956年11月人民文学出版社初版，再度修改，进一步调整为三幕六场。剧后附有《“明朗的天”的故事（备演出时用）》。平、精装两种单行本，印数6000册。较之初刊，初版结构、情节、人物改动很大，删去了夏鹤飞、戴美贞、陈亮、陈亭、戴鹤飞、CC戴、赵凤英、高有田、容丽章、Nancy等人物，增加了凌木兰与何昌荃的革命斗争性。为凸显新院长董观山的领导作用，把初刊中凌士湘妻子、妇产科主任容丽章和进步知识分子陈亮的戏份都给了他。此外，人物语言、提示词也有不少改动。总体上使得思想斗争更为突出，人物形象也更为单一。

本版1958年9月重印，印数2000册，书前有署“人民文学出版社编辑部”的“出版说明”。1959年9月再次印刷，书后有署“编者”的"后记"，无印数记录。

中国戏剧出版社1957年7月出版《明朗的天》，据人民文学出版社初版重排，无改动，同月第二次印刷，1960年4月第三次印刷，总印数15000册。剧后均附有《“明朗的天”的故事(备演出时用)》。

1984年12月四川人民文学出版社将《明朗的天》作为“曹禺戏剧集”中的一种出版，印数15200册。书前有曹禺与郭沫若参加第一次保卫世界和平大会(1949年在捷克)的照片，本版亦无改动。

花山文艺出版社的1996年7月出版7卷本《曹禺全集》，是曹禺生前最后一个版本。该剧据初版排印。

《胆剑篇》

五十年代末国家进入困难时期，为共度时艰，中央领导倡导学习卧薪尝胆的精神。各地纷纷以“卧薪尝胆”为题材进行戏剧创作。为完成北京市委下达的写作任务，1960年7月22日，北京人艺召开党委扩大会议，决定曹禺暂停《王昭君》创作，创作《卧薪尝胆》(暂定名)。(《北京人民艺术剧院大事记》，田本相、阿鹰编著《曹禺年谱长编》第577页，上海交通大学出版社2017年。)为尽快完成写作任务，曹禺请梅阡、于是之协助创作。

该剧以《胆剑篇》为题，发表于《人民文学》1961年第7、8期合刊，署名“曹禺 梅阡 于是之，曹禺执笔”。当时以卧薪尝胆为题材的剧本有七、八十部，“这个作品，在所有的以卧薪尝胆为题材的剧本中，不但最后出，而且也是唯一的话剧。作为最后一部，它总结了它以前的一些剧本的编写经验而提高了一步。”(茅盾《关于历史和历史剧——从〈卧薪尝胆〉的许多不同剧本说起》,《文学评论》1961年第5期。)

1962年10月中国戏剧出版社初版，印数6000册。本书衬页有“内容说明”，剧本前有五帧北京人艺1962年演出剧照。初版较初刊结尾有较大变动。初刊强调越王和普通民众打成一片，众人循一百姓所指，注视苦成崖上悬的“胆”。初版改为天外来音:“勾践，你忘掉会稽之耻么?”并把取胆的普通人“无霸”改为大夫“文种”。

1979年2月四川人民出版社出版《胆剑篇》，印数25000册。川版据初刊而非初版排印。初刊和初版均附《〈越人“战歌”〉》，川版未收。

花山文艺出版社1996年7月出版的7卷本《曹禺全集》，是曹禺生前最后一个版本。编者自注，系据中国戏剧出版社初版排印。

《王昭君》

《王昭君》初刊《人民文学》1978年第11期，文前曹禺的《献辞》提及："敬爱的周总理生前交给我这个任务，写王昭君历史剧。我领会周总理的意思，是用这个题材歌颂我国各民族的团结和民族之间的文化交流。" 周恩来的提议，是在1959年。随后曹禺开始构思此剧。

1961年《胆剑篇》完成后，曹禺迅速转入《王昭君》的创作。该年8月到内蒙古收集资料，1962年8月在北戴河开始写作，写成了前两幕。1963年11月11日晚北京人艺召开党委会，传达北京市委工作会议上谈到的关于文艺戏剧工作的情况，说前一天开完了会，"彭真同志把曹禺同志找去了，要他停下《王昭君》，告诉他说：以后谁要给你历史剧的任务，你就告诉他市委的决定要你90%写现代剧。接着给了他写抗洪斗争的任务。"（《北京人民艺术剧院大事记》，田本相阿鹰编著《曹禺年谱长编》第624页，上海交通大学出版社2017年。）文革后，曹禺重新写作《王昭君》，"要下决心把总理生前嘱咐我写的剧本写出来，尽管我有病，但一定要尽快写出来，不好好写，对不起总理。" "今天形势太好了，我抑制不住，非写不行，就像泉水一样要涌出来，像火山一样要喷发出来。"（《不因鹏翼展，那得鸟途通——记戏剧工作者学习〈毛主席给陈毅同志谈诗的一封信〉座谈会》，《人民戏剧》第1期，1978年1月18日）。1978年7月赴新疆体验生活，随后完成此剧。"我用这个剧本献给国庆三十周年，并且用它来献给我们的敬爱的周总理。"（曹禺《献辞》）

1979年2月，由四川人民出版社初版，8月第二次印刷，总印数119000册。书前有作者专门拍摄的近照、作者手迹，《献辞》。剧末附《关于〈王昭君〉的创作》，此文初刊《人民戏剧》1978年第12期，题为《关于话剧〈王昭君〉的创作》。

花山文艺出版社1996年7月出版的7卷本《曹禺全集》，是曹禺生前最后一个版本，编者自注，系据初刊排印。

《艳阳天》

1947年夏，曹禺经黄佐临介绍加入上海文华影业公司，并创作电影剧本《艳阳天》(田本相访谈黄佐临,《曹禺访谈录》，百花文艺出版社2010年版，第276页)。1947年冬，电影开拍，曹禺任编剧、导演。这是曹禺编导的唯一一部电影作品。

1948年5月，电影剧本由文化生活出版社出版，为该社“文学丛刊”第八集之一种。此后没有另外印行。

花山文艺出版社1996年7月《曹禺全集》，自注系据文化生活出版社初版本收入。

《工人田小富》

1950年，曹禺陆续参加一些下工厂活动。朝鲜战争爆发后，曹禺参加了与抗美援朝相关的宣传工作。电影剧本《工人田小富》的题材选择与此相关。完成后刊载于1951年1月《北京文艺》第1卷第5期。

这是建国后曹禺创作的第一个剧本。剧中出现了两位1950年全国劳动模范的事迹介绍或镜头设计。其一为工会主任提到的“劳动英雄赵国有”，时为沈阳机器三厂工人，曾创下多项工艺改造纪录；其二是某一纪实镜头中的“李永”，系哈尔滨机务段“毛泽东号”机车司机长。

电影未见拍摄，剧本迄今未收入任何作品集。

明朗的天

【题注】据1956年11月人民文学出版社初版排印。通校1984年12月四川人民出版社“曹禺戏剧集”本初版（校注称“川版”）。

人物表

凌士湘——细菌学专家，五十多岁[1]。

凌木兰——凌士湘女，眼科大夫，二十多岁。

何昌荃——细菌系讲师，凌士湘助手，约三十岁[2]。

江道宗——教务长，约五十岁。

徐慕美——护理部主任，江道宗妻，四十岁[3]。

袁仁辉——护士，江家的养女，三十岁[4]。

陈洪友——眼科主任兼医务主任，四十多岁[5]。

董观山——医院解放后的院长，四十多岁。

孙　荣——内科大夫，三十多岁。

尤晓峰——眼科大夫，三十多岁。

宋洁方——外科大夫，约五十岁。

---

1 “五十多岁”川版作“五十九岁”。

2 “约三十岁”川版作“二十七岁”。

3 “四十岁”川版作“四十多岁”。

4 “三十岁”川版作“三十一二岁”。

5 “四十多岁”川版作“四十三岁”。

赵树德——老工人，五十多岁[1]。

赵铁生——赵树德之子，工人，二十多岁[2]。

庄政委——志愿军团政委，三十多岁。

刘玛丽——美国大夫贾克逊的秘书，四十多岁。

赵王氏——赵树德妻，患软骨病，四十多岁[3]。

李亭——少先队员。

贺瑾——少先队员。

老张——工友，四十多岁。

马副官——国民党某军长的副官，约四十岁。

女打字员。

女技术员。

护士。

学生数人。

特务甲——为首的特务。

特务乙——高个子特务。

特务丙——矮个子特务。

特务丁。

杨老头子——病人。

---

1 “五十多岁”川版作“四十四岁”。

2 “二十多岁”川版作“十九岁”。

3 “四十多岁”川版作“三十九岁”。

分幕表[1]

第一幕

第一场　地点：燕仁医院美国大夫贾克逊办公室的外间。

时间：一九四八年年底。

第二场　地点：同上一场，现改为董院长的办公室。

时间：一九四九年国庆后的一个星期天。

第二幕

第一场　地点：凌士湘家客厅。

时间：一九五二年七月。

第二场　地点：江道宗家客厅。

时间：一九五二年七月。前一场后三天。

---

1 “分幕表”川版作“时间和地点”。

第三幕

第一场　　地点：志愿军庄政委的病房。

时间：前一场的次日。

第二场　　地点：凌士湘家客厅。

时间：前一场两星期以后。

第一幕

第一场

这是在第三次国内革命战争时期，一九四八年的末一个月里。

自从人民抗日战争结束以后，美帝国主义继续同国民党勾结起来，想把中国变为美国的殖民地。他们便下了决心，进行反共内战，不顾人民对和平民主的愿望，撕毁了保障国内和平的协议，向全国人民寄托着最大希望的解放区发动全面的进攻。在战争期间，全国人民逐渐觉悟到，从被美帝国主义控制的蒋介石政权手里，是得不到和平、民主与独立的。在中国共产党用了极大的努力和耐心使人民认清这一点后，大家才彻底了解必须打倒蒋介石，驱逐美帝国主义，并且完全倚靠一直正确地为和平努力的中国共产党，才能得到生存。

人民群众的向背已经完全显然。正义是在中国人民解放军一方面。因此，从一九四五年国民党倚赖美帝国主义的援助，发动战争以后，到了一九四七年，人民解放军已经转入反攻，首先在晋冀鲁豫战区，接着在东北和其他战场上，发起了巨大的攻势。国内革命战争形势已经变了。

这个戏开始在战争进展最迅速的一九四八年十二月。在辽沈战役胜利后，整个东北已经获得解放。在南线，在徐州附近，正进行着规模巨大的淮海战役。几乎在同时，人民解放军在北线也在进行着解放天津的战役，并且包围了北平。

围城中的北平人民在反动统治的极度恐怖下和生活的极度贫困下，等待着苦痛而紧张的日子的终结。铁路不通了，只有天空中不断地响着飞机的马达，空中霸王昼夜不停地载着反动的官吏、军人、特务和他们的家属财物，向上海、香港、台湾、美国飞去。物价一日数涨，从早到晚，街上挤购粮食的贫民排着凄惨的行列。散兵四处在抢劫，居民被迫挖掘战壕和修飞机场。街道上不断来往巡逻着装甲汽车和满身武装的执行队。特务在横行，为着末日的来临，变得更加残暴。人民在愤怒着，日夜盼望着解放；人民在可怖的黑暗中怀着信心，勇敢地做各种准备，来欢迎黎明。但是也有些人是怀着另外一种心思的，在美帝国主义多少年文化侵略下，这些人早已和真正的中国人民脱离了关系，在他们卑鄙的思想里，藏蓄着不曾见过天日的污垢。另外一些人是那样地麻木，对于即将到来的新社会还没有一点感觉。然而这些人中有专家，有高级知识分子，是我们在来日的建设中需要的人才。这个戏就是企图讲一讲中国的知识分子在这大变动的时代中如何改造思想，逐渐放下旧思想的桎梏，终于开始向新知识分子的道路上变化着。

这是美国对华文化侵略系统中燕仁医学院的美国大夫贾克逊（Jackson）的办公室的外间。

正是冬天下午四时许的光景，外面下着大雪。看得出来，在平时，屋子里的陈设都摆得井井有条。这一两天，在某些角落里，却堆着与贾大夫办公室毫不相称的大小皮箱，上面贴满了五光十色的欧美各国旅馆的行李票。屋子里像是暖和的，左右两墙边上的暖气管似乎都在开着。正面有一窗一门，门通着外面的甬道，甬道上来往着病人。甬道上有钢窗，钢窗之外，看见白杨的秃枝在灰惨惨的天空中摇动。北风挟着大雪，一阵阵打在钢窗的玻璃上。正面门的左面，贴着墙，是一把硬邦邦的木质长椅。门的右面的一个小小的书桌，一个年轻的女打字员成天守在那里“的的答答”地打着字。她这个角落在白天也有些昏暗，桌上总是点着铁罩的台灯，人一进门，就立刻被灯光吸引住，望见她身旁暗绿色的文件柜，和在墙上挂着的贾克逊的大相片——相片上的贾克逊是慈眉善目的。左面有一门，通着贾克逊的办公室。左门附近是一张沉甸甸的很讲究的办公桌和圈椅，圈椅上放着一个五颜六色的靠垫，这是贾克逊的秘书刘玛丽办公的地方。右墙近台口有一门，门外也是甬道，甬道对面正是细菌科主任凌大夫的办公室和他的实验室。门旁有冷热自来水和洗手消毒用的瓷盆，门旁挂着几件白罩衣。右门前面摆着一张皮质的长沙发、一只小沙发和一个矮几，这些家具都很精致，占的地方不大。

尽管这间屋子里人来人往，却总不能留下来人的温暖，人们走进来，立刻就感觉到一种阴暗逼人的冷气，仿佛在这里只能谈着病和死亡。同时，围城的炮声，天空中的飞机声，和说不出的恐慌，从四面八方压上来，使人们就在这铁打的墙壁里也感觉到岌岌不可终日。

〔开幕时，窗外的甬道上匆忙地穿过各式各样的人——医生、询问地点的病人、交谈着的医学生、端着器械的护士、送信和擦地板的工友们……等等。

〔刘玛丽，一个四十几岁的妇人，由贾克逊的办公室走出。她是贾克逊的亲信，到过美国，能替贾克逊起稿，安排事务，很干练，可以替他解决一些他自己不便于出面的问题。她不是一个普通的速记打字员，虽然有时也做一些这类的事情。她又干又瘦，脸上抹着脂粉，头发剪得短短的。她烟瘾很大，总是用一支短烟嘴。这时她拿着一叠文件。

刘玛丽　（对女打字员）Jenny，马上把这份东西打出来，下午要用。

女打字员（接过文件去）O.K.！

刘玛丽　（想打电话，见女打字员在场，于是取了一个信封写几个字，交给她）Jenny，你先把这封信送一下，那份东西叫Nancy替你打。

女打字员 O.K.！（接信，走下）

刘玛丽　（打电话）喂，你美国领事馆吗？我是燕仁医院Dr. Jackson办公室……是啊，就是我。你好吗？……我？倒霉透了！我一夜没睡好，听了一夜的炮。末日要到了！……我们正在开紧急会议。Dr. Jackson要你告诉James上校，这两天的时局简报还没收到。赶快送来吧，老头子要发脾气了。好，再见。

〔护士敲门。

刘玛丽　Come in！[1]

〔护士进来，刘玛丽望一望护士送来的本子，签了一个字，

1　Come in！——英语，意思是“请进!”。——底本注。

护士走出去。

刘玛丽　（换一个电话又打）要厨房。我贾大夫办公室。送九份茶点来，现在就要，贾大夫要一杯牛奶。

〔尤晓峰由通甬道门上。他约有三十三岁[1]，是眼科的青年主治大夫，眼科主任陈洪友手下得力大夫之一。此人精明圆滑，好开庸俗的玩笑。但他确有些技术，在未进这个医院以前，他开业十分得法。他进这个医院很费了心思，目的是为了更远的“前途”——想得到美国大夫贾克逊的赏识，可以赴美“镀金”。然而他不是这个医院[2]的正统毕业生，所以也受所谓正统派的，更为贾克逊赏识的医生们的排挤。

〔他是一个矮个子，脸上白里透红，十分光润，鼻下有一撮黑黑的小胡髭。如果他不穿着一套剪裁得十分美国味道的西装，他会随时被误认为是日本人。他戴着一副学者味道的眼镜，但这副眼镜并不能改变他给人们那种庸俗与滑稽的印象。他总是很得意，好说话，总觉得自己比别人聪明，会打趣。他很喜欢为别人“服务”，好拉些闲事情，忙个不完。所以他又是被有些人喜欢的一个人。

〔他匆匆走上来，放大衣在长椅上，神色有些慌张。

尤晓峰　（熟稔地）Hello[3]，Mary！

1　“三十三岁”川版作“三十多岁”。

2　“医院”川版作“医学院”。

3　Hello——英语，意思是“喂！”。——底本注。

刘玛丽　（淡淡地）Hello，尤大夫。

尤晓峰　我刚从外边回来。里边有什么消息没有？我们这个医学院还办不办？

刘玛丽　不知道。

尤晓峰　你听，炮声越来越近了。情形很不好，医院都空了，一发薪，都出去抢购去了。市场上乱得一塌糊涂，有东西就抢购，黄的、白的一齐涨！（举起一卷美钞）美钞！我刚刚换的。你要换吗？我可以替你服务。

刘玛丽　我跟你们不一样，我拿的就是美金。

〔徐慕美上。她是江道宗教务长的妻子，医院护理部主任。她四十出头，仍生得丰满好看，穿着雪白的高级护士制服，上面披着紫红色短披风，派头十足。她原是一个买办家庭的小姐，一直在美国教会办的中学、大学受的教育。她原先打算学医，但是终于为了自己认为是走近路的打算——想很快地爬上医护界的首脑地位——选择了到燕仁医学院学护理的前途。她心目中很少看得起一般的医生，认为自己知道得很多，但心里又有些看不起自己这个职业。她相当笨，但总觉得自己很聪明，好表现自己的"干练""俏皮"，但时常被她内心崇拜的丈夫所奚落。她在医院的地位实际上是靠贾克逊和她的丈夫所支持。

徐慕美　（一进门）你们听！飞机又在头上转了。

刘玛丽　南京来的。

徐慕美　（凑热闹）空投呢！投的不是大米就是白面。

刘玛丽　徐主任，找贾大夫吧？他在开会。

徐慕美　你们看！（把挟着的一本精装的书递给刘玛丽，炫耀地）好吗？

刘玛丽　（接过来欣赏着）Beautiful[1]！太好看了。

尤晓峰　好看极了！

徐慕美　我设计的。

刘玛丽　（念）“贾——克——逊——大夫”……（读不下去，指着）这是什么？（笑）我的中文真坏。

尤晓峰　（抢着读）“贾克逊大夫论文集”，“纪念贾克逊大夫来华办学二十五周年”。

刘玛丽　（恍然）啊，原来是这么回事！封面用中文，他一定会喜欢的。（翻开）还有他的相片！哦，就用的是这张。

〔三人都走到墙边贾克逊的相片前欣赏。

尤晓峰　风度多好！

徐慕美　（得意地）他自己最喜欢这张了。

刘玛丽　（意在言外）你对老头子当然最了解了。

〔尤晓峰嘻嘻地笑了一声。

徐慕美　（瞪尤晓峰一眼，转对刘玛丽）可惜纪念会取消了。

尤晓峰　谁也没想到共产党会来得这么快，城已经围上了。

刘玛丽　这有什么关系？他们打进了北平城，我倒要看看，他们能不能打进美国人办的医院。

1　Beautiful——英语，意思是“美丽”。——底本注。

尤晓峰 再见，我还有病人。Mary，有消息请告诉我一声。

〔尤晓峰走到门口，正好门被走进来的袁仁辉所打开，尤晓峰昂然走出。

〔袁仁辉是江道宗和徐慕美的养女，二十岁的时候从一个美国人办的孤儿院中领回来的。她一直住在江家，什么事情都做，什么气也都受过。后来，江道宗答应她到一个护士学校去念了两年书，现在在燕仁医院做一个职位最低的护士。她有卅一二岁，生着一个方方的脸，扁鼻子，面色黄黄的，有些雀斑。她老实，小心，不大说话，完全没有这个医院正规的护士小姐们的派头。

袁仁辉 （提着一个装满了东西的篮子走进来，对徐慕美）妈咪[1]，您在这儿！您要的东西都买到了。

徐慕美 （皱起眉头，厌烦地）谁叫你到这儿来的？

〔袁仁辉无语。

徐慕美 护士衣服也不换！

〔袁仁辉把头低下。

刘玛丽 （看看袁仁辉的脸色）你要听你妈咪的话。你妈咪从孤儿院救了你，你要知道感激。

袁仁辉 （取出钞票）给您换的美金，九十八块五。

徐慕美 （收下美金，眼快地）那是什么？我一猜你就是买了大头

---

1 妈咪——袁仁辉是江道宗夫人的养女，他们照例使养女叫他们为妈咪（妈）和Daddy（爹），用的是英文称呼。——底本注。

了！（对刘玛丽，仿佛袁仁辉是一个没有生命的东西那样随便评论着）你看她笨哪，她倒懂得替自己换大头。你看，两块钱！

〔何昌荃由外上。他是医学院细菌科的助教，毕业不久，是细菌科主任凌士湘大夫的得意学生，二十七岁。从表面上看，他像是旧社会所谓品学兼优的人。说话不多，勤勤恳恳，仿佛成天钻在实验室或图书馆里，根本不知道外面的世界似的。实际上在入这个医院以前，他便参加了进步的学生运动，受了革命的教育，是一个相当沉着和有热情的人。在医学院的进步青年们中间，他有一定的威信，但不知为什么总不常提他的名字，仿佛故意掩护着他似的。他在一九四八年春天加入了地下党，在围城期中最紧张的时候，是地下组织中一个小的领导者。

〔他是江道宗教务长的外甥。他有一副宽宽的眉毛，沉静的眼神，现在他穿着实验用的白罩衣，安静地走进来。

何昌荃　（对徐慕美）舅母。

徐慕美　昌荃，你来了。（对袁仁辉）外头什么样啦？

袁仁辉　街上乱极了，尽是兵，铁甲车到处转。（停住）

徐慕美　说呀！

袁仁辉　粮食店都叫人抢了。新街口枪毙了两个人，说是共产党。

徐慕美　共产党要来了，该你们过好日子了。（转向何昌荃，存心令人不快地）是不是啊，昌荃？

何昌荃　（对刘玛丽）刘小姐，我找江教务长。

〔刘玛丽下。

徐慕美 （一边翻着袁仁辉的手提包，一边挑剔着）谁叫你买这种雪茄？你买错了，你给Daddy[1]买的咖啡豆呢？

〔袁仁辉拿出一包，递给徐慕美。

徐慕美 （一闻）不对！这是假的！（还给她）

〔袁仁辉没接好，包落在地下，咖啡豆撒出一些来。

徐慕美 真笨！白在我家养了这么大，就会吃饭，一顿三碗。

〔袁仁辉低下头去收拾，落下眼泪来。

何昌荃 （冷冷地）袁姐没白吃你们的，你们要用老妈子还得给工钱呢。（低头帮袁仁辉收拾）

〔江道宗和刘玛丽上。江道宗是医学院的教务长，四十六岁[2]。在这个医学院里，大约除了贾克逊以外，最有势力的人就是他了，因为校长和院长都是有名无实的，贾克逊和他故意请一些他们认为是好好先生的来充任，做招牌。他温文有礼，但又是阴气森森，如果和他处久了，就会感觉到在他斯文的谈吐和言笑里面，总是有一种不可测的、不能使人相信的心机。他在洋人的圈子里很红，会拍洋人马屁，为他们着想，但表面上冠冕堂皇，一丝也不令人看得出来。他说话尖刻而聪明，有时又“热情”而“爽快”，对他的主子并不低声下气，时常倒是故意离着贾克逊远远的，他笼

---

1 Daddy——英语，意思是“父亲”。——底本注。

2 “四十六岁”川版作“约五十岁”。

络着一群他认为可以做喽啰的大夫们。对于凌士湘他保持着“谦恭下士”的态度，口口声声称呼他是老前辈，实际上他是谁也不佩服，他觉得他的前途是无限的。

〔他的出身是一个没落世家的子弟，家境很穷，他小时便很乖巧玲珑，在大学里遇见徐慕美，费了很大的心机才把这个买办的阔小姐弄到手。他是得过他有钱的丈人的好处的。他有些学问，在美国得过两个博士的头衔。但自从多年以前受了贾克逊的赏识以后，和他所认为的美国有力量的人做了朋友，当了这实际上比院长还高得多的教务长，他渐渐对政治的兴趣浓厚起来，觉得人应该有“抱负”，有“雄心”，对于学术也不甚钻研了。这个人英文不错，还会两句旧诗，自己觉得很风雅很博学，高人一等，待人接物总要使人觉得他有教养。

〔他身材适中，面貌白净，眉毛淡得几乎看不出。一对细细的小眼睛，看起人来就不肯放过，闪着闪着，像是要把一切都吸进去的样子。他非常爱惜自己的“丰采”，穿着一身毛质的潇洒的长袍，一尘不染，里面是笔挺的西装裤，皮鞋头是尖的，擦得晶亮。他是有惊人的洁癖的。

江道宗　（看见何昌荃、袁仁辉在收拾东西）怎么啦?

徐慕美　没什么，咖啡豆撒了。

何昌荃　舅舅。（转身对袁仁辉）袁姐，谢谢你昨天到病房来看我，我睡着了。你给我的水果我都吃了。

袁仁辉　（温和地）你还应该多休养两天，你看你瘦多了。

〔袁仁辉提着篮子走出去。

徐慕美 （对江道宗，嘲笑地）我们这个外甥顶“正义”了，从小就这么“普罗”。

〔老张端着茶点从中门上。

老　张 可以进去吗？

江道宗 （对徐慕美）你有事吗？现在里面休息了。

刘玛丽 （对老张）去吧。

徐慕美 休息了？（抢在老张前面走进内室）

〔老张端着盘子跟下。

何昌荃 我们细菌系没有田鼠了，凌大夫很着急。

江道宗 我知道。

何昌荃 他今天一整天没在实验室，不知跑到哪里去了，这是从来没有过的事情。

江道宗 （微感惊奇）哦？他到哪儿去了？

何昌荃 不知道，说是找田鼠去了。（焦急地）外面很乱，他脾气又倔……我认为医学院不该让他这样的学者为这种事情操心！

江道宗 （长辈的口气）你很爱护你的老师，这很好。我也是在想办法。怎么样，你的盲肠炎完全好了？

何昌荃 好了。

江道宗 那好极了。今天晚上到我家里来吃饭吧！（和蔼地）这两天时局很紧张，我很想跟你多谈谈。

何昌荃 好吧。

〔凌士湘大夫由中门上。凌大夫是细菌系的主任，五十九岁，是一个老美国留学生。他的出身可能是一个旧的书香世家。他考进清末的理工一类的学校，终于决定学医，当时多少是为了科学救国，和一些有志之士想把泰西的科学传进来。他有一些人道主义的思想，多少年来认为医学是救人的。他在美国也吃过很多苦头，半工半读，靠自己的努力学了一些东西。他很自信，脾气倔强、耿直，但做起事情来有时显得很迂，也有通常一般学者的那种心不在焉的神气。一般来说，他为人是十分热情的，不过不大容易看得出来；靠近他的朋友都认为他诚实、忠厚、可靠，但是钻牛犄角，难以说服。在学生中他有很高的威信，美国人贾克逊也倚重他，利用他，因为他在细菌学方面确有成就。

〔回国以后，他没有开过业，虽然他的医疗学问并不坏。他一直在教书，在几个大的医学院都授过课，最后来到此地，工作了将近十年。他妻子死得很早，只有一个女儿，叫凌木兰，现在眼科读书。

〔他的面貌看不出像个学者，只有跟他常在一处的人才看得出他内在的风度。乍一看，他倒有些土头土脑，像一个内地来的不出名的中学教员。他的面色有些灰暗，两鬓已经斑白，短短的头发，稀稀地盖着他的大脑袋。他的眉毛很浓，有两三根突出来的灰眉毛盖在眼角上。在他愉快的时候，他的眼神露出诙谐的闪光，但大部分时间他是显不出光彩的。他个子高大，嘴唇厚厚的，粗糙的面孔上有几道深深的皱纹，偶尔笑起来很慈祥，甚至于动人；但是在愤怒的时候，他的神色是异常吓人的。通常的时候他走路是比较慢的，总像在思索着什么，不认识他的人，往往会以为这只是一个普普通通的老头子。

〔他穿着一身旧西装，有些单薄，拿着一件磨光了的黑呢大衣和一顶旧呢帽。

何昌荃 凌大夫，你可回来了！你到哪儿去了？大家真着急了，你这么晚才回来！

凌士湘 （对何昌荃，不满意地）你又到这儿来了！我昨天还嘱咐你好好养病，可是你今天乘我出门，又跑去做实验了！你去干什么？

何昌荃 （关心地）田鼠找到了吗？

凌士湘 你不要管。你开了刀，还没拆线呢。回到病房去！我要叫他们把你这身衣服没收。

何昌荃 （笑嘻嘻地）我在实验室看见你的饭盒子又冷了，别忘了叫他们给你热一下再吃。

凌士湘 走！走！走！不要噜苏了。

〔何昌荃下。凌士湘把大衣挂在钩子上。

江道宗 （赞叹地）我一看见昌荃，我就想起一个学者对青年潜移默化的力量。昌荃的这点钻研精神，完全是跟你这个老师学来的。怎么样，能不能占用你一点宝贵的研究时间，跟我们一道开一下会呢？贾大夫刚才还问起过你呢。

凌士湘 我不去。

江道宗 听说你出去找田鼠了，找到了吗？

凌士湘 （疲乏地）没有。

〔一个女技术员上。

技术员 （高兴地）凌大夫，您回来了。（迟疑地）实验室最后一个田鼠都用掉了。

凌士湘 （对江道宗）我跑了一整天，哪儿也没有。

技术员 再没有田鼠，我们细菌系的实验只有停下了。

凌士湘 知道了。

〔女技术员从通实验室的门下。

凌士湘 （发着牢骚）道宗，当初我答应到你这个医学院来，就是为了学术研究的方便。可是今天弄得连实验动物都不能给我了……

江道宗 （解释地）现在围城了。

凌士湘 （执拗地）不管围城不围城，我的研究是不能停的！你答应给我找田鼠的。

江道宗 正在找。贾大夫是非常重视你的研究的，他说，美国有些学者也在做鼠疫研究，他们听说你研究的这种田鼠感染性很强……

凌士湘 （引起兴趣）是的，这种田鼠对他们是有用的。

江道宗 他们托贾大夫运到美国一次，可是路上都死了。所以贾大夫希望你能把怎么运送田鼠，田鼠到了美国，怎样用人工繁殖起来的方法告诉他们，你看是不是可以？

凌士湘　当然可以。

江道宗　他们已经打电报催了好几次了。

凌士湘　方法我已经都写好了。只要对消灭鼠疫有好处，我研究的结果都可以告诉人。可是，没有田鼠，光有这些方法有什么用?

江道宗　我已经托了洪友了，你放心，他说有办法。

凌士湘　（不信地）噢?好吧。

〔徐慕美兴冲冲地由贾克逊办公室出。

徐慕美　（一眼望见凌士湘，嘴快地）凌大夫，你回来了，我正要找你呢。你知道你的小姐到哪儿去了吗?她出城了!

凌士湘　（吃惊）什么?

江道宗　（制止徐慕美）你看你!

徐慕美　（对江道宗）你不告诉他怎么办呢?（对凌士湘）是宋大夫把她带出去的。

凌士湘　真是奇怪!这个时候出城干什么?

徐慕美　是啊，城外这么乱，碰见八路军怎么办?

凌士湘　为什么要出城?怪不得我三天没看见木兰!

江道宗　听说他们在城外办了一个什么施诊所，说是给穷人看病。你知道宋大夫这个人，永远是个热心分子，她恐怕不知道有些学生利用这类地方做别的活动。

凌士湘　（焦急地）那怎么办呢?两个女的，没人陪着，城外都是乱兵!

江道宗　（安慰地）士老，你完全放心吧。我已经托了个美国朋友把她们带回来，刚才得到消息，已经出发了。车子有特别通行证，没问题的。

凌士湘 我总是麻烦你们。（不满地）宋大夫这个老朋友啊，我对她简直没办法。我的女儿就仿佛是她的女儿似的，时常不得我的同意带她乱跑。

〔凌木兰和宋洁方上，她们都提着手术箱。宋洁方大夫是医院里有名的外科大夫，五十岁上下。她是最早的一批受英美的医学教育的女医生，没有结婚，事业心很强，可以说一生在旧社会中为着一个职业妇女的前途在奋斗。她精力饱满，容易激动，动作说话的节奏很快，无论做什么事情都敏捷麻利。她是一个正直的、有是非之感的女子。

〔她头发有些斑白，剪得短短的，很自然的梳向脑后，疲劳的眼神和有皱纹的前额告诉我们她是很辛苦的。她很瘦，穿得很朴实，一件合身的藏青薄呢旗袍，外面穿着皮大衣。

〔凌木兰是眼科的实习大夫，凌士湘大夫的独女。她母亲死得很早，自小就是由父亲抚养起来的，父女感情很好。她很热情，有时有些任性，倔起来像她的父亲。

凌木兰 （高兴地）爸爸！

〔凌士湘不响。

徐慕美 你们可回来了。

凌木兰 （对凌士湘）你着急了吧？你这三天怎么过的？对不起，我没告诉你，爸爸。

宋洁方 （不在意地）你们都好？

江道宗　宋大夫，你们没受惊吧？

宋洁方　没有，谢谢你给我们弄的车子。（望着凌士湘，故作诧异的样子）怎么啦？（转对大家，笑着）这个老头子又不高兴啦？谁惹他发脾气了？（对凌士湘）难道还没有找到田鼠吗？

凌士湘　（干干地）田鼠没找着，女儿也不见了。洁方，我不反对你办什么施诊所，可是木兰是一个刚出学校的大夫……

宋洁方　（抢着替他说）我知道，正需要埋头研究，我不应该把她拉出去……

凌士湘　（瞪她一眼）尤其是在这个时候！

凌木兰　爸爸，你不要冤枉人。不是宋阿姨拉的我，是我拉宋阿姨去的。

凌士湘　什么？

宋洁方　（胜利地）你没想到吧？我希望有一天她也能把你拉去看一看。（忽然转对江道宗，锋利地）江教务长，请你原谅我，我是好说话的。他们那个施诊所当然没有我们这些设备，也没有专家。可是他们把医药送到病人面前，穷苦的病人真正得到人的待遇。在他们那里，我第一次感觉到医生是真正被人需要的，被人爱的，不是一个高级学府的点缀品。

〔一个护士上。

护　士　（把一份病历交给宋洁方）宋大夫。（对徐慕美）徐主任。

宋洁方　（好脾气地）怎么我刚一回来就叫你看见啦？

〔护士笑笑，宋洁方翻看病历。

徐慕美　（犹豫了一下）宋大夫，特等病房那位军长夫人已经找你好多次了。

宋洁方 我不想伺候。(对护士)走，到病房。

〔宋洁方与护士下。

徐慕美 (撇撇嘴)真是名医派头！哼，一个女人没有家庭生活就是怪。(笑着)凌大夫，当初你们两个人为什么不结婚哪？

凌士湘 (瞪着徐慕美)她嫌我笨。

〔江道宗看徐慕美一眼，徐慕美一扭头走下。

凌士湘 (慈爱地)木兰，你累了吧？

凌木兰 不累。爸爸，昌荃的病怎么样了？我看看他去。

〔陈洪友上。陈洪友是医院的眼科主任兼医务主任。他现在有四十三岁，是这个医学院的老毕业生。他是在美国留过学的。回国以后在校服务几年，在上海和北京都挂过牌，营业很好。他确实有些学问，疑难大症，他看了不少。偶尔他也写几篇论文——当然仅仅为了点缀，这和他这几年来，极力想钻进这个医院当眼科主任是一样的用意，都是为了所谓医学界中的地位。这个人小心谨慎，多少年来，学了一种尽量与人无争，却又想处处讨便宜而又不失身份的处世哲学。他没有什么理想，对于妻子家庭看得很重。一件事在他心里，总要盘算来盘算去，皱着眉头严肃地想个没完，但是他给人的感觉是一个十分平庸的人。

〔他脸庞看去很丰腴，有一点黑。不大不小的鼻子，不大不小的眼睛，有时冷冷地望着他的病人，有时笑嘻嘻地望着他的上司。一句话，是最常见的，但是总使人忘得干干净净的一种极平凡的面貌。他穿着一套棕色的冬季西装，在背心两个口袋之间系着金表链，链上悬着两把金钥匙，是他在美国大学读书时得来的“荣誉”标记。他还穿着崭新的呢大衣，戴着帽子，从外面进来。

江道宗 洪友，你回来了，我正要找你。

凌木兰 爸爸，等一会我来看你。（下）

江道宗 （对陈洪友）怎么样，我托你的事？

陈洪友 哦，你说贾大夫要的田鼠啊？

凌士湘 （诧异）咦，不是替我找的田鼠吗？

陈洪友 （微微一愣）哦，哦！都有了，都有了。

凌士湘 真的？

陈洪友 我已经叫他们拿上来了。

凌士湘 （立刻兴奋地）有多少？我要得很多。

陈洪友 你要多少有多少。

凌士湘 是我要的那种田鼠吗？

陈洪友 （自得地）你看嘛！

〔工友送田鼠上，随下。

陈洪友 对不对？

凌士湘 （孩子一般地喜悦）对，对，对！就是它！好极了，好极了。（举起田鼠笼子）我可有田鼠了，我的实验可以做下去了，谁也拦不住我了！谢谢你，谢谢你。我要告诉昌荃去。（欲下）

江道宗 喂，士老，贾大夫要的方法呢？

凌士湘 （满腔高兴的情绪）哦，忘了！（从口袋里取出一封信）都在这里，一切的方法都在这里。如果还弄不清楚，随时可以找我。（下）

江道宗 （收起信）洪友，方才你到哪里去了？为什么请假不来开会？

陈洪友 （一副苦恼的面孔）唉，没法子！你知道我的太太。她把东西都卖了，闹了几夜了，非要到美国去不可，我刚才找飞机票去了。啊呀，飞机场上满是人，票难买极了！

〔飞机声。

陈洪友 你听，空中霸王！恐怕这是最末一班了。（看见屋角堆着的箱子）这是贾大夫的行李吧？

〔江道宗点点头。

陈洪友 怎么样，会上贾大夫怎么说？医院是不是停办？

江道宗 不，贾大夫决定：要办下去。

陈洪友 （吃惊）什么？还办下去？那么这个局面……

江道宗 （慨叹）这个局面当然是完了！

陈洪友 那么为什么要把医院办下去？贾大夫又不走了？

江道宗 不但他不走，他希望大家都不走。他的话很有道理，我们有责任保护医院的美国标准，历来学术传统，我们学校的秩序是不能允许其他的力量来破坏的。（大有深意地）以后的事情复杂得很，共产党有什么专家？他们能维持得下去吗？

陈洪友 （盘算着）是啊，到美国开业也是很困难的。那么，是不是我先留下来看一看呢?

江道宗 （嘉许地）好，先看看嘛。

陈洪友 我得跟我太太商量一下。（忽然吞吞吐吐地）那么我那点钱，是不是也照你的办法，送到美国存起来呢?

江道宗 可以送去。多少?

陈洪友 呃，六千五百美金。

江道宗 我叫我的秘书给你立刻去办。

陈洪友 也好，那我就进去开会了。真是没法子!（入贾克逊办公室）

刘玛丽 （忽然）江教务长，共产党随时都会进来。

江道宗 你根据什么?

刘玛丽 我自然有根据。（略停）我看何大夫，您的外甥，是个共产党。

〔宋洁方换了白罩衣上，来拿她的手术箱。马副官跟上。江道宗入贾克逊办公室。

〔马副官是国民党第×战区某军长的随身用人被提升起来的一个副官。他主人的军队在最近几个月里已被人民解放军歼灭干净，他就随着他的主人和主人的家属退到北平。他走进来，军装紧紧地箍在身上，但从上到下倒是很干净的。他愚蠢而忠心，长着一副不会表情的胖脸，看不出他在笑还是在哭。他大约有四十岁上下。

马副官 （蠢笑着）宋大夫！宋大夫！您听我再说一句。

宋洁方 （厌烦地）你老跟着我干什么?

马副官 （咔嚓一声立正）宋大夫，我好容易找着您了。快去吧，我们军长夫人等了您三天了。

宋洁方 我老早就看过了，她没病。

马副官 （谄笑）您就再辛苦一趟。

刘玛丽 （鄙夷地）这个人，Silly[1]！

马副官 （忙忙对刘玛丽鞠了一躬）您就别掺和了！宋大夫，我们军长留过话，我们夫人的病完全交给您了。您要是老不去，我们夫人可真火了，今儿连鸡汤都泼在地下了。

宋洁方 （尖锐地）你告诉你们夫人：一个女人老了，脸上就会生皱纹，再老了，还会死的。

马副官 （连声地）是，是。

宋洁方 我这是外科，不是美容院！（下）

〔电话响，刘玛丽接电话。

马副官 （追着）宋大夫！宋大夫！

刘玛丽 喂，你姓马吗？

马副官 是。

刘玛丽 电话！

马副官 哦，有我的电话？（接电话，大声地）谁呀，谁？你是刘司机。（烦躁地）是啊，我是马副官哪！……什么？谁出了病房啦？……谁？军长夫人！（喘气）哦，军长跟王小姐……昨天就上飞机跑了！哎呀，我的妈呀！（扔下电话就跑，又转身对刘玛丽）对不起，咱们再见。

---

1 Silly——英语，意思是“愚蠢”。——底本注。

〔马副官气急败坏地跑下。在马副官打电话的同时，尤晓峰引着赵树德夫妇上。

〔赵树德是北平城外一个钢铁厂的老工人，四十四岁，但看起来至少也有五十开外了。他一直在鼓风炉旁熬过数不尽的、痛苦的岁月。沉默，成天的不说话，忍受着各式各样的欺侮，一声也不吭；他站在那里，就像一条永远被鞭打、不出声的牛，一站就半天不动。他是一个高大的身材，穿着一件破棉袄，戴着被矿石染红了的破毡帽，两只眼睛完全用纱布包住，几乎半个脸看不见，烧伤显然很重。

〔他的老婆王秀贞年约三十九岁，但头发灰蓬蓬的，都有些斑白了。她笑起来满脸都是皱纹，眼眶子里仿佛总是糊着一层泪水。她穿着一件单薄的棉袄，下面似乎仅仅穿了一条单裤的样子。她一手抱着一岁多的睡着了的幼女，一手提着一个衣服包，跟在后面很不安地走进来。她的样子憔悴极了，似乎是勉强支持着，总像是要咳嗽又不敢咳嗽出来的神气。

〔他们两个人惶惑地站在那里，不知道怎么办好。

刘玛丽 （皱起眉）这是怎么回事？

〔孙荣跟着上来。孙荣是内科的主治大夫，三十二岁，本院的毕业生。他毕业以后，很快就升为主治大夫。他十分精明，在钩心斗角，争向美国大夫献媚的空气中，他确实能吃苦耐劳，争得了美国大夫的宠爱。他是那种肯下死功夫，甚至于牺牲身体的健康，为取得上司的个人欢心，向上爬的人，但表面上很冷，除了在洋人的面前，平时很少看见他的笑容。他是个瘦高个儿，白白的脸没有什么血色，言谈举止都有些矜持。和尤大夫相反，他是一个寡言笑的人。

〔他穿着一身颜色比较淡的冬季西装，十分洁净，外面罩着主治大夫的白外衣，手里拿着一份病历。

孙　荣　（对赵树德夫妇）你们先出去，在外头等着。

〔赵树德夫妇又走出去。

尤晓峰　（对刘玛丽）这是贾大夫的病人。Mary，我可以进去吗？

刘玛丽　什么事情，尤大夫？

尤晓峰　也好。（客气地）那么，孙大夫进去找贾大夫吧。

孙　荣　（大模大样）我想我可以进去。（又犹豫起来）不过Miss刘在这儿，我们可以先跟她谈谈。

尤晓峰　（立刻抢着说）Mary，是这样的。我们眼科有个病人，就是刚才进来的那个老工人……

孙　荣　（冷冷地纠正他）我看应该说是内科的病人。

尤晓峰　（瞪他一眼，不以为然地）怎么会是内科的病人呢？

孙　荣　（逻辑地）你的病人自然是眼科，可是他的老婆是内科。

刘玛丽　你们两个人吵些什么？孙大夫，你谈谈吧。

孙　荣　Miss刘……

尤晓峰　（抢着说，快溜地）Mary，是这样的，刚才那个老头子是个钢铁厂的工人。今天下午，他带着他的老婆到我们眼科来看病。这个工人大概正在出铁的时候饿晕了，倒在地上，铁花打在脸上，伤得很重。两个眼睛在别处治了一个月，已经没有希望了……

孙　荣　（切断尤晓峰的话，从容地）他的老婆就是贾大夫最发生兴趣的那个软骨病人，贾大夫看过她的病，后来她好久没来，今天恰巧找见她了。

尤晓峰　There！ I saw her first[1]. 问题就在这儿，是我先看见的。

江道宗　你们两位不要吵了，谁先看见不都是一样吗？反正都是为了学术研究，贾大夫会感激你们的。好，你们等一等，我把这病历拿进去给他看看。

尤晓峰　（对刘玛丽）请你告诉他，病人我已经带上来了。

刘玛丽　（入内又走出，对门外）你们进来吧。

孙　荣　（打电话）接三等病房，护士长吗？我孙大夫啊！请派一个护士来，接接病人，我在贾大夫办公室。

〔赵树德妻赵王氏抱着孩子，牵着赵树德再上。

尤晓峰　坐着吧，你们都坐着吧。

赵王氏　（已经求了好多遍，又鼓起勇气，强笑着）大夫，他的眼睛，您看还能不能想想办法？

尤晓峰　（不耐烦地）老太太，刚才不是对你说过了吗？没办法治。

赵树德　（低声）铁生的妈，别问了。你吃点吧！（递给她窝头）

赵王氏　（忍住泪）吃什么呀，我的心都满了。

〔刘玛丽上。

1　There！ I saw her first——英语，意思就是“问题就在这里，我先看见她的”。——底本注。

尤晓峰　怎么样？

刘玛丽　贾大夫很高兴，他说办得很好，谢谢你们两位。

〔尤晓峰和孙荣互相望了一眼。

刘玛丽　不过以后，完全交给孙大夫办理，不必再麻烦尤大夫了。

尤晓峰　（耸耸肩）Well，Dr. Sun[1]，我一样是很高兴的。

〔尤晓峰向孙荣很优雅地弯一弯腰，由中门下。

孙　荣　好吧，我们谈谈吧。怎么样，赵王氏？你丈夫的眼睛已经没有希望了，这是最后的诊断。

赵王氏　（哀痛地）您想想办法吧！大夫，我们一家六口，大大小小都等着他奔，不能让他瞎了！大夫，您行行好！

〔一护士上。

护　士　孙大夫。

〔孙荣望了护士一下，护士在一旁站住。

孙　荣　（和气地）是啊，赵王氏，我们是给你想办法，你看，刚才不是找外国人说了？他答应了，你可以住院。

赵王氏　我住的什么医院？

孙　荣　你怎么这么死脑筋呢？（尽量耐心地）我不是跟你说过了吗？我们的医院是一个慈善机关，能治的总要治，不能治的总归不能治。你的这个软骨病重得很，刚才我也跟你丈夫说了，要是还不治啊，半个月就会出毛病。

赵树德　（站起来）铁生的妈，刚才我心里合计，前前后后我都想了。

1　Well，Dr. Sun——英语，意为“好吧，孙大夫”。——底本注。

还是你住在这儿吧，你就治吧。

赵王氏（想，伤心地）怎么治呀？拿什么钱治啊！

赵树德 大夫说：你可以免费住院。

赵王氏 不，我不住。

孙　荣 赵王氏，我劝你就在这儿治。

赵树德（郁悒地）人不是畜生，有病总得治啊！

〔赵铁生由中门上。他是赵树德的长子，十九岁，在钢铁厂里刚刚出了师，还赚不了多少工资。他的生活和他的父亲一样，过着沉重、痛苦的日子。无休止的劳作和压迫煎熬着他，使他也变成一个不好说话的人。

〔他穿着一件破棉袄，束着一个旧皮带，光着头，沉重地走进来。

赵铁生 爹，钱借来了。

赵树德 工会给的？

赵铁生（愤怒地）他们?！他们说章程上没有抚恤这一条！还硬说我思想不良，看，让他们打的！

赵树德 铁生，你过来！（心疼地抚摸着赵铁生）我告诉你别去，工会不是给咱们办事的。

赵铁生 反正钱有了。厂里的工友们：张志诚、老涂、刘三叔……大家十来个人凑的。（对赵王氏）怎么样，交钱去吧？

〔赵王氏叹口气。

赵树德 他们治不了我的眼睛。

赵铁生（愣住了）哦。那怎么办？

赵树德　先别管这个了。现在医院倒是说你妈的病更重了，得赶紧治，要住院。

赵铁生　我知道。可是这点钱……

刘玛丽　（忽然插进来）医院可以免费。

赵树德　是啊，他们说可以免费。你看呢，铁生？

赵铁生　爹的眼睛治不好，妈要是再躺下——我看就留下治吧。

赵王氏　（望着他们）可家里的日子……

赵铁生　放心吧，弟弟、妹妹交给我了。

赵王氏　（对赵树德）那么，我先送你回去，家里安置安置再来吧。

孙　荣　（温和地，但是清清楚楚地）赵王氏，你再来就不一定有床位了。

赵王氏　（半晌）好，就住这儿吧。

孙　荣　走吧，下去办手续去吧。

护　士　（向赵王氏）把孩子放下！

〔袁仁辉上。

袁仁辉　哪位是病人？

〔护士一指赵王氏，昂然下。

赵王氏　（把孩子交给赵铁生抱着）铁生，好好招呼着爹。

赵树德　铁生的妈，别着急。

赵王氏　（难过地）这是怎么说的！我是送你来的，现在，你倒送了我了。

〔袁仁辉领他们下，孙荣也下。三个特务上。特务丙把门堵住，特务甲把信交给特务丙。

特务丙　（对刘玛丽）江教务长在哪里？

刘玛丽　（有些惊惶）你是干什么的？

特务甲　你不用管！你把这信交给他，我等着你。

〔刘玛丽拿信，很快走入内室。

特务甲　（对特务丙）实验室去人了吗？

特务丙　去人了。

〔右门忽然打开，凌士湘穿着白罩衣，怒冲冲上。后随着特务乙。

凌士湘　（面前都是陌生的脸）咦！（叫）刘小姐！

特务甲　不要叫！（对特务乙）人呢？

特务乙　不在实验室。

凌士湘　（怒形于色）你们，这是干什么？

〔陈洪友上，惊惶地望着他们。

特务甲　你是江教务长？

陈洪友　（微弱地）我不是，可是我可以代表，我们正在开会，他忙得很。

特务甲　看见了刚才那个名单了吗？

陈洪友　里面正研究呢。

凌士湘　洪友，这是怎么回事情？这个人（指特务甲）居然混到我的实验室去了！你们要干什么？

特务甲　你少说话！（对陈洪友）你们这儿有个大夫叫何昌荃？

陈洪友　（望着凌士湘，迟疑地）嗯。

特务乙　他不在实验室，人哪儿去了？

特务甲 这个人你们一定要交出来！

凌士湘 （才明白，气愤地）怎么？你们要抓人，到我的实验室抓人？我不答应！

陈洪友 （安慰地）士老，别着急，把问题多考虑一下。

凌士湘 这有什么可考虑的？这是医院，医学院，是治病救人的地方，是科学研究应该受到保护的地方。（对特务们）你们懂不懂？我们是研究科学的，研究科学的！跟你们没关系！

特务甲 （冷冷地）谁呀，你？

陈洪友 这是凌士湘大夫。

特务甲 （打量凌士湘）哦，你就是凌大夫。我们知道你是学者，很有名。你怎么还不到台湾去啊？可是你教的这个徒弟很不好，很坏，他是共产党。

凌士湘 他怎么会是共产党？

陈洪友 （低声）不要着急，我想贾大夫是不会让他们胡来的。

凌士湘 我也相信。你去把贾大夫请出来。这真太不成话了！这，这还叫什么国家！

陈洪友 （向特务征求同意的样子）我进去一下。

〔特务甲点一下头。

〔陈洪友下。

〔半晌。电话铃响。

特务丙 谁？……没有。（就恶狠狠放下）

〔江道宗和陈洪友同上。

凌士湘 （诧异）道宗，贾克逊呢？

江道宗 （温文地）贾大夫托我代表他。（对特务，有身份地）我是江教务长。院方的意见……（对凌士湘）贾大夫说的……（对特务）我们不能禁止你们逮捕。

凌士湘 这叫什么话！

江道宗 他说这是中国内部的政治事情，美国人当然无权干涉。

特务甲 （挥挥手）搜查！（对特务乙）你跟我到实验室去一下。

〔特务们下。

凌士湘 （急了）你看！你看！

江道宗 （也没料到特务们动作这样快）他认为医院是不该抓人的，这件事情使他很遗憾，他对这种举动准备表示抗议。

凌士湘 （爆发）抗议有什么用！他是学校的负责人，应该管！这不是管不了的事情。我找他去。

江道宗 （拦住凌士湘）士老，不要去了。我一定想办法营救，请放心吧。有办法的。

凌士湘 不成，我要亲自找他。（入内）

陈洪友 （疑讶）真有办法吗？

江道宗 （慢吞吞地）总可以想出办法来吧。国民党这帮不成材的东西，把大局弄到这样的地步，现在只懂得杀人了！

〔凌士湘由内出。

江道宗 怎么样，士老？有什么办法吗？

凌士湘 我跟他谈了，他真是很生气。（苦恼地）可是他是个学者，碰到这样的事情，也不知怎么应付。他现在请你进去一块儿想想办法。（恳切地）道宗，昌荃是我的好学生，你说你要营救他，你一定要做到！

江道宗　（义不容辞地）当然，当然，你放心。我的亲外甥，我还有不出力的吗？洪友，如果还有什么手续，你办吧。

〔江道宗下。凌士湘在屋中徘徊。

凌士湘　（急煎煎地）他的病还没有好，这就抓去，这还有什么人道？

陈洪友　（喟叹）唉，他们还讲什么人道！

〔三个特务押何昌荃上，何昌荃穿着病房的睡衣。

凌士湘　昌荃！

特务丁　（向特务甲）我们一共抓了三个，剩下的跑了。

特务甲　（向陈洪友）名单给你们了，你们还得负责！

〔陈洪友不敢响。

凌士湘　（对特务甲几乎是央求地）他有病，你放开他！等他病好了，再跟你去。你可以留一个人看着，我可以找医务主任特许，跟他一同住在外科病房。

特务甲　（奚落地）从我们那儿出来，总是要进外科的。我看反正是一样，你就别操心吧！

何昌荃　（取出一把钥匙）凌大夫，这是实验室的钥匙。您的试验我不能帮您做了。

凌士湘　（痛苦地接过钥匙）你真的加入了什么党？搞什么政治吗？

〔外面风雪。

何昌荃　（沉重地）凌老师，一个人不问政治，政治也会来找你的。

特务甲　（手一挥）走吧。

凌士湘　（发现何昌荃穿着一件薄睡衣）那怎么成？外面这么冷！（急

取下挂着的大衣给他）披上，昌荃！

特务甲 （恶狠狠地）这样的人，还怕他冻着！

凌士湘 （忙乱地掏钱给何昌荃）这点钱，拿着。

特务甲 （从中接过钱）好，我替他保存着。

凌士湘 （急切地）昌荃，你放心！我们一定想办法救你，一定给你想办法！

特务甲 （推开凌士湘）你给他想办法？你也要进去？我看你也不是个好东西！什么学者，狗屁！进去都是一样。对你们太客气了！

〔特务们押何昌荃下。凌士湘、陈洪友沉默不语。

〔凌木兰又急急跑上。

凌木兰 （紧张地）爸爸，昌荃呢？

〔凌木兰又急急跑下，电灯忽然灭了。

陈洪友 嗯，又停电了。（他擦了洋火，点上灯）凌大夫，不要生气了。

凌士湘 黑暗极了！乱极了！作为一个中国人，我看不见一点前途。我奇怪，我为什么要研究科学，从辛亥革命到现在，我这样的工作，究竟是为什么？一到这样的时候，连最低限度的研究都做不成的时候，我真是要离开！无论到什么地方，走！可是我到哪里去？我们是中国人。中国再坏、再烂，我生在这里，我死也得死在这里。做一个科学家，我也是中国的！（抬头问陈洪友）你拿不定主意，你，你还预备逃到哪里去？跟这批东西一起跑？我告诉你，没什么可去的地方！我不喜欢政治，我也不懂政治，但是我有一个感觉，就是，这个鬼政府要倒，倒到底！我看很快。全中国哪里都是共产党，没有办法。我并不喜欢共产党，我没有看见过它，也没有看见过它所做的事情。可是我也没有这样的成见，它在的地方，我就一定要走。我总觉得只要是人，人就要进步，进步就离不开科学。如果将来共产党来了，就像今天似的，也来了几个人，把我请到那个地方去，我也并不后悔。因为无论如何，此地有我的实验室，这个实验室还不坏，我还要在这个实验室里工作下去！怎么样？你还预备逃到美国去吗？

陈洪友 你说得对。真是没办法。（下）

〔凌士湘缓缓站起身来，正要往实验室的门走去，一个女技术员跑上来。

技术员 凌大夫，实验做不成了。

凌士湘 （吃惊）怎么，田鼠有问题吗？

技术员 不是的，染色剂没有用，做出来的切片完全坏了！

凌士湘 （一愣）怎么？

技术员 假的。

凌士湘 哪儿买的？

技术员 医院从南京卫生署领下来的。

凌士湘 （急切地）那么找药房去想办法嘛！

技术员 问过了，药房的东西也是他们卖出来的。（给凌士湘一个切片）这就是今天做的切片，染下来就是这个样子！

凌士湘　（急到灯前看切片，愤怒地摔在地下。绝望地）那……我还能做什么呢？

〔女技术员轻轻走下。

〔凌木兰上，头上贴着一块纱布。

凌木兰　爸爸！

凌士湘　（忽然发现凌木兰头上的伤）你怎么了？

凌木兰　（愤怒地）特务打的，他们不叫我跟昌荃说话。

凌士湘　（抓住凌木兰的手）这群强盗！

凌木兰　可是，看着吧！八路军就要进城来了，昌荃就会回来的。

〔炮声。

凌木兰　你听！明朗的天就要到了。

凌士湘　等吧，明朗的天！

〔远处炮声轰响着。油灯照着凌大夫父女们的脸。

——幕徐徐落

第二场

景同第一场，仍在贾克逊办公室外间。这间屋子已和从前大不相同了，再也没有以前那种阴沉的感觉。屋子的安排像是成了一间会客室，一般人在路过的时候就可以进来休息。在一个角落里的椅子上堆着一叠一叠的洋装书籍和贾克逊喜欢的零七八碎；这些东西像是从办公室匆匆搬移出来，又被弄在这里似的。前一场的家具有些还保存着，比如，前一场老工人和他的一家人曾经坐过的那条长木椅，还放在原地方。

窗外是一片阳光，天空蓝得像海，秋天的白杨树哗哗地响着，间或从明朗的天空里传来远远的、愉快的鸽子哨的声音。但是屋子里的空气是安静的。

这是一九四九年的秋天，一个星期日的下午，甬道上往来的人很少。从公园里传来了快乐的军乐声和人们、孩子们偶尔在欢乐的舞蹈中唱起来的声音，但听起来非常辽远。有时，在远远的市声中也传来一阵快乐的秧歌锣鼓声。人们是多么快乐，外面充满着欢畅的假日空气。

〔开幕时，刘玛丽一个人正在取下排在墙上的贾克逊的大相片，她还是叼着烟卷，桌上放着一架手提打字机和她的那个花靠垫。何昌荃和凌木兰谈着上。

凌木兰 （一边谈着，走上来）……我不喜欢我们医院的这些过道，黑得要命，太阳总是射不进来。

何昌荃 是啊，闷得要死。（看见刘玛丽）董观山同志呢？

刘玛丽 谁？哦，你说那个新来的董院长啊，在屋里——跟一个工人谈话呢。（又收拾东西）

〔凌木兰和何昌荃在桌旁坐下，把带进来的一些档案摊在桌上，就整理起来。

凌木兰 这屋子这样摆，看着舒服多了。

何昌荃 董观山同志自己摆的。他说，先来个环境改革吧。

〔刘玛丽忽然地硼朗一声，把抽屉一关。

何昌荃 你干什么？

刘玛丽 （冷冰冰地）收拾东西。我辞职了。

凌木兰 为什么？

刘玛丽 （不声不响地收拾完东西，忽然对着何昌荃、凌木兰）贾大夫回国了。（指着）这是他没带走的书，我理好了，等会儿江教务长会派人来取。再见。（提着打字机和她那个五颜六色的靠垫就走，走到门口忽然站住，回头）这是我的打字机。（举起靠垫）这也是我的。（下）

凌木兰 她怎么了？她为什么要辞职？

何昌荃 你不知道？（幽默地）她一个中国字不认识。我们现在不用英文，她忽然变成文盲了。

凌木兰 （笑起来）是啊，二十五年的传统，这一下打破了！你知道，我们改用祖国语言，医院里可有人埋怨呢，我们眼科尤大夫嚷嚷得最热闹。

何昌荃 你父亲呢？

凌木兰 他说中国人应该用中国话，改得对。（忽然想起）昌荃，我告诉你，我父亲最近可不满意你呢。他说你对研究工作不够用功。

何昌荃 （笑着）那怎么办呢？你替我向老头儿解释解释吧。

凌木兰 我不解释。我也不满意你。

〔何昌荃诧异地望着她。

凌木兰 你这两天为什么不到我们家来？

何昌荃 今天晚上一定来。

凌木兰 可是你准备着点，他还是要骂你的。

何昌荃 那就让他骂吧。你看我还有希望影响他吗？

凌木兰 （半开玩笑地）我看没希望。

何昌荃 我可还要试试，当然，钉子是要碰的。

〔董观山、赵铁生、袁仁辉由内出。

赵铁生 董院长，我看看我爹去，我们就在前面休息室等您叫我们。（突然望见那张靠近门口的长椅，停住，激动地）董院长，去年，就在这间屋子，我们把妈送来的。糊里糊涂的，人就没了，连个尸首都没看见！

董观山 （同情地）是啊，赵铁生同志，你母亲是死得奇怪。昌荃，孙大夫怎么样了?

何昌荃 现在正跟赵铁生同志的父亲谈呢，他还是那几句话。

赵铁生 （愤恨地）哼，孙大夫！他没一句真话。他骗不了我。

〔赵铁生下。沉默。

董观山 （对袁仁辉）袁大姐，请你去把病人留下的衣服找出来。

〔袁仁辉下。

董观山 （沉思着）是非常可疑，但是病历上看不出问题。

凌木兰 （激动地）我们觉得是贾克逊捣的鬼，拿这个软骨病人做了实验。

何昌荃 可是现在孙大夫什么话也不肯说。

董观山 我看孙大夫顾虑很大，他不相信我们。

〔宋洁方上，她急急忙忙地向董院长的办公室走去。

董观山 （微笑着）宋大夫。

宋洁方 （回头，呆了一下，忽然高兴地）董同志！想不到你到这儿当院长来了。

董观山 是啊，我也没想到。我来之后，昌荃告诉我说这儿有个老朋友，你在这儿，我高兴极了。你那个外科讲习班结束啦?

宋洁方 结束了，我刚从天津回来。（对凌木兰）我刚才到你父亲那儿，他说来了位董院长，（对董观山）我没想到是你!

凌木兰 宋阿姨，你们认识?

董观山 （愉快地）我是宋大夫的老病人，四六年在北京，我们跟国民党谈判的时候，我在她家里养了半个月的病。

宋洁方 （兴奋地唠叨着）我老记得这件事。半夜里昌荃忽然把你送来了，要我连夜做手术。“这是谁啊？”我说。他说：“你别问，反正是好人，给老百姓办事情的。”我想，好吧，给老百姓办事总会是好人的。后来何昌荃又不许我说，我就偷偷地把他藏在书房里养了半个月。（转对董观山）那时候我就觉得你奇怪。

董观山 那次我走了以后，特务没来找你麻烦吧？

宋洁方 （不在意地）来过，让我轰出去了。（老朋友般地）怎么样，到我们这儿来不习惯吧？

董观山 （坦率地）是不太习惯，在山沟里待久了。

宋洁方 我也不喜欢这个地方，死气沉沉的！你来得好，先把这个医院的窗户打开吧，透透空气。

董观山 我刚来，哪里是门哪里是窗户，我还没摸着呢！

宋洁方 董同志，我刚才一进门就碰见徐慕美告诉我贾克逊病人的事情，我很吃惊。自然啰，我明白贾克逊是个伪君子，可是医院里许多人崇拜他，把他当圣人看，因为他学术上还有些成就，他治好过很多病人。这件事情是不是可能是医疗事故呢？我觉得可以想一想。

董观山 对，你提醒得好，我们要注意。你总是说真心话的。

〔陈洪友上。

陈洪友 宋大夫，星期天你都来了。董院长，你找我吗？

董观山 我很想看一看病历档案，咱们一块去看看好不好？（对宋洁方）宋大夫，再见，有时间我还要请你跟我好好地谈谈。

宋洁方 好，再见。

董观山 （对何昌荃）昌荃，你也跟我们一块来吧。

何昌荃 我把那些记录整理一下就来。

〔董观山、陈洪友下。何昌荃入内。

凌木兰 宋阿姨，你知道吗？董院长来了以后，医院里这些大人物议论多极了。解放了一年，他们才开始感觉到革命真正来了。

宋洁方 有的人是会不习惯的。譬如说，一个穷人的生命这么贵重，光这一点，就够他们不习惯的。

〔江道宗带着一个工友由中门上。

宋洁方 （立刻）我走了，我到外科病房去看看。

〔宋洁方、凌木兰由通实验室的门下。

江道宗 来，来，来，就这些书，先把这堆运到我家里。小心，不要弄脏了，把手擦一擦，这些书都贵重极了。

〔尤晓峰和一个护士在外面走过，边走边高谈阔论。

〔尤晓峰声：那天我对木兰说："我不习惯用中文，我的思想根本就是用英文想的。"木兰气得哑口无言。（大笑。忽见江道宗，对护士）Well，you go ahead， I won't take a minute[1].

〔尤晓峰上。

尤晓峰 江教务长，我对你有点不满。

---

1 Well，you go ahead， I won't take a minute——英语，意思是"好，你先走吧，我马上就来"。——底本注。

江道宗 哦?

尤晓峰 听说你组织了一个聚餐会，我觉得我应该被邀请，可里面没有我的名字，我很奇怪。

江道宗 （看看他，不在意地）那就添上吧，欢迎你来。

尤晓峰 那就好了。（热心地）就是今天晚上是吧？在你家里？我准来，准来。（索性坐下）

江道宗 （奇怪地）那么，还有事吗?

尤晓峰 （忽然意识到）嘻嘻嘻，没有了。没有了。

〔尤晓峰下。凌士湘推着凌木兰上。

凌士湘 （十分有兴致地）你去嘛，你去叫他来嘛。

凌木兰 （无奈）好吧，爸爸。

〔凌木兰入董院长办公室。

江道宗 士老，这两天好啊?

凌士湘 好极了，这两天工作相当顺利，空气消毒完全解决了，鼠疫细菌培养基也做得很好，怎么样，你要不要到实验室去看看?

江道宗 （敷衍地）啊，啊。（从身上掏出一封信）贾大夫早就到了纽约了，昨天我收到他一封信，他说你的论文已经在美国传染病学杂志上发表了。他立刻把杂志航空寄来了，你先看看。

凌士湘 哦，哦（接下看）啊！题目改了。（读）“田鼠对鼠疫的感染规律”。

江道宗 （在旁评论着）改得很好嘛。美国学术界的人很重视你这篇文章，你看这里，编辑加的按语，非常恭维啊！（得意）当初如果不是我坚持跟你要了寄去，这篇文章恐怕还在你的抽屉里呢。

〔凌木兰由内出。

凌木兰 爸爸，我告诉昌荃了，他还有事情。

凌士湘 好，你去吧。（对江道宗）我用田鼠来研究鼠疫，没想到他们也重视起来了。你看，他们也做了研究，第二篇就是。（注意地阅读）

凌木兰 （引起注意）这是什么？（翻开一看，不满地）爸爸，你怎么还在美国杂志上发表论文啊？你为什么要寄去？你难道还不知道美国是帝国主义？

凌士湘 （对江道宗）你听听，这一串连珠炮！（对凌木兰）小凌大夫，难道田鼠跟美帝国主义也有关系啦？

凌木兰 爸爸，你真是！（下）

江道宗 （宽容地笑着）这些青年人的政治热情真是高极了！

〔何昌荃由内出。

何昌荃 哦！凌大夫。

凌士湘 好极了！你到底完了事了。来吧，来吧，你的政治工作总算做完了。走，走，走，看看我们的培养，那些细菌长得好看极了，美极了！（拉着何昌荃）

何昌荃 凌大夫，凌大夫，我，我现在……

凌士湘 （一愣）又怎么？你的事情没完？还没完？

何昌荃 没有完。

凌士湘 那么现在不能到实验室去？

何昌荃 （委婉地）我以为今天放假，您……

凌士湘 （切断何昌荃的话）学校放假，我照例是不放假的。

何昌荃 凌大夫，对不起，我实在有事。

凌士湘 好吧，你不去算了！（掉头而下，忽然又站住，气愤地）你跟我这么多年，现在对实验居然会采取这种态度，[1]我不懂，我不懂，我实在不懂！（愤然由左门下）

何昌荃 舅舅，我走了。（欲下）

江道宗 昌荃，你等一等。你是在忙贾大夫病人的事吧？昨天董院长问起我关于这件事情的分析，我是知无不言，对他谈得很诚恳。我在这个医院多年，最了解这个医学院的传统和精神，我对他应该帮助，这是责无旁贷的。（不甚中意的样子）我曾经交给他一份今后办学的计划，不知道他跟你提过没有？

何昌荃 （顿）他没有提起。

江道宗 哦。昌荃，我看你这样热心替老百姓做事情，我很高兴。怎么样，关于这个病人的事情，有什么新的发现没有？

何昌荃 没有。我们正在研究。

江道宗 那好，那好，你办你的事情去吧。

〔何昌荃下。工友上。

工　友 江教务长，还有什么事吗？

---

1 “态度，”川版作“态度！”。

江道宗　（对工友）噢，里面还有一个盒子，是贾大夫留下的病体标本，你去拿一下。

〔孙荣上。工友入内室。

孙　荣　江教务长，刚才陈主任又找我了，董院长还要跟我谈一下。

江道宗　怎么，还有问题吗？听说你这两天处理的很好嘛。

孙　荣　（焦虑的神色，但仍恭谨地）我一直是在您的教育指导下学成功的，我从来没有忘记过您和贾大夫对我的栽培。可是现在这个情形很复杂，责任很大。病人死了以后，贾大夫就把尸体那样处理了。现在他回了美国，病人家属看出问题来了，医院里的人开始有些怀疑，现在就是我一个人替他承当。江教务长，您看……

〔江道宗望着孙荣，不说话。

孙　荣　董院长告诉我，如果我把贾大夫治疗的情形全部讲出来，这个责任主要是他负的。（恳求地）江教务长，您是我的恩师，您看我……

江道宗　（慨叹）一个人到了这种时候，就应该有不变的主意，不变的见解。

孙　荣　不过，那个病历的问题……

江道宗　我对你说过的那些话用不着再重复了，你应该自己决定，不过即使你的决定和我相反，我的主张是不会变的。（站起身来）

〔工友拿盒子上。

工　友　江教务长，是这个吧？

江道宗 对，去吧。

〔工友下。

江道宗 （淡淡地）昨天贾大夫来信了，他说不久还是要回来的。

〔徐慕美上。

徐慕美 （气愤地）孙大夫，这真是从来没见过的事情，真是小题大做！为了一个病人，把我们大家闹得天翻地覆！道宗，你知道吗？袁仁辉又不见了，她也被请去发表意见去了。我倒要问问董院长，她懂得什么？

江道宗 你沉住气好不好？

徐慕美 （头一扬）我就是这脾气，在贾大夫面前我都是这样。

〔董观山、陈洪友由外上。

董观山 陈主任，你看怎么样？

陈洪友 好！好！好！好。[1]那我去找孙大夫来，哦！孙大夫来了。

董观山 （对孙荣）你来啦！那么，进来谈吧。江教务长，徐主任，你们好？

江道宗 好，董院长。

徐慕美 （自以为伶俐地）董院长，我们很欢迎你来，你对医院的改革我们是拥护的。可是这是个有历史的医院，医院立下许多规矩都是有道理的。譬如说吧，病人家属，过去院长从来不见的；他们最麻烦，愈管，他们意见愈多。要照从前，像贾大夫病人这种事情……

---

1 “好！好！好！好。”川版作“（低着头，支吾着）嗯，好，好。”

董观山 徐主任，你对贾大夫病人这种事情怎么看？

徐慕美 全院都知道，贾大夫人顶好了，从来没治死过病人。我得说句公道话，这是病人家属无理取闹。工人阶级我也说好，可是赵铁生这个工人，他没有知识，他一点不懂科学。

董观山 徐主任，你说工人没有知识吗？我看，很多大问题，他们比我们有知识的人看得清楚得多呢。

徐慕美 这样复杂的道理我就不懂了。譬如说袁仁辉吧……

江道宗 徐主任，不要扯个别人的问题吧。董院长，我看她的意思是说这个医院的老传统也有一些精神可以采取的。美国的医学制度嘛，无论如何，还是不错的。这是我一生办学的一点点心得，因此在我的建议里……

董观山 江教务长，你那个建议，我们读过了，有些建议我们要好好地考虑一下。不过有一点是不用考虑的，你提到我们学院的实验经费可以继续请求纽约供给，我怕你忽略了一个基本事实，就是医院是在人民自己手里了，我们不需要向任何人请求什么的。

江道宗 我的意思，是希望替人民节省一点小米。

董观山 可是美国人为什么要那么慷慨呢？我看强盗不是随便发善心的。孙大夫，我们进去吧。

〔董观山与孙荣下。停顿。

陈洪友 唉！没法子，现在事情真是难办极了！治好了是应该的，治不好就是医生有问题。其实孙大夫已经道歉了，可是还得要讲理，讲理，讲不清的理！我跟你说，我这个医务主任，实在是不愿干了。

江道宗 现在大陆解放，政府成立，大局恐怕是定了，我想中美邦交总是要恢复的，卫生事业还需要大大的发展，洪友啊！我们要好好地帮他们。

陈洪友 （心不在焉地）是啊，要帮他们，帮他们。（忽然）呃，你替我在纽约存的钱，你看是不是可以弄回来了？

江道宗 随便你吧，我是准备还放在那里的。

陈洪友 也对，也对。（忽然）不成，孙大夫脾气不好，我还是得进去看看。真是没法子！

〔陈洪友入内。

江道宗 这个人，局面不大！

徐慕美 （愤然）你还说帮他们！为什么帮他们？

江道宗 以后你在他们面前少发议论，跟他们说话要先跟我商量。你要知道你自己并不高明！

徐慕美 好，我不说！我看你也并不高明！

〔袁仁辉拿包袱上。

袁仁辉 妈咪。

徐慕美 （酸溜溜地）仁辉，你可出现了。该回家了吧？

江道宗 （堆着笑）慕美，仁辉有公事，（对袁仁辉）你不要着急啊！

〔何昌荃上。

江道宗 （对徐慕美）走吧！

〔江道宗、徐慕美下。

何昌荃 袁姊，这是病人的衣服吧？

袁仁辉 是啊！我得点点。（解开包袱）唉！她进来的时候就是我接的，这衣服是我给她换的，给她包起来的。你看，一共五件。这是棉袄、两件单裤、坎肩、鞋，还有这个，这个小夹袄，我还记得她跟我说过，要托人给那顶小的孩子改改，续上[1]点棉花，天冷了好穿……

〔凌士湘怒冲冲上。

凌士湘 （忽然看见何昌荃，停住）哦！

袁仁辉 昌荃。包袱在这儿了。

何昌荃 好吧。

〔袁仁辉由中门下。

凌士湘 何大夫，你在这儿好极了。我本来是预备找董院长的，我实在气极了！我不能再忍了。我要问问他，你的工作究竟是什么？你在这儿，那我就问问你，你究竟还想不想研究科学？

何昌荃 其实我让木兰跟你请过假。

凌士湘 她跟我说了，可为什么你要请假？我最近简直是找不到你，什么大事情，连鼠疫疫苗的研究都可以不管！这个董院长，我不清楚，我不愿意对他有什么批评；可是他总是要你管这个，管那个，那他就是不懂科学，外行！但是你不是外行，你知道一个科学家对科学应该有什么态度，我问你，你到底预备干什么？一个人一生只能选择一条路，你要好

---

1 “续上”底本作“絮上”，当作“续上”。

好地想一想，是政治呢？还是科学？你这样下去，我跟你说，你会退步的，退步的！

何昌荃 有些事情，我是不能不管的。有一个病人死了……

凌士湘 我知道，木兰都跟我说过了。

何昌荃 （站起来，同情地）这个病人死得很可怜，丈夫是个瞎子，还留下四个孩子。

凌士湘 （半晌）这是很不幸的事情。（认真地）病跟死是我们必须征服的敌人。我跟你说过多少次，（逐渐激动起来）我们一辈子就为的是救人，救人就只有好好地研究，服务对你我来说，就是放弃一切，努力研究。人是可以不死的，病是可以治好的，只要我们老老实实地工作，而不是成天谈话，谈话，宣传，宣传！

何昌荃 凌老师，如果一个医生他根本不想治好这个病人，而是把这个病人当作实验的材料，当作求得技术的工具，人怎么可能不死？病怎么可能治好？凌大夫，你知道，我们是在一个美帝国主义办了快半世纪的医院里，我们的思想多少年来受了他们的影响……

凌士湘 （不高兴）你可不可以不把美帝国主义跟这个医院联上？也不要说我的思想受别人的影响！我告诉你，我满意现在的政府，我也拥护共产党，可是我实在不愿听你的宣传！这些话我希望你也告诉他——这位董院长。

〔董观山从右门上，孙荣和陈洪友跟上。

董观山 凌大夫。

凌士湘 （看见他们进来，要回到实验室，这时又停住）哦！董院长，有事吗？

董观山 回头我到你实验室找你一趟，可以吗？

凌士湘 找我？那就在这儿谈吧！我等着。

董观山 （和蔼地）也好。（对孙荣）孙大夫，你是不是再考虑一下？我想病人的家属是想知道事实，把真相说明，负责任不大的人，是可以得到谅解的。

孙　荣 （老实的样子）董院长，我知道的，我都对您讲出来了。

董观山 噢。

陈洪友 （笑嘻嘻地）我看孙大夫的态度很诚恳，（对孙荣）我看我们就根据董院长所指示的精神，再跟他们做一次诚恳的谈话。（对董观山）好吧。

董观山 好，好，谈完了，请您告诉赵铁生到这儿来。

〔孙荣跟着陈洪友由中门下。

凌士湘 （对董观山）什么事，您说吧！

董观山 政府非常关心您的鼠疫疫苗的工作，希望您的研究随时得到比较便利的条件。关于设立实验动物室的事情……

凌士湘 （开始感觉兴趣）哦？

董观山 上次在您家里，我跟您谈过的。（感到凌士湘没听懂）您没有交给我计划。

凌士湘 （感慨地）我倒是有个计划，放了十年了，昌荃知道，这个计划在解放以前，是碰过很多钉子的。

何昌荃 凌老师，这是今天。

凌士湘 （不经意地）我想谈谈也就可以了。

董观山 我已经把您的意见做了书面的报告，给部里送去了。

凌士湘 设立实验动物室不是个简单的事情，这要钱，这要很多很多的钱。

董观山 凌大夫，人民现在要盖宫殿，难道一根柱子的钱还舍不得花吗？部里同意了，要立刻把计划书送去。

凌士湘 （一愣）真的！

董观山 当然。

凌士湘 （高兴地）好！我去拿，我就去拿。（走两步，忽然回转身）董院长，我很高兴。我现在还有一个请求。您知道，我已经六十岁了，我没有几年了，我必须赶紧工作，我不能再偷一点懒。所以，董院长，我正式请求你，不要再叫我听什么报告，开什么会。（忽然一想）尤其是需要你告诉他，何大夫，请他不要再浪费我的时间，成天地给我做宣传，讲政治。好！我不求你现在答复，我进去，一会就把计划书拿来。（要下）

董观山 凌大夫，我还有一件事情想请教您。

〔凌士湘站住。

董观山 您知道贾大夫的病人死了的事情吧？我们很希望知道您的意见。

凌士湘 木兰跟我讲过了。我是研究细菌的，软骨病我是不大懂，我实在看不出什么问题来；不过贾大夫这个人我是知道的，他是个学者，是个很好的大夫，也是一个有人道心肠的人。

我是这样看法的。好！我就来。

董观山 好，凌大夫。

〔凌士湘由左门下。

董观山 （沉吟地）凌大夫也这样想，可是他是个正派人。

何昌荃 是的，他跟我舅舅不一样。董院长，刚才孙荣怎么跟你说的？

董观山 他什么也没讲，还是以前那套话。

何昌荃 这个人哪！他明明是个傀儡，可是他偏那样的顽固！

董观山 昌荃，我觉得在这里做工作真是困难极了！我一点也不知道应该从哪里下手。你知道，我是一直在山沟里的。那时候，日本鬼子对我们进行扫荡，一针消炎剂、一卷纱布，都是生命[1]的代价换来的。我们没有器材，没有医药，没有专家；可是我们救了很多人。这儿呢？有最近代的设备，有最有名的专家，但是人的生命是这样的不值钱！（愈说愈激动，站起来，在室内来回走着）我想起这个，我心里确实冒火，坐都坐不住！（停了一会儿）但是我不应该这样想。这些人是国家的财富。他们的思想成为这样，是中国一百年来受帝国主义侵略惨痛的结果。我们对于一个看不见的瞎子都感到同情，对这些人难道不应该帮助吗？这个病人的问题要解决，但是我感觉帮助这些专家是更重要的工作。

何昌荃 那病人的问题怎么处理呢？

---

1 “生命”川版作“拿生命”。

董观山 我跟赵铁生谈谈试试吧！反正我们应该把我们的话都告诉他。

〔赵铁生由中门上。

董观山 你父亲呢？

赵铁生 小凌大夫陪着他呢。让他在外头吧。（半晌，流下眼泪）董院长，我现在没别的，我就是要报仇。孙大夫害了我母亲，他就得偿命！解放了，我们再不是畜生，我们是人了。

董观山 赵铁生同志，你愿意听听我们的分析吗？

赵铁生 好！

董观山 来！我们坐下说。铁生同志，害死你母亲的不是孙荣，是那个把你母亲骗进来的美国医生，他叫贾克逊。他一直躲在后头，让孙大夫出面；但是这一切都是那个贾克逊安排的！而这个杀人的凶手——贾克逊，在我们来以前，已经回了美国。

赵铁生 董院长，难道我们就算了！

董观山 不能算的，我们的人是不能白死的，我们一定要把问题调查清楚。可是问题在这儿，你知道，现在病历上查不出问题，只有孙大夫知道这里面的真情。

赵铁生 可是他跟我们不是一条心！他说不出真话的，刚才他又下来跟我们检讨来了，眼泪都流了下来，可是还是一句实话都没有！

董观山 铁生同志，我们一定要叫他把真实的经过讲出来，一定要通过他，叫大家认清楚是谁害了你的母亲。但是这要时间，要做很多思想教育的工作，不过有一天大家明白了，医院里的这些大夫才会看清楚贾克逊就是个美国派来的文化特务，我们才真正找着了敌人，才能向敌人开火。铁生同志，你觉得怎么样？我不知道我的话你听得进去不？

赵铁生 （半天）我听懂了，我没想过你说的这些事情。董院长，今天我们吃的喝的都顾上了，弟弟、妹妹也上了学了，过去压在我们头上的，该毙的毙，该抓的抓，连打了我的特务都抓起来了。董院长，我就知道跟着党走。

董观山 赵铁生同志，像孙荣大夫这样的人还是很多的，这些人都中了美国的毒。可是不管怎么样，他们到底是中国人，美国特务给他们盖上了眼睛，我们就要给他们打开。我们要改造他们，让他们看清楚，自己人是怎么待自己人的。你相信党能把他们改造过来吗？

赵铁生 相信。（掏出一张纸）这是我写的状子，原来我想上法院告孙大夫的，现在我明白了，我应该告的不是他。

董观山 （感动地）你真是个好同志。你是不是把你母亲的衣服带回去？

赵铁生 好。

〔董观山进屋去取衣服。

〔凌木兰牵着双目失明的赵树德上来，他一只手扶着凌木兰，一只手一步一步向前探摸着。

赵树德 （一边走进来一边问）这是什么地方啊？

何昌荃 这是办公室。

赵树德 （怀疑地）铁生，这个地方我们来过吧？

赵铁生 嗯！

赵树德 （忽然想起）噢，是我们去年送你妈进来的那间屋子吗？

〔大家说不出话来。

赵铁生 （半天）是。

〔赵树德痛苦地站住。董观山取衣服由内出，这时凌士湘上。

董观山 （轻轻走上前）赵师傅！（满心的话，但说不出来）

赵树德 （悲痛地）董院长，费您心了，实在麻烦您了……唉，真没想到啊！去年本来是她送我进医院的，可是末了，成了我送她了……董院长，你们为什么早不来啊！（对赵铁生）我们走吧！回家吧。

赵铁生 您不是要妈的衣服吗？

赵树德 对！衣服。

〔董观山向前默默地把包袱交给他。

赵铁生 爹，院长给拿来了。

赵树德 （探摸着包袱，不觉抽噎起来）院长啊，气倒是出了，可是人……没有了！（缓慢地转身）

〔赵铁生扶着赵树德向中门走。大家不动，沉默地望着。

董观山 小凌大夫，你看我们还有没有办法治好他的眼睛？

凌木兰 没有——现在没有。他的角膜都破了。

董观山 不，我们要想办法，一定要想出办法来。

——幕徐落

第二幕

第一场

一九五二年七月里的一天，在凌士湘家里。正是三伏天，下午五点钟光景。

医学院的人们很忙，他们在实验室里、办公室里、化验室里、病房里、讲堂上，以及其他工作的地方忙碌着。两年以来，经过各种运动：镇压反革命、土地改革、三反、五反以及最近的教师思想改造，他们思想里、生活里不断地起着波澜。群众的声音起来了，正确的思想抬头了，他们被震动了。人们开始在想：想过去，想解放以前，想许多年从未想过的一些自己的问题——这些问题隐藏着，这么深，在自己的心里，有时连对自己的妻子都未曾谈过。现在周围的一切都在变：国家、社会、家庭、朋友、孩子们。尤其是在最近一年半抗美援朝的期间，像是所有的人都在考虑着一个问题：谁是敌人，谁是自己人；谁心里面真有祖国，而谁是没有的。祖国成为最可爱的名字，仿佛过去我们都没有认识过这个字似的。

于是这个医院在党的领导下开始和别的大学一样一起动起来，围绕着一个中心思想——反帝爱国。大家展开了昂奋的讨论，深深地挖掘了过去美帝通过办医院、办大学，暗暗地进行文化侵略，卑怯地毒害中国高级知识分子的思想意识的历史。大家首先想到贾克逊的罪行，青年一代几乎立刻就认识他的丑恶面貌，而年老的就比较难以认识自己在贾克逊的统治之下所受的毒害。全院已经树起反帝爱国的标帜，多数的教授们开始深深地思索着，思索着。

这间屋子说是凌士湘的客厅不如说是他的书房。书架嵌在墙壁里，上上下下放满了各种书籍。左面有一门，通凌士湘的内室。近台口处有一门，通门外过道。正中右半是一排落地长窗，通外面的阳台。这时窗外的苇帘垂落下来，遮住外面逼人的阳光，我们看不见窗外的景物。右墙有一门，通凌木兰的内室。

近窗处是一张古雅的红木桌，上面堆满了各种各样的东西：台灯、无线电、凌士湘的一些杂志和显微镜、切片等等。红木桌的左右，对放着两把硬木圈椅，这是他们父女二人用功的地方。中间靠右放着一套沙发，靠近通外边的门处有一张沙发和一盏立灯。

〔开幕时，凌木兰在室中不安地徘徊，宋洁方坐在沙发上翻着报纸。

宋洁方 木兰，你不要这样来来回回地转，转得我头晕。

凌木兰 （在书架前站住，抽出一本书）你看，贾克逊的论文集（递给宋洁方）他还收着呢！

宋洁方 （把书放在桌上）来，坐下。咱们先把你爸爸忘掉，说点高兴的。那个老工人赵树德的眼睛用角膜移植真治得好吗？有把握？

凌木兰 这是苏联的先进经验，在动物身上我们已经试验成功了，可是我们用在人身上还是第一次。

宋洁方 现在在我们医院里，除了志愿军以外，大家最关心的就是赵树德一家的命运了。你们一定要给他治好。谁做这个手术？

凌木兰 我。

〔宋洁方惊讶地望着她。

凌木兰 我原来希望陈主任做的，可是他……他要我做。

宋洁方 哦。（热诚地）我想你会做好的。（看表）哎呀，五点半了，我真得走了。我们赴朝志愿手术队明天一早出发，抗美援朝总会还叫我去一趟，好些事还没办呢！这个老头子，跑哪儿去了！我不等了！

凌木兰 不，不，你一定要跟他谈谈，我看现在只有你的话他听。

宋洁方 不一定，他的脾气我知道。（又坐下，忽然笑了）木兰，现在你长大了，我可以告诉你，我本来是可以跟你父亲结婚的。但没有，我们合不来。我脾气坏、性子急，可是他慢、真慢，叫他认识一点新东西非常难，又倔，倔得像条牛；但是他如果认识了，那就是真认识了。

凌木兰 刚才在会上我真是气极了，大家现在都认识了贾克逊的面貌，就是他一个人替贾克逊辩护！宋阿姨，你驳他驳得对。

宋洁方 我知道说重了，我总是管不住自己。他听完了我的话，站起来就走了，我知道他心里一定很难过。

凌木兰 让他难过一下好，现在他的思想至少是动了。

宋洁方 是啊，是会痛苦的，改变自己的思想不是个简单的事情，我经过过。他一个人跑哪儿去了呢？也不在实验室。

凌木兰 回来了！你听，上楼呢。

宋洁方 这次我要管住自己，一定不冒火，好好地道个别。

〔凌士湘上。

凌士湘 （惊异，对宋洁方）你来了！

凌木兰 爸爸，你上哪儿去了！让我们到处打电话问。

凌士湘 我出去走了一趟。热得很，咱们喝点绿豆汤吧。

〔木兰关心地望望他，下。

宋洁方 我明天就要走了。

凌士湘 噢。

宋洁方 走以前我要跟你谈谈，要不，我心里怪别扭的。

凌士湘 噢，那就谈吧。

宋洁方 士湘，我从前也跟你一样，也认为贾克逊是个学者，是不会杀人的；可是，现在事实明明摆着，我发现我过去的认识错了，那有什么法子，只好承认吧。可今天你偏偏替他辩护，偏偏说他不可能拿那个工人的老婆做实验！——今天我对你的发言是批评得尖锐了一点，尤其当着全院的大夫、教授们，我知道你生气了……

〔凌木兰拿绿豆汤上。

凌士湘 （惊异）生气？我没有啊。

宋洁方 没生气？

凌士湘 没有。我今天根本没想说话，大家要我谈我才说的，我知道你们不同意我，我也没希望你们同意。

宋洁方 我们同意你？大家谈了这么半天，你都没想一想？

凌士湘 （简单地）想什么？我是对的，有什么可想的？

宋洁方 （愣住）刚才你到哪儿去了？

凌士湘 我到市场去了。

宋洁方 干什么？

凌士湘 （十分有兴趣地）这是秘密，不能告诉你。

宋洁方 （没有办法）木兰，他真没生气，我们白担心了。

徐慕美 （在楼下喊着）宋大夫在楼上吗？

〔徐慕美上。

徐慕美 宋大夫，抗美援朝总会来电话催你快去。嘿，楼上真热！

宋洁方 （对凌士湘）好吧——我们总是谈不通，从前这样，现在还是这样。我对你没什么话可说了。我走了。

凌士湘 （笑着）洁方，别把我看得这样不可救药，你到朝鲜，我做实验，我们走的路不一样，可是早晚会碰到一起的。

宋洁方 （硬生生地）我们碰不到一起。我将来走到哪儿我知道，可是你会走到哪儿，就很难说了。再见，你们都不要送了。（拿起手提包就走）

凌木兰 宋阿姨！

〔宋洁方下。

凌士湘 （对凌木兰）啧，你看，我没生气，她倒又生起气来了。

徐慕美 凌大夫，回头到楼下来吃西瓜吧。木兰，你也来啊。（下）

凌士湘 （低声）木兰，你猜我到市场干什么去了？我买了本书，还买了个小玩意。（有兴致地）哎呀，现在东西多极了！我看来看去，不知买什么好。后来……

凌木兰　爸爸！你怎么可以这样？难道今天这个会对你一点作用都没有吗？

凌士湘　木兰，现在咱们别再谈这个了，今天这一天的政治对我已经够多了。

凌木兰　贾克逊清清楚楚是个美帝的文化特务，你怎么会就不认识？

凌士湘　我认识不认识贾克逊有什么关系，这是我自己的事情。（立起）

凌木兰　这不是你个人的事情！在今天，任何事情都不会只关系个人的。爸爸，你现在这么落后，你自己一点不觉得。你在会上说出那样的话，我真替你难受透了。

〔凌士湘望她一眼，走向书架找书去了。

凌木兰　我不敢看群众的脸，也不敢看你的脸，你不知道我心里多难过。（痛苦地）过去，我多崇拜你。你每句话我都觉得对。我不喜欢学医。我都学了，就是为了不让你失望，让你喜欢。我愿意总像小时候那样相信你，可是现在你让我失望了，爸爸。现在大家把你当作问题来讨论……

凌士湘　（一直听着，这时忍不住了）为什么把我当作问题来讨论？我做了什么了？就是因为我不相信贾克逊会杀人？就是因为我要科学证据？

凌木兰　（激动地）难道现在证据还不够吗？为什么当初病人不愿意进来，贾克逊非要把她骗进来？为什么后来病人要走，又不准她走？为什么软骨病的病人，住在医院里会转成肺炎死了？为什么死了以后不做尸体解剖，连尸首都没有下落？我们都知道，贾克逊对这个病人有特殊的兴趣，这些证据还不说明他拿病人做了实验吗？

凌士湘 这几个理由充分说明病人死得可疑、不正常，但是不能够证明贾克逊拿病人做了实验；除非有科学上的证据，我们就不能这样怀疑一个学者。

凌木兰 （大声）"学者"！他是什么"学者"？你是完全被他们美国的那一套迷惑住了。（拿起贾的论文集）这是他的论文集，可是里面就有中国人民的鲜血。这样的"学者"是刽子手，是文化特务！

凌士湘 （把书慢慢拿过来放下）虽然你是我最爱的女儿，我也不能因为你，承认我所不相信的道理。

凌木兰 （也生起气来）真理就是真理！并不是因为我是你的女儿，我才要你承认。爸爸，我知道，你这种思想完全是受了江道宗的影响。我们住在他的楼上，你天天跟他在一块儿，你中了他的毒你自己不知道……

凌士湘 木兰！

凌木兰 （脱口而出）你一定要离开他。我们一定要搬家！

凌士湘 （大声）你不要再说了！

〔凌木兰一愣。

凌士湘 你简直是孩子脾气。

〔停顿。陈洪友拿着病历，和何昌荃由外上。

陈洪友 凌大夫。

凌士湘 （简短地）哦。洪友。（对何昌荃）你也来啦，我正要找你呢。你那篇实验报告我看了，我又找了一些材料，你拿回去看一下。（领何昌荃到书桌旁，把一大堆插好签条的书交给他。一面解释着）

〔何昌荃望着凌士湘和凌木兰的脸，感觉出空气的紧张。

陈洪友 （也望着凌士湘和凌木兰的脸色）木兰。你没事吧？

〔凌木兰不响。

陈洪友 （低声）怎么样啦？爸爸——好吧？

〔凌木兰仍不响。

陈洪友 （无奈，举起病历）我把那个老工人的病历拿来了，我看过了，你再研究一下。如果真没有问题的话，我们再向董院长汇报。

凌木兰 好。（接下病历，一转身走上阳台）

何昌荃 （接过凌士湘递给他的书。看见凌木兰出去，对凌士湘，笑着）她怎么啦？

凌士湘 你问她去。

〔何昌荃笑着走上阳台，找凌木兰谈话。

〔停顿。

陈洪友 凌大夫，还是为座谈会上的事情吗？不要放在心上吧。（十分委婉地）一个人看错了人，并不算什么了不得的事情；尤其是在解放以后，观点改了，立场变了，从前看着是对的，现在看就明明是错了。我从前看贾克逊是个学者……

凌士湘　（戆直地）我现在看他还是个学者。

陈洪友　（一下子蒙住了）哦，嗯……

凌士湘　（自语地）可为什么现在大家都说他是文化特务？难道搞政治就必须要有偏见？……我想可能是的，不然就不能彻底把敌人打垮。但是何必让我也跟着叫？我从心里拥护共产党，国家建设得这样好，中国靠他们才有希望。我也愿意跟他们一块进到社会主义。（烦躁地）但是，天哪，不要管我，不要管我！让我干我自己的吧，我一样会有贡献的。

陈洪友　是啊，是啊。不过（字斟句酌地）政府很重视你，你的话影响很大，所以，尽管现在你对于美帝文化侵略还不大认识啊，我想一样可以表示一个鲜明的态度。

凌士湘　什么鲜明的态度？

陈洪友　就是嘛，昌荃他们说的那些话，你也找几句比较突出的讲一讲，这准会得到群众的欢迎。

凌士湘　噢，你觉得这样对？

陈洪友　（很有理由）是啊，反正早晚你也会认识的嘛。

〔何昌荃、凌木兰由阳台上。

凌士湘　洪友，你劝我的我做不到，我也装不了。

何昌荃　（笑着问）装什么呀，凌老师？

陈洪友　（尴尬地）我们随便扯扯。士老，现在大家对江道宗真是看透了！刚才我跟昌荃在内科为孙大夫开的会上看见他，简直没有人理他。一个人真是不能没有觉悟啊。好吧，我还有点事，再见吧。（下）

凌士湘 你们谈什么了？

何昌荃 木兰都告诉我了。

凌士湘 她告诉你今天我忽然成了问题了吗？（顿，忧郁地）我知道，我是老了，追不上这个时代，没有觉悟，就像江道宗一样！木兰要搬家，她要牵着我的鼻子走，今天又谈起来了。我不知道我这个父亲该怎么做，就为贾克逊这么一个问题，她就嫌我落后了！

凌木兰 爸爸，我没说嫌你！

凌士湘 （又勾起他的烦闷）反正是一样。时代是变得快，我还记得我把着手教她写字的时候，可是现在她已经瞧不起我了。今天开完会，我忽然想起今天是个什么日子，我到市场去了，我去……（忽然从身上拿出一本书给凌木兰）这是你要的书，《角膜移植法》。（走两步，又回来）还有，这个！（把一个小盒子放在桌上。走入自己的书房）

凌木兰 （拿起盒子，打开，里面是一个十分精致的别针。诧异地）别针！（望着何昌荃）

何昌荃 （忽然想起）哦，我们大家都忘了！（高兴地）今天是你的生日。

凌木兰 对了，我的生日。（忽然，难过地）多么可笑啊，让我戴别针。（把头转过去）

何昌荃 （盯着她）别哭，别哭啊！不许脆弱，你自己说的。

凌木兰 （擦擦眼睛，转过脸来）谁哭了？我没有脆弱。我知道，你也是爱他的。可是他现在思想这么顽固，他成天受江道宗的影响啊，中了他的毒，你说怎么办？

何昌荃　搬家呀！

凌木兰　你不要讽刺我，我也知道这不能解决根本问题。

何昌荃　木兰，你的老毛病又来了，我听了你刚才的话，我感觉得到你对父亲的态度太冲动，只顾自己痛快，你对他不够尊敬。我又要说一句你最不爱听的话，这是娇生惯养。

凌木兰　（顿）好，不冲动了。

〔董观山上。

董观山　哦，你们俩在这里哪。（对凌木兰）你父亲呢？

凌木兰　在屋里。

何昌荃　生气呢。为座谈会的事情。（笑嘻嘻地）木兰刚才的动员工作没做好，把他惹翻了。

凌木兰　是我不好。

董观山　好，能检讨，我就不用批评你了。反细菌战展览会要请他去参加筹备工作，我来跟他谈谈。你们看他有工夫吗？

何昌荃　我看工夫是有的。

凌木兰　可是他……他不相信有细菌战。

董观山　我知道。

凌木兰　这一点，他简直跟江道宗一样了。

何昌荃　不一样，江道宗心里是相信的，他知道有。他还偷偷地庆祝呢，他以为贾克逊又有可能回来了。

董观山　（对凌木兰）进去吧，把凌大夫请出来。

〔凌木兰下。

董观山　袁仁辉找到那个护士的地址没有？

何昌荃　找到了，已经去了。我告诉她一回来就找我。

〔凌士湘、凌木兰上。

董观山　凌大夫。

凌士湘　（不等董观山说下去，就激动地）董院长，我知道我今天在会上的发言惹起了大家的愤慨，可是我并不是说美国不是帝国主义。我现在也明白，美国有军阀，有好战分子。抗美援朝教我认识，美帝国主义就是要侵略中国，因为中国人民抬起头来了。我觉得这两年我有些变化，我现在也懂得政治是可以帮助科学的，好的政府就可以帮助科学的发展。你看，政府给了我们实验动物室，我们就完成了鼠疫疫苗的研究。我知道，没有共产党，我的计划永远是计划；但是，董院长，我现在碰见了严重的问题。我对贾克逊并没有什么特殊的好感，不过对我来说，他代表了美国的科学。他是学者，他培养人才，他对学术有贡献。我一辈子对科学的认识，就跟他一样。

何昌荃　（爱护地抗议）你跟他不一样！

凌士湘　（不理）三十年来我辛辛苦苦走的路也跟他一样。而忽然的，大家、群众说他是特务，说他杀了人，我接受不了。我觉得我对于科学的认识、态度基本成了问题。那我就等于瞎了眼睛，在黑暗里工作了三十年！董院长，世界上有杀人的科学，没有要杀人的科学家！所以，（真诚地）我不是不想认识敌人，我实在认识不到，我就真叫不出来。

董观山　（和缓地）凌大夫，世界上有各式各样的科学家，有救人的医生，也有杀人的刽子手。凌大夫，我是为跟你商量一件事情来的：反细菌战展览会正在做准备工作，他们希望请你去参加，你的意见怎么样？

凌士湘　（沉思地）我大概是老了，我思想确实很混乱，很多问题想不清楚。不过，董院长，我真不能想象细菌学者会搞细菌战，就跟我不能想象贾克逊会杀人一样。

凌木兰　爸爸，我觉得你……（望着何昌荃的眼色，又把话吞下去了）

〔袁仁辉匆匆上。

袁仁辉　董院长，凌大夫。昌荃，（低声）我找着她了。

何昌荃　怎么样？

袁仁辉　有结果了。谁也想不到贾克逊会这样，我们出去谈吧。

何昌荃　（忽然想起，对董观山）就在这儿谈好吧？

董观山　好，大家听听。

袁仁辉　（坐下）董院长，本来我们都把这个人忘了，因为她看护这个软骨病人就三天，后来就离开我们医院，到现在都三年了，谁都想不起她来。这两天我们几个老护士成天研究这个病人是怎么死的，想来想去大家凑出来了，想起了这个钱护士。刚才我找着她了，她都不知道病人早已死了。我把这事一告诉她，她才想起一件事。原来毛病就出在这三天里头，怪不得贾克逊回国以前把她调走了。

凌木兰　怎么了？

袁仁辉 就在病人临死的前几天，她亲口告诉钱护士，她说有一天晚上，她昏迷以后醒过来，觉得胳臂痒得钻心，才看见胳臂上绑着一个纸盒子。实在痒得太难受了，她一把抓下来，一看，里面尽是虱子！（愤恨地）凌大夫，您看看，贾克逊他是人吗？他这是做什么？他治的什么病？他真是没有把我们当人哪！（顿，静默）我得告诉护士同志们去。董院长，我走了。昌荃，有事到病房来找我吧。

〔袁仁辉下。

凌士湘 （恨恶地）这是不对的！极端不对的！做这样事情的人，就是禽兽！但是我是搞科学的人，我们争论的是异常严重的事情。我知道木兰现在心里怎么看我，但是我必须要说，病人是害肺炎死的，而虱子是不能引起肺炎的。

董观山 是的，是还有些问题没有完全搞清楚，但是，证据现在是愈来愈多了。这些证据都说明孙大夫的确是有许多话没有讲，有意地替贾克逊隐瞒罪状。我们常说美帝对我们的文化侵略，这就是很鲜明的例子。杀死我们一个人这还不是最恶毒的，杀了我们，还要我们看不见，这才是他们最恶毒的地方。

何昌荃 有的人比孙大夫还要严重，他不是看不见，是有意识地要做美帝国主义的帮凶。我的舅舅——江道宗就是一个。

凌士湘 （不满地）昌荃，不要这样说他。我跟他多年的朋友，他哪至于这个样子，我清楚他。

凌木兰 （忍不住）爸爸！你清楚他什么呀！

何昌荃　木兰！

〔江道宗上。

江道宗　哦，董院长在这儿！谈问题吧？（逡巡欲退）

董观山　没有什么，坐吧，一块儿谈谈。

江道宗　（解释地）我刚才参加了内科动员孙大夫的会，天气太热，头有点疼，没开完我就回来了。

董观山　我们也正在谈贾克逊的问题。（忽然）我倒想起一个很有意思的故事。（对江道宗、凌士湘）你们两位都记得吧？在《镜花缘》这部小说里，有个人叫林之洋。他漂洋过海，到了一个地方。他看见那个地方的人，个个都披着一块头巾，又和气，又可爱，他想这些人真是好极了。（娓娓动听地）可是等他跑到后边，把那块头巾一揭开呀，想不到底下还有一张脸！这张脸可不同了，青面獠牙，像个鬼似的，一看见林之洋，就喷出来一股毒气！林之洋这下就明白了：哦，原来这些人都是有两个脸的！那么哪个[1]是一真脸呢？我看后头那个是真脸。美帝国主义的文化侵略也就是这样。治病，教学，还有（拿起桌上贾克逊的论文集）这本论文集，这都是前头的那个脸；后头那个脸它是藏着的。孙大夫是看过那个真脸的，但是他不肯讲。还有人哪，不但看过那个真脸不肯讲，他还中了那股毒气，自己也变成了两面，也有了两个脸了。这就是最严重的了。

1　“那么哪个”川版作“那么，哪一个”。

凌士湘 （笑着）你这个比喻很有意思。

何昌荃 舅舅，你说呢？

江道宗 （连连点头）我觉得董院长说得太对了，这个比喻是非常深刻的。这两年来我经过了各种运动，总算理解了一点点马列主义，这几天我天天在想，睡不着觉。我回想我和贾克逊这些年的往来，十分痛心。（忽然一转）但是我也很高兴，因为贾克逊是两面的，我现在已经认识了。如果不是伟大的中国共产党，我永远不会有这样的觉悟的。

董观山 江教务长，多想想吧。

〔尤晓峰一阵风似地走上来。

尤晓峰 木兰！木兰！哦，董院长。

凌木兰 什么事？

尤晓峰 志愿军庄政委的眼睛要取弹片，明天上午开刀，你来动手。

凌木兰 我？

尤晓峰 我在你旁边，保险不出任何问题。走吧，咱们研究一下。（对董观山、凌士湘）再见。（见江道宗）江教务长。

〔尤晓峰、凌木兰下。

董观山 凌大夫，我走了。（恳切地）反细菌战展览会的工作很急迫，有很多科学家参加了工作。我希望你也能去，我想这会有好处的。

凌士湘 我很感谢你，董院长，我知道你在帮助我。我一定好好考虑，一会儿就打电话告诉你。

董观山 再见吧。

何昌荃　凌大夫，我也走了。舅舅，再见。

〔董观山、何昌荃下。何昌荃拿着一大堆书。

凌士湘　（望望江道宗，坐下）真奇怪，仿佛全院的人都认识贾克逊是文化特务了，就是我一个人不认识。（忽然）道宗，你刚才是怎么回事情？你跟贾克逊究竟是什么关系？你给我讲讲，他到底是怎么一个人？

江道宗　（一肚子的委屈）士湘，我是拥护共产党的。解放以前，你知道，我营救过昌荃。董院长来，也是我首先热烈欢迎的。但是现在群众误解我，党误解我，以为我跟贾克逊有什么特殊的关系，仿佛我做了什么不利于党，不利于人民的事情似的。其实，我和贾克逊有什么关系？他是好是坏，我又能知道多少？我是百口难分，我必须表示个态度。我跟你地位不同。你好啊，士老，你怎么想就怎么说，那是有骨气的。我实在是佩服你。

凌士湘　（瞪着江道宗）我一点不佩服我自己。（沉思）也许我真是老顽固。我在想，贾克逊跟这个病人……

江道宗　你想什么？

凌士湘　刚才发现了一件事情，简直是不可想象的！

江道宗　什么？

凌士湘　（一挥手）没什么。我真不能相信我是错了。

〔陈洪友慌慌张张地上。

陈洪友　（向江道宗淡淡地点一点头）凌大夫，凌大夫，我们想起一件事情，不得了的一个问题，我的太太忽然替我想起来的。

凌士湘　什么问题？

陈洪友　你忘了？一九四八年底，我们，还有道宗，不是送了一批田鼠到美国去吗？自然了，当时谁也没想到，今天还有个美帝国主义的问题。（战战兢兢地）刚才，我太太一提醒我，我才看出这问题的严重。我觉得为了稳当起见，应该把事情向组织上声明一下，说清楚，备个案。你看怎么样，士老？

凌士湘　（平平常常地）我不懂你是什么意思，我看不出这里面又有什么美帝国主义的问题。在科学研究上，交换实验动物，国际上往来多得很。

陈洪友　哦。

凌士湘　你要声明你去声明，我觉得没有声明的必要。

陈洪友　是啊，是啊。我不过这么想想就是了。好，我走了。（下）

江道宗　（酸酸地）你看见没有，我在这里，他就走了。士老，反细菌战展览会的工作，你预备参加吗？

〔凌木兰上。

凌木兰　爸爸，董院长走啦？展览会的工作，你答应了？

凌士湘　（慢慢地）道宗，细菌战真有吗？

江道宗　（瞥了凌木兰一眼）士老啊，你怎么啦？你现在还怀疑？

凌士湘　为什么不？我是科学家，又不是搞宣传的！

凌木兰　爸爸！

〔徐慕美上，端着一个大银盘，放着切开的西瓜。

徐慕美　（兴高采烈地）给你们送上来了。甜极了，来吃吧！来，来，

吃！吃！木兰，吃这块。吃！吃！（一份刀叉塞到凌木兰面前）

凌木兰　（推开徐慕美，烦躁地）我不吃！（刀叉哗啷一下掉在地下）

凌士湘　（大声）木兰！你怎么了？

江道宗　（缓和空气地）嗳，士老，士老——这么说，反细菌战展览会你是不想去了？

凌士湘　（徘徊两步，站住）不，我要去，我要去。

凌木兰　（惊奇）爸爸！

凌士湘　（横她一眼）我要去看看！

——幕落

第二场

在江道宗家的客厅兼饭厅里，前一场的后三天。这间屋子是江道宗夫妇用心布置的，十分“高雅”。墙上挂着中国字画和西洋的油画，四周都是贵重的西式家具。左边是一套沙发，右边是一张饭桌和椅子，旁边是酒柜和电冰箱，一切都是异常洁净而舒适。左墙壁炉旁边有一门，通江道宗的书房。正面有一门，通外面的过道，看得见通往楼上凌家的楼梯。右面是一排玻璃门，通外面绿叶阴阴[1]的平台，人们也可以从这里走进来。

正是夜晚八时，他们刚吃完晚饭。宿舍花园里的暑气还没有完全退，天空浮着一两片乌云，时时遮住夏夜的上弦月，有时听见平台外面茂盛的草丛里唧唧鸣叫着各种夏虫。

〔开幕时，徐慕美坐在饭桌旁，正准备放下碗筷。袁仁辉已经吃完了饭，在一旁收拾着。桌上放着热气腾腾的咖啡。

徐慕美 （回头向书房门叫着）道宗，我们吃完了，剩下的这半碗饭

---

1 “阴阴”川版作“阴翳”。

你还吃不吃？

〔江道宗声：你们收了吧，我不吃了。

徐慕美 （立起，用筷子翻翻菜）这菜坏透了！这个厨子真没有良心！吃我的，喝我的，还不听我的话！（从冰箱中端出一大盘水果放在桌上，对袁仁辉）你决定了吗？想了三天了。

袁仁辉 （低头收拾着）我现在不能搬，宿舍还没腾出来。

徐慕美 （翻翻眼）那么怎么办哪？你现在是个大忙人，我不能每天晚上给你等门。

袁仁辉 我配了钥匙，每天门是我自己开的。

徐慕美 可是你半夜开门我就睡不着。这是我的家，我的家就得安静。

袁仁辉 妈咪，这是你的家。（看她一会儿，沉静地）可是在你的家里，什么事我没替你做过？现在，我也给了你钱。我早就想搬，可是你跟我发脾气是没用的。（收碗筷下）

徐慕美 魔鬼！

〔孙荣和江道宗由书房上。

徐慕美 孙大夫，走啦？

〔孙荣冷冷地点了一个头。

江道宗 （对徐慕美）孙大夫还有事情。（对孙荣，很关切地）以后还是能多睡觉才好，我看你最近疲乏得很。虽然我们今天谈得不多，你的心情我是能谅解的。我跟慕美很久没见你，很记挂。方便的话，还是可以常来嘛。

孙　荣 再见，江教务长。

徐慕美 孙大夫，你看，今天连饭都没在我们这儿吃。

孙　荣 再见。

〔孙荣下，江道宗出神。

徐慕美 这个时候你找他干什么?

江道宗 （自语）哼，都不是东西!

徐慕美 你说什么?

江道宗 你不要管。（没头没脑地）他回来了没有?

徐慕美 谁?

江道宗 凌大夫。

徐慕美 他不是到反细菌战展览会工作去了吗？大概没有回来。

江道宗 （回想）三天了吧？奇怪，这个人，他昨天晚上一夜没回来。

徐慕美 （恍然）哦，你走来走去，天亮才睡，为的是等他呀！人家搞反细菌战工作有你什么事?

江道宗 （嫌恶地）你真木头!

徐慕美 （埋怨地）你没睡好觉跟我发什么火!

江道宗 你问过木兰没有，凌大夫这两天心情怎么样?

徐慕美 她才不说呢！她现在连一声徐阿姨都不叫了。

江道宗 （顿）我忽然感觉到我们掉在真空管里了，什么也听不见，什么也摸不着了。（紧张地）不成！这样不成！我还是得去，打电话给董观山，告诉他我要向群众做检讨。

〔叩门声。

徐慕美 听，好像有人来了。

刘玛丽 （内声）我能进来吗?

徐慕美　（低声）刘玛丽！

江道宗　我越来越觉得这个人有特殊身份。告诉她，我不在家。

〔江道宗下，刘玛丽上。她穿着一身白色的镂空花边绸衬衣和浅色长裤，脂粉比以前更浓。她尽力想维持住往日的风度，但是使人更感觉她的落魄和憔悴。

徐慕美　（文雅地）哦，是你。

刘玛丽　Good evening[1]，慕美，你们刚吃完饭。道宗不在家呀？

徐慕美　不在。

刘玛丽　（一闻）哎呀，真香！你们这儿的咖啡煮得真好。还是袁仁辉煮的呀？她还肯给你煮咖啡呀？香极了。（熟稔地）我可馋死了！来。给我倒一杯吧。

〔徐慕美走去为她倒了一杯咖啡。

刘玛丽　（坐在沙发上）你知道吗？我现在又搬了，住的地方越过越好了。（喝着咖啡）你们这儿真是天堂！

徐慕美　我一会还有事呢，（笑着）你现在来干什么？

刘玛丽　（斜望她一眼）看看你跟道宗啊，我两个月没来了。慕美，白兰地还有吗？

〔徐慕美从酒柜里取出一瓶白兰地和一个玻璃杯。

刘玛丽　唉，（四面望望，语意深长）地方还是老地方！（往咖啡里倒着酒，向徐慕美挤挤眼）别心疼，我可要多倒一点。你知道，老睡不着觉，这个东西（举着酒瓶）有时帮点忙。

1　Good evening——英语，意思是“晚上好”。——底本注。

徐慕美 （整理一下靠垫）我们这儿就要有人来开会了。

刘玛丽 噢，那我坐坐就走。（点上一支烟）慕美，这几天忙吧？听说你们医院里有志愿军了，是吗？

徐慕美 算了，算了！别再问我们这些了！你走吧，我心里烦死了。

刘玛丽 咦，你怎么啦？跟老朋友聊聊闲天嘛！好，好，好，我走，下次我也不来了。（望望徐慕美，不动声色地）再来一杯！喝白兰地能帮助睡眠。（倒出一杯，一口喝干。取出一封信）贾大夫来信了！

〔徐慕美刚要接信。

刘玛丽 给道宗的！（把信给徐慕美）慕美，你别心烦，我告诉你……

徐慕美 什么？

刘玛丽 （神秘地）第三次大战……快了。（下）

〔江道宗上。

徐慕美 我叫她走了。

江道宗 她说什么没有？

徐慕美 她还是那句话："第三次大战快了！"

江道宗 （轻蔑地）单细胞动物，没有头脑的！不能再理这种人了，我们是有名有姓的。

徐慕美 她还带给你一封信，贾克逊的。（把信给江道宗）奇怪，你不有一年多没跟他通信了吗？

江道宗 （没理她，看信，忽然爆发）有些人还在做梦，世界上最愚蠢的人就是明明打败了仗，死不认输的。知道失败了，才

会有新办法，不能硬来的。我也愚蠢，过分地相信他们，弄得这样的被动！（把信收起）

徐慕美 他说什么？

江道宗 还要我维持医院的传统，学校的秩序。（愤愤地）他是个笨瓜，是个老浑蛋！

徐慕美 （十分有教养地）你怎么可以呢？这么多年的老朋友了！（怀念地）我现在一想起他来，就像他还坐在那张椅子上对我说话似的。

〔江道宗望着徐慕美。

徐慕美 他还说什么了？

江道宗 （文雅而尖刻地）他说，他知道你很想念他，他也很想念你，满意了吗？

徐慕美 （勃然）你下流！

江道宗 （冷冷地）你真以为我不知道？

徐慕美 知道你还装傻，你更下流！一结婚我就认识你了，你就没有把女人当人看。

江道宗 女人不是人，女人就是女人！

徐慕美 （拍桌子）你简直是……（突然立起）

〔江道宗也像一只斗鸡似的瞪起眼来。

〔袁仁辉上。她从一堆报中找一份报纸。

徐慕美 （对江道宗，体贴地）道宗，刚才你没吃饭，饿不饿呀？

江道宗 （也很有礼貌地）现在不饿，我看晚上还是劳驾你给我准备一杯牛奶吧。（对袁仁辉）又在学习时事吗？

袁仁辉 今天晚上我发言。

徐慕美 你不知道，她这个小组长还受表扬呢。

〔袁仁辉下。

徐慕美 （望着袁仁辉下）你看她那得意的样子！像升了天堂似的。

江道宗 （长嘘一口气，语涉双关地）马列主义也说过，世界永远是变的。慕美，刚才我给董观山打了电话了。

徐慕美 （关心地）怎么样？

江道宗 （慢慢地）不太好。我说我要向群众做检讨……

徐慕美 他说什么？

江道宗 他说很欢迎，他说大家都很希望我能对自己有个认识。

徐慕美 那不很好吗？

江道宗 （自言自语地）不，不，我总觉得电话里他的声音不大对，冷冷地，一点也不笑，像是不大相信我。（用力思索着）奇怪，是什么给我这样的印象呢？也许是因为我们家的电话不好，有点嗡嗡的缘故。哦！我刚才说漏了，他刚才是说希望我对自己有个“彻底的”认识。对了！（严重地）“彻底”是什么意思？这需要分析。

〔何昌荃上。

何昌荃 舅舅。

江道宗 昌荃，（立刻愉快地）你来了，好极了，我正要找你，我正需要你帮助。

徐慕美 （也殷勤地）坐吧，坐吧，昌荃。你舅舅这些天尽惦记着你。

何昌荃 （坐下）我早就想来看你，可是这些天很忙，一直到现在才有空。

徐慕美 昌荃，其实你早就该来帮助帮助你舅舅。

江道宗 （温厚地）你不懂，早来也是没有用的。帮助人，昌荃是有经验的。一定要等到一个人思想动了，成熟了，再经他一点，才会起作用。（对何昌荃）刚才我主动地向董院长谈，我要向群众做检讨。昌荃，我最近对我自己的根本问题有认识了。（诚恳地）这完全是由于董院长那天的启发。我确确实实有两面性：我有革命性，我又有保守性。因为我有革命性，我一直痛恨过去医院的种种黑暗；可是因为我又有保守性，所以我一直没有能使这个医院翻身，我的这种两面性的根源是因为我是典型的小资产阶级。（顿，认真地）你看怎么样？

何昌荃 舅舅，我看你的两面性下一步再谈吧！群众倒是希望你首先揭露一下贾克逊的两面性，因为他的真脸是什么，你总是知道的。

江道宗 他的真脸我怎么会知道呢？他怎么会告诉我呢？（激动地抓住何昌荃的手）昌荃，党应该相信我！

何昌荃 舅舅，有一样东西你看看吧。（拿出一份油印的稿子给江道宗）三年前你提出过一个办学计划。

江道宗 （一看，吃惊）什么？油印出来了？为什么？为什么？

何昌荃 因为群众要求看。也因为这个计划反映贾克逊在解放以后的企图。（指着油印稿）这个计划提出要继续使用美国经费，继续聘用美国教授和顾问，组织独立的校务委员会，指导校务，不受其他方面的领导。

江道宗　（惶惶然的样子）哦！我提过这种意见？我简直不记得了。

何昌荃　这是一面镜子，群众在这里面清清楚楚看见了贾克逊。我觉得舅舅可以从这儿出发，多想一想。

江道宗　（看油印稿，捶着头）这真可怕极了，（立起，来回走着）我是怎么想的？我是怎么想的？

徐慕美　（忽然汹汹地）昌荃，你还叫他想什么？我看你不是帮助你舅舅，你这是成心毁他！我知道，你自小就不喜欢我们。

何昌荃　（顿）是的，我是不喜欢你们，你们也不喜欢我；我总觉得我们是两种人。我记得小时候在你们家里，每次病了总是把我放到顶楼上；有一次，一连三个月，没有人理我。那时我才十三岁，我倒是有过这样的想法，我想，我大了，决不理你们。可是，我长大之后，受了另外一种教育，这种教育告诉我，世界上有比个人的情感更重要的东西。今天我来，的确是为了帮助舅舅，要你明白过来，做一个真正的中国人。这个计划我留在这里，我还会来，只要你觉得我能帮助你。

江道宗　昌荃，我一定要接受你的意见，再深刻地想一想。我早已不把你当作外甥了。我把你当作治病救人的医生。

〔尤晓峰从平台门上，他穿着一身夏季西装。

尤晓峰　（匆匆忙忙地）糟糕！糟糕！我来晚了，对不起。（掏出雪白的手绢擦着汗）徐主任，咦，哪儿去了？他们呢？

徐慕美　什么事情？

尤晓峰 咦，今天不是咱们聚餐会的日子吗？（瞥见何昌荃，恍然大悟）哦，取消了。（立即走到何昌荃的面前，得意地）何大夫，你觉得我在昨天会上对孙大夫思想的分析怎么样？有内容吧？有力量吧？

何昌荃 很好。

尤晓峰 （对徐慕美）你看怎么样，我有些进步吧？

何昌荃 志愿军庄政委的眼睛开了刀以后怎么样？董院长很关心。

尤晓峰 很好，我看很好。木兰开得很稳当，其实这是个小手术，没问题的。

何昌荃 好。（对江道宗）我走了。再见。（下）

徐慕美 尤大夫，你来玩，我们很欢迎，可是你别扯什么聚餐会了。

〔江道宗走上平台。

尤晓峰 （自己倒咖啡）徐主任，我知道他们为什么不来。群众都说你们这里是散布病毒的地方，他们害怕。我刚才叫过隔壁陈主任，他就不来；可是我不怕，你猜为什么？（欣赏自己的幽默）我打过预防针！

徐慕美 （望见门外楼梯上有人走下来）凌大夫！你回来啦？凌大夫！凌大夫！

江道宗 （急由平台上）哦，士老回来啦？

〔凌士湘上。

江道宗 士老，你在楼上啊！回来半天了吗？怎么没开灯？

凌士湘 （简单地）没有，我一个人坐一坐。

徐慕美 吃饭了没有？

凌士湘 不想吃。

江道宗 （笑着，殷勤地）不成不成，你得吃点。（从冰箱拿出一盘食物，放在小套几上）现成面包、黄油，还有火腿，来来来，坐下，坐下！我给你倒杯茶。

凌士湘 （疲倦地）我自己来吧。（缓缓坐下）

江道宗 你看你一身汗，得洗个澡。慕美，你去把澡盆擦一擦。

凌士湘 不用了，我回来拿点东西，就走。

徐慕美 不麻烦，不麻烦。

〔徐慕美下。凌木兰和陈洪友由右门上，神色沉重。

凌木兰 （连父亲也顾不得招呼，低声）尤大夫！

陈洪友 （对尤晓峰，责怪地）你还在这儿喝咖啡呢？

尤晓峰 （正在一个人玩纸牌，扬着头）什么事啊？

凌木兰 我看了庄政委。

陈洪友 （紧张地）庄政委的眼发炎了。

尤晓峰 谁说的？

凌木兰 （痛苦地）我刚才看的。我还找了黄大夫看了一下，是发炎了。

尤晓峰 （好像很不理解的样子）你看这奇怪不奇怪！

陈洪友 （抱怨地对尤晓峰）你们这是怎么搞的嘛！你不是说经过很好吗？

尤晓峰 （连连声辩）是经过很好啊。你问木兰嘛！

〔凌木兰不语。

尤晓峰 手术全部正确，我在旁边。可发炎的事谁能保得了？这能怪我吗？或者怪木兰吗？

陈洪友　（急了）你知道不知道？他是志愿军！他是志愿军！我跟你说过，不要把手术随便交给年轻的大夫做，年轻大夫不是这样培养的。

尤晓峰　（轻巧地）可是你批准了！

凌士湘　（向凌木兰）发炎严重吗？

凌木兰　（低声）严重，视力已经不成了。

陈洪友　给他开了青霉素没有？

凌木兰　开了，看着他吃了。

尤晓峰　（泄气地）嗯，可这有什么用？现在一发炎，还有什么办法？就是一条路——瞎！

凌木兰　（烦躁而痛苦地）你先不要这么想好不好？

尤晓峰　（不为所动，反而大声起来）那是科学，我不这么想成吗？我告诉你，眼睛废了！可这能怪我们医生吗？（振振有词）也许他眼睛里的弹片带着细菌；也许路上换药不小心，带了细菌；也许因为空气传染，不知从什么地方来了细菌！（指凌士湘）你问凌大夫，细菌引起发炎，可能性可以说有一万种！难道要我们都负责？

凌木兰　（激动地）可那是庄政委的眼睛！偏偏就是我，我动了手术以后，出了这样的事情，这样的事情！

尤晓峰　（看着凌木兰痛苦的样子，也烦躁起来）不要着急，小姐！还有我呢！挨骂，我也有一份。可是小凌大夫，当个医生，不能这样事事都动感情。（摆出一副老前辈的面孔，开导起来）你不懂，还年轻，过过你就明白了。（愈说愈有理）解放以前我在外科，看见的病人多了，那时候的病人每天都有死的，死一个哭一个，你有那么多眼泪吗？江教务长说得好：我们要治的是病，不是病人！为治病就得学技术，就得在病人身上实验，技术不是靠成天对病人同情学来的！（着重地）心要硬一点，头脑冷静一点！病人眼睛一发炎就难过了，那还成！要满不在乎才学得好，才能学得像陈主任这样。（有把握地）你问你父亲，是不是这样？

凌士湘 （积着一腔烦恶的情绪，忽然走到尤晓峰面前）你怎么能说这种话？你知道不知道，（爆发）我们臭了！我们这种专家臭透了！人民看我们发了霉了！人民就要不要我们了！

尤晓峰 （第一次从凌士湘的嘴里听到"人民"两字，惊异地）人民。[1] 什么？

凌士湘 对了。这个字如果现在还不懂，那就完了！（沉痛地）我现在真是痛苦极了！到了今天，我们还能糊涂吗？尤大夫，这些年我们在这个医院学了些什么呀！我们脑子里装的是什么呀！（激动地）为了学技术，就可以不是人吗？为了研究科学，就可以忘记首先是治病救人的大夫吗？（对尤晓峰不知哪里来的一腔愤恨）我现在看见了，有杀人的科学家，你也去杀人吧！

尤晓峰 （完全蒙住了）杀人？（对陈洪友连连地）你看，这怎么联的

---

1 "人民。"川版作"人民？"。

上？怎么联的上？

陈洪友 （低声对凌士湘）不要气，不要气。

凌士湘 （一气说下去）尤大夫，你要想当刽子手，你就去吧！（走近凌木兰）可是木兰，不要听他的！我跟你一起去，看看有什么办法。（愤恨地）准备叫他狠狠地批评吧！批评，骂，都不够！对于有这种思想的人，应该用自己的眼睛来换他的眼睛！

尤晓峰 （受冤屈的样子，不服气地）你看这奇怪不奇怪？

陈洪友 （忙忙乱乱地）我们看看去吧。这怎么办？真糟透了！（对凌木兰）你没跟他讲吧？

〔凌木兰摇头。

陈洪友 （对尤晓峰）我看先不要让他知道好。

〔陈洪友、尤晓峰、凌木兰、凌士湘正要下。

江道宗 士老，你等一等。

〔凌士湘站住。陈洪友、尤晓峰、凌木兰下。

江道宗 士老，你怎么啦？

〔凌士湘不应。

江道宗 你发这么大脾气干什么？

〔凌士湘不应。

江道宗 有什么事情吗？

〔半晌。

凌士湘 道宗。

江道宗 啊？（等凌士湘讲下去）

〔但是凌士湘又停住了。

江道宗 是不是反细菌战展览会……

凌士湘 （低声）细菌战是有的。（立起来，拿起他的东西，缓缓向外走）

——幕落

第三幕

第一场

上一场的翌日早晨，九时刚过，在一间明亮的病房里。庄政委躺在一张病床上，他双眼蒙着雪白的纱布，什么也看不见。旁边是站着的少年先锋队员李亭和另一个拉着手风琴的少年先锋队员贺瑾，两个人都穿着最漂亮的衣服。董观山坐在床边，桌上摆着他带来的鲜艳夺目的花，它把喜悦和清香放散在病房的静谧和带着点药味的空气里。

对面是另一张病床，上面没有病人。袁仁辉和另一个护士正在整理病床，带着很高兴的神气，时时望着少年先锋队员们和庄政委。

天气虽然热，病房里却凉幽幽的。从中间纱门——纱门两旁都有宽大的窗，敞开着——望出去，横着一条宽敞幽静的过道，沿着过道是长长的一排纱窗，可以望见外面的花园。从窗外柳荫里，看见榆树、海棠、枣树、柿子树、美人蕉，和满爬着绿绿的爬山虎的远远一角楼墙。偶尔，传来一阵懒洋洋的蝉鸣。过道上不时有穿着白衣服的护士和大夫，敏捷但安静地走过去。也有人推着病人坐着的轮椅缓缓地踱过，也有病人散着步，就倚在纱窗上向外悠闲地凭望着。

〔开幕时，李亭和贺瑾正唱到《侦察兵之歌》最末一段，唱得乐观有力，充满了侦察兵的勇敢与自豪，手风琴拉得快乐极了、热烈极了、畅快极了。庄政委像是忘记了现在的病房和周围的人们，愉快地听着，仿佛回到了前线。

李　亭
贺　瑾　（热情地唱）侦察兵，地上的老鹰。

侦察兵，部队的眼睛。

侦察兵，铁打的肠子、钢铁的心。

哪里有战斗，哪里就需要我们。

〔她们唱完，董观山领头鼓起掌来，窗外一两个欣赏着的病人也称赞起来。

董观山　好极了，唱得真好！

庄政委　（还在想着刚才的境界）好。

〔在走道上杨老头子拄着拐棍，由一个护士扶着。

杨老头子　（笑呵呵地）这两个姑娘唱得真好！董院长，你看她们看见了庄政委多喜欢！连我老头子都沾光了。

庄政委　谁呀？

杨老头子　（称呼自己）隔壁的杨老头子。

庄政委　哦，杨同志，进来跟小姑娘们扯扯吧。

杨老头子　（笑嘻嘻地）不成，不成，（指护士）我得听她的。再见，庄政委。再见，董院长。（慢慢地走下）

董观山　（愉快地）再见。一会儿来吧。

贺　瑾　（目送杨老头子从窗户走过。回过头来）庄政委，你来了不到几天，怎么认识这么多人？

董观山　（对李亭、贺瑾）你们不知道，他在朝鲜前线是政委，来到病房，又成了我们大家的政委了。你们看，谁都喜欢到这儿来。

庄政委　（笑着）好听我扯呗。

李　亭　你还爱听什么？

庄政委　不，歇歇吧，你们唱了半天了。

李　亭　那现在该你了。

庄政委　我刚才讲到哪儿了？

董观山　讲到你小时候放羊，羊叫狼吃了，你不敢回去了。

李　亭　这早就讲完了。

庄政委　（对董观山）刚才你出去了。

贺　瑾　你刚才说，你们团里有一个英雄侦察连。

庄政委　对，对，对。那个连长姓张，是个老侦察兵。

李　亭　（抢着问）是个英雄？

庄政委　（带着深深的情感）对。立过多少次功，才二十三岁。（忽然问袁仁辉）袁大姐，昨天从朝鲜前线来的电话是谁接的？

袁仁辉　医务室的人。前线政治部问你的手术经过怎么样了，我们看你痛了一天，刚睡着，就没有叫你。

庄政委　（敲一敲床沿，责备地）你们真是啊！听听他们的声音也是好的。

董观山　我想他们还会打电话来的。

李　亭　讲啊，庄政委！

庄政委　（转对李亭、贺瑾）你们的歌里说，“侦察兵，地上的老鹰”。我刚才跟你们讲的张连长，他就是老鹰里面最有本事的……

〔护士搀着赵树德上，他穿着一身新制服，面色红润，虽然眼睛还没有看见，却兴奋、愉快，毫不给人有盲人的痛苦的感觉。

董观山 （热情地迎上去）赵老师傅，我等了你一早上了。

赵树德 董院长，我到你办公室，她们说你在这儿，我就叫她们把我搀来了。

董观山 好极了，都给你准备好了，今天就进院，我来带你去办手续。庄政委，这就是我跟你说过的赵老师傅，他就要来跟你住同屋了。

庄政委 好极了。欢迎！赵老师傅，恭喜你。大家都替你高兴，你就要看见太阳了。

赵树德 是啊，我等这一天等了好久了！我是老技工，今天谁都干得那么起劲，我能闲着吗？眼一睁开，我就回厂。别看我老，我有多少劲儿还没使出来呢。

庄政委 对，你还能给国家立功呢。

董观山 走吧，赵老师傅。

〔董观山、赵树德下。

庄政委 真是应该把他的眼睛治好！

贺　瑾 庄政委，你说那个张连长……

庄政委 哦。那个张连长是个四川人。我记得有一次我走到他的坑道里，那时候外边敌人的炮火把山炸得乱震，你们猜他在干什么？他拿着把刀子在坑道的墙壁上画呢！

李　亭　画什么？

庄政委　画从西南到西北的铁路，都画到了。从重庆到成都，从成都到天水，从天水到兰州，从兰州到新疆。他从前没念过书，可是他告诉我，新疆有多少石油，西北有多少钢铁，又怎么样从新疆可以通到了苏联。你们想想，我们的人就是这样！他自己在朝鲜，在炮火底下，他的心却飞到四川、甘肃、西北，祖国的土地上。

贺　瑾　后来他怎么样了？

李　亭　他现在在哪儿？

庄政委　我临走的时候，他带着一队侦察兵，进到敌人的后面。任务完成了，我们占领着一二〇高地，但是他没回来。我们一直等他，直到我负伤的时候，他还没回来……

贺　瑾
李　亭　（关心地）那怎么办？

庄政委　我在沈阳打了电话，没有消息！一到北京，我又打了电话，还是没有消息！（忽然正对着袁仁辉）可是昨天从前线来了长途电话，你们没有叫我接！（捶着床沿）你看！你看！

袁仁辉　我们真是的！是应该叫醒你的。

庄政委　（沉思）可是我想，到了昨天，一定还是没有消息。因为如果他回来了，他们会告诉医务室，叫医务室告诉我的。（他手握得紧紧的，看得出来他很激动）如果我眼睛好的话，我立刻就要走，飞也要飞到前线去！可是我的眼睛——偏偏坏了！

贺 瑾 （紧紧握着他的手）庄政委，你的眼睛不会坏的！不会坏的！

庄政委 可，我觉得，不太好。（顿）我这眼睛的感觉有些特别。昨天他们又都来看，问他们，他们什么也没有讲，其实应该告诉我。如果是……（顿）

李 亭 （想哭）不会的，庄政委！

贺 瑾 （有信心地）不会的！

〔凌木兰上。

李 亭 （期待地）大夫。

庄政委 谁呀！

凌木兰 我。

庄政委 是你，凌大夫。

凌木兰 （努力镇静）让我再看看吧。你的药吃啦？

庄政委 嗯，针也打了。

凌木兰 我看看吧。（打开庄眼上的纱布，拿着眼底镜，仔细看着）

李 亭 （低声）大夫。

贺 瑾 你别叫她！

凌木兰 （盖上庄政委一只好的眼睛，用一手指摇着问）看得见吗？

庄政委 看不见。

凌木兰 （用一只手掌摇着）看得见吗？

庄政委 看不见。

〔凌木兰又用镜望了一下，把他的眼睛用纱布盖上，使他靠下，木然地立在床侧。

李　亭　（担心地）大夫，怎么样啦？

〔凌木兰坐在床旁的椅上，说不出话来。

庄政委　（镇定地）怎么样，凌大夫？讲吧，怎么样？我的眼睛是不是已经……（顿）靠不住了？

〔凌木兰呜咽起来。半晌。庄政委默默地坐着，贺瑾和李亭望着他。凌士湘、陈洪友、董观山慢慢走上来，看见凌木兰在哭，他们谁也没有说话，仿佛立刻明白了其中的经过。他们都静静地站在那里，紧张地望着不说话的病人。

凌木兰　（激动的情绪慢慢静下来）庄政委……

庄政委　（朴素地）不要哭了，凌大夫，不要着急了。我没有立刻说话，不是因为我气，也不是因为我难过。从昨天起，我就觉得可能发生毛病了。刚才我说不出话来，我是在想，我要用什么话来安慰你，才能使你不难过。凌大夫，我觉得出来，虽然我不太认识你，我知道你是个年轻的大夫，你是在用心为我治病；如果这是因为你个人的疏忽，只要你记住这是个错误，你就不会在别人身上再犯了。一个人一生要做很多的事情，想做事情的人总免不了偶尔犯错误。你很年轻，不能失掉自信。你要把技术学好，你要经过很多困难。只要你一心为人民，为病人，你是会成功的。我们要坚强，以后祖国需要我们做的事情太多了。（顿，乐观地）不要为我难过，凌大夫，我一只眼睛瞎了，我还有一只眼睛看得见，我照样能够在前线上发挥力量，我照样可以学习、读书，做很多很多事情。（挥挥手）你走吧，不要急了。

陈洪友（轻轻地走上前来）庄政委。

庄政委 谁？

陈洪友 我陈大夫。

庄政委 啊，陈主任，你都听见了？我有一个要求。（顿）要爱护青年，把你的技术好好地教给他们，不要在这种时候使她失去信心。这是下一代，建设社会主义的人，要用一切力量帮助他们哪！

陈洪友（感动地）庄政委，我惭愧极了，我要教好学生。

〔护士兴冲冲地跑上来。

护　士 庄政委，长途电话又来了，安东来的！

庄政委（立刻）哪里？哪里？

护　士 接到办公室了。

庄政委 带我去。

〔袁仁辉扶庄政委坐上轮椅，推下。李亭、贺瑾跟着下。

董观山 同志们，大家来研究一下。他的眼睛必须治好。

陈洪友 董院长，现在细菌培养的结果还没有出来……

〔尤晓峰上。

尤晓峰 发炎的情况怎么样？

陈洪友（摇头，把病历交给他）尤大夫，细菌培养的结果……

尤晓峰 我去看过了，结果还没有出来。

董观山 那么，现在怎么办？

陈洪友 一般说，这种情况，我们只能用青霉素治。

尤晓峰 昨天已经用了，我们不能希望今天就见效。

董观山 细菌培养结果还没有出来，青霉素还不见效，可是情况不允许我们等待，我们要想办法。

尤晓峰 （仿佛耐心地讲解）董院长，医学嘛，它是一门科学，有一定的医疗程序和惯例……

董观山 （着重地）尤大夫，现在病人的情况恶化得很快。

陈洪友 是啊，尤大夫，你的意见……

尤晓峰 （固执地）我看只能用青霉素。

董观山 （期望地）就没有别的办法了？

尤晓峰 （耸耸肩）没有办法，没有办法。

凌士湘 董院长，我有个意见。按一般情况，青霉素是有效的，但是也有些病菌是青毒素不能治的。在这种紧急情况下，我的意见是不要等着看青霉素的效果，现在就加用链霉素。

尤晓峰 （不高兴地）可是凌大夫，你不是做临床的。将来我们这个病历怎么写？谁负责任？

董观山 （忍不住）尤大夫，是病历要紧，还是病人要紧？陈大夫，这两种药一起用，会不会出其他的毛病？

陈洪友 不会，没有禁忌。

尤晓峰 （讽刺的口吻）但是病人的细菌培养还没有出来，没找出菌种就下另外一种药，恐怕不太科学吧？

董观山 （发了火）什么是科学？我看能解决实际问题的，就是科学。凌大夫提出的办法对病人没有害处，可能有好处。有利无害的事情就应该做，因为我们关心的是人，不是医疗程序和惯例!（尤不响）你看呢，陈主任?

陈洪友 我觉得对，完全对的。董院长，我们就这么办吧。

董观山 就这么办。

凌士湘 董院长，这样决定对。

陈洪友 尤大夫，我们来研究一下。（把尤晓峰拉过去）

〔护士拿着一张床头卡片上，插在赵树德床铺上。

凌木兰 （转对董观山）董院长，赵老师傅的手术，是不是换一位大夫做吧?

董观山 为什么?

〔凌木兰低头。

董观山 你难道没听见庄政委的话吗?我们相信你能做得好，你也应该相信你自己。

陈洪友 木兰，我一定尽我的力量帮助你。

凌士湘 （向凌木兰，感动地）木兰，我不会忘记今天，你将来也不会。庄政委给你的帮助，比我一生给你的还要多。董院长，我说不出来我多感谢。木兰，你去，接赵老师傅去。

凌木兰 （抬起头）好，我去接他。（下）

凌士湘 （立刻兴奋地叙说着）董院长，我们已经决定组织一个反细菌战工作团到朝鲜前线去了。

董观山 什么时候?

凌士湘 大概还得两个星期。

董观山 好极了，这真是一件喜事。

〔袁仁辉推庄政委上。李亭、贺瑾随上。

庄政委　（一边对孩子们说着上来）真是太好了！太好了！

李　亭　董院长，你知道吗？那个张连长回来了！

庄政委　董院长，我告诉张连长了，两个星期以后，我一定回前线。

董观山　庄政委，两个星期以后老凌大夫也是要到朝鲜。

庄政委　好极了！

凌士湘　（上前，拉着庄政委的手）庄政委！

庄政委　（高兴地）老凌大夫，我们一道走！

——幕落

第二场

上一场的两个星期以后，清晨六时。

凌大夫家客厅，景同第二幕第一场。

〔开幕时，屋里还开着灯。窗帘半掩着。外面正下着雨。天空暗得还像没有天明，偶尔有一阵闪，隐隐听见雷声。书桌旁摆着凌大夫的背包，袁仁辉为凌大夫在捆绑行李。何昌荃穿着雨衣由外上。

何昌荃 （困倦地）袁姐，你还没睡？

袁仁辉 我躺了会儿。尽想着会上的事，哪儿睡得着呀？一睁眼，我又想起凌大夫的行李，就上楼来了。

何昌荃 怎么凌大夫还没回来？他要带去的书还没理好呢。（替凌士湘整理书）

袁仁辉 是啊，一整夜了，大概反细菌战展览会的事还没交代完。现在几点了？

何昌荃 （看表）快六点了。

袁仁辉 （打呵欠）我还以为没有天亮呢。雨还没有停，凌大夫八点钟就要上车吗？

何昌荃　唔。木兰出去了？

袁仁辉　刚才跟陈大夫一块儿到病房，再去看一下庄政委跟赵老师傅的眼睛。庄政委不是今天跟凌大夫一块走吗？（看见何昌荃从桌上找了一根烟，点上）你怎么抽起烟来了？

何昌荃　有点累。

袁仁辉　（关心地）一夜没睡吧？

〔何昌荃点头。

袁仁辉　来，来，你躺会儿。

何昌荃　不，我要等董院长电话，他还在市委呢。

袁仁辉　（低声）我们大家要求逮捕江道宗，你看有可能么？

何昌荃　那得等董院长回来才知道。

袁仁辉　（恨恶地）昨天夜里孙大夫在内科会上坦白以后，我才真认识江道宗了！我回到家里，愈想愈待不住。昌荃，我今天一定要搬家！

〔徐慕美上，她仿佛是刚起来不久的样子。

徐慕美　（殷勤地）凌大夫起来了吧？就带这么点东西啊？都收拾好了？要不要我来帮点忙？

何昌荃　（见袁仁辉不响）他还没回来。

徐慕美　哦？好吧，仁辉，一回来就告诉我们，道宗还等着送他呢。（下）

袁仁辉　哼。自己还不知道呢，尾巴都露出来了。

何昌荃　一定要让凌大夫知道。这下子，我这位老师该看清楚江道宗的真面目了。

〔凌木兰、陈洪友上。凌木兰穿着雨衣，陈洪友打着伞。

凌木兰 爸爸回来了没有？

何昌荃 还没有，我想马上就要回来的。我们的两位病人的眼睛是不是完全好了？

陈洪友 （沾沾自喜）好了，完全好了。这下我可放心了！他们都可以出院了。

〔凌木兰给大家倒茶，并取出些点心，大家吃着。

凌木兰 一会儿他们两个都要到我们这儿来。庄政委来找爸爸一块儿走，赵老师傅说要送他们。

袁仁辉 （喝着茶）这两天全院的人都高兴极了。庄政委的眼睛好了，已经是件大喜事了；想不到赵老师傅的眼睛瞎了这么多年，也看见了。小凌大夫，前天上午，我一推门，看见他们两个正在一块儿看画报，我自己欢喜得都哭起来了。

何昌荃 这次院里的壁报表扬了你们眼科的新气象。

袁仁辉 （呵呵笑着）可是用了一整版批判尤大夫。群众对他的那种医疗思想都气极了，昨天我看见他站在壁报前面，很多人不认识他，一边说一边骂，骂他是医生里头的垃圾，我看他脸色都发黑了；可是，还绷着脸，对黄大夫笑着说："你看，我这是激起公愤了。"

陈洪友 我相信经过这次教育，他会改的。

〔尤晓峰上。他穿着雨衣，帽子拿在手里，神色沉重。

凌木兰 尤大夫。

尤晓峰　（气力不大地）哦，你们都在这儿。刚才我到病房去了，知道你们已经看过了。我看见他们都好了，心里也是很高兴。木兰，我是来庆贺你的——我走了。（转身）

凌木兰　（很恳切地）坐一坐吧，尤大夫。

尤晓峰　（走回坐下，把帽子放在桌上）何大夫，我很痛苦，叫大家骂我是医生里的垃圾是不好过的。头两天我还不太接受，现在看着庄政委跟赵老师傅一个一个都治好了，我才觉得我的思想里面是……是有些垃圾，真是非打扫不可了。（失神地站起来，走，忽然）我的帽子？

凌木兰　（递给他）这儿。

尤晓峰　谢谢。

〔尤晓峰下。

何昌荃　（想了一下）陈主任，您是不是找尤大夫谈一下？

陈洪友　（高兴地）对，对。尤大夫！尤大夫！（回头对何昌荃，低声）我拉他到我家里谈谈去！（下）

凌木兰　（看看行李）哦。都收拾好了。谢谢你，袁大姐。

袁仁辉　还有凌大夫的显微镜，那是他的宝贝，你来弄吧。昌荃，我下去了。

〔袁仁辉下。

凌木兰　（抑止不住衷心的喜悦，推何昌荃坐下，兴奋地倾吐着）昌荃，这两天我真高兴极了。庄政委跟赵老师傅的眼睛都治好了，庄政委说他自己是个普通的政委，普通的人，可是他教我更认识了生活。你知道，从前我不喜欢学医。现在我决心要好好的学，做一个好医生，做一个像他那样的人。（激动地徘徊两步，忽然站住）还有一件事情你会跟我一样的高兴，就是爸爸，他今天就要到朝鲜去了。

何昌荃 （一直点着头，喜爱地望着她，慢慢站起来，笑着）木兰！（拉着她的手）让我们高兴的事就这么几件吗？

凌木兰 （笑着，抽出手，一扭身坐下）哦，还有吗？

何昌荃 你爸爸就要走了，你还不好意思对他说！我不赞成你以后写信告诉他。

凌木兰 （眏眏眼）那你自己对他说呀！

何昌荃 不，我……害怕。我看还是你说好。

凌木兰 好，说就说！（站起来，拉着何昌荃的手）昌荃，你知道吗？宋阿姨从安东来信了，里面还有给爸爸的。她说她明天就要过鸭绿江，欢迎爸爸赶紧来。那封信爸爸看了会更高兴了。

〔袁仁辉上。

袁仁辉 昌荃，董院长来电话。

何昌荃 好。（对凌木兰）我一会儿就来。

〔袁仁辉、何昌荃下。凌木兰擦凌士湘的显微镜。外面有汽车的声音。凌士湘由外上。他一夜没有睡，在反细菌战展览会紧张地翻阅着各种材料，这时疲惫地回到家中。

凌木兰 （高兴地）爸爸，你回来了！事情完了吗？（为凌士湘脱下雨衣）

凌士湘 完了。

凌木兰 大家都等着送你呢。

凌士湘 哦。

凌木兰 （愉快地）爸爸，宋阿姨来了信了。她都知道你要去朝鲜了，她说她要在前线上欢迎你。（给凌士湘信）

〔凌士湘看完信不说话。

凌木兰 你怎么了，爸爸，累了？

凌士湘 （把信放在一旁）把显微镜放回去吧，不要再收拾了。（立起，把旅行箱里的书籍、用品，一样样翻出来，放到桌上）

凌木兰 （吃惊）怎么？

凌士湘 （不看她）我不去了，我不能去了。

凌木兰 为什么？为什么，爸爸？

凌士湘 （还在翻着东西）昨天夜晚，展览会接到从东北送来的新材料。你想我看见什么？田鼠！中国的田鼠！美帝从高空扔下来的。这种田鼠先天是不可能感染鼠疫的，但是扔下来的田鼠，都感染了鼠疫！（说着说着激动起来）你知道是谁研究出田鼠对鼠疫的感染规律的？是谁？

凌木兰 （低声）我知道，是你，爸爸！

凌士湘 是我！是我！（思考着）我一边工作，一边想，我怀疑我帮贾克逊送去的田鼠跟这个有关系，我怀疑贾克逊托江道宗跟我要去的那篇论文，也跟这个有关系。

凌木兰 （紧张地）爸爸，就是三年前你在美国杂志上发表的那篇论文吗？

凌士湘 是啊。我奇怪，为什么贾克逊对我的田鼠研究那么有兴趣？

〔陈洪友上，凌木兰望了爸爸一眼，赶紧跑入内室去拿雨衣。

陈洪友　（笑吟吟地）凌大夫，我刚才听见汽车的声音，我想是你回来了。就要上车了吧？

凌士湘　（立刻）洪友，坐下，我正要找你。

陈洪友　什么事情？

凌士湘　洪友，感染鼠疫的田鼠，美帝已经扔下来了。扔下来的就是我们中国的田鼠，我怀疑四八年我们送到美国去的田鼠被他们利用了。

陈洪友　（不知所措）哦！你看怎么样！你看怎么样！

凌木兰　（从内室出来）爸爸，我出去一下。（急下）

陈洪友　（埋怨地）我告诉过你！两个星期以前我就说了，我们应该把运送田鼠的事情向组织交代，但是你不听！我也糊涂，没有去声明，备个案。你看现在怎么办？这不是个简单的思想问题，这是严重的政治问题！掉脑袋的，军事问题！天哪！天哪！真没想到！

凌士湘　（沉重地）如果政府、群众这样看我们，那也是应该的！（向楼下）道宗！道宗！

陈洪友　你干什么？

凌士湘　你忘了？这些事情都是贾克逊托他找我们做的。

〔江道宗上。

江道宗　（亲热地）士老。你回来啦？我早就起来等着你了。

凌士湘　（严肃地）道宗。我请求你告诉我一件事情，贾克逊到底是怎么一个人？当初他让你跟我要的田鼠，要田鼠研究的论文，他究竟是为的什么？

江道宗 （一愣）怎么？为了学术研究啊。

陈洪友 （气急败坏地）美帝国主义已经把中国的田鼠感染了鼠疫，扔下来了！

凌士湘 我怕贾克逊就是一个参加细菌战的刽子手！

江道宗 （连忙）士老！士老！我认为这是不至于的。贾克逊搞文化侵略，可是这样的事情他还不会做，他不至于这点良心都没有。

陈洪友 （有了一线生机）要是这样就好了。

凌士湘 （长叹一口气）到了今天，我才感觉到，过去，我浪费了多少力量。（摸着显微镜）这个显微镜白白地跟了我三十年，可以说，我没有真正用过它。这次，要我到朝鲜去，我知道，我真正为祖国做一点事情的时候到了，这个显微镜真正要发挥它的力量了。可是，又不成了，不成了！（推开显微镜）

〔孙荣上。

孙　荣 凌大夫，何大夫叫我来，他希望我跟你谈一件事。（瞥见江道宗）现在江先生在这儿，那就更好了。

〔江道宗冷冷地望着孙荣。

凌士湘 请坐。

孙　荣 （沉痛地）这几天我很痛苦。我恨贾克逊，恨江大夫，我也恨我自己！因为我糊涂软弱，叫您这样的好人都受了欺骗。

陈洪友 你究竟说的什么事情？

孙　荣　那个工人的老婆是贾克逊害死的！

凌士湘　怎么？

孙　荣　她不是得肺炎死的，她是得斑疹伤寒死的。

凌士湘　（站起来）哦。

孙　荣　贾克逊对那个病人的软骨症特别有兴趣，他的目的就是要她那副畸形的骨头，因为这是世界上少见的软骨标本。

凌士湘　哦！

孙　荣　后来他着急想回国，就用这个伤天害理的办法，临时人工地把斑疹伤寒传染给她。

凌士湘　（恐怖地）哦，那虱子，绑在她身上的虱子！（盯着孙荣）这件事你早知道？

孙　荣　我本来奇怪怎么会在医院得了这种病。后来钱护士偷偷告诉我病人身上绑过虱子，我忽然懂了，可是我不敢讲，那个时候我很痛苦。病人刚死，贾克逊把病历要去，第二天我一看病历上的斑疹伤寒变成肺炎了。

凌士湘　（气愤地）你为什么不早说？你为什么不早说？

孙　荣　病人家属来找医院的时候，我害怕，我糊涂，我不懂得政府，我一向崇拜江大夫，我就找他出主意。

〔江道宗站起身想走。

孙　荣　你不要走！

〔江道宗尴尬地站住。

孙　荣　可是他说（对着江道宗）"不要讲，讲了都不好。医院的名誉、贾大夫的名誉，并且连你自己也保不住。"江大夫真忠实，他对贾克逊的罪行一字不提，还说贾大夫是个学者。

陈洪友 这是什么学者！

孙　荣 （倾吐）我闷了三年！昨天晚上我在内科会上，当着大家的面，都讲出来了。可是大家没有不要我，大家还欢迎我，鼓励我！我从来没有受过这样深的教育。凌大夫，我谈完了，我走了。（对江道宗）你觉得哪一点是不真实的，你跟他们两位谈吧。（下）

陈洪友 （咳嗽一声）唉，一个人哪……

凌士湘 （盯陈一眼）我看我们还是听江大夫谈吧。

江道宗 （慢条斯理地）我没有什么可谈的，许多心情只有老朋友可以谅解。大家都知道我一直是拥护共产党的。过去我们所处的是乱世，今天还是在新旧交替的时候。（满腔抱负，充满内在的热情的样子）我一生就有一个理想：我永远把自己当作一座桥，叫旧的通过我变成新的；叫那愚蠢自私的通过我，变成智慧公正的。（为自己的崇高所感动，流下一滴眼泪）多少年来风风雨雨，我是半身插在水里，叫众多人的脚踩在我的头上，达到幸福，达到文明的彼岸，而我自己一无所求。（慨然）可是结果呢？我做了墙！大家说我隔绝了进步和落后，还说我是贾克逊的什么什么，还居然有人说我走第三条路线！……

凌士湘 （焦灼地）这些高深的政治理论我不懂，你只要谈谈孙大夫说的话究竟是不是真实的。

江道宗 （从容地）这个问题嘛，很简单。我不想对你们二位答辩，而且以后也不预备在群众面前做什么答辩。如果动机不能取得谅解，做了答辩也是毫无意义的。

凌士湘 （望着江道宗，忽然才理解到江道宗所默认的整个事实，震动地）那么说，贾克逊杀人是真的了！天哪，这还有什么可说的！这样的人什么事做不出来？我的研究一定是被美帝国主义利用了。都怪我自己糊涂，真是糊涂极了！

江道宗 （同情的神色）不要过分地责备自己了。细菌战是出人意外的事情，作为科学家，我们都很痛心。战争本来是万分可怕的。一打起仗来，谁也就不认识谁了。你用这个武器，他就可以用那个武器。人道不人道，也就很难说了。

凌士湘 （忽然）你是什么人？

江道宗 （一愣）啊？

凌士湘 你是哪国的人？（爆发）如果你自己从那个带菌的田鼠传染了鼠疫，你是不是也觉得美帝国主义的细菌战还是对的？你觉得打起来以后，用什么武器都可以，你知不知道现在是谁跟谁在打仗？你究竟是什么人？你说你是我的朋友，我没有你这样的朋友！你跟贾克逊是朋友，跟美帝国主义是朋友！你一脑子的反动思想，我最恨的汉奸思想！我现在看清楚了，贾克逊是美帝文化特务，你是美帝文化特务的奴才！

江道宗 （冷冷地）我没有想到老朋友会这样不谅解我，我很遗憾。（转身要走）

凌士湘 你不要走，（拦住江道宗）我们一块去见董院长，把一切都告诉他！

〔何昌荃和老张上。

江道宗 （翻脸）好，我赞同。送田鼠跟论文的事情都是你自己同意的，没有人强迫你。这些事情，你跟我一样，都有份。

何昌荃 江教务长！

〔江道宗吓了一跳。

何昌荃 请你下楼去找一样东西。

江道宗 什么？

何昌荃 （清清楚楚地）那个软骨病的骨头标本。

老　张 贾克逊走了以后，你叫我送到你家里的。

何昌荃 请你拿出来吧。

江道宗 （强自镇定）好，你跟我去拿。（下）

〔江下，老张随下。

陈洪友 （惶惶然）我简直没想到他是这么一个人！

凌士湘 （痛心疾首）我是什么人！我是什么人！我怎么会叫他蒙骗了我这么久？他是美帝国主义的狗奴才，而我，就是被他利用的人！

何昌荃 别着急，凌老师，马上就会弄清楚的。

〔董观山、凌木兰上。

凌木兰 爸爸，董院长来了。

董观山 凌大夫。

凌士湘 董院长。是你！（抓住董观山的手）我，我错了，错了，已经错到不可挽救的地步了！

董观山　（诚挚地）错是错了，可并不是不可挽救的。凌大夫，你先安静一点。

凌士湘　（心绪紊乱地）我现在知道贾克逊是怎么一个人了。他骗了我的论文，骗了我送田鼠。不，是我自己送去的。我是罪人，罪人！

董观山　先不要这么快给自己下断语，大家是懂得你的。我告诉你们一个消息，贾克逊的秘书刘玛丽是个特务，已经被逮捕了。她供出来贾克逊是美国国务院特务组织的一个头目。

陈洪友　（吓住）哦！

董观山　他过去假借办医学院的招牌，在中国各地调查地理、调查气象、调查卫生疾病的情况，甚至于解放以后，继续不断通过刘玛丽这些人窃取国家的机密。

凌士湘　（忽然怀疑起来）我看江道宗跟贾克逊一定有关系。

陈洪友　他别也是个特务！

〔袁仁辉和老张拿着一个盒子上。

袁仁辉　（激动地）董院长，就是这个盒子，这里头就是软骨病人赵王氏的骨头！他把它放在自己家里，藏了三年！

老　张　四九年，他让我送到他家里去的。

袁仁辉　这样的人还有人心么？他不是中国人，他是贾克逊的走狗！

袁仁辉　我们大家都要求逮捕他！

陈洪友　对，应该逮捕。

董观山　是的，江道宗毫无疑问是反动的，他是贾克逊在我们医学院的代理人。但是现在他已经被揭穿了，群众已经认识了他，他就不能再作恶了。（对老张）老张同志，请你把这个盒子送到我的办公室去吧。

〔老张下。

董观山 江道宗是美帝文化侵略的工具，可他也是美帝文化侵略最典型的结果。美帝国主义毒害他，可是人民还要教育他，我们要给他一个改造的机会。

陈洪友 （不懂）还让他做教务长？

董观山 那就不要做了。他应该首先把自己的问题交代出来。好好地想一想。最后人民能不能要他，就看他自己有没有重新做人的决心了。（对何昌荃）你先去告诉他，等一会儿我找他谈谈。

〔袁仁辉、何昌荃下。

凌士湘 董院长，我真是后悔极了。过去我没有听组织的话，现在我亲眼看见了。江道宗是美帝文化侵略的结果，我也是跟他一样。（痛心地）我口口声声说爱国，可是我自己做的事情已经对不起国家，对不起人民。

董观山 文化侵略是他们最恶毒的办法，那是攻心，叫你自己成为自己的敌人。

〔袁仁辉匆匆地上。

袁仁辉 凌大夫，志愿军后勤部来电话，汽车就来接你。

凌士湘 （挥挥手）你叫他们不要来了，我不能去了。

董观山 （讶异）为什么不能去了？

凌士湘 我觉得人民不应该再信任我了。

董观山　为什么你这样想？过去组织都能相信了你，现在你把敌人认清楚了，不就更相信你么？（鼓励地）你会把工作做好的。

凌木兰　（激动）董院长！

凌士湘　（不敢相信，惊喜地）董院长，你说我还可以去？

凌木兰　还能去吗？

董观山　（笑起来）还能去？你们两个人是怎么想的？凌大夫，你半个钟头以后就得出发了！（对袁仁辉）叫车子快来吧！

袁仁辉　（热烈地）好，好。好极了，董院长。（下）

陈洪友　（高兴得不知如何是好）太好了！太好了！

凌士湘　（紧张地）那怎么办呢？来不及了，东西都乱了。（慌慌张张地乱抓一气）

凌木兰　（嘟囔着）都让爸爸拿出来了。

董观山　（笑着）不要紧，我来帮你收拾。（指书）是这些吗？

凌木兰　对，对。

陈洪友　还有我。（跟着乱忙）来，来，来。嗳，内衣呢？手巾呢？牙刷呢？……

凌木兰　这里，这里。

凌士湘　（还忙乱着）还有这本……背包呢？

凌木兰　（推着凌士湘）爸爸，你别跟着乱抓了！你快换衣服去吧。

凌士湘　对，对，在屋里，在屋里，我去换。（对董观山）对不起。董院长。（匆匆跑下）

〔凌木兰进进出出忙着。

陈洪友　（一边帮着收拾凌士湘的背包）董院长，我实在感动极了！

今天我受的教育实在大极了！

董观山　（一边装着书，一边答应着）哦，哦。

陈洪友　我有几句内心的话要跟您讲。

董观山　好，好。

陈洪友　董院长，（害怕地）那送到美国去的田鼠当初是我替他们找来的，这件事我也有份。（盯着董观山的神色，一边机械地不住从桌上拿东西放进凌士湘的背包）

董观山　（抬头望他一眼，笑着）我知道。

陈洪友　（大吃一惊）您知道？

董观山　（笑起来）知道。

陈洪友　（放了心，望着董观山，唠叨着）哦，好极了！我原来真是害怕。董院长，我参加革命本来是来看看的，后来，我是真心想好好工作了，可是，您知道，我，我有点好打算盘。（不知不觉地把桌上的烟具也放进了背包）

董观山　等一等。（替他把烟具取出来，一边笑着说）替自己打算盘是打不清的。

陈洪友　对啊！跟您说吧！（倾诉起来）解放的时候，我不放心，把钱存在美国。解放以后，我又没拿定主意取回来。现在，美帝国主义把我的钱冻结了，六千五百美金，（说着说着又有些心疼）我一生的积蓄，全部没有了！我还不敢跟人讲，真是活该呀！活该！（有点眼泪汪汪的，掏出手帕来）

董观山　别难过了，陈主任。以后就聪明了。

〔凌木兰由自己屋上。

陈洪友 （看见凌木兰，不好意思地）天气晴了，凌大夫走得正好。

凌木兰 都收拾好了？

董观山 好了！

〔凌士湘穿着一身没下过水的崭新而肥大的军装上。

凌木兰 （惊喜）爸爸！

陈洪友 （赞叹地）哎呀，凌大夫！

凌士湘 （挺起胸脯）怎么样？

凌木兰 （替他卷一卷袖子，笑着）爸爸，你怎么那么傻样儿啊！

凌士湘 （有点不好意思）不好看吗？

董观山 当然好看，太好看了。

凌木兰 是好看。你的军帽呢？

凌士湘 这里。（从口袋中取出）

凌木兰 戴上！爸爸！

〔凌士湘戴上帽子。

陈洪友 哎呀，凌大夫，你真是个科学战士了。

董观山 （兴奋地）出太阳了，关上灯吧。

〔凌木兰去关灯。

董观山 把窗户打开。（自己去打开窗帘）

〔窗外是雨后北京的早晨，蔚蓝的天空，远远的、庄严美丽的天安门在透明的空气里闪着光彩。

董观山 你们看，北京是多好啊！

〔何昌荃轻轻走上，不觉走到窗前。

凌士湘 北京是世界上最可爱的地方。董院长，我高兴我是中国的科学家，完全站在正义人道一边的科学家。我觉得，我还可以工作二十年。

董观山 凌大夫，你现在年轻了。

陈洪友 （看表）哎呀，可不早了。

董观山 庄政委该来了。

何昌荃 （一直和凌木兰在低语着，走到凌士湘的面前，不好意思地）凌大夫，木兰跟我……

董观山 （恍然）啊，凌大夫，还有一个问题要你解决。

何昌荃 我们两个人——想请你给宋大夫带个信。你们两位从朝鲜回来的时候，我跟木兰准备……

〔凌士湘望着他们，不响。

凌木兰 （发窘）爸爸，你……同意不同意啊？

凌士湘 （幽默地）我以为我早就同意了。

〔袁仁辉领庄政委和赵树德上。赵树德的眼睛完全看见了，他穿着新衣服，跟在庄政委的后面，简直像个孩子似的四面张望着。庄政委穿着军装，分外精神，和赵树德谈着走上来。

董观山 你们看谁来了！

凌木兰 （跑上去，兴奋地一手拉住庄政委，一手拉住赵树德）庄政委！赵老师傅！来，来，这是我的爸爸。

凌士湘 （握住他们的手）庄政委、赵老师傅，恭喜你们完全好了。

赵树德 （仔仔细细地端详着凌士湘）哦！您就是老凌大夫。您的声音我们听熟了，可是人还是头一次看见。

庄政委　（欢喜地）你就是我们的老凌大夫。老赵，你看，跟小凌大夫长得一模一样。

〔大家笑。

庄政委　凌大夫，前线的战士们听说你们要去，大家决心用更大的胜仗来欢迎你们。

凌士湘　（精神勃勃地）我们也去打胜仗！你看，我的显微镜，这就是我的枪！

〔一个满面红光的青年警卫员上。

警卫员　（响亮地）报告！凌大夫在这儿吗？

凌士湘　（上前）我就是。

〔警卫员向凌士湘敬礼。凌士湘笨拙地回了一个军礼，大家笑起来。

警卫员　后勤部的汽车已经到了。

凌士湘　（转身，拿起显微镜）好，庄政委，我们走吧。

——幕落·全剧终

“明朗的天”的故事

（备演出时用）

北京解放前夜，美帝国主义办的燕仁医学院中的大夫、教授们对即将到来的解放抱着不同的态度，以共产党员何昌荃为首的进步大夫，如宋洁方、凌木兰等以欢欣鼓舞的心情和积极的行动迎接解放；另一方面，以美帝国主义分子贾克逊和他的代理人江道宗教务长为首的少数教授们，在商讨如何在解放以后继续维持“美国传统”。

北京解放半年之后，医院归到人民手中。贾克逊在这以前回到了美国，在临行时他为了要得到一个软骨病人的骨头作标本，用惨无人道的手段杀害了一个工人的妻子。

贾克逊走了，但他的影响还残留着。党为了争取教育和改造这些知识分子，做了许多工作，江道宗却竭力阻扰。工人妻子的死亡引起了党的注意，但在群众对美帝国主义的认识还不足的情况下，一时还不能查清事件的真象。凌士湘还同意把自己的细菌研究论文寄给贾克逊，在美国发表。

【题注】据1956年11月人民文学出版社《明朗的天》初版排印。

抗美援朝斗争开始了。经过许多事实教育和党的帮助，大夫、教授们逐渐认识了美帝国主义交化侵略的真面目，看出了贾克逊的毒狠。但是凌士湘仍旧不相信。直到美帝国主义在朝解发动了细菌战，他才认清了敌人的真面目，亲自到朝鲜参加反细菌战的斗争，用他的科学武器来打击敌人。

这些高级知识分子，在党的伟大政策的威召和教育之下，终于分清了敌我，改正了思想错误，走上了作一个人民科学家的道路。

明朗的天

1954初刊本

【题注】据《人民文学》1954年第9、10期初刊本排印。

分　幕

第一幕　一九四八年十二月某日下午五时，在美国大夫贾克逊（Jackson）办公室的外间。

第二幕

第一景　一九四九年十月二日下午三时，景同前。

第二景　一九五二年七月某日晚九时，在凌士湘家客厅。

第三幕

第一景　第二幕第二景的四日以后，一个星期六的晚九时，在陈洪友家客厅。

第二景　次日，星期日的晨九时，在燕仁医学院附属医院庄政委的病房。

第三景　当天夜十一时半，在凌士湘家客厅。

第四幕

第一景　一九五三年十二月的最后一个星期日，上午十一时，在凌士湘家客厅。

第二景　一九五四年五月一日晨十时，在燕仁医学院附属医院的病人的休息室。

人　物

（年龄均以一九五四年计）

凌士湘——美国对华文化侵略系统中的燕仁医学院的细菌学系主任，六十二岁。

容丽章——燕仁医学院附属医院妇产科主任，凌士湘之妻，五十五岁。

凌木兰——燕仁医学院附属医院眼科驻院大夫，凌士湘之女，二十九岁。

陈洪友——燕仁医学院附属医院眼科主任兼医务主任，四十九岁。

戴美贞——陈洪友之妻，家庭妇女，四十四岁。

陈　亮——陈洪友之子，凌士湘之学生，后为细菌学系助教，二十六岁。

陈　亭——陈洪友之女，十六岁。

戴鹤飞——戴美贞之父，一个游手好闲的上海买办，六十二岁。

C C 戴——戴美贞之弟，××药房经理，比戴美贞小十岁。

江道宗——燕仁医学院教务长，五十二岁。

尤晓峰——燕仁医学院附属医院眼科主治大夫，三十九岁。

孙　荣——燕仁医学院附属医院内科主治大夫，三十八岁。

Nancy——贾克逊的亲信女秘书，一九四八年时三十二岁。

刘玛丽——女打字员，一九四八年时四十岁。

袁仁辉——护士，三十八岁。

小　姚——护士，二十四岁。

董观山——解放后，燕仁医学院党总支书记，以后兼副院长，四十三岁。

何昌荃——凌士湘的学生，燕仁医学院细菌学系助教，后为讲师，党员，三十三岁。

高有田[1]——某野战医院院长，燕仁医学院眼科进修生，党员，三十五岁。

庄政委——志愿军团政委，三十五岁。

郭　欣——勘探队钻探机机长，二十九岁。

赵树德——钢铁厂老工人，五十岁。

赵王秀贞——赵树德之妻，一九四八年时三十九岁。

赵铁生——赵树德之子，钢铁厂工人，二十五岁。

赵凤英——赵树德之女，二十岁。

赵铁生之妻——二十岁。

马副官——国民党某司令副官，一九四八年时四十岁。

特务三人——为首的特务。

　　　　　高个子特务。

　　　　　矮个子特务。

沈德昌[2]——燕仁医学院细菌学系学生，二十五岁。

朱　强[3]——燕仁医学院细菌学系学生，二十三岁。

杨老头子——一个上了年纪的病人。

工　友——一人。

贺　瑾——少年儿童队队员。

护士、大夫——若干人。

---

1 “高有田”底本作“崔有田”，当作“高有田”。

2 “沈德昌”底本作“老沈”，当作“沈德昌”。

3 “朱强”底本作“小朱”，当作“朱强”。

第一幕

这是在第三次国内革命战争时期，一九四八年的末一个月里。人民解放军，在北线正在进行解放天津的战役，并且包围了北平。

围城中的北平人民，是在反动统治的极度恐怖下，和生活的极度贫困下，等待着苦恼而紧张的日子的终结。铁路不通了，只有天空中不断地响着飞机的马达，空中霸王昼夜不停地载着反动的官吏、军人、特务和他们的家属财物，向上海、香港、台湾、美国飞去。物价一日数涨，从早到晚，街上挤购粮食的贫民排着凄惨的行列。散兵四处在抢劫，居民被迫挖掘战壕和修飞机场。街道上不断来往巡逻着装甲汽车和满身武装的执行队。特务在横行，他们感到末日的来临，更是残暴。不能说话的人们在愤怒着，日夜盼望着。有些人在准备着，在可怖的黑暗中，怀着信心，勇敢地做各种准备来欢迎黎明。但是也有些人是怀着另外一种心思的，在美帝国主义多少年来文化侵略下，这些人们早已和真正的中国人民脱离了关系，在他们的思想里，藏蓄着不曾见过天日的污垢。另外一些人，对于即将到来的人民的社会还没有一点感觉。然而这些人中有专家，有高级知识分子，是我们在来日的建设中需要的人才。这篇戏就是企图讲一讲中国有一些知识分子在这大变动的时代中，如何改造思想，逐渐放下旧思想的桎梏，终于开始向新知识分子的路上变化着。

这是美国对华文化侵略系统中的燕仁医学院美国大夫贾克逊办公

室的外间。

正是冬天下午四时许的光景。外面刮着大风，从左墙后部的钢窗望出去，白杨的秃枝在灰惨惨的天空中摇动。两面结实光亮的钢窗都关得很紧，外面的风声几乎都传不进来，使人乍一看不知是什么力量摇动窗外的枝干。看得出来，在平时，屋子的陈设都摆得井井有条。这一两天，在某些角落里，却堆着与这办公室毫不相称的箱笼行李，上面贴满了褪了颜色的欧美各国旅馆的行李票。屋子里像是暖和的，左右两墙边上的暖气管似乎都在开着。正面有两窗一门，都通着外面的甬道。甬道上来往着病人，甬道上有钢窗，钢窗之外，看见挤在眼前的楼。正面门的左面，贴着墙，是一张木质的长椅，硬邦邦的。门的右面是一张小小的书桌，刘玛丽——贾克逊的打字员，一个四十岁的干瘦的，涂抹着脂粉的女职员——成天守在那里，嘀嘀嗒嗒地打着字。她这个角落在白天也有些昏暗，桌上总是点着铁罩的台灯。人一进门，就立刻被灯光吸引住，望见她身旁的暗绿色有光泽的钢质的文件柜，和在墙上挂着的医学院董事会开会时一群中美董事的大相片。左面有一门，通着会议室和美国人贾克逊大夫的办公室。左门附近是一张沉甸甸的木质讲究的办公桌和圈椅，桌旁放着一张木凳，桌上放着贾克逊的女秘书Nancy的办公用具。右墙近台口有一门，门外也是甬道，甬道对面正是细菌学系主任凌大夫的办公室和他的实验室。门旁有冷热自来水和洗手消毒用的瓷盆，门旁挂着几件白罩衣。右门前面摆着一张皮质的长沙发和一只小沙发，和一个矮几，这些家具都很精致，占的地方不大。四周沿着墙摆着玻璃柜，里面放着各种模型和档案。

尽管这间屋子里人来人往，却总不能留下来人的温暖，人们走进来，立刻就失去了想带进来的欢欣，仿佛一种阴暗的冷气逼着你，在这里只能谈着病和死亡。同时，围城的炮声和天空中的飞机声，和不顾医院的一切抵抗而袭进来的人们的恐慌，从四面八方地压上来，使人们就在这铁打的墙壁里也感觉到岌岌不可终日。

〔开幕时，窗外的甬道上匆忙地穿过各式各样的人——医生，询问地点的病人，交谈着的医学生，端着器械的护士，送信和擦地板的工友们……等等。从右门走上一个护士，把一份文件匆匆放在刘玛丽的桌上，就由正面的门走下。电话铃响。

刘玛丽　（拿起电话）Hello……yes……O.K.（放下电话，又忙着打起字来）

〔小姚——一个十八岁的护士——由甬道的门进来。她是由她的表姐刘玛丽的介绍，进到这医院的。迈进这个金子的门槛并不容易，因为她不是这个医院认为正规训练出来的护士。她很快地丧失了进了门以后的欢喜，虽然来了已有半年，许多美国习惯和这个医院特有的制度使她习惯不了。她活泼单纯，多少具有一点对于邪恶的东西反抗的意识。在这个医院里，在当时，这种人在护士当中还是凤毛麟角。她提着一个布制的书包走进来。

小　姚　（推着门）表姐，表姐！

刘玛丽　（打着字，无精打采地）干什么？

小　姚　表姐，今天晚上我小夜班，回头你回去告诉家一声，给我等门。（刘玛丽不理，依然嘀嘀嗒嗒地打着字）听见没有，表姐？（顺手把书包放在桌上）

刘玛丽　（站起来，把档案放在文件柜里，一面说）不要叫我表姐，来了半年了，还不懂。叫我Mary，玛丽，要不就叫刘小姐。这里的规矩。

小　姚　（好像被泼了一盆冷水）好吧，以后就叫你玛丽吧，我倒不在乎。王护士长说还要给我起个美国名字呢。

〔炮声隆隆，由远远郊外传进来。

刘玛丽　（恐慌地）你听！

小　姚　又响了，（不在意地）八路军的炮。（顿。炮声继续响着）愈打愈近了。共产党围北平几天了？

刘玛丽　不知道。反正一进城，共妻共产，谁也舒服不了。唉，也不知道怎么办法好！没钱上飞机，也没够交情的外国朋友。

小　姚　（忽然）你有口红吗？

刘玛丽　（递给她，小姚立刻掏出一个小镜匣子，就擦起来。刘玛丽又机密地）你在头等病房没听见什么消息吗？

小　姚　（一面擦着）哼，热闹极了。搬进来，搬出去，比哪天都热闹。

刘玛丽　（十分关心地）为什么？

小　姚　（冷淡地）搬进来的是为了避难，搬出去的是为了上飞机，头等病房好几个要人的太太小姐都走了。（忽然摆起一个姿势）你看我好看吧？美丽吧？高贵吧？

刘玛丽 （不懂）你这干什么？

小　姚 （满不在乎地）为了上班！王护士长说的，进头等病房就得把口红擦好，要教病人（讥讽地）看我们护士是高贵的。既然来了，省得她啰嗦，擦就擦。

刘玛丽 （教训地）你看你说的！介绍你进来不容易，你从这儿再出去，起码就可以当护士长。别得罪她，Jackson这老头子可宠她呢。

〔尤晓峰由通甬道的门上。他约有三十三岁，是眼科的青年主治大夫，眼科主任陈洪友手下得力大夫之一。此人精明圆滑，好开庸俗的玩笑。但他确实有些技术，在未进这个医院以前，他开业十分得法。像他们的主任一样，都是会打算盘，会向有钱的人拍、捧的人。他进这个医院，费了很多心思，目的是为了更远的"前途"——想得到美国大夫贾克逊的赏识，可以赴美镀金。然而他不是这个医院的正统毕业生，所以也受所谓正统派的，更为贾克逊赏识的医生们的排挤。大家一同钩心斗角，向美国人献媚。

〔他是一个矮个子，脸上白里透红，十分光润，鼻下有一撮黑黑的小胡髭。如果他不穿着一套剪裁得十分美国味道的西装，他会随时被误认为是日本人。他戴着一副学者味道的眼镜，但这副眼镜并不能改变他给人的那种庸俗滑稽的印象。他总是很得意，好说话，总觉得自己比别人聪明，会打趣。他很好为别人服务，好拉些闲事情，忙个不完。所以他又是被有些人喜欢的一个人。

〔现在他提着一个美国人在海边上用的涂得五颜六色的旧布包，里面装着各种各样的美国的罐头，化妆品，毛巾，玻璃牙刷，玻璃丝袜，头发卡子等，匆匆走进来。

尤晓峰 Mary，你看，（举起那个布包，得意地）出去一趟，给三个人抢购。你托我的，都给你抢到了！

刘玛丽 （感谢不尽地）How wonderful！谢谢！谢谢！尤大夫，你真是天使！

尤晓峰 （卖弄地）我不做天使，你们这些出不去的，怎么办？两点半钟一发了薪，一个医院全空了，都出去抢购去了。有东西就抢。东西又涨了，黄的白的跟着涨，总算给你弄了点。你看，（从口袋里掏出一叠美钞，交给她）美钞！二十五块。剩下的都在这儿了。你看，（从布包里掏出一样一样的东西）奶粉，黄油，水果罐头，Delmonte！（献宝似的）Look，lipstick——口红！玻璃牙刷，nylon——玻璃丝袜子，还有纽约的头发卡子。

刘玛丽 （一边收着，一边夸着）买得真好。小姚，你帮我收拾一下。

〔空中飞机马达声，仿佛飞机从头上掠过，绕一个圈子，飞远了。

尤晓峰 （惊讶地）听，飞机！南京来的，空投呢，投的不是大米就是金圆券。（忽然低声）你知道么？投下来还有美钞呢。

刘玛丽 （倒吸一口气）噢，真的？

〔Nancy由左门贾克逊办公室走进。她有三十二岁，穿一身地道的洋装。她是一个一直生长在美国的中国人，一口广东国语，说得很不利落。她很能干，但眉目间不自觉地露着一点妖冶。她是贾克逊的亲信秘书。她推开门的时候，里面传出来贾克逊的美国话，她回头答应着：Yes，Dr. Jackson。

Nancy （把一份记录交给刘玛丽）Mary，Dr. Jackson叫你快快把这个东西打出来。（说完就转身）

刘玛丽 （看了一下，立刻讨好地）Nancy，不对吧？这是北平气候的记录。

Nancy （眉毛一挑）就是北平气候的记录。快快打，我们要快快寄出去。

尤晓峰 （眉开眼笑地对着Nancy）Dr. Jackson的研究兴趣真广！（指着左边的门，机密地）Dr. Jackson还在开会吗？里边有谁？

Nancy （大模大样地）正开着紧急会议。

〔Nancy一扭身，进了左面的房间。

小　姚 （不明白）紧急会议？

尤晓峰 这就是应付共产党，万一打进来，怎么办。

刘玛丽 今天就是几个大头在里头，Jackson跟所有的美国大夫，校长，院长，江教务长，还有（讥讽地）刚上台的医务主任陈大夫。（很有阅历的神气）我觉得，我们应该挂美国旗。

尤晓峰 （掏出一个小古董）Mary，明天是Jackson的生日，听说Nancy在给他办。这一点小礼物，费心请你为我交给Nancy，托她送给Jackson。（匆忙地）我要到眼科去了，还有病人等着我呢。

〔尤晓峰由中门下。出门时，正遇着袁仁辉走上来。袁仁辉是一个年约三十岁的老护士。她父母是城市贫民。她可能在天津济南一带市立医院学的护士专业，被人选拔到此地来，仅仅因为她老实小心，不说话，可以像一只驯服的驴似的随人使用。她一直是忍气吞声，为着此地比较高的薪金和固定的职业，昼夜地忙碌着。她生着一个方方的脸，扁鼻子，和随时可以引动她哭的瘪嘴，但她总是笑着，和气地小心翼翼地说着话。面色黄黄的，有些雀斑，穿着医院的护士制服，可是走起路来总被医院认为正规的护士小姐们背后或当面讥诮，而她总是低着头走过去。在护士当中，她是和小姚比较亲近的。

袁仁辉　（点头为礼）刘小姐。（转身，亲热地对小姚）小姚，你的薪水我交给你们老太太了。老太太正愁着没办法，钱一来立刻就拿着袋子站队去了。能买得着多少粮食就不知道了，我还给你留下点钱，加上我的，到市场偷偷的换了四个大头，咱们一个人两块。（掏出四块银圆，分给小姚两块）这是你的。

小　姚　谢谢，袁大姐。亏得你；这么胆小，还跑出去一趟。

袁仁辉　可吓死我了！街上尽是兵，铁甲车满处转。听说有三十万大兵撤进城里来，要死守，要守上三个月。这才几天，就受不了啦！要真那样，那还不得把老百姓都饿死呀？今天听说新街口还枪毙了好几个人呢！

〔马副官由中门上。马副官是国民党第 × 战区 × × 司令的随身用人被提升起来的一个副官。他主人的军队在最近几个月里已被人民解放军歼灭干净，他就随着他的主人和主人的家属退到北平。他走进来，军装紧紧地箍在身上，但从上到下倒是很干净的。他愚蠢而忠心，长着一副不会表情的胖脸，看不出他是在笑还是在哭。他大约有四十岁上下。

〔袁仁辉一见马副官上，立刻惊恐地溜下。

马副官　（一进门，客气地）哦，姚小姐，可找着你了。

小　姚　（嘲讽地）长官夫人又发脾气了。

马副官　对了，连司令长官送的鸡汤都泼在地下了。你快去吧，不得了啦。（搔搔耳朵）不成，你去也是没用。劳驾，你还是把容大夫找来吧，我们长官夫人这次是真发脾气了。这医院又大，都说的是外国话。我实在没辙，楼上楼下找了半点钟，好容易找到妇产科，还是没有。姚小姐，我们来到北平，长官跟长官夫人心里可不痛快呢。

小　姚　（故意地）你们的军队呢？

马副官　（泄气地）嗨！垮了，早叫人家打光了。走吧，姚小姐。

小　姚　去是去，可不一定找得着。（指着桌上的书包）玛丽，我书包存你这儿。

刘玛丽　（摸着书包）什么呀？

小　姚　唱歌的谱子。走吧。

马副官　好，好，好。

〔马副官跟着小姚下。刘玛丽又嘀嘀嗒嗒地打起字来。

〔何昌荃由右门上。何昌荃是医学院细菌科的助教，毕业不久，是细菌科主任凌士湘大夫得意的学生，二十七岁。从表面上看，他像是旧社会所谓的品学兼优的人，说话不多，勤勤恳恳，仿佛成天钻在实验室或图书馆里，根本不知道外面的世界似的。实际上在入这个医学院以前，他便参加了进步的学生运动，受了革命的教育，是一个相当沉着和有骨气的人，虽然在革命的锻炼中还不太久。在医学院里，在进步的青年们中，他有一定的威信，但不知为什么，总不常提他的名字，仿佛故意掩护着他似的。他在一九四八年春天加入了党，是在围城期中最紧张的时候，地下组织中的一个小的领导者。

〔他是中等身材，瘦瘦的，身体不太好。有一副宽宽的眉毛，沉静的眼神，像一般用功的医科学生，他的面貌像是板板的，但是并不给人一种冷冰冰的感觉。现在他穿着一件病人穿的睡衣，拖着鞋，面色苍白，安静地走进来。

刘玛丽　（吃了一惊）哦，何大夫！你怎么从病房里跑出来啦？好了？拆了线啦？

何昌荃　（和蔼地）还没有呢，我躺不住了。凌大夫在开会吗？

刘玛丽　不在。

何昌荃　可是他也不在实验室。

刘玛丽　听说他一清早就走了，发了一顿脾气，自己出去找田鼠去了。

何昌荃　（同情地）唉，我这个老师啊！可惜我病了出不去。新的实验刚开始，没有田鼠，在他是比什么都痛苦的事。请你回头一定跟江教务长提一声，细菌系再没有田鼠，什么实验都做不了啦。

刘玛丽 江教务长现在忙死了，正开紧急会议。我怕这一类的事他还想不到呢。

〔何昌荃往中门走去，正遇见陈亮由中门上。陈亮是医学院的学生，医务主任兼眼科主任陈洪友大夫的长子，今年二十岁。像当时进步的有热情的青年学生一样，他在这围城期间，非常忙碌，有时连家都不回。他在学校里进步青年给他的教育当中，才获得了对于反动统治的认识。他积极，热心，有时有些冲动，但他一直是能够倚靠着他的领导。表面上看，他像是很机警的，但他的机警露在外面。他是一个地下的盟员。

〔他套着一件灰色旧毛衣，外面穿着一件皮夹克，下面是一条打着补丁的灯芯绒的裤子——他把他母亲给他做的好几条新裤子都送给人了。他拿着一本厚的医学书籍，装着正在用功的样子走进来。

陈　亮 何大夫！

刘玛丽 （殷勤而亲热地）陈亮，你来啦，陈主任在屋里开会呢，你要找你爸爸吗？

陈　亮 不要，刘小姐。（转对何昌荃）何大夫，刚才我到病房找你，你不在。（指着书）这本细菌学有一个地方看了半天也没看懂，劳驾你给我讲讲成不成？

刘玛丽　嘿，真是好学生。

〔刘玛丽拿着一份打好的公文从左门下。

何昌荃　（沉静地）说吧。

陈　亮　（望望左门）Jackson他们在开会吗？

何昌荃　（低声）嗯，重要的大夫都在里头。哼，紧急会议！不知道又在搞什么花样！

陈　亮　我父亲在里头，回头我跟他了解一下。（迅速地）这两天同学们发动的情况，你知道了吗？

何昌荃　我已经知道了。你谈谈细菌系吧。

陈　亮　细菌系同学一般情形很好，大家都准备护校。分了七个组，分头去动员教授留下。小朱和我负总责。

何昌荃　（点头）你可以找外科方诚谈一谈，他们的方法很好，大部分的外科教授已经决定留下，连刘老头子都说要和同学们站在一起。

陈　亮　可是细菌系的教授一向是更落后的，大家对共产党顾虑很多，还在动摇。像张文山那个美国脑袋，我跟他谈了三个晚上，他还是想走。这种人只好放弃了。

何昌荃　我看不好。我们应该同样争取，你还要去谈。

陈　亮　好吧。凌大夫怎么样了？像他这样有威望的学者能够留下，就可以对别的教授起些作用。

何昌荃　这两天他天天来看我的病，我天天跟他谈。他认识很模糊，但是我估计他不会走。他的太太容大夫，你知道的，比较进步，也不会同意他走。我正预备再找他谈一次，可是他出去了。

陈　亮　好。信也都发了。听说风声很紧，新的黑名单又有了，是吗？

何昌荃　嗯，是的。

陈　亮　（紧张地）我看你走吧。

何昌荃　（镇定地）我向医院提过到亲戚家养病，主治大夫说病没好，不能离开医院。明天他再不答应，怎么我也走。你自己要小心。你走吧。（刘玛丽从左门上，何昌荃对陈亮大声地）懂了吧？明白了？

陈　亮　懂了，谢谢你，何大夫。

刘玛丽　你走了，陈亮？

〔陈亮由中门下。

何昌荃　（仿佛不经心地，走到行李箱子前面，望望）这些行李箱子，是谁的？

刘玛丽　江教务长的，陈大夫的，为着保险，暂时存在这儿的。（低低地）你知道吗？大头们都要上飞机了。

何昌荃　噢。

〔戴美贞一阵风似地走上来，后面随着她的弟弟，CC戴，懒洋洋的。

〔戴美贞是陈洪友大夫的妻子。她原是一个买办家庭的大小姐，从一个时髦的教会中学毕业不到半年，就和陈洪友结了婚。当时陈洪友还是一个医科的学生，她的父亲戴鹤飞资助了他。她也善于理财，在她丈夫开业以后，使他们的生活一天比一天富裕。实际上她还不能说是一个很会用心计的人。好说话，好交朋友，也很自负她有一个好丈夫和聪明的子女。她穿一件贵重的皮大衣，戴着耳环，涂着脂粉，年纪有三十八岁，但还有些风韵。她穿的衣服颜色质料并不俗气，但不知为什么，总给人一种造作的感觉。她的声音很好听，眼睛时常一闪一闪的。

〔她的弟弟CC戴，约有二十八岁，乍一看像一个一身美国气的花花公子。他穿一件美式的短皮大衣，围着一条花围巾，斜斜地戴着一顶从东交民巷洋行里买来的皮帽。脚上的皮鞋擦得晶亮，走起路来没有一点声音。平时懒洋洋的，眼睛总像没有神。在他注意的时候，就使人觉得他的眼睛珠子忽然像是玻璃做的，发出一种令人不能放心的冷冰冰的光。他戴着一副熊掌似的皮手套，挟着一个短短的皮鞭，嘴角叼着半支Lucky Strike香烟。

〔他过去可能是北平美国中学的学生，在那里并没有读书。靠他父亲的关系，糊里糊涂地被送进一个教会大学，上了不到两年，就被开除了。抗战胜利后，他和一群美国的商人、士兵和小军官在一起胡混，专门在酒吧间和胡同里向他的美国主子们进行钻营。后来他身份忽然高起来，因为他通过一个美国军官的关系，投进了中美合作所之流的系统。他现在是××药房的经理，××药房是他父亲的生意。

戴美贞 （一见何昌荃，热烈地）哎呀，何大夫，好久不见。你好啦？那天你得病的时候，凌大夫告诉我，我简直急死了。后来晓得你是急性阑尾炎，我才放了心。我实在是忙，抽不出工夫来看你，（指其弟）CC知道。（端详一下）哎呀，你是瘦多了。过两天请到我家里吃饭，好好的给你补一补。对了，我的儿子陈亮你没看见吗？是没有吧！他成天的忙，这孩子！好了，再见吧，病好了一定到我家里吃晚饭！

何昌荃 （插不上嘴，只好说）再见。

〔何昌荃由中门下。这时刘玛丽满脸笑容地站起来，和戴美贞与CC戴打了招呼。戴美贞走到行李皮箱前面，把自己的点了一下。

戴美贞 （满意地转对刘玛丽）Thank you，Mary！你真好，把我们的行李都安排好了。（刘玛丽正想答话——）Mary，街上乱得一塌糊涂，飞机场上满是人，我亲眼看见东单牌楼都挖了战壕了！ Mary，劳驾，请你把陈大夫找出来吧。

刘玛丽 陈主任在开会，今天是Dr. Jackson亲自主持会议。

CC戴 （懒洋洋地插进来）你就说CC找陈主任，Jackson就知道。

刘玛丽 （很恭敬地）好吧。

〔刘玛丽由左门下。

戴美贞 （惊异地）CC，你认识Dr. Jackson？

CC戴 那有什么稀奇！

〔远处炮声轰轰。

戴美贞 （害怕地）你听，又在轰了！

CC戴　（歪着嘴角一笑）没关系！反正你们明天就走了。坐上飞机，嗯一下子——香港，再嗯一下子——San Francisco[1]，美国！（噘着嘴一吹）Phew！

〔陈洪友由左门上，刘玛丽跟在后面。她回到自己的座位上。

〔陈洪友是医院的眼科主任兼医务主任。他现在有四十三岁，是这个医学院的老毕业生。他是在美国留过学的；回国以后在校服务几年，由于他岳父戴鹤飞的怂恿，在上海和北平都挂过牌，营业很好。他已经是一个第一流的眼科大夫，虽然还不能算是眼科中的最好的。他确实有些学问，疑难大症，他看了不少。偶尔他也写几篇论文——当然仅仅为了点缀，这和他这几年来，极力想钻进这个医学院当眼科主任，是一样的用意，都是为了所谓医学界中的地位。这个人小心谨慎，心肠狭窄。多少年来，学了一种尽量与人无争，却又想处处讨便宜，而又不失身份的处世哲学。他没有什么理想，对于妻子家庭看得很重。一件事情在他心里，总要盘算来盘算去，皱着眉头严肃地想个没完，但是给人的感觉是一个十分平庸的人。

〔他脸庞看去很丰腴，有一点点黑。不大不小的鼻子，不大不小的眼睛，有时冷冷地望着他的病人，有时笑嘻嘻地望着他的上司。一句话，是最常见的，但是总使人忘得干干

1　旧金山。——底本注。

净净的一种极平凡的面貌。他穿一套棕色的冬季西装，在背心两个口袋之间系着金表链，链上悬着两把金钥匙，是他在美国大学读书时得来的“荣誉”标记。他穿着医生的白外衣。他推开门的时候，我们听得见贾克逊高谈阔论的声音。

陈洪友　（总是那样紧张地）你们这个时候来干什么？我在开会呢。

CC戴　（办公事似地）怎么样了，姐夫？我托你那运田鼠的事——

陈洪友　（忍住自己的烦躁）真是！你们把我叫出来，就为你那田鼠啊？

戴美贞　别埋怨他了：CC为我们上飞机，已经给我们跑了一天了。现在票能买了，我们全家一共四张。

陈洪友　（迟疑地）这么着急干什么？回头再谈吧。这是个大事情。

戴美贞　（嘴快地）你怎么啦？又改主意啦？

CC戴　现在谁都要走，我给你们想了办法，能上飞机，还犹豫什么？

陈洪友　（示意戴美贞和CC戴）这边谈吧。（把他们领到右门的沙发旁低声）情形不好，恐怕三两天共产党就会进来，连Jackson都有点慌张。

戴美贞　那我们就走得了！

陈洪友　（小心地）可是Jackson的态度到现在还是不很清楚，也不说这个医学院以后办还是不办，江教务长的心思我也摸不透。

戴美贞　（任性地）你还管他呢！你就上了你那个江教务长的当，大家都说他是“阴间秀才”，一点也不亏。好好的当着眼科主任，你要听他——阴间秀才的话！在这个时候拉你当这个替死鬼的医务主任！

〔陈洪友不响。

CC戴　（怂恿着）走吧！你们的房子汽车，我都替你们好好的保存。等着打回来的时候，我原样交给你们。

陈洪友　（懊恼地坐在沙发上）唉，还提这个呢！什么房子汽车！他们来了呢，当然是奉送啰！共产党嘛，共一下子，还是说得过去的。可是我们这些知识分子也要跟着劳动，受罪，这个就未免过分了吧？（踌躇地）可我想，也不至于。我们是医生嘛，就是共产党，也免不了要生病啊！生了病，不找我们找谁呢？可见还是有用的。

CC戴　（脱口而出）有用？对谁有用？对共产党！

戴美贞　（有点着急）那么，到底还是去不去呢？

陈洪友　可是到了美国就能开业吗？在美国能吃得开？

CC戴　（冷冷地）姐夫，我可跟你说下，这是老大的面子，我跟军统的朋友说了半天，弄了四张。你要是退了——

陈洪友　（马上）我没说要退呀！这当然不能贸然放弃。（对戴美贞）可是陈亮跟我严重说过——

〔空中飞机声。

CC戴　（挑引地）你听，空中霸王。

戴美贞　（望着窗外）嗯，空中霸王。

CC戴　刚从香港来的。究竟怎么办吧？

陈洪友　（烦躁地）真逼死我了。你跟你那朋友再讲讲，就等到今天晚上十点钟。

CC 戴 嗐，清官难断家务事！死活由你们。

戴美贞 （责备地）CC！（对陈洪友）我去找陈亮商量商量。CC，你就下来找我吧。

〔戴美贞由中门下。

CC 戴 （言归正传）姐夫，我那封纽约的信，你交给凌大夫啦？

陈洪友 交了。你还想到你那田鼠的事呢！

〔凌士湘大夫由中门上。凌大夫是细菌系的主任，五十六岁，是一个老美国留学生。他的出身可能是一个旧的书香世家。祖父做过清朝显宦的幕僚，到了父亲一代，家就更没落了。他考进清末的理工一类的学校，终于决定学医。当时多少是为了科学救国，和一些有志之士想把泰西的科学传进来，以后觉得医学是个清高的职业，可以不顾黑暗的社会和政治。他有一些人道主义的思想，多少年来认为医学是救人的。他在美国也吃过很多苦头，半工半读，靠自己的努力学了一些东西。他很自信，倔强，耿直，但做起事情来有时显得很迂，也有通常一般学者那种心不在焉的神气。一般来说，他为人是十分热情的，不过不大容易看得出来。靠近他的朋友都认为他诚实，忠厚，可靠，但是钻牛犄角，难于说服。在学生中他有很高的威信，美国人贾克逊也倚重他，利用他。因为他在细菌学方面确有成就，他整日成年地在实验室工作，简直不知外面是什么世界。

〔回国以后，他没有开过业，虽然他的医疗学问并不坏。他一直在教书，在几个大的医学院都授过课，最后来到此地，工作了将近二十年。他结婚很早，婚后多年，才生了一个女儿，叫凌木兰，现在眼科读书。他的第一个妻子死了，大约在四十岁的时候，他才和这个医学院的妇产科主任容大夫结了婚，没有再生孩子。

〔他的面貌看不出像个学者，只有跟他常处在一起的人才觉得出他内在的风度。乍一看他，倒有些土头土脑，像一个内地来的不出名的中学教员。他的面色有些灰暗，两鬓已经斑白。短短的头发，密密地盖着他的大脑袋。他的眉毛很浓，有两三根突出来的灰眉毛盖在眼角上。在他愉快的时候，他的眼神露出诙谐的闪光，但大部分时间他是显不出光彩的。他个子高大，嘴唇厚厚的，粗糙的面颊上有几道深深的皱纹，偶尔笑起来很慈祥，甚至于动人，但在愤怒的时候，他的神色是异常吓人的。通常的时候他走路是比较慢的，总像在思索着什么。

〔他穿着一身旧西装，有些单薄，拿着一件磨光了的黑呢大衣和一顶旧呢帽。

刘玛丽　（站起来，向陈主任）凌大夫回来了。

陈洪友　（热诚地）哦，士老，你出去啦？

凌士湘　（点点头）嗯，出去了。（漫不经意地向自己的办公室走）

CC戴　（拦住凌士湘）凌大夫，我姐夫给您一封信……

陈洪友　（客气地）士老，他就是CC戴。

凌士湘　（望一望CC戴，心不在焉地）哦，是你？你是开药房的。

陈洪友 他是美贞的弟弟。

凌士湘 知道，知道。(对刘玛丽)江教务长呢?

刘玛丽 正开紧急会议。(凌士湘忽然很疲倦地坐在沙发上，擦着前额)

陈洪友 (关心的样子)怎么了?

凌士湘 没什么。(又站起来，准备往右门走)

陈洪友 士老，Jackson问过你，你是不是可以去开会。

凌士湘 (执拗地)我不去。

陈洪友 好吧。

〔陈洪友对CC戴做个眼色，示意直接找凌士湘，由左门下。

CC戴 (连忙迎在门口)我就是CC。

凌士湘 (冷漠地)知道，知道。

CC戴 (看着凌士湘的睑色)那封信……

凌士湘 我看见了，我已经叫我的秘书准备了回信。可是我告诉你，我没有田鼠，并且全北平也没有田鼠，我跑了一天。

CC戴 (谄笑)那可巧了，凌大夫，我有。

凌士湘 (惊愕)什么?

CC戴 您要多少，我可以送给您多少。

凌士湘 (完全没有想到)真的?

CC戴 (客气里露出要挟)可是您得帮我们把田鼠送到美国去。您的老师巴齐教授托我多少回了，要我寄给他北平的田鼠，五块美金一个，运费在外。为着这个生意我花了好多钱，可是一个也没寄到。

凌士湘　（沉不住气地）知道，知道，路上死了。

CC戴　所以巴齐教授才教我找您。他正在研究斑疹伤寒。

凌士湘　（有兴趣地）北平田鼠对致病细菌的感染性很大，也可以人工繁殖。这对他的研究会有很大用处。

CC戴　（贪婪地望着凌士湘）如果您肯详详细细地把繁殖和运送田鼠的方法写出来，亲自指点一下……

凌士湘　（老实地）我已经告诉了我的秘书。（对刘玛丽）刘小姐，请你到我办公室，问张先生要我今天上午叫他打的一封信。

〔刘玛丽由右门下。

CC戴　（满脸的笑容）凌大夫，您放心，在围城期间，（拍着胸脯）您的田鼠问题全交给我办理。（掏出一张名片）我的地址电话都在这名片上头。请随时打电话来，我一定帮您完成研究，一会儿我就叫人送十对来。

凌士湘　（惊愕）哦，十对？

CC戴　怎么？不够吗？

凌士湘　（非常高兴）够，够，够。目前总是够的。好极了，好极了，（忽然）你叫什么名字？

CC戴　（很客气地）在名片上。

凌士湘　对，对。

〔刘玛丽由右门上，把信交给凌士湘。

凌士湘　（把信给CC戴）一切的方法都在这里，需要我的时候请打电话。

CC戴　（接信）谢谢，再见。（帽一举，立刻就要溜走）

凌士湘　（蓦地拦住他）你是真有田鼠？

C C 戴　（一愣）田鼠是变不出来的。（手指一挥）您放心吧，就送来。

〔CC戴由中门下。凌士湘望着他的后影，不相信地摇了摇头，正要进办公室，容丽章大夫拿着饭盒上。

〔容丽章大夫是医院的妇产科主任，四十九岁，凌士湘大夫的妻子。她是这个医学院最早的女毕业生，一直受着英美的医学教育。在她的同班中，她算是一个正直的，有些是非之感的女子。她的事业心很强，可以说一生在旧社会中，为着一个职业妇女的前途在奋斗。她非常看重自己辛苦学到的技术，对工作也非常负责。但和她丈夫一样，她是一向不大关心政治的。她很喜欢年轻人，有时和他们在一起。比起她丈夫来，她的生活经历还是比较简单的。她精力饱满，动作说话的节奏很快，好动感情，无论做什么都很敏捷麻利。她爱她的丈夫，她很敬重他研究学问的态度和成就。她同情心很强，在旧社会，她算是一个热心肠的人。

〔她头发有些斑白，剪得短短的，很自然地梳向脑后。清秀的面貌显得很敏感，但疲劳的眼神和有皱纹的前额告诉我们她是很辛苦的。她很瘦，穿着一件合身的藏青薄呢旗袍，外面穿着雪白的医生外衣。一般说她是一个很爱笑，很达观的人。

容丽章　（对凌士湘）你回来了？怎么样？

凌士湘　（望着她）找着了。

容丽章　（高兴地）找着了？哪里？

凌士湘 （神秘地）这不能告诉你。我还糊涂着呢！陈洪友想的办法。（照例地）怎么样？今天病人多不多？

容丽章 还有不多的？事情总是做不完。（一面把一份公文交给刘玛丽打字）你吃了东西了吗？（举起手中的饭盒）这是你的饭盒。

凌士湘 好极了，我是要吃的。从早到晚，就吃了一个白薯。

容丽章 （啰啰嗦嗦地）你照顾点自己好不好？你太马虎了！（把饭盒放在暖气管上）我给你搁在这里热着，别又忘了。

凌士湘 （笑着）好了，你管你的妇产科去吧。（转身向自己的办公室走）

容丽章 （追上来）我替你把薪水领下来了，（取出一小束金圆券）给你留下一点，放在身上。

凌士湘 （把右臂抬起，望着自己的口袋，随随便便地）好，好，放在口袋里吧。（容丽章为他放在口袋里）今天的实验我可能做得很晚，你跟木兰都不要等我。

〔凌大夫走进右门，电话铃响，刘玛丽接电话。

刘玛丽 （对容丽章）容大夫，您的电话，三等病房找您。

容丽章 （接电话）我容大夫。怎么样？好一点没有？……还在流血？你告诉她的婆婆，她是要输血的。

〔马副官上，一见容丽章如获至宝。

马副官 （大声）哎呀！可找着您了！

〔刘玛丽止住他，容大夫接着打电话。

容丽章 ……恐怕要三百CC……什么？没有钱？（沉吟一下）好吧，等一会：我就下来，看看有什么办法。（坐在办公桌边上的

木凳上，写一张便条）

马副官　容主任！走吧，快去吧，我们长官夫人就等着您呢。（拔脚就走，推开门，等容丽章出门）

容丽章　（冷冷地望着他）我上午去过了。

马副官　（又回来，蠢笑着）您就再辛苦一趟。

容丽章　（烦了）针给她打了，药也吃了，跟她也谈过话了，我觉得我对你们夫人费的时间已经不少了。

刘玛丽　（望着容大夫，一面对马副官解释地）容大夫还有别的病人呢。

马副官　（忙忙对刘玛丽鞠了一个躬）您就别掺和了！（又抢着说）容主任，司令长官留过话，我们夫人的病完全交给您了。我们夫人最服气您。她说，非要您，容大夫，再给她打个什么针。您要老不去，她可真火了。

刘玛丽　（对容丽章，撇着嘴，鄙夷地）这个人，Silly[1]！

容丽章　（也不高兴了）你告诉你们夫人，我没有办法。一个女人老了，脸上就会生皱纹，（马副官连连称是）再老了，就不能生孩子，要是再老下去，还会死的！

马副官　（胁肩谄笑）您还是去吧！（容丽章不理，又写便条）

〔电话响，刘玛丽接电话。

刘玛丽　（对马副官）你的电话。

马副官　哦，有我的电话。（忙接电话，声音很大）谁呀，谁？你是

1　愚蠢的意思。——底本注。

刘司机。（烦躁地）是啊，我是啊……什么？出了病房啦？谁呀？谁出了病房啦？……谁？长官夫人！……（喘着气大叫）我，司令长官跟赵小姐！……昨天就上了飞机了！哎呀，我的妈呀！（跑到门口，又回身，这时容丽章已写好，收拾起来要走）容主任，对不起，您甭去了。

〔马副官匆匆跑下。容大夫出了右门。

〔电话又响。

刘玛丽 （拿起电话）Hello……yes，yes……O.K.（放下电括，匆匆走向左门，敲门，推门，轻声叫）Nancy！

〔Nancy走出来。

刘玛丽 Nancy，领事馆来了人，在楼下客厅，说国务院来了急电，要交给Dr. Jackson。

Nancy （高兴地）哦，送来了！（往外走）

〔尤晓峰和孙荣由中门上。

〔孙荣是内科的主任大夫，三十二岁，本院的毕业生。他毕业以后，很快就升为主治大夫。他十分精明，在钩心斗角，争向美国大夫献媚的空气中，他确实能吃苦耐劳，争得了美国大夫的宠爱。他是那种肯下死功夫，甚至于牺牲身体的健康，为取得上司的个人欢心，向上爬的人。但表面上很冷，除了在洋人的面前，很少看见他的笑容。他是个瘦高条儿，白白的脸，没有什么血色。言谈举止都有些矜持，和尤大夫相反，他是一个寡言笑的人。

〔他穿一身颜色比较淡的冬季西装，十分洁净。外面罩着主治大夫的白外衣，手里拿着一份病历。

〔尤大夫也罩上白外衣。

尤晓峰 （殷勤地）Hello，Nancy……

Nancy （淡淡地）Hello。

〔Nancy由中门下。

尤晓峰 （客气地，对孙荣）怎么样？你进去找Jackson说吧？

孙　荣 （大模大样地）也好。（但又犹豫起来）我看还是Miss刘去问问他吧。

尤晓峰 （立刻跑上前去）Mary，是这样的，我们眼科有一个病人——

孙　荣 （冷冷地纠正他）我看应该说是内科的病人。

尤晓峰 （眼珠睖他一下，不以为然地）怎么会是内科的病人呢？

孙　荣 （逻辑地）你的病人自然是眼科的，可是他的老婆是内科。

尤晓峰 （振振有词）可是孙大夫，如果刚才我没有招呼你，你是不会知道他的老婆来了的。你当然也就不会知道他的老婆就是Jackson看过的病人，也就是说，Jackson所要的这个病例，你还是碰不着的。所以，这是很合乎逻辑的，你就不能够去报告Jackson，说你已经为他找到他所需要的病例。这不是很清楚的吗？ Mary，你听明白了？

刘玛丽 （莫名其妙，不知两人吵的是什么）我没听明白。

尤晓峰 （很耐烦的样子）是这样的：今天下午有一个钢铁厂的工人，带着一个女儿一个孩子，还带着老婆到我们眼科来看病。那个工人，大概是正在出铁的时候，饿晕了，倒在地上。铁花打在脸上，伤得很重，两个眼睛在别处治了一个月，已经没有希望——

孙　荣　（鄙视地）我想毋须说得这样多。问题是在这个工人的老婆。前些日子Jackson给她看过病，对她这个病例很有兴趣，叫她第二天再来，她没来。今天恰巧我又看见她——

尤晓峰　（向刘玛丽，抢说）是我先看见的，Mary。

孙　荣　（不屑置辩）就是这么个情形。Miss刘，请你详细地报告给Jackson。（傲然）一提内科孙大夫，那个不戴眼镜的，他就完全记起来了。病历就在这儿，（把手里的病历交给刘玛丽）请拿给Jackson看。

〔刘玛丽由左门下。

尤晓峰　（推开门，对门外）你们进来吧。咦，哪儿去了？（仿佛对着甬道的那一头）喂，这里！就这个门。

〔远处炮声轰轰。天渐渐昏暗下来。

〔赵树德和他的妻女走进来。

〔赵树德是北平城外一个钢铁厂的老工人，四十四岁，但看起来至少也有五十开外了。他一直在反动统治下面，过着不可想象的非人的生活。长时期的劳累、操作和饥饿，沉重地压在他的头上。十二岁起，他就来厂做童工，在不见天日的仓库里，推运着红色的矿砂和铁料，有时装卸，有时敲矿石，一天要做十二到十六小时的工作。疲乏，神经发木，随时都可以从悬壁向深坑里跌下去，他不知摔伤了多少次。他调换过一两次工作，始终没有逃去“臭苦累”

的生活。住在“旋窑”里，露在地上的门仅有桌子一般高，爬出爬进，像兽一样的活着。难得他遇见一个乡村逃难的妇女，和她结了婚。生了四个孩子，生活更困难起来。他在鼓风炉旁熬过数不尽的、痛苦的年月。沉默、成天的不说话。忍受着各式各样的欺侮，一声也不吭。他站在那里，就像一个永远被鞭打，不出声的牛，一站就半天不动。他的身材高大，穿着一个破棉袄，戴着被矿石染红了的破毡帽。两只眼睛完全用纱布包住，几乎半个脸看不见，烧伤显然很重。他的十四岁的女儿赵凤英，穿着不合身的从地摊上买来的破棉军服，用一根麻绳系住腰。一个极端瘦弱的女孩子，睁着一对四处探望着的眼睛，搀着她的父亲走进来。

〔他的老婆王秀贞年约三十九岁，但头发灰蓬蓬的，都有些斑白了。她笑起来满脸都是皱纹，眼眶子里仿佛总是糊着一层泪水。她穿着一个单薄的棉袄，下面似乎仅仅穿了一条单裤的样子。她一手抱着一岁多的睡着了的幼女，一手提着一个衣服包，跟在后面，很不安地走进来。她的样子憔悴极了，像是勉强支持着，总像是要咳嗽，又不敢咳嗽出来的神气。

〔他们三个人惶惑地站在那里，不知道怎么办好，两个大夫都一言不发。半晌。

赵凤英　（低声）妈，倒是怎么办啦？（妈——赵王秀贞简称——愣着）

赵树德　（低声）别老问了，他们叫等着就等会儿吧。

赵凤英　爹，您坐着吧。（要扶他）

尤晓峰　坐着吧，你们都坐着吧。

〔凤英扶着她的父亲坐在窗下那张长椅上，妈还站着。

赵树德　（嘟囔着）铁生呢？这孩子，怎么还不来呀？

赵凤英　爹，别着急，钱就会弄来的。

妈　（已向尤晓峰求了多少次，又鼓起勇气强笑着）大夫，他的眼睛，您看，还能不能——

尤晓峰　老太太，刚才不是对你说过了吗？没有办法治！

〔妈不敢再吭声了。凤英从棉袄里掏出一块窝头。

赵凤英　（对赵树德）爹，（塞在他的手上）吃点吧。

赵树德　我不吃，你给妈吧。

赵凤英　（把窝头向妈递过去）那您填填肚子，（接下妈手里的包袱）吃点吧。

妈　（望着她的女儿，满眼的泪水）我的心都满了，我还吃什么。

〔刘玛丽由左门上，尤晓峰和孙荣立刻迎上去。

尤晓峰　怎么样？

刘玛丽　Jackson很高兴，他说办得很好，叫我谢谢你们两位。（尤晓峰、孙荣互相望了一眼）不过以后的事，他说，就完全交给孙大夫办理，不必再麻烦尤大夫了。

〔孙荣向尤晓峰望了一眼。刘玛丽顺手开了灯，屋子里顿时明亮起来，她走回自己的座位。

尤晓峰　（耸耸肩）好吧，孙大夫。我一样是很高兴的。

〔Nancy由中门拿着一封信上。尤晓峰向Nancy点点头，由中门走下。

Nancy （用钥匙打开抽屉，拿出一个本子，登记了信。忽然望见赵家一家人）这是做什么的？

孙　荣 Dr. Jackson的病人。

Nancy 哦！（锁上抽屉）

〔Nancy拿着信进了左门。

孙　荣 （对赵家一家人）好，我们谈谈吧。怎么样，赵王氏？你丈夫的眼睛，刚才那位大夫说过了，已经没有希望了。这是最后的话了，最后的诊断。

妈 （迸发）那不成，大夫！（哀痛地）我们一家六口，大大小小都等着他奔，不能让他瞎了！大夫，您行行好！

孙　荣 （和婉地）眼科大夫不是跟你说过了吗？你丈夫的眼睛伤得太重了，两个眼睛的角膜都破了，那是不能治的。

妈 （哀告地）大夫——

赵树德 铁生的妈，别央告人家了，（沉郁地）你还没有央告够啊？

妈 （回头）你懂得什么呀？大夫是治病的，行好的，不能见死不救的。

赵树德 （对凤英）叫你妈过来，（烦躁地）叫她过来吧。

孙　荣 （十分同情的样子）是啊，赵王氏，我们是给你想办法。你看，刚才不是找美国医生说了？他答应了，你可以住院。

妈 （听不进去）我住的什么院？

孙　荣 你的病呀！刚才不是对你说过了吗？

妈 （焦灼地）我知道，我知道，可我的病治不治没关系。只要把孩子们爹的眼睛治好——大夫，您看，四个孩子，（指怀中睡着的孩子）小的才这么大！

孙　荣　（十分耐心地）你听我说，赵王氏，我们的医院是一个慈善机关。能治的总要治，不能治的总归不能治。你的这个病重得很，刚才我也跟你丈夫说了，要是还不治啊，半个月就会出毛病。

妈　（一直是茫然地听着，忽然）大夫，您想想法子吧，再想想法子！给孩子们的爹治一下，您就治吧！（不顾一切地）您要多少，我们干什么也给您多少。

赵树德　（急促地）唉，你这不是废话吗？（站起来）刚才我心里合计，前前后后我都想了。铁生的妈，还是你住在这儿吧，就在这儿治吧。

妈　（一想，伤心地）我们拿什么治呀？我们拿什么钱治呀？

赵树德　刚才大夫说医院可以想办法免费。（迟疑地）就是得今天住院。

孙　荣　（钉一句）晚了就没有床位了。

妈　（望着怀里的孩子）不，我不住。

孙　荣　（依然很和气地）唉，赵王氏，我劝你就在这儿治。

赵树德　是啊。（郁愤地）人不是畜生，有病总得治啊！（摸着要走过来，妈迎上去）铁生的妈，你想想，（痛苦地）真有个三长两短，留下这些孩子——叫我怎么办？

〔赵铁生由中门上。

〔赵铁生是瞎眼的老工人的长子，十九岁。在钢铁厂里刚刚出了师，还赚不了多少工资。他的生活是和他父亲一样，过得沉重，痛苦。无休止的劳作和压迫煎熬着他，使他过早的成熟，使他也变成一个不好说话的人，尽管他才十九岁。但是，他心里蓄满了愤恨，不满，同时怀着不可抑止的期望，不甘心过着这样毫无前途的生活，生命的火在他心里并没有压灭，等待着什么力量来扇起他的火焰。

〔他穿一件破棉袄，束着一条旧皮带，光着头，沉重地走进来。

赵铁生 爹，有了。钱有了。

赵凤英 工会给的?

赵铁生 （蓄满了抑压的愤怒）他们！他们说章程上没抚恤这一条！硬说我思想不良，把我猴进去当八路审！你看，打的！（指肩膀和脖子）

赵树德 （心痛而愤恨地）告诉你别去！工会就是第二法庭，不是给咱们办事的！

赵铁生 反正钱有了。厂里的工友们，张志诚，老涂，刘三叔……大家十来个人凑的。

赵树德 （想起患难的弟兄）大家的日子都难哪，还为着咱们操心。

赵铁生 （对妈）怎么样，交钱去吧？爹那眼睛——

妈 （叹口气）

赵树德 他们治不了我的眼睛。

赵铁生 （愣住了）哦。（忽然绝望地）那怎么办?

赵树德 （忍耐地）先别管这个了。现在医院倒是说你妈的病更重了，得赶紧治，要住院。

赵铁生　（低头）我知道。可是这点钱——

赵凤英　医院说可以免费。

赵树德　不用花钱。铁生，你看呢？

〔炮声隐隐地响着。

赵铁生　（沉重地）爹的眼睛治不好，妈要是再躺下——我看就留下治吧。

妈　（望着他们）可家里的日子——

赵凤英　妈，不要紧，我会做饭！

赵树德　封了炉也不要紧，叫铁生先拉几天排子车。

赵铁生　放心吧，妈，弟弟妹妹交给我了。（炮声隆隆）苦日子也就快熬出头来了！

妈　（无可奈何）好，铁生爹，我先送你回去，家里安置安置再来。

孙　荣　（温和地，但是清清楚楚地）赵王氏，你再来就不一定有床位了。

妈　（半晌）好吧，就住这儿吧。

孙　荣　（稳稳地）走吧，下去办手续去吧。（忽然转身）等一下。（走去打电话）接住院处。喂……谁呀？……哦，你钱护士。请你告诉三等病房准备病床，立刻就有人下来。

〔在打电话的时候，他们默然等待着。半晌。

赵树德　（低声）别着急，铁生的妈。

妈　（眼泪流下来）我不，我不。（对儿子）铁生，好好地招呼着爹。

赵树德　别管我，不要紧的。

〔孙荣打完电话，走过来，打开门。

赵树德　走吧。

妈　（望着瞎了的丈夫，哀痛地）唉。这是怎么说的。我是送你来的，现在，你倒送了我了。

〔妈抱着孩子，铁生搀着父亲，凤英提着包袱，孙大夫跟在后面，由中门下。

〔正当凤英下去的时候，甬道上很多人匆忙跑过，好像出了什么事情。由中门走上来两个人，为首的一个人是瘦瘦的，穿着败了色的藏青中山服，后面跟着是一个矮子。他们望着孙大夫走下去，那个矮子就很自然地把门堵住。这两个人是特务。

为首的特务　（对刘玛丽，脑袋一扬）江教务长在哪里？

刘玛丽　（莫名其妙）你是干什么的？

为首的特务　你不用管。（刘玛丽此时才注意到为首的特务中山服下面的手枪，和矮个子特务的神气，顿时哆嗦起来）你把这信交给他，我等着你。

〔刘玛丽一面惊惶地望着他们，一面逡巡地走进会议室。

为首的特务　（对矮个子特务）都安上人啦？

矮个子特务　都安上了。

〔右门忽然打开，凌士湘穿着白罩衣怒冲冲地走上来，后随着一个高个子的特务。

凌士湘　（面前都是陌生的脸）咦！（呼唤）刘小姐！

为首的特务　不要叫!（凌士湘盯着他们，没作声。为首的特务对高个子特务）人呢?

高个子特务　不在实验室。

凌士湘　（怒形于色）你们这是干什么?

〔陈洪友由左门上，后随刘玛丽。陈洪友惊惶地站在那里，不知先说什么好。

为首的特务　你是江教务长?

陈洪友　（微弱地）我不是，可是我可以代表。我们正在开会，他忙得很。

为首的特务　看见公函了没有?

陈洪友　（强笑着）里面正研究呢。

凌士湘　（抑制着自己的愤怒）洪友，这是怎么回事情?这个人,（指高个子特务）居然混到我的实验室去了!他们要干什么?

为首的特务　你少说话!（对陈洪友）你们这儿有个大夫叫何昌荃?

陈洪友　（望着凌士湘，不知答好还是不答好）嗯。

高个子特务　他在细菌系。

凌士湘　（才明白，气愤地）怎么?你们要抓人，到我的实验室抓人?我不答应!

陈洪友　（安慰地）士老，别着急，把问题多考虑一下。

凌士湘　这有什么可考虑的?这是医院，医学院，是治病救人的地方，是科学研究应该受到保护的地方。（对特务们）你们懂不懂?我们是研究科学的，研究科学的!跟你们没关系!

为首的特务　（冷冷地）谁呀，你?

陈洪友　这是凌士湘大夫。

为首的特务　（打量凌士湘）哦，你是凌大夫。你怎么还不到台湾去啊？我们知道你是专家，很有名。可是你教的这个徒弟，很不好，很坏，他是共产党。

凌士湘　（脱口而出）他怎么会是共产党？

陈洪友　（安慰他，低声）不要着急，我想Jackson是不会让他们胡来的。

凌士湘　（低声）我也相信。你去把Jackson叫出来。这真太不成话了！这还叫什么国家！

陈洪友　（向特务，征求同意的样子）我进去一下。

〔为首的特务点一下头，陈由左门下。半晌。电话铃响，刘玛丽望着他们，不敢接，刚要伸手，矮个子特务拦住她，自己接过来，问"谁？……没有！"就恶狠狠地把电话放下。

〔江道宗与陈洪友由左门上。

〔江道宗是医学院的教务长，四十六岁，又是公共卫生系的主任。在这个医学院里，大约除了Jackson以外，最有势力的人就是他了。因为校长和院长都是有名无实的，Jackson和他故意请一些他们认为的好好先生来充任，做招牌。他有很多名字，但其中两个是最通用的：学生们和比较知道他的人称呼他"阴间秀才"，外国人就称呼他Timothy T. Tchiang。他温文有礼，但是又阴气森森，如果和他处久了，就会感觉到在他斯文的谈吐和言笑里面，总是有一种不可测的，不能使人相信的心机。他在洋人的圈子里很红，会拍洋人马屁，为他们着想，但表面上冠冕堂皇，一丝也不令人看得出来。他说话尖刻而聪明，有时又“热情”而“爽快”。在人面前，对他的主子并不低声下气，时常倒是故意离着Jackson远远的。他笼络着一群他所认为可以做喽啰的大夫们。对于凌士湘他保持着谦恭下士的态度，口口声声称呼他是老前辈，实际上他是谁也不佩服。他觉得他的前途是无限的。

〔他有些学问——在美国得过两个博士的头衔。但自从多年以前受了Jackson的赏识以后——和他所认为的美国有力量的人做了朋友，当了这实际上比院长还高得多的教务长，他渐渐对“政治”的兴趣浓厚起来，觉得人应该有“抱负”有“雄心”，对于学术也不甚钻研了。这个人英文不错，还会两句旧诗，自己觉得很风雅，很博学，高人一等。待人接物总要使人觉得他有教养。

〔他身材适中，面貌白净，眉毛淡得几乎看不出。一对细细的小眼睛，看起人来就不肯放过，闪着闪着，像是要把一切都吸进去的样子。他非常爱惜自己的“丰采”，穿着一身毛质的潇洒的长袍，一尘不染。下面是笔挺的西装裤，皮鞋是尖头的，擦得晶亮。他是有惊人的洁癖的。

〔他很从容地走出来。

凌士湘 （诧异）道宗，Jackson呢？

江道宗 （温文地）Jackson托我代表他。（对特务，有身份地）我是江教务长。院方的意见——（转对凌士湘）Jackson说的——

（对特务）我们不能替你们逮捕，但是我们也不能禁止你们逮捕。所以——

凌士湘 （急促地）这叫什么话！

江道宗 （稳稳地，对凌士湘，也对为首的特务）他说，医院是不该抓人的，他认为这件事情很遗憾。但这是中国内部政治的事情，美国人不能干涉。所以逮捕何大夫他们的事情，他表示他管不了。

为首的特务 （对特务们）走吧。到底人家美国人明白。（对江道宗）再见！

〔特务三人下。

凌士湘 （爆发）他不是管不了，他是不愿意管，怕事！我找他去。

江道宗 （拦住他）士老，不要去了。我一定想办法营救，请放心吧。我也认识他们一些人，有办法的。

凌士湘 （焦急地）不成，我要亲自找他。

〔凌大夫匆匆由左门下。

陈洪友 （疑讶）真有办法吗？

江道宗 （说知心话的样子）这个时候，有什么办法？国民党这帮不成材的东西，把大局弄到这样的地步。现在只懂得杀人了。

陈洪友 可你已经答应他。

江道宗 这个老先生只好先安慰他几句。（不自觉地说出来）他迂得很。将来会变成什么样子，他一点看不出来的。

陈洪友 你看局势会怎么样？

江道宗 （嗟叹地）这个局面完了！但是做学问的人，总不应该放弃希望，你看这几十年的历史，无论怎么变，有一种力量从来没有倒过。

陈洪友 （懵懂地）哦，谁呀？什么力量？

江道宗 （大有深意地望他一眼）你是个聪明人，这还用我说吗？（忽然）你没看见刚才Jackson收到一封信吗？

陈洪友 哪里来的？

江道宗 猜不出来。可是你注意没有？他的态度显然地跟刚才有所不同了。你出来以后，他很清楚地表示，在任何困难情况下，要把医院办下去。他不走了。

陈洪友 （惊讶地）他不走？

江道宗 （平静地）嗯，不但他不走，他还希望大家都不要走。

陈洪友 那么，共产党进来了呢？

江道宗 （“豪气”地）我觉得他的话很有道理，我们教育家应该有我们的岗位。我们还要维持医院的国际标准，历来的学术传统。我想我们还是也不走吧。

陈洪友 （谨慎小心地）可是——

江道宗 （庄重地）我们的责任是大的。共产党有什么专家？以后的事情复杂得很，他们真能维持得下去吗？我是相信那个力量的。

〔凌士湘由会议室走出，没有作声。

江道宗 （客气地）怎么样，士老？有什么新办法吗？

凌士湘 （苦恼地）没有。他是对的，我跟他谈了，他是有他的苦衷。他是个学者，碰见这样的事情，也是没有办法。（恳切地）

道宗，你说你要营救何大夫，你一定要做到！他是我的好学生，对我的实验帮助很大的。

江道宗 （义不容辞的样子）当然，当然，你放心。你的实验重要极了。昨天我收到从纽约寄来的一本杂志，有一篇文章提起你。（阿谀地）士老，你已经是有国际声望的人了。对了，刚才Jackson还问我你那篇研究鼠疫的论文，主张你快一点写出来，他为你立刻寄到美国发表。

凌士湘 可以，可以。

江道宗 （亲切地微笑）昨天Jackson送我一只火鸡，我舍不得吃，拿来敬老。尝了没有？

凌士湘 还没有呢。谢谢，谢谢。

〔Nancy由左门上，听得见贾克逊大叫Timothy的声音。

Nancy 江教务长，Dr. Jackson请你进去，就要散会了，Dr. Jackson就要走了。

江道宗 （带一点官气）好吧，洪友，如果还有什么手续，你办吧。

〔江道宗跟着Nancy由左门下。凌士湘在屋中徘徊着。

凌士湘 （忽然）怎么办？

陈洪友 怎么？

凌士湘 （急煎煎地）他的病还没有好，这就抓去，这还有什么人道！

陈洪友 （喟叹）唉，他们还讲什么人道！

〔三个特务押何昌荃上。何昌荃还穿着病房的睡衣。

凌士湘 昌荃！（何昌荃望着凌士湘，凌士湘立刻转向为首的特务）

为首的特务 （对陈洪友）我们一共抓了三个，剩下的跑了。名单给

你们了，你们还得负责！（陈洪友不敢吭声）

凌士湘 （对为首的特务，几乎是央求地）他有病，你放开他！等他病好了，再跟你去。你可以留一个人看着，我可以找医务主任特许，跟他一同住在外科病房。

为首的特务 （奚落地）从我们那儿出来，总是要进外科的。我看反正是一样，你就别操心吧！

何昌荃 （从身上取出一把钥匙）凌大夫，这是实验室显微镜的钥匙。（真挚地）很可惜，您的实验，我不能帮您做下去。

凌士湘 （一面接着钥匙，痛苦地）你真的加入了什么党？搞什么政治吗？

〔北风怒吼，隔着窗户隐约可闻。

何昌荃 （沉重地）凌老师，一个人不问政治，政治也会来找你的。

为首的特务 （拍何昌荃的肩膀）走吧。（何昌荃转身）

凌士湘 （这时才察觉何昌荃穿着一件薄薄的睡衣，急了）那怎么成？外面这么冷！（急忙取下挂着的大衣，给他）披上，昌荃！

为首的特务 （狠恶地）这样的人，还怕他冻着！

凌士湘 （忙乱地掏出口袋里的钱）这点钱，拿着。

为首的特务 （从中接过来）好，我替他保存着。

凌士湘 （急切地）昌荃，你放心！我们一定想法看你，一定给你想办法！（要给他穿大衣）

为首的特务 （推开他）你给他想办法？你也要进去？（恶狠狠地）我看你也不是个好东西！什么狗屁专家！进去都是一样。对你们太客气了！

〔特务们押着何昌荃从中门下。凌士湘和陈洪友二人沉默不语。电灯忽然熄了。黑暗中——

刘玛丽 （叹口气）嗯，又停电了。（她摸着了洋火，把洋油灯点好，放在Nancy的办公桌上。她把东西收拾一下，轻轻地由中门下）

陈洪友 士老。

凌士湘 （坐在沙发上发愣）啊？

陈洪友 （极力想安慰他）不要生气了。

凌士湘 （强自抑制）没什么可生气的。（颤抖地）五十六岁了，我第一次遇见这样的事情——为我自己，没什么可生气的。

〔电话铃响，陈洪友接。

陈洪友 谁呀？……我就是洪友啊……什么？飞机票现在就要买？（焦急万状）那怎么成？你再跟他们商量商量……我就来。先别买，等着我！（放下耳机，低声）士老。（凌士湘在沉思着）士老，美贞来的电话，说飞机票就要买，不买就不能买了。你看，我应该怎么样？

凌士湘 （茫然地）你自己想呢？

陈洪友 （心乱地）我实在拿不定主意。

凌士湘 （摸着前额，沉思地）黑暗极了，乱极了。作为一个中国人，我看不见一点点前途。（痛苦地）我奇怪，我为什么要学科学！从辛亥革命到现在，我这样的工作，究竟是为什么？一到这样的生活，连最低限度的研究都做不成的时候，我真是要离开！（捶着沙发的扶手）无论到什么地方，走！

（摇摇头）可是我到哪里去？我们是中国人。中国再坏，再烂，我生在这里，（逐渐坚强）我死也得死在这里。作为一个科学家，我也是中国的！（抬头问陈洪友）你拿不定主意，你还预备逃到哪里去？跟这批东西一起跑？我告诉你，没什么可去的地方！（逐渐愤怒起来）我不喜欢政治，我也不大看报，但是我有一个不科学的感觉，就是，这个鬼政府要倒，（着重地）倒到底！我怕很快，全中国哪里都是共产党，没有办法。我一点也不喜欢共产党，我没有看见过它，也没有看见过它所做的事情。（倔强地）可是我也没有这样的成见，它在的地方，就一定要走。我总觉得只要是个人，人就要进步，进步就离不开科学。如果将来共产党来了，就像今天似的，也来了几个人，把我请到那个地方去，我也并不后悔。因为无论如何，此地有我的实验室，这个实验室还不坏，我在此地工作了二十年。（忽然地盯住陈洪友）怎么样？你还预备到美国去吗？

陈洪友　（很低地）对。

〔陈洪友拿起帽子大衣，忙忙走出。同时，容大夫上。

容丽章　（焦急地）昌荃呢？

凌士湘　（愤慨地）还是抓去了！我告诉过他，叫他不要多管事情，不要参加我们这些科学家管不了也不需要管的事情！我们一辈子就是为实验，实验的目的就是救人，还有比这个对人类有更大益处的事情吗？但是他不听！结果，这样！你看，我们刚刚完成田鼠对鼠疫的感染，正在开始研究新的鼠疫疫苗。如果这种研究成功，那对于人有多大的好处！可是他，他——这对我们的实验有多大的损失！真是糊涂极了！

〔炮声轰轰。

容丽章 （充满了善良的情感）士湘，我们不一定能了解昌荃，也不一定能了解昌荃心里所想的东西。这么一个青年，说抓去就抓去，生，死，就不知道了。这太痛苦了，太可怕了！（顿）你听，（炮声）炮又响了。（拿出一封信，递给凌士湘）刚才我在你的实验室看见给你寄来的一封信。

凌士湘 （打开信，很快地看完了。交给容丽章）奇怪，共产党来的信——要我们留下。

容丽章 （很快地看完，诧异地）仿佛对你的工作也还知道一点似的。共产党还重视你呢。

凌士湘 （凝思）他们能重视我的研究吗？

〔工友拿一个装着田鼠的笼子上。

工友 凌大夫，一位戴先生送来的。（递给他）

凌士湘 （接下，喜出望外地）什么？田鼠？

工友 田鼠。

〔工友由中门下。

凌士湘 天哪，他居然送来了。田鼠！田鼠！（有些激动地对容丽章）走吧！你看，我的宝贝来了。

容丽章 （踌躇地）还做实验吗？

凌士湘 （反抗地）为什么不？为什么不？我告诉你，这就是到了真正考验科学家的时候了！我告诉你，任何时候都要实验！怎么困难都要实验！抓了我的学生也要实验！（炮声）你轰吧！我有田鼠啦！

容丽章 （拦住他，不安的神色）告诉你一件不愉快的事情。

凌士湘 什么？

容丽章 刚才张技术员告诉我，染色剂没有用，做出来的切片完全坏了。

凌士湘 （一愣）怎么？

容丽章 假的。跟上次的青霉素一样。

凌士湘 哪儿买的？

容丽章 （愤愤地）医院从南京卫生署领下来的。

凌士湘 （急切地）那么找药房想办法嘛！

容丽章 问过了，药房的东西也是他们卖出来的。（给凌士湘一个切片）这就是今天上午做的切片，染下来就是这个样子。

凌士湘 （连忙就着灯把切片拿起来，仔细看了一下，猛的摔在地下。半晌。痛苦地）那么，我们还干什么呢？（坐下）

〔炮声越来越大。小姚推开中门进。

小　姚 （低声哼着）“解放区的天，是明朗的天”，（忽然望见沙发上坐着有人，吃了一惊，停住。走到桌旁，拉开抽屉，悄悄把书包拿出来，走出）

凌士湘 （凝望着）等吧，明朗的天。

——幕落

第二幕

第一场

北平解放了，人民解放军进城了。太阳照着这古老的地方，黑暗，丑恶，残酷的压迫随着那些黑暗的统治者们一起消灭了。人民解放军继续向南挺进。美帝国主义和它的奴才蒋匪军，在人民巨大的力量的攻击之下，已经在中国大陆上溃败。人民的队伍已经基本上解放了全国各大城市和广大地区。

一九四九年十月一日，我们的政府成立了。有悠久历史的北平宣告为人民的首都——北京。

从北平解放以后到现在，这个医学院的教授和大夫们在思想感情上是有些变化的。大家对共产党已经由过去为蒋匪宣传所造成的恐惧，怀疑，变成为尊敬和钦佩。但是他们还没有真正和人民站在一起，有的因为长期受着美帝国主义文化的影响，依然保持着“我行我素”的态度，研究与人民毫无关系的科学。也有极少数的一部分人，他们不只是对美帝国主义存着幻想，还妄想着继续做美帝国主义文化侵略的忠实的奴才。无疑问也有些人，想诚诚实实地重新认识党和人民，愿意在医疗的岗位上尽一份力量。但是即便是他们这样的人，在多年美帝国主义的文化侵略下，也没有认清美帝国主义的真实面目。

阳光虽然进来了，医院里的人们还没有完全醒过来。除了少数的青年们外，大家的心里，还是遗留着很多的糊涂思想和多年养成的旧人生观。这要等待进一步的教育和各种群众性的运动，以及日后的抗美援朝，才能使他们有了比较深切的觉悟。

这是一九四九年十月二日，建国的第二天。依旧在上一幕的地方，但是已经看不出贾克逊在这个医院的时代的排场和氛围了。Nancy和刘玛丽的美国气味的办公桌不见了，桌椅沙发很自然地摆了一些，仿佛人们，无论谁都可以在这屋子里随便谈话，开会，甚至于玩。贾克逊和他的亲信Nancy回了美国，贾克逊的屋子已成了党支书办公和大家开会的地方。

〔开幕正是下午，蓝蓝的天，室内满地阳光。微微有些风，由钢窗吹进来。白杨树飒飒地响着，阳光洒下一大片颤动的树影。窗外，鸟在酣快地唱着。空气是那样爽朗，新鲜。北京最可爱的秋天到了。远远的，几乎听不见的，传来快乐的人们在公园里欢唱的声音，夹着明快的军乐，和偶尔从更远的一带传来的秧歌锣鼓声。

〔屋子里好多护士、学生欢快地相互交谈着，屋子里的声音像飞满了一群一群的蜜蜂，中间夹着笑声和女孩子们惊叹的叫声。有的谈着平生第一次看到的昨天游行的秧歌大队，有的谈着雄壮的民间腰鼓，有的谈着天安门前夜晚的烟火，有的抒发着自己为着建国节日的兴奋，有的就索性扭起秧歌的步子，口中打着锣鼓。欢谈喧笑进行中，随时由中门和右门走进被他们的欢笑吸引进来的人们，其中有凌木兰，容大夫，袁仁辉……等等。幕开的时候，大家正为第一次在天安门看见领袖而兴奋着，陈亮压不住自己心情的激动，在一片嗡嗡的谈话声中朗朗地高声谈起来。

陈　亮　（昂奋地）……那是一片红色的海。工人，农民，部队，知识分子，学生，教授，还有我们！都是红色的，无产阶级的，新中国的，在共产党的领导下面会集起来了。在东方，在中国的土地上，迎接从来没有过的，新的，社会主义的时代！昨天是中国历史上最伟大的日子，我会永远记住，新中国的第一个十月一号！（大家鼓掌）

容丽章　（称赞孩子似地）好，好。

袁仁辉　（那个三十岁上下的老护士）我昨天都哭了。

小　姚　（同时，兴奋地）我也忘不了。

袁仁辉　（絮絮叨叨诉说着）我为什么不哭呀？我一想起过去我受的委屈，我再一看天安门上的五星国旗，我就想哭。美国大夫现在都走了。那阵子他们还在这儿的时候，像我们这样的人谁瞧得起呀！我又不会说英文，可是整个医院都嗷嗷的讲，我干着急搭不上话。那王护士长明明知道我不懂，就硬对我叭啦叭啦的，用英文一骂就十分钟，大家还笑！那时候，我就像那白毛女呀，那苦就甭提了！

沈德昌　（一个十分老实，用功的学生，立起来，对大家，很兴奋地，但是结结巴巴地）袁大姐的痛苦是跟我们中国近一百年来的历史分不开的。中国近一百年来的历史是非常痛苦的。自从鸦片战争，自从鸦片战争一八四〇年以来——

朱　强　（一个哑了喉咙的细菌系学生，忽然站起）老沈，我反对你又鸦片战争！今天咱们不从鸦片战争讲起好不好？大家要听革命史，明天再上。（大家哄笑）

陈　亮　（笑问）小朱，你嗓子怎么啦？

朱　强　（瞪着大眼）我昨天喊了一天，游行的时候。（大家又笑）现在我们欢迎容大夫谈谈感想。（领着大家鼓掌）

容丽章　（坐着，连连笑着摆手）我不会，我不会感想。

〔大家又鼓掌又劝说，正闹得起劲的时候，右门忽然打开，凌大夫穿着白罩衣，不高兴地走出来。

凌士湘　（板板地）诸位先生，你们能不能声音小一点？我还在工作。（一眼望见容大夫，没想到，幽默地）哦，你也在这儿，很好。

容丽章　（和蔼地解释）今天放假啦，士湘。

凌士湘　（简单地）你们放假，我没有放。（对陈亮）何昌荃呢？

〔凌木兰是刚进眼科的实习大夫，凌大夫的独女。她小的时候母亲就死了，八岁由继母容大夫抚养起来。一般说她们母女的感情是好的，虽然表面上不一定看的出来。她的性情很沉静，是一个老老实实的肯用功的人。不大爱说话，但不是不能说话，有时倔起来，像她的父亲。她举动是那样沉稳，甚至于是慢，但她给人的感觉是一个扎扎实实的，表面上不怎么吸引人，却含蓄着真实的情感的人。

〔她穿一件浅蓝色有白点的绸旗袍，因为外面罩着实习大夫的白罩衣，仅仅在白衣的下面露出旗袍的边裾。

凌木兰 （温和地）我跟您谈过，爸爸，就是那个瞎眼的工人，他的老婆死了，何大夫正在跟家属谈话呢。

凌士湘 鼠疫疫苗的研究刚刚上了轨道，我们的实验需要他。

凌木兰 （安安静静地，坚持着）爸爸，这个事比实验重要。

凌士湘 （执拗地）研究比一切都重要。

凌木兰 （和缓地）爸爸，我觉得你对研究的看法该改一改了。

凌士湘 （不理，对陈亮）陈亮，你替我把他找来。

陈　亮 （没办法地）好。

〔凌大夫转身进了实验室。大家默然。陈亮向大家无可奈何地望了一下，由中门走出。

容丽章 （向大家笑着）你们看看，这老头子，有什么办法？

朱　强 （贸然）他就知道他的实验室！政治学习不肯参加，昨天又没去游行，我们应该批评他，（顽皮地）老实不客气地批评他！（吐吐舌头）

沈德昌 （一本正经地）我反对！他是我们细菌学系的灵魂，我们不能打击他的研究情绪，即便为了学习政治。全班人都跟我一样的意见。

朱　强 这是无原则的想法！无原则！

沈德昌 无原则？怎么是无原则呢？

大　家 不要再吵他了，我们走吧。

容丽章 袁小姐，请你告诉病房，催那位王太太出院，她的病早好了。

袁仁辉　好。

〔大家向容大夫和她的女儿凌木兰打了招呼，陆续由中门下。

凌木兰　妈，我要到眼科去了。

容丽章　你等一下，木兰。（拿起电话）请接妇产科办公室。（把木兰的衣领整理了一下，接对电话）哦，你是哪位？我容大夫——手术室准备好了吗？（不高兴地）什么？改时间？谁说的？——告诉她，病人不能等我们，我们要等病人！怪不得共产党说我们是什么作风！你告诉她们，四点钟准开刀，叫她们在手术室等着我——什么？晚上还有政治学习？几点钟？那不正是我们研究病例的时间吗？——取消一个吧。你说取消什么？我说取消政治学习！（放下电话，愤愤地）我就恨不把病人放在心里的医生！那个新来的董支书说，老百姓要我们做很多很多的事情，叫我们打开窗子看看外面。可我们现在究竟做了些什么呢？木兰，我觉得共产党说的话是对的。

凌木兰　（不满地）可是爸爸就一直关着窗户，不往外看。

容丽章　（慈爱地）木兰，虽然我不是你的亲母亲，我是看着你长大的。我同意你对你父亲说的话。何昌荃的意见我们慢慢地跟他讲。我觉得像刚才，当着那么多人，你那么顶他，他还是个旧式的父亲，他受不了。对吧，木兰？

凌木兰　（低着头）对。

〔袁仁辉上。

袁仁辉　容大夫，（为难地）王太太说她不走，不肯出院。

容丽章　（简捷了当）她早好了呀！

袁仁辉　她说她还要养养，再住几天。她说她给钱，医院要多少她可以给多少！

凌木兰　（气愤地）我们眼科也有这样的病人。

容丽章　（翻着眼）你们怎么办的？

凌木兰　我们告诉他，“这个医院不是从前的规矩了，不是你们的招待所了”！

容丽章　（忽然对袁仁辉）那你找我干什么？

袁仁辉　（莫名其妙地）您是主任哪！

容丽章　（冒火）叫她搬！（对袁仁辉）你告诉陈护士长，回头那个开完了刀的病人就搬到她的屋里。

袁仁辉　（胆怯地）可是她是三等病房的。

容丽章　她的病重，要单间。（忽然追添一句）这也是新规矩！

〔袁仁辉下。

容丽章　（马上想起）木兰，我没发脾气吧？

凌木兰　（笑嘻嘻地）您没有。（鼓励地）您办得很好。董支书不是常说吗？过去需要我们的人我们不能治，不需要我们的人占着我们不放手。今天每个人都有健康的权利。

〔何昌荃由中门上。他穿着一身灰色制服，上面罩着白罩衣，他的腿有点跛，气色比以前健康一些。

何昌荃　容大夫。（向她点点头，转向凌木兰）木兰，请你跟凌大夫说一声，我现在还不能去。

凌木兰　（看妈妈一眼）我想不要紧的，我去告诉他一声。

〔凌木兰从右门下。

容丽章 （关心地）怎么样？昌荃，你的腿好一点没有？我跟你说，（指何昌荃，絮絮叨叨地）解放以后你从狱里出来，受了重伤。我劝你多养几天，吃点好的，你不听，又忙起来了。（像个老姐姐似地）革命是件好事情，我就觉得不一定要革得这么苦。

何昌荃 （乐观地）日后大家的生活要过得好，所以很多的事情要人做，快快地做。

〔董观山由左门上。他是新来医院的党支部书记，三十六七岁。他是个知识分子出身的党员，一九三七年以前，还在北平的大学读书，和当时的学生搞抗日运动，热情，勇敢，被国民党特务抓到监狱里。放出来以后，就参加了进步的组织。他像火一样的燃烧着，当时就决心把自己的生命献给爱国的事业。不久他的名字又在日本宪兵黑名单上了。七七事变以后，他和一群年轻的朋友逃出北平，走向解放区，参加了游击战争。在长期的激烈的斗争中，他才亲身体会到人民的力量，才意识到革命的前途。他在解放军里做过政治工作，办过报纸，打过仗。在极艰苦的阶段当中，他和战士们一起共同生活着，吃过树皮树根。虽然饿得人发了晕，他和他的战士没有偷偷拔过田里的一根玉米棒，因为他们知道那是老百姓的粮食，当时老百姓的生活是多么艰难。在全国解放战争的时候，他被调去做地方组织工作，当过地委书记，做过宣传部长，也做过统一战线工作。

终于在一个卫生部门里确定了他的工作，他就和从大城市走向解放区的医生和医务工作者们接触起来，赢得了他们的信任，并且由于他的诚恳坦白的胸怀和热忱，有些个医务工作者已经认识了党并且向党靠拢。

〔北平解放以后，他做了一两个医院的接管工作，对于当时一般医院的思想情况已经有些认识。他被调到这个医院做党的工作，对他来说是一件艰难的任务。这是美帝国主义文化侵略的大本营，在他读书的时候，他已经知道了。他到这个医院不久，开始和一些专家们和在医院里有威信的大夫们进行工作。但是他遇到了很大的阻碍。党进入医院，在这些人看，至少是和他们的工作不相关的。有的人，譬如江道宗，在暗地里说这是干涉的开始。一般说，群众没有觉悟。他一进医院，对医院里的一切习惯，办法，尤其是待病人的态度，十分的反感。第一个星期他几乎每夜都没有睡好，吃不下饭。但是他不吭声，他知道需要耐心，需要慎重而仔细的研究美帝国主义留下来的这个具体环境。党团员不多，工会刚刚组织起来，大一点的大夫认为参加工会是降低了自己的地位，犹犹疑疑的不肯参加。绝大部分的高级知识分子完全不认识美帝国主义在这个医院里的文化侵略，他们在美国帝国主义的思想的网罗里翻不了身。在党公开了以后，像董观山这样一个有威信的干部被派来了，有些党员就迫不及待的希望着立刻开始一个革新的变动，屡次向他提出要求，要在医院里来一个暴风骤雨，把医院里的龌龊空气洗涤干净。就在这个阶段里，他要掌握一切，如何扶持培养新的但还是脆弱的苗，又如何使那过去生活在腐烂的泥塘里的人们，逐渐变成人民所需要的人。〔他说话不很多，但他给人的印象十分亲切。他是这样善于倾听别人的意见，他使人觉得，话到了他的耳朵里，他是真听进去了。你看不见他有一丝敷衍着你的态度，你的思想他永远不会曲解。他理解人，这就使得人愿意和他谈，放下心自由自在地谈，不感觉他是一个支部书记。即便在医院的这些高级知识分子前面，他还是流露出来他那种平易近人的襟怀，使他们觉得这个人是一个容易相处的，谦虚的，实实在在的，永远说真话的人。他的思想细致、敏锐，他说出来的话简单亲切，那样容易明了，却具备着逻辑的说服力量。老一点的教授们时常奇怪这样一个年轻人，仅仅三十六七岁，怎样就具备了这样多的智慧和修养。他的生活朴素简单，他很少想到自己。他是个中等身材，瘦瘦的。因为多年营养不良和过度的劳累，他的面色黄黄的，宽大的前额更突出来。从他和蔼的眼神里，使人感觉到他有些疲乏，但他总是在振作着，昼夜不息地工作着。他处在这样一段工作最紧张的时期，他每夜睡的很少。他穿着旧的宽宽大大的灰布制服，脚上是一双粗布鞋。虽然他的穿着完全保持着乡村的气息，但一眼看得出来，他是一个有修养的知识分子干部。

董观山　（正往凌士湘的办公室走去，瞥见他们）容大夫。

何昌荃 董支书。

董观山 （对何昌荃、凌木兰点点头，转对容丽章）凌大夫还在实验室吧？

容丽章 （和气地）恐怕他正在工作呢。

董观山 那就不打扰他吧。

容丽章 不过董同志，你去他会欢迎的。

董观山 不，回头再跟他谈吧。

何昌荃 董支书，我跟病人的家属都谈了，今天钢铁厂工会也派了人来了。

董观山 （止住何昌荃）容大夫，我们正在研究一个病例，是一个工人的老婆，贾克逊的病人，您知道吗？

容丽章 我知道。她进院的那天，我还看见过她，很可怜的，病的很重，带着一个儿子，一个女儿，手里还抱着一个小的。

董观山 她死了。

容丽章 死了？

董观山 就在贾克逊回国前一星期死的。（对何昌荃）病人家属对病人的死还有什么意见？

何昌荃 （藏蓄着愤恨）没有新意见，他们一致认为病人死得冤，认为是孙大夫跟外国人害死的。

容丽章 （吃惊地）害死的？

何昌荃 （捺下性子）容大夫，现在孙大夫也承认这个病人是不应该这样死的。

董观山 （想听听她的意见）容大夫，贾克逊是怎么样一个人呢？

容丽章　（坦直地）贾大夫是一个学者，在中国培养了很多人才，工作一向是很认真的。如果这个工人老婆的死是个医疗事故，自然是应该由贾大夫负责。可我想至多是贾大夫的疏忽，害死是不可能的。

何昌荃　（有些不满地）您是不是太相信Jackson了？

董观山　（对何昌荃，拦阻地）我们还是多研究研究吧。我已经托陈主任请孙大夫来了。（和蔼地）容大夫，以后关于这个病人的病例，还要请您提些意见的。

〔外面戴鹤飞的声音，大声喊叫："士老，士老，凌士老！"

容丽章　（爽快地）好，我知道的我一定会讲的。

董观山　再见。

容丽章　再见吧。

〔董观山与何昌荃由左门下。

〔容丽章正诧异谁这样疯癫癫的在医院里大声喊叫，这时中门大开，兴致勃勃地走进来戴鹤飞，旁若无人，仿佛这是他的家里一样。他后面紧紧的跟着尤晓峰，满面笑容，似乎已经跟他成了最熟的朋友，虽然见面不过十分钟。

〔戴鹤飞是医务主任陈洪友的丈人，和凌士湘同年，也是五十七岁。在前清的时候，他是一个大绅宦兼大地主的少爷，吃喝玩乐，无所不通。他的父亲看他中文不好，要他学习洋务，很早就遂他进入洋学堂。倚靠着亲戚的力量，在民国初年的时候他又被派去留美。他学了两年政经一类的功课，认识了不少的美国少爷和中国留美的官僚子弟，学会一些下流的美国话，就回到上海。回来以后，父亲死了，他在上海恁事不做，先大玩了五年。以后他忽然说他要改邪归正，那就是说，一边玩一边干起买办的生意。做生意，尤其是投机，他是不糊涂的，他算计得很巧。但是像搞轮盘赌一样，他知道要发财，就要下大赌注。所以他经营了一生，也就是赌了一生。几次在股票市场里失败，几乎都要破产，但他还在有名的舞女家里流连着。他手下还有几个生意，其实就是他多年投机的资本和对外的幌子，他赚钱不靠这些。解放以后，他最得意的是他早已把祖先遗下来的田地卖掉，同时，他也把一两个引人注目的生意设法歇业了，仅仅把一个不大的药房作为产业转给他的儿子CC戴。实际上他并没有歇手，抓住机会，他就做一批临时的买卖。

〔从外面看，他像是个落拓不羁的老了的大少爷。他自己也知道这一点十分引人注意，甚至于“可爱”，尤其是在上海那些女人们面前。他像是糊涂，有时他是装的，有时他觉得自己糊涂得好玩，有时他就以他的糊涂自傲。所以他一见人就要谈他的哲学医学相学，自然他更擅长的是他多少年投机的学问。他确实认为自己是无所不知，他是很自负的。实际上他是很精明，他永远吃得好，穿得好，使他的孩子们过最舒服的生活。他为他的大女儿选择了这样好的一个女婿，而且有那样的豪气，资助女婿上那样贵的医学校。从前他认为自己是个风流而漂亮的上海人物，现在他还认为自己没有变多少。他穿一身夏季的西装，雪白的嘎白丁料子的短裤，长筒米色的织着花纹的英国羊毛袜，和一双柔软舒适的黄皮鞋，露着一段白白的膝盖。上身穿着淡青色的上衣，和极讲究的纺绸衬衫，打着领带。从上到下，一尘不染。他是个双眼皮，大大的眼睛，一笑起来眯缝着，色眯眯的，是那种老来俏的“花”眼睛。他头发已经花白了，从边上分开，梳得光光的，看出来他很用心地要盖住已经秃了的顶。他脸上有细细的皱纹，满面红光。他是那样富于热烈的表情，更显得他精力饱满，可厌又可笑。他是那种“老而不死的东西”，是商人，是买办，是花花公子，是个老光棍。

〔他刚从上海来。见了女儿后，他跑到医院，准备找他的多年的老友，有名的凌士湘，就拖住了刚见面的尤晓峰，来到这里。他一手拿着台湾草帽，一手拿着福建漆的手杖。

尤晓峰 （十分殷勤）容大夫，有人找凌大夫。

戴鹤飞 （笑嘻嘻地）哦，你就是士老的夫人——你还记得我吗？（容丽章愣着，想不起来。戴鹤飞一语惊人地）我是一个商人，一个就要“退伍”的商人。我是CC戴的父亲，美贞的爹，陈洪友的泰山，士湘的老朋友，他的小同学。我刚从上海来。士老呢？

容丽章 哦，戴老先生，他正在忙。您先坐一坐，我要开刀去了。

〔容丽章由中门下。

戴鹤飞 （似乎有些懊丧，但立刻——）尤大夫——（就望着尤大夫的胡子）

尤晓峰 （被他看的有些不安）那么，我跟您把陈主任找来。

戴鹤飞 （连连摆手）毋须，毋须，我还不急于见他。尤大夫，你的胡子，（看半天）我很想跟你谈一谈。（指指点点，十分认真地）你应该上面这么留，下面这么留，（点着他鼻子下那一撮小髭）这一块剃掉！再配上你这一对眼睛，啊，这个鼻子！同你这个身材，那就独成一格，准保你的医道有人信，生意好！（又端详了一下，惋惜地）现在不成了，破了，伤了气！（坐下四面浏览着）

尤晓峰 （尴尬地笑着）哦，老先生会看相，以后我要去领教。

〔孙荣由中门上，他穿着白罩衣。

尤晓峰 （忽然瞥见孙荣）哦！ Dr.孙。你来干什么呀？

孙　荣 （冷冷地）董支书找我。

尤晓峰 （幸灾乐祸地）哦！董支书已经找你了。事情怎么样了？

孙　荣 （不动声色）很好啊，病人又不是我治的。

尤晓峰 （故作关心）是啊，出了事故总是不幸的很。

〔江道宗由中门上，穿一身秋季的藏青西装，拿着一本外国科学杂志。他神色从容，依然保持着去年的官气，但也看得出小心了一些。

江道宗 哦，你们两位都在此地。（尤晓峰、孙荣二人立刻彬彬有礼地道了一声好）晓峰，最近好吗？（尤晓峰傻笑了一下）

孙　荣 江教务长，我还想跟您谈一谈。

戴鹤飞 （忽然站起）不成！我要找他去，我歇够了。（拔脚就向左门董支书屋走去）这里吧？（大呼）士老！士老！

尤晓峰 （赶紧）不对！不对！这边，戴老先生！（指着）细菌学系。

〔尤晓峰护着戴鹤飞进了右门。

江道宗 （嘉许地）这两天你处置得很好——很勇敢。

孙　荣 （面上显出焦虑，但恭谨地）我一直是在您的教诲之下，我最敬佩您的人格。可是这责任很大，病人死了以后，贾大夫连尸体解剖都没有叫做，他就回美国了。病人家属看出问题来了，现在就是我一个人替他承当——

江道宗 （慨叹）一个人处在这种时候，就应该有不变的主意，不变的见解。

孙　荣 （内心犹疑地）董支书告诉我，如果我把贾大夫治疗的情形讲出来，这个责任主要是他的。（恳求地）您是我的恩师，您看我——

江道宗 （十分爱护他的神情，文雅地）我前天对你说的话用不着再重复了。现在是个极端微妙的时候，讲了呢，医院的名誉，贾大夫的名誉，跟你的名誉都有很大的损失。我想我不再多影响你了，你应该自己决定。不过即便你的决定和我相反，我的主张是不会变的。

〔陈洪友由中门上。最近他总穿一身旧西装，罩着一个旧的白罩衣，乍一看几乎有些寒伧的样子。

陈洪友 （不安地）孙大夫，怎么你还不去找他呀？这个事情真是糟透了。

孙　荣 （迟疑地）我就去了。

陈洪友 （不着边际地）我劝你这次见了董支书以后，把事情谈明白了，就向这些工人们深刻地道个歉，老老实实地说几句好话。我想这样子呢，就不至于愈闹愈大。

孙　荣　（一直望着江道宗）江教务长，我去了。

〔孙荣由左门下。

陈洪友　（满腹牢骚）江教务长，现在事情真是难办极了！治好是应该的，治不好就是医生有问题。我跟你说，我这个医务主任，实在是不愿意干了！

江道宗　（推心置腹地）洪友啊，去年在围城的时候，我请你出来，你帮了我的忙。现在大陆解放，政府成立，局势，（微叹）恐怕是定了！我们要好好的帮他们。我想中美邦交总是要恢复的，卫生事业还需要大大发展。

陈洪友　你参加了全国卫生会议以后，你的感觉怎么样？

江道宗　感想很多，慢慢谈吧！他们对我们是要借重的。不过真要请我出来的话，那是要按照我们的条件，我们的标准的。

〔从右门走出戴鹤飞，凌士湘把他让出来，后面跟着尤晓峰。

戴鹤飞　（兴高采烈）士老！不是你赶我走，我是一定不走的。你想，多少年不见了？十五年了！我都不认识你了！

凌士湘　（洒脱地）我看你还是那个老样子。

陈洪友　爹。

戴鹤飞　（对陈洪友点个头，对凌士湘，得意扬扬地）我是不会老的。美国人说生命四十开始，我五十开始。（手一比）现在我才七岁。洪友你知道吧？我跟士老同年，壬辰，一八九二。我们两个小把戏一块儿进洋书院，又一块儿到美国。（慨叹）

可是，士老，你好啊，你现在是驰名的学者！我呢?（得意万状）有人说我是买办，有人说我是投机商人，可其实呢，我什么都不是!（更得意）我就是一个老光棍，一个钱都没有的老光棍!

凌士湘　（玩笑地）算了，算了，不要装穷了。我读书的时候每天只吃一顿饭，也没有跟你借过钱。怎么样? 鹤飞，你的地呢?

戴鹤飞　（得意极了）我十五年前早就卖了！哈哈，不然的话呀，我是不能这样来看你的。再见吧，女儿还在等我呢！ Mr.尤，一道走吧。（对陈洪友）他很好，你们这位尤大夫。

陈洪友　尤大夫，麻烦你送一下。

〔尤晓峰陪戴鹤飞从中门下。

陈洪友　（对江道宗）我进去了。

〔陈洪友由左门下。

江道宗　（恭敬地）士老，Jackson给我来了一封信，他很关心我们。他说你的论文已经在美国传染病学杂志上发表了，学术界的人很重视。他不久就会给你写信，先把杂志航空寄来，你先看看。（把杂志递给凌士湘）

凌士湘　（接下来，翻一翻）哦，题目改了。

江道宗　（读着）改成关于田鼠对鼠疫的感染性，我看也还好。

凌士湘　我听说上一期的传染病学杂志上有一篇论文，说美国交配出一种小田鼠……

江道宗　（抢着说，炫耀他的博览）我看了，我看了，据说交配的过程中还利用过北平田鼠呢！

凌士湘 我想是可能的，去年他们跟我要过北平田鼠的繁殖方法。方便的话，请你把那本杂志给我看看。

江道宗 可以，可以。士老，你对学术的热情，真是数十年如一日，从不冷淡。Jackson信上也说，为了中国，希望我们能够坚持岗位。

凌士湘 我没有什么岗位可坚持，我就知道研究，死钻就是了。

江道宗 （推许地）完全对，我们科学家们永远不要卷入政治。

〔何昌荃由左门上。

江道宗 （一见何昌荃，立刻转了口气）好吧，士老，日后再谈吧。

〔江道宗向何昌荃点点头，从容地走下。

何昌荃 凌大夫。

凌士湘 （不满意地）昌荃，我到处找你，你这一下午又到哪儿去了？

何昌荃 （委婉地）我在实验室留下条子，跟您请假。

凌士湘 我看见了。（严肃地）可为什么你要请假？什么大事情？连疫苗的实验都可以不管？这个董支书我不清楚，我不愿对他有什么批评，但是他总是要你管这个管那个，那他就是不懂科学，外行。可是你不是外行，你知道一个科学家对科学应该有什么态度。（恳切地）你到底预备干什么？一个人一生只能选择一条路，你要好好的想一想，是政治呢？还是科学？（半晌）你要再这样搞下去，你会退步的，（顿）退步的。

何昌荃 （感到凌士湘的诚恳）有些事情我是不能不管的。有一个病人死了，她丈夫是个瞎眼的工人。

凌士湘 知道。（同情地）铁水烫瞎的，木兰对我说过。

何昌荃 是啊！这工人我们就没有治好。（痛心地）他的老婆到了我们的手里，也死了，死在我们的医院里，并且死得很痛苦，留下了四个孩子。

凌士湘 （半晌）这是很不幸的事情。（认真地）病跟死是我们必须征服的敌人。我跟你说过多少次，（逐渐激动起来）我们一辈子就为的是救人，救人只有好好地研究。你们总说为人民服务，服务对你我来说，就是放弃一切，努力研究。人是可以不死的！病是可以治好的！只要我们老老实实地工作，而不是成天谈话，谈话！宣传，宣传！

何昌荃 （忍不住）凌老师，如果一个医生他根本不想治好这个病人，而是把这个病人当作解剖的材料，当作实验和求得技术的工具，人怎么可能不死？病怎么可能治好？

凌士湘 可是党员先生，这跟政治有什么关系？这是个人的良心问题，你我都没有办法。

何昌荃 （激动地）可是今天是今天，人已经不是渣子！一个活生生的人，有丈夫，有儿女，把一切的希望都寄托在这个医院，而贾克逊把她当作实验的材料！我们怎么能不管？

凌士湘 （不悦）昌荃，在科学上我允许一个人大胆的怀疑，但是在个人是非上，我不喜欢一个人偏见，主观，失掉了一个科学家应该有的冷静的态度。

何昌荃 （坚持着）您以为我主观吗？凌大夫，您不要忘了，我们是在一个美帝国主义办了快半世纪的医院里，我们的思想，多少年来，受了他们的操纵——

凌士湘 （大为不满）你可不可以不把美帝国主义跟这个医院联上？（冒火）也不要说我的思想受别人的操纵！

何昌荃 （一愣，委婉地）凌老师，您是我十分敬爱的老师，您爱工作，爱国家，即便我在狱里的时候，我都时常想到您。（诚挚地）那时候我就想着怎么能让您认清楚这个医院里的美帝国主义，今天还是这个问题。我愿意做您一辈子的学生，但是我也要您跟我一块儿关心政治。关心政治，我们的科学是只会进步的。

凌士湘 （望着他）我满意现在的政府，我也拥护共产党，（口气里掺杂着一丝诙谐）可是我实在不爱听你的宣传！

〔由左门走上孙荣、陈洪友和董观山。凌士湘望见他们进来就要回实验室去。

董观山 凌大夫，回头我到您实验室找您一趟，可以吗？

凌士湘 （疑问地）有事找我？（董观山点头，他就站住）那就在这儿谈吧，我等着。

董观山 （和蔼地）也好。（转对孙荣）孙大夫，你是不是再考虑一下？我想病人的家属是想知道事实。工人们是最讲理的，把真相说明白，负责任不大的人是可以得到谅解的。

孙　荣 （老实的样子）董支书，我知道的，我都对您讲出来了。

陈洪友 （望着董观山，笑嘻嘻地）我看孙大夫的态度很诚恳。（转对孙荣）我看我们就根据支书所指示的精神，再跟他们做一次诚恳的谈话。（转对董观山）好吧？

董观山　（望着孙荣）也好。（对陈洪友）谈完了，请您告诉赵铁生到这里来。

〔陈洪友领着孙大夫由中门下。

凌士湘　（客气地）您忙得很，董同志。谢谢您给我很多帮助，现在田鼠同实验的药品已经很够用了。

董观山　大家都非常关心您的鼠疫疫苗的工作，希望您的研究随时得到比较便利的条件。关于设立实验动物室的事情——

凌士湘　哦？

董观山　上次在您家里我跟您谈过的，（感到凌士湘没听明白）您没有交给我计划。

凌士湘　（感慨地）我倒是有个计划，放了十年了。（转向何昌荃）昌荃知道，这个计划在解放以前是碰过很多很多钉子的。

何昌荃　凌老师，这是今天。

凌士湘　（不经意地）我想谈谈也就可以了。

董观山　我已经通过行政，把您的意见做了书面的报告，给部里送去了。

凌士湘　（没想到）设立实验动物室不是个简单的事情。这要钱，这要很多很多的钱。

董观山　（笑着）凌大夫，人民现在要盖宫殿，难道一根柱子的钱能不花吗？部里同意了，要立刻把计划书送去。

凌士湘　（一愣，高兴地）昌荃，你说得对。是今天，今天，只有在今天！好，我去拿，我就去拿。（走两步，忽然回转身）董同志，我很高兴。我现在还有一个请求。（诚恳地）你知道，我已经五十七了，我没有几年了。我要工作，工作！我不能再偷一点懒。所以，董同志，我正式请求你，不要再叫我听什么报告，开什么会。（忽然一想）尤其是需要你告诉他，我的这个大徒弟，（指何昌荃）请他不要浪费我的时间，成天的给我做宣传，讲政治。（董观山笑着）好，我不求你现在答复。（愉快地）我进去，一会儿就把计划书拿来。（由左门下）

董观山 （纳闷地）刚才你跟他讲了些什么？

何昌荃 （无可奈何地）我对他提起赵树德的老婆在医院死了的事，我想教他慢慢认识美帝国主义的面貌。

董观山 你跟他提起贾克逊了？

何昌荃 没有。还没有等到我把贾克逊的名字提出来，他已经关上门了。没有办法！老一辈的科学家中毒就中得深！（热情地）观山同志，必须通过这个事件，教育群众，让大家认清敌人。首先就要揭露孙大夫袒护，包庇，毫无立场的行为，要他自动地谈出来贾克逊杀人的罪恶，目的不只是为了教育群众，也是帮助他。

董观山 （沉默了一下）这个问题你提出来以后，我想了几个晚上。孙荣是个傀儡，中了美帝国主义的毒，他看不清我们，看不清人民。可是这样的傀儡现在不是一个，并且还有提线的人。而且一直到现在，我们还没能够查得出来他们认为的科学的证据。我们看得见的，这批人现在就看不见。可是所谓科学的证据就在孙荣的肚子里。

何昌荃　（激动地）但是这是杀人！这是拿病人做实验！我们的劳动妇女，有四个孩子的母亲。

董观山　（考虑着）你这样的话，就在你那个小组里头，能接受得了吗？

何昌荃　一时当然不接受。

董观山　那么在整个的医学院呢？

何昌荃　自然也只有接近我们的那几个人可以接受。

董观山　（思考着）江道宗呢？他的那批群众呢？

何昌荃　（被问短了）可是，这是真理，观山同志，这是事实。

董观山　（诚挚地）我也是很急，我在摸索。我只知道，方法常常是从斗争中慢慢摸索出来的，而在没有绝对把握的时候，不可以随便的开火。（深思着）思想领域的事情是很复杂的。解放一个城市都比较容易，解放一个被美帝国主义文化长期毒害了的头脑，那要困难得多，复杂得多。当着群众还没有觉悟的时候，当着整个的医院，甚至于社会上很多人，对美帝国主义还毫无认识的时候，我们能够不等待吗？只有等到条件成熟的时候，大家开始觉悟的时候——

何昌荃　什么时候条件才成熟呢？

董观山　那就需要我们努力工作了。

何昌荃　对。刚才我在下面听见了孙荣对他们的检讨，赵老师傅表示他还满意。但是这样的处理，赵铁生恐怕接受不了。

董观山　他是个新的工人，我想他会接受的。

〔由中门走上赵铁生，他穿着工服，手里拿着一件蓝布上衣，比上一幕他干净多了，头发也梳得整齐一些。

董观山　（同情地）你父亲呢？

赵铁生　（沉重地）他在外头。

何昌荃　我找他进来吧。

赵铁生　不用了，何大夫，让他在外头吧。去年年底，就在这儿，我们把妈送进来的。

董观山　（望着赵铁生）这个事情我们前天从头到尾又研究了一遍。能够调来的材料都调来了，并且问了所有给你母亲看过病的大夫和护士，党组织开了一夜的会，做了最后的分析。我们下了结论，（沉痛地）你的母亲是死得冤枉，等于是被人谋害死的。就在医院里——治病救人的地方！

赵铁生　（半晌，流下眼泪）我现在没别的，我就是要报仇！谁害了我的母亲，谁就得偿命！解放了，我们再也不是畜生，我们是人了！

董观山　（同情地，沉重地）杀你母亲的不是他们，杀你母亲的人是给你母亲治病的美国医生，美国科学家。就是这群禽兽，拿我们劳动人民的血，生命，做实验，好叫他们给美国有钱的人服务！就是他们，被美国政府派到中国，开医院，办慈善，他们的慈善就是这个样子！他们造出来的专家就是这个样子！前天开完了会，我们都很难过。为什么这些人会不认识自己的弟兄，（气愤地）会帮助这些美国特务，科学的特务！

赵铁生　（气愤地）孙大夫这群东西，他们跟我们是两条心！

董观山　（恳切地）不过他们也是中了美国人的毒。不管怎么样，他们是中国人，我们自己人。美国特务给他们合上了眼睛，我们就要给他们打开。所以赵铁生，我们要给他们机会，（着重地）让他们看清楚，自己人是怎么待自己人的。（满蓄着希望与爱护的目光）赵铁生同志，现在就是我们给不给他们机会了。

赵铁生　（停了一会）董支书，今天我们吃的喝的都顾上了，弟弟妹妹也上了学了，过去压在我们头上的，该毙的毙，该抓的抓，连揍了我的特务都抓起来了。我就知道跟着党走。支书，您叫我干什么吧？

〔远处传来欢乐的军乐声。

董观山　赵铁生同志，今天我们工人阶级是国家的什么？

赵铁生　我们？——是国家的主人！

董观山　工厂是谁的？

赵铁生　我们自己的。

董观山　不只是工厂——学校、医院，什么都是我们的，中国的。这个医院的大夫、专家、知识分子也是中国的。你是主人，你说，我们该怎么办？要他们、教育他们？还是不要他们、重重地打击他们？

赵铁生　（想了想）我们——要教育他们。

董观山　（高兴地）对，要改造他们，让他们认识自己也是主人，让他们为工厂服务，为工人阶级服务。（顿）你相信党能把他们改造过来吗？

赵铁生　（简单地）相信。（掏出一张纸，递给董观山）这是我找人抄下来的，我妈的病历。原来我想跟他们上法院，现在我明白了，您留下吧。

董观山　（感动地望着他）你很好。

赵铁生　（爽朗地）我叫我爹进来，好吧？

董观山　对，我要跟他谈谈。（准备下去）

赵铁生　他就在门口，我扶他进来。

〔赵铁生下。

何昌荃　（也受了感动）观山同志，你做的是对的。

董观山　（关心地）你想，我们还有没有办法治好他父亲的眼睛？

何昌荃　（考虑着）很难。没有，现在没有。他的角膜都破了。

董观山　我们要想办法，早晚要想出个办法。

〔赵铁生扶着双目失明的赵树德上来。他衣服整洁多了，但脸上现出一道道很深的悲哀的皱纹。他呆呆的走进来，随着赵铁生，一步一步的向前探着。

赵树德　（犹疑地）铁生，到了哪儿了？（董观山想迎上前去，但不知为什么，又停下来了，满心同情地望着他）

赵铁生　（扶他，略略的走近董观山）到了董支书的跟前了。

董观山　赵师傅，（一大堆想安慰他的话，说不出来了）你好吧？

〔这时凌士湘高兴地拿着计划书进来，一看见这个盲目的老工人，不觉停住。

赵树德　好，支书。（忽然很敏锐的感觉出来）铁生，这个地方咱们来过呀！

赵铁生　嗯，来过。

赵树德　（睁大了看不见的眼睛，他感觉来到这么一个伤心的地方。他像听见他的女人，他的孩子们的母亲，又说着最后的一句话："我是来送你的，现在倒是你送了我了。"）铁生，我们送妈进来，就在这个地方呵！（他再说不出话来，痛苦地，默默地立着）铁生，走吧！

赵铁生　不是还要拿妈的衣裳回去吗？

赵树德　（点点头）嗯。

〔董支书由左门下。这时外面远远地传来欢乐的军乐，在军乐里飘浮着几乎听不清楚的，孩子们在公园的歌唱。

〔董观山拿着一个包袱上来。

赵铁生　爹，衣裳来了。（赵树德伸手，董观山向前默默地把那破旧的包袱交给那失明的老工人）

赵树德　（不觉探摸着包袱，忽然抽咽起来）支书呵，气倒是出了，可是人——没有了。（转身）

〔赵铁生扶着他的父亲，缓缓由中门下，何昌荃送他们出去。凌大夫一直望着，不觉跟到门口，目不转睛地望着他们走出甬道。

董观山　（沉重地）中国人民是不能忘记这样的仇恨的。

——幕落

第二场

一九五二年七月里的一天，在凌士湘家的客厅里。正是三伏天，已经是夜晚九时，大家都吃过了晚饭，医院花园里的暑气还没有完全退。天空浮着一两片乌云，时时遮住夏夜的上弦月。有时窗外黑得很，只听见茂盛的草丛里唧唧鸣叫着各种夏虫。

医学院的人们很忙，他们在实验室里，办公室里，化验室里，病房里，讲堂上，以及其他工作的地方忙碌着。两年以来，经过各种运动，镇压反革命分子，改革土地制度，三反，五反以及最近的教师思想改造，他们思想的生活里不断地起着波澜。群众的声音起来了，正确的思想抬头了，他们被震动了。人们开始在想，想过去，想解放以前，想许多年从未想过的一些自己的问题。这些问题在自己的心里隐藏得这么深，有时连对自己的妻子都未曾谈过。现在周围的一切都在变，国家、社会、家庭、朋友、孩子们。尤其是在最近一年半的抗美援朝的期间，像是所有的人都在考虑着一个问题：谁是敌人，谁是自己人，谁心里面真有祖国，而谁是没有的。祖国成为最可爱的名字，仿佛过去几千年来我们都没有认识过这个字似的。

于是这个医院在党和董支书——他现在已是副院长了——的领导

下开始和其他的大学一样，一起动起来，围绕着一个中心思想——反帝爱国。大家展开了昂奋的讨论，深深地挖掘了过去美帝国主义通过办医院，办大学，暗暗地进行文化侵略，狠恶地毒害中国高级知识分子的思想意识的历史。大家首先想到贾克逊（当然还有更多的人，但在戏中就不提了。）的罪行。青年一代几乎立刻就认识他的丑恶面貌，而年老的就比较难于认识自己在贾克逊的统治下所受的毒害。全院已经树起反帝爱国的标帜，多数的教授们开始深深地思索着，思索着。

凌家的客厅是方方正正的，在陈洪友家的楼上。正面是四扇玻璃门，通着外面的阳台。这四扇门几乎占了正面墙的三分之二，门上都有米黄色的纱帷。靠右的一扇是关着的，前面竖放着一张长条红木桌，式样典雅，没有抽屉，上面堆满了各种各样的东西，桌灯，旧无线电，凌士湘的中外医学杂志，和刚拿出来的显微镜，旁边放着显微镜的木匣和一些片子，还有容丽章的敞开了的打字机，和两三本外文字典。红木桌的左右，对放着两把硬木圈椅。这张桌子原是为着容丽章母女两人用功的地方，因为凌士湘有自己的书房。但是此地在白天亮一些，凌士湘的显微镜偶尔也就放在这个地方。左墙正中是一个相当讲究的壁炉，壁炉的上方嵌进墙内，是书架，放满了大部头的洋装的中西文医学书籍，几乎占满了全部的左墙，直到天花板，使人感觉到这是一个学者的客厅。壁炉前面是一个小沙发，旁边放着一盏立灯，壁炉之右，近台口处，有一门，通凌士湘的书房。

在右墙中间开着一个双扇的宽门洞，通着外面的饭厅、楼梯和寝室，中间仅仅隔着一道墨绿色的呢质门帘。门左靠墙放着一架小钢琴，上面摆着凌木兰和容丽章喜欢的点缀品。门右贴墙是一个长几，上面放着一盆硕大的仙人掌，正开着两朵艳丽的花，旁边搁着借用实验室器皿做的凉水瓶和两三只玻璃杯。墙上挂着一幅齐白石的花卉。

台中，离着长几不远，斜放着一张蒙着淡青色布套的长沙发，背对着右墙的门洞，上面放着席编的靠枕。面对着长沙发，有一张小沙发。近台口，放一张圆的软凳。中间安着一条矮几，上面放着一些报纸和一玻璃盆清水养着的花。

通外面阳台的玻璃门敞开着，望得见镂花的铁栏杆上爬着绿荫荫的爬山虎。对面望出去，是两座楼，一个是医院，一个是医学院，二楼中间是医院内的林荫马路。医院楼上是病房，开着灯，可以从竹帘外偶尔望见有护士们在里面走动。医学院楼上，看得见的，是一个可容一百余人的大教室，满满都是人，大家正紧张地在开着会。有人激烈地控诉着，一会儿忽然热烈地鼓起掌来，一两个人喊起口号，全体愤怒地响应，像森林里面的暴雨。大家这样喊着："认清美帝国主义文化侵略！""打倒美国的科学特务！""为惨死的病人报仇！""肃清崇美亲美思想！"

〔开幕时客厅里面是暗暗的，仅仅在天花板上映出楼下街灯淡淡的光，屋内几乎什么也看不清楚。阳台上模模糊糊的，似乎是凌大夫，背着手凝望着对面沸腾着的教室，一动也不动。

〔凌木兰穿一身淡色小花的旧旗袍和一双家常的布鞋，提着个布包，由通楼梯的门洞走上，后面跟随陈洪友。陈洪友穿着白衬衫和制服裤，脚上穿着布鞋，小心翼翼地走上来。

〔凌木兰捻开电灯，他们才看见容大夫在黑暗里，坐在正中的长沙发上，已经半天了。容丽章望她一眼，没有作声，连陈大夫也没有理。陈洪友登时感觉到屋内紧张的空气，但既然跟着凌木兰进来了，也就只好站在那里。

凌木兰 （低声）妈，爸爸呢？（容丽章向外点点头）一直谈到现在？我把陈大夫请上来了。

〔凌士湘看见屋里灯亮了，不觉走进来。站在沙发后面，不吭声。

陈洪友 （望着凌士湘冷冷的脸，搭讪着）楼上比楼下还要热。吃过晚饭了吗？我看见这屋里没开灯，还以为凌大夫在书房用功呢。

凌士湘 （僵僵地）有事找我吗？

陈洪友 （连连）没有，没有，就是上来聊聊。

〔外面教室又传来口号声。

凌士湘 谁在开会？

凌木兰 内科全体，正在控诉美帝国主义的罪行呢！

容丽章 （望着凌士湘，苦恼地）士湘，我实在不愿看你这个样子。今天下午你那样的发言，大家怎么会没有意见？

陈洪友 （解劝地）我看不必提了。座谈会上的事情何必拿在家里提呢？

容丽章 （对凌士湘）自从医院接管，董支书兼副院长以后，都两年多了。我们经过很多次运动，你每次也不是完全不参加的，尤其是抗美援朝以来，我感觉我们都有些新的认识。然而有时候，你的想法很出人意外。

凌木兰 陈大夫，您坐吧！（陈洪友望望凌士湘，还是没有坐）

容丽章 （絮絮叨叨地）你知道我的脾气也不好。我看到的事，而你到现在还看不到，我就难过，着急，我就要讲，可又讲不好。（擦眼泪）结婚这么多年，陈大夫，这是我们第二次吵嘴。（一面招呼）坐吧，陈大夫。

〔由外面教室传来群众激昂的口号声："认清美帝国主义文化侵略！""打倒美国的科学特务！"

〔凌士湘默默地倒杯凉水，放在容大夫面前，踱到红木桌前，把桌灯点上，独自用显微镜看切片去了。陈洪友找个不触目的地方坐下了，凌木兰走近母亲。

容丽章 （对凌木兰，诉说地）我们下午开了教授座谈会。

凌木兰 知道。

容丽章 在会上，你父亲跟我，还有很多人，争论起来了。

凌木兰 我们都知道了。（走到爸爸面前，试探地）爸爸，您愿意我告诉您群众对您的意见吗？

〔陈大夫忙作势阻止她。

凌士湘 （抬起头，严肃地）说什么？

凌木兰 现在群众都有了觉悟了，起来了，大家都奇怪您为什么到现在，对美帝国主义还没有认识。

〔凌士湘埋下头，换了一张切片，又看显微镜去了。

容丽章 宝宝，你别这样说，这样说你爸爸更不服气了。他说他对美帝国主义有认识，就是对美国人办学校是帝国主义，他不能认识。

凌木兰　（固执地）那么爸爸，您难道现在还认为贾克逊到中国来办这种医学院是好事情？贾克逊拿中国人来做实验，害死了中国人，也是好事情？

容丽章　（不满地）你不要提这个，你爸爸还要证据。

凌木兰　（不顾陈大夫在场）如果爸爸觉得证据不够，为什么群众都觉得证据够了呢？现在内科开会，正在动员孙大夫。您看吧，他早晚都会谈出来，那个时候——

凌士湘　（蓦地把显微镜一推，站起来）你们两个说吧！

陈洪友　（吃一惊）木兰！木兰！

凌木兰　（愣住，转了口气）好，不谈了。爸爸，董院长跟我说，要来找您，问您肯不肯参加反细菌战展览会的准备工作。

〔凌士湘没有答复，沉思着，又踱到阳台上去了。外面教室里又喊起口号。

容丽章　（望凌士湘出了门，回头对陈洪友，低声）你看，董院长还希望我好好说服他呢，我看他甚至于连细菌战有没有都怀疑。

凌木兰　（气愤地）陈大夫，您看，这一点不是跟隔壁江道宗的思想都差不多了？

陈洪友　不，阴间秀才才不怀疑呢！昨天他太太还跟美贞说，他听了这个消息之后，还偷偷地庆祝，说贾克逊又有可能回来了。

容丽章　这个人的思想真是反动极了。（焦急地）可是凌大夫怎么办？那么多人热心帮助他，他还想不通，这怎么办呢？

陈洪友 （对容丽章）先不要急吧。木兰，你陪妈妈歇一歇，让我来试试。我一定要跟他很好地谈谈，很自然地，不痛苦地，解下他的思想包袱。

凌木兰 我看不痛苦恐怕是不可能的。好，妈，让陈大夫再跟他谈谈，咱们走吧。

〔容大夫没有办法，疲乏地和凌木兰由右门下。

陈洪友 （轻轻地）凌大夫。

〔凌士湘由阳台走入。

凌士湘 她们走了？

陈洪友 （满面笑容地）不要生气了，她们也是真为你着急。

凌士湘 （解嘲地）妇女们一解放，那力量是不可抵挡的。是不是木兰叫你来说服我？（陈洪友正要声辩）你不要装了，我闷气得很，我也要跟你谈谈。在座谈会上大家那样批驳我，我不在意。（非常认真地）我就是要知道，是谁错了？（缓缓地）难道真是我错了吗？

陈洪友 （十分委婉地）一个人看错一个人，并不算什么了不得的事情，尤其是在解放以后，观点改了，立场变了，从前看着是对的，现在看就明明是错了。我从前看Jackson是个学者——

凌士湘 （戆直地）我现在看他还是个学者。

陈洪友 （一下子蒙住了）嗯——嗯——

凌士湘 （自语地）可为什么现在大家都说他是文化特务？难道搞政

治就必须要有偏见?（沉思）我想可能是的，不然就不能彻底把敌人打垮。（又烦躁起来）但是何必让我也跟着叫?（真诚地）我从心里拥护共产党，国家建设得很好，中国靠他们才有希望。我也愿意跟他们一块儿进到社会主义。但是，（激动地）天哪！不要管我，不要管我！让我干我自己的吧，我一样地会有贡献的。

陈洪友 （绕来绕去）是啊，是啊，政府很重视你，所以你的话很重要。如果现在你对美帝国主义文化侵略有个彻底的认识，那就会影响很大，（字斟句酌地）所以我劝你，尽管现在还没有啊，十分明了，不能达到年轻大夫们的要求，我想一样地也可以表示一个鲜明的态度。

凌士湘 （翻翻眼）什么鲜明的态度?

陈洪友 （婉转地）就是，很清楚的嘛，何昌荃他们所说的那些话，你也找几句比较突出的，讲一讲，这准会得到群众的欢迎。

凌士湘 （反感）噢，你觉得这样对。

陈洪友 （很有理由）是啊，反正早晚你也会认识的嘛。（外面传来口号声“打倒美国的科学特务!”“为惨死的病人报仇!”陈洪友机密地）你听，江道宗就在会场上，群众已经把他的思想看透了，反动！简直没有人理他！一个人哪，真是不能没有觉悟啊!

〔江道宗由右门上。他穿一身淡茶色的香港衫和一条派力斯长裤，两只细长的白胳臂露在外面，像一个活的衣服架子走进来。他依然带着镇定的神色，虽然群众在会场上的愤怒给了他很大的震动。

江道宗　凌大夫——

凌士湘　（对陈洪友）洪友，你劝我的，我做不到，我也装不了。（对江道宗）坐吧，道宗。

江道宗　（对陈洪友，拉拢地）你们岳老太爷从广州又回来啦？这次生意做的不错吧？

陈洪友　（淡漠地）他又去做生意？没有吧？

江道宗　（一笑）嗳，做生意也是有关国计民生啊。（忽然）士老，我也是偷空来的，正在开会，（故作从容地）嗳，热闹得很。（关心的神色）今天下午的座谈会本来我是要去的——我听说大家对士老很有些个误解。

陈洪友　（早想避开江道宗）凌大夫，我还有点事情——（不等凌士湘答话，起身向门口走去）

〔这时，楼下戴美贞愉快的声音："洪友，快下来，CC来了。真是稀客。"

陈洪友　（回头）我有客人。

〔陈洪友出右门。

江道宗　（看陈洪友下去，感慨备至）一个人就是要有骨气啊！这种时候才看出人来。（酸溜溜地）唉，我也不多待，就少谈几句吧。

凌士湘　（淡淡地）道宗，你愿意来，我总是欢迎的。（不假辞色地）不过，我倒没有想到你所说的什么骨气不骨气的问题，我就是没有想通。

江道宗 （亲密地）是啊，科学家总是爱真理的，可是，未必大家能谅解这一点。其实，说Jackson杀人——唉，我也是和你一样想，那所谓“证据”，那个在大会上大家都认为最有力量的“证据”，关起门来说，到底有多大价值呢？一个病人发高烧时说的话——（摇摇头）

凌士湘 （老老实实地）是的，我就是不能了解。

江道宗 是啊，现在什么都要恨。（长叹）唉，爱还不够呢！（慨然）可是这种话是没有人爱听的。其实，像我们献身科学的人，哪一个不是站在人民的立场呢？我和贾克逊的关系哪一点不能跟人谈呢？而现在大家要求我检讨，好嘛，检讨就检讨吧！

〔何昌荃与陈亮由右门上。何昌荃穿着一件旧衬衣，挽着袖子，陈亮穿着洗褪了色的黄短袖的汗衫。他们俩人抱着十几本洋装书，头上满是汗。

江道宗 （立起）哦，你们二位来了！

陈　亮 江教务长，会场上正找你呢！

江道宗 （搭讪地）很好，很好，我也要听听孙大夫的发言。

〔江道宗由右门下。

陈　亮 （嫌恶地）凌伯伯，您跟阴间秀才有什么可谈的？

凌士湘 不要这样叫他。昌荃，这些书，（指着他抱着的书）你都看完啦？（何昌荃点点头，陈亮和何昌荃放下书）研究报告呢？

何昌荃 这里。（把报告交给凌士湘）

陈　亮 我们细菌系的同学们都兴奋极了，大家听说您决定把鼠疫疫苗的研究提高一步，把死菌疫苗改为活菌疫苗，这样免疫力就大大加强，凌伯伯，我们大家都拥护这个决定。（凌士湘一边看着报告，一边不在意地答应着）

凌士湘　（放下报告）这是个长时期的研究。（问何昌荃）你吃过饭没有？

何昌荃　（迟疑地）还没有。

凌士湘　你这个人！我给你拿一点去。

陈　亮　（性急地）何大夫，咱们谈问题吧。

凌士湘　（锐利地望他们一眼）哦，你们也是谈我的问题来的。吃了饭谈不成吗？

何昌荃　（推谢地）我不饿，凌老师，我是不饿。

凌士湘　好吧，那就谈吧！一谈问题那是不会饿的。谁先谈？

陈　亮　（笑着）凌伯伯，我是您看着长大的，如果我说重了——

凌士湘　你这小家伙，跟我绕什么圈子？你们是不是要跟我谈谈Jackson的问题？

何昌荃　（体贴地）如果您今天精神还好的话。

凌士湘　（开门见山）我先问你一个问题，那个女人究竟怎么死的？

何昌荃　凌老师，您不是知道吗？那个工人的老婆到了我们医院，病就发展得不能动了，她想回去，但是贾克逊不让她走。她死以前发高烧，抽着筋，非常痛苦，但是连昏迷的时候，都一直喊着她的孩子。（愤愤地）她是贾克逊用实验折磨死的！

凌士湘　（沉重地，同情地）这我知道。我听了以后，很难过。

陈　亮　（立刻鼓励）这就对了，凌伯伯。您想想看，一个劳动妇女，在过去，反动统治的下面——

凌士湘　（有点烦）这个我懂，我很同情，你毋须拿这个来打通我的思想。我们先把事实搞清楚。何大夫，你把病历再讲一讲。

何昌荃　（仔细地）开始，病人患的是严重的贫血病，进来的时候，血红素已经到了七克。在医院，经过了八个月，最后得了肺炎死的。

陈　亮　（插进来）您想，她一直住在医院里，怎么可能得肺炎？

何昌荃　（尽量冷静地）我想这一点就很值得怀疑。并且死后，贾克逊也没有向病理科要求做尸体解剖，而往常他总是提的。如果这里面没有毛病，以他的脾气，他会借这个机会好好地研究这个病变。

陈　亮　（急切地）凌伯伯，您想明白了没有？

凌士湘　（一直徘徊着）我还没有想明白。这个情况不能证明他在病人身上做实验，他可能对这个病变没有兴趣。我们应该从一个科学家的角度想一想。

陈　亮　（开始有些火）您应该从人民的角度，从一个中国人的角度想一想。不然的话，凌伯伯，您永远想不明白的！

凌士湘　陈亮！（却又压下去，转对何昌荃）好，你说吧！

何昌荃　（更有力地）最有力量的证据，就是病人在临死前几天，亲自对她的儿子说，说她昏迷以后醒过来，觉得胳臂痒得钻心，才看见胳臂上绑着一个纸盒子。实在痒得太痛苦了，她一把抓下来，一看里面尽是虱子！您想，（切齿）贾克逊，他是人吗？他这是做什么？他治什么病？

陈　亮　（大声）治什么病？

凌士湘　（恨恶地）这是不对的，极端不对的！（苦痛地）我知道你们两个人现在心里怎么看我，尤其是陈亮这孩子。但是我是搞科学的人，我们争论的是异常严重的事情。（矛盾着）如果这是事实，做这样事情的人，就是禽兽！但是，病人是害肺炎死的，而虱子是不能引起肺炎的。所以——

陈　亮　（耐不住，气愤地）凌伯伯，您为什么这样袒护他！

〔董观山由右门上，容丽章和凌木兰一同走进来。董观山依然穿着灰布制服，脚上是一双黄皮鞋，他的面色比以前红润一些。他们进门就站住。

凌士湘　（火了，大声）我袒护他？

何昌荃　（对陈亮）你不要说了。（有些激动）凌老师，我们要求您是高的，我们希望您很快成为真正的人民科学家，该爱的爱！该恨的恨！但是，您到现在——

陈　亮　（压制着自己）凌伯伯，我实在是为您想。哀莫大于心死！一个人，如果心死了——

〔凌士湘勃然变色，站起来，就走进了书房。

容丽章　士湘！

董观山　（皱着眉）你们这是搞的些什么呀！

陈　亮　（这才看见董观山）哦，董院长。（狼狈地）我没想到他这样沉不住气。董院长，你看这怎么办吧？

董观山　（盯着他们）你们为什么用这种态度跟他说话？你们真想用

感情代替政策吗?（回过头）容大夫，我进去找他吧。

容丽章　（歉然）董院长，我叫他出来。

董观山　不用，不用，我去好。

〔董观山敲敲书房的门，走进去。

〔半晌。

陈　亮　（自咎地）真糟糕，又是我捅的娄子！我这种态度啊，简直是——

何昌荃　先不要检讨了，好吧?

容丽章　（有点心疼凌士湘）我觉得凌大夫现在很痛苦，就不要再跟凌大夫谈了，缓一缓吧。

何昌荃　（安慰地）不是的，董院长找他是为反细菌战展览的事情。

容丽章　（叹口气）细菌战！这又是他成天想着的一个严重的问题。前天他跟我谈，他睡不好觉，他说如果有的话，这是人类历史的污点，世界科学家的污点。

陈　亮　（愤愤，又大声）“如果有的话”！他简直是——

何昌荃　（烦了）先不要兴奋好不好?

凌木兰　（不满地）我觉得爸爸是有些顽固。

容丽章　（恳切地）不，你们不懂。他这个人来的慢，什么都要亲自看见，才能认识。他告诉我，他心里很着急，为了这个事情，他连做鼠疫疫苗的实验都已经不大安心，这在他是从来没有的事情。

〔尤晓峰一阵风似地走上来，一边叫着木兰。

尤晓峰　（对凌木兰）你怎么还在这儿闲谈啊？快下来吧。

凌木兰 什么事？

尤晓峰 志愿军庄政委嘛，庄政委的眼睛要开刀，取弹片。刚才我把X光照片都带来了，跟陈主任仔细研究了一下，我们决定明天上午开刀，你来动手。

凌木兰 我？

尤晓峰 我在你旁边，保险不出任何问题。我相信你，你也就相信我，你的老师吧。走吧，再见，容大夫。

〔凌木兰跟着尤晓峰匆匆下。

陈　亮 （忽然）组织上叫凌大夫参加准备工作，你们说他会不会去？

何昌荃 （肯定地）他准去的。组织上叫他去，他就会去。

陈　亮 容大夫，您看呢？

容丽章 去是一定会去的，（沉吟）不过，就要看他用什么态度去了。

〔凌士湘和董观山上。

凌士湘 （激动地）董院长，我现在也明白，美国有军阀，有好战分子。抗美援朝教我认识，美帝国主义就是要侵略中国，因为中国人民抬起头来了！（老实地）这几天，我睡不着，我在分析我自己，我觉得这两年我有些变化。我现在也懂得政治是可以帮助科学的，好的政府就可以帮助科学的发展。你看，政府给了我们动物室，我们就完成了鼠疫死菌疫苗的初步研究，我知道，没有共产党，我的计划永远是计划。但是，（焦灼地）我要告诉你，董院长，我现在碰见了严重的问题。我对Jackson并没有什么特殊的好感，但是对我来说，他代表了美国的科学。他是学者，他培养人才，他对学术有贡献。我一辈子对科学的认识，就跟他一样。

何昌荃　（爱护地抗议）您不跟他一样！

凌士湘　（不理）三十年来我辛辛苦苦走的路，也跟他一样。而忽然的，大家，群众，说他是特务，说他杀了人！我接受不了这个道理，正如同我不能接受细菌学者会搞细菌战，去杀人一样。（痛苦地）我觉得我对于科学的认识、态度，基本成了问题。那我就等于瞎了眼睛，在黑暗里工作了三十年！董院长，世界上有杀人的科学，没有要杀人的科学家！所以，（真心地）我不是不想认识敌人，我实在认识不到，我就真叫不出来！

董观山　（和缓地）您一时可以不认识贾克逊这个个人，但是您必须认识他所代表的这一群帝国主义者。凌大夫，世界上有各式各样的科学家，有救人的医生，也有杀人的刽子手。科学尽管没有阶级，但是科学家是有阶级的。

凌士湘　（沉思地）我大概是老了。我就觉得过去中国的文化落后，美国人办医院，学校，究竟还是好的。（率直地望着董观山）我们的技术，就是跟这些办医院的美国大夫学来的。他们给我们的这把刀是快的。

董观山　（有力地）刀是快的，但是他们的目的不是为了救中国，而是砍我们自己的人。凌大夫，（鼓励地）您一点不老，这一两年在研究上，您又做了很多有价值的工作。眼前的问题也许您一时体会不到，但是美帝国主义一直要侵略中国，您是认识了的。（亲切地）从这里出发，您早晚会懂得。您先多看看吧。反细菌战展览会的工作很急迫，大家希望您去得愈早愈好。

凌士湘 明天早上我就去。

董观山 那我就打电话告诉他们。那里面各方面的科学家很多，您的同行也不少。

凌士湘 （尽量克服着自己的犹疑和烦躁）我一定尽我的力量，我要去学习。董院长，很感谢你，我知道你在帮助我。

董观山 再见吧。（对何昌荃、陈亮）咱们走吧。再见，容大夫。

何昌荃
陈　亮 （对凌士湘与容丽章）我们走了。

〔董观山、何昌荃、陈亮由右门下。

容丽章 （温和地）士湘！

凌士湘 （走上前去，自咎地）我刚才很不对，也许我太累了。

容丽章 嗯，你是累了。（微笑）我很高兴，你答应了明天就去。

凌士湘 当然，董院长既然叫我去。（皱起眉头）可是去了以后，我不知道怎么工作，丽章，我心里还想着一个问题，一个问题。

容丽章 我知道。

〔戴鹤飞在楼下，敲着一个金属的盘子，兴高采烈地叫着“士老！下来吧。我做的冰激凌简直好极了，士老，下来尝尝吧！士老！”

容丽章 这一定是戴鹤飞！（笑着）陈亮一提起他，就叫我们小心传染，说他外公满脑子是半封建半殖民地的病毒。

〔陈洪友带着CC戴由右门上。CC戴穿一身浅灰色质料很好的制服，瘦瘦的，剪裁得十分合体。他瞪着一对死鱼的眼睛，制服的颈项间敞着，神色有些萎缩。

CC戴 （冒冒失失地）凌大夫，我的父亲就要送冰激凌上来了。（看出凌士湘已经忘了他）凌大夫，不认识我啦？我就是CC戴。

陈洪友 （对凌士湘）你忘了？美贞的弟弟。（低声）一九四八年年底，他不是托我们帮他运过田鼠吗？我们好久不见了，今天他来了，我们忽然想起这件事，（紧张地）我才觉得这里面还有一点问题呢！

凌士湘 （硬邦邦地）什么问题？

陈洪友 （战战兢兢地）你想，我们把田鼠送到纽约，这不是跟美帝国主义发生关系的事情吗？自然，当时谁也没想到今天还有个美帝国主义的问题。可是我觉得为着稳当起见，还是把这事情向组织上声明一下好，说清楚，备个案。

CC戴 （急切地）姐夫啊，你这个人哪，太过虑了！

凌士湘 我不懂你什么意思，我看不出这跟美帝国主义有什么关系。在科学研究上，交换实验动物，国际上往来多得很。

CC戴 （极力称赞）是啊，你看凌大夫说得多科学，你们不也用美国送来的荷兰猪吗？

凌士湘 （平平常常地）你要声明你去声明，我觉得没有什么声明的必要。

陈洪友 （又没了主意）当然我也不过这么想想就是了。

〔戴鹤飞叫着士老，两手端着一个珍贵的银盘，上面放着三杯冰激凌，走上。他穿着没有领子，带纽襻的旧细纺绸中式裤褂，肥大无比，洗得十分干净，袖口上有些地方已破成丝丝缕缕。这破衬衣他时常穿，用意在显出他的阔气。他脚上穿着黑缎鞋，极讲究的丝袜，头上戴着一顶五颜六色的丝线织的小帽，他满面春风，一面走着，一面嚷着。

戴鹤飞 来了，来了，冰激凌来了！我亲自做的，Pineapple菠萝的，我从广州带来的顶好的菠萝。来，来，来，容大夫你一杯，士老一杯，你们不下来，我就为你们端上来。（对CC戴）下去吧，儿子大爷，你们的都在楼下。（自己找个地方坐下）

陈洪友 （对凌士湘，低声，关心地）展览会的工作，你预备去吗？

凌士湘 去。（对着陈洪友，仿佛是自言自语，慢慢地）洪友，你说呢？有没有细菌战？

戴鹤飞 （高声插进）有没有细菌战？（哗啷一声把杯子放在桌上）当然没有！因为根本就没有细菌！（大家愕然，全望着他，戴鹤飞立刻得意起来）你们主张有细菌，我主张没有。你们认为病是由细菌来的，我认为病是由于阴阳不调来的。

陈洪友 （想拦住他）爹！

戴鹤飞 （已拦不住，滔滔地）我就能治病。我跟你们不同，我用的，（很机密地）是一种太乙的真气。（探头对凌士湘）你要不要试一试？对心脏病有特殊的功用。（忽然手一伸）你看这是什么？

CC戴 这是手。

戴鹤飞 （很得意地）不对，这是气！

凌士湘 （站起来）我想走了。

戴鹤飞 （拦住凌士湘）等等！（把头冷不丁地一摇）你看我头上有什

么?（没人理他）这又有气，纯阳正气。你看我摇头,（翻着白眼，周身乱抖）看见了吧？亮极了，眼睛都睁不开了！（指着凌士湘，十分高兴）你看见了！

CC戴　（有兴趣地）看见什么了，爸爸？

陈洪友　爹！爹！（跑到阳台上对楼下）美贞！

戴鹤飞　（对其子）红日啊，就是太阳！（对凌士湘逼过去）五彩的，热极了，你看我把太阳过到你头上。（把头一颠）

凌士湘　（烦躁地）你下去！

戴鹤飞　你就热，热，这对你就补，从头到脚都补。一直热，热到谷道，谷道就是屁股眼儿。

〔戴美贞从楼下匆匆跑上。

戴美贞　爹！爹！

凌士湘　（喊）下去！把他弄下去！请都走吧！

〔戴美贞、陈洪友等拉戴鹤飞下楼。

戴鹤飞　（一面被人拉着劝着，一面和颜悦色地说着走着）好了，你的心脏病已经好了，可以量血压，立刻降低……

〔大家都下去，只剩下容大夫一个人。

凌士湘　（对容丽章）你也去吧,（烦倦地）我要坐一坐，再想想。（坐在沙发上）把大灯关上。

〔容丽章关上电灯走出，凌士湘独自坐在立灯下面，凝神想着。

——幕落

第三幕

第一场

离开上一场过了三天，在陈洪友家的客厅里，星期六的夜晚，也是九点钟的光景。陈家一家人——戴鹤飞，陈洪友，戴美贞，和他们十四岁的女儿陈亭，还有两位客人，容大夫和尤大夫，都聚集在这间陈设相当讲究但不中不西的客厅里。

陈家住在楼下，客厅的门窗结构和楼上凌家客厅的完全一样。左墙壁炉的右面，近观众处，是一扇门，通内室。壁炉的前面是两张皮沙发，中间放一只像悬在鼓架上的铜盘茶几，上面搁着银晃晃的烟具和外国烟斗。壁炉上面放着一架相当讲究的钟，两旁是一些颂扬陈洪友医道的银盾银杯等物，上面挂着一幅嵌在镜框里的用秀丽的隶书体写的“盲人福音”的横匾。沙发的旁边，是一个可以作小几用的能旋转的矮书架，沙发后面是一盏立灯，立灯之旁，斜放在左墙角，是一个陈大夫开业时用的装手术器械的玻璃柜，现在里面放着各种各样西洋瓷器。

正门之外是凉台，凉台上搁着藤椅藤桌，和夏天的盆花。从凉台望出去是医院的林荫小道，两旁是医学院和医院。正门挂着白色细纱帘，两旁各放一株热带风味的棕榈树。背着正门，是一张长的皮沙发，前面有一张长条矮几，右面放着一套红木套几。沙发和茶几上面，放着绣花靠枕和白纱桌布。

在右墙角斜放着一座六扇的螺钿嵌花红木屏风，镶嵌着楼台仕女一类的东西。倚墙，在右门洞与屏风之间，放一个美国奇异牌的大电气冰箱，右门洞挂着十分讲究的英国料淡色大花布帘，右门洞旁近台口处，是一个小条几，上面放了一些古董，琳琅满目。

台中近右面条几处，是一张轻巧的石面红木圆桌，四面放着同样轻巧的石面红木凳。桌上放着大的银质吕宋烟盒。地上铺着一面大地毯，墙上还挂着一些各式各种装裱的字画。

〔开幕时通外面凉台的门都敞开着，夏风微微地吹动了纱帷，外面月色很好。容大夫坐在右面的小沙发里，斜对观众，陈洪友坐在对面的小沙发上，仿佛正和她谈话。斜靠在正面沙发的扶手上的是尤晓峰，他穿了一件香港衫，端着咖啡杯，正在品味。右面桌旁，一边坐着戴鹤飞，穿着上一场的纺绸裤褂，叼着吕宋烟，熟练地打着算盘，对着账本，十分专心。对面坐着陈亭，少儿队队员，正在一心一意地用砂纸打磨她自己做的飞机模型，桌上放着涂飞机用的颜料和笔，陈亭是少儿队的小队长，兴趣很广，爱音乐，爱做飞机模型，又想当一个勘探队员。她不喜欢对面坐着的外公，一会儿向他望一下，盼望着他赶快打完了算盘把桌子让给她。她穿着浅色的裙衫，戴着红领巾。

〔戴美贞穿一件家常的短袖花旗袍，拿着咖啡壶，在为尤晓峰倒着土耳其咖啡，最后一杯倒给她的父亲。除了陈亭，每人座前都有一只极其精致小巧，专为喝土耳其咖啡的杯碟。

〔戴鹤飞的算盘的声音滚珠似地响着。

容丽章 （关心地，向尤晓峰）志愿军庄政委的眼睛，开了刀以后怎么样？

尤晓峰 （津津有味地喝咖啡）很好，我看很好。木兰那天开刀开得很稳当，（一副老前辈的神气）青年大夫有这样的功夫就算不错了，容大夫。

陈　亭 （放下手中的飞机，转身）爸爸，太好了！明天我还跟我的朋友贺瑾一块儿去慰问他呢！尤大夫，你保证他眼睛一定会好吗？

尤晓峰 当然！你别学木兰姐姐——

陈　亭 怎么？

尤晓峰 （转对戴美贞和容丽章）木兰就怕他的眼睛发炎。

戴美贞 哦，发了炎就怎么样？

陈洪友 （不愿意提起这些可能发生的事故）那对眼睛就不大好。

尤晓峰 （不经心地）那就会瞎。

戴鹤飞 （回头，烦躁地）啊呀，你们真是麻烦死了！喝咖啡，喝咖啡！土耳其咖啡，我从广州带来的。（立刻低下头，噼噼啪啪地又打起算盘来）

陈　亭 （跑过来）爸爸，那怎么办呢？

陈洪友 不会的，小队长，放心吧！（忽然指着陈亭的辫子）你看你

的小辫，又松了。真是野丫头！过来。（陈亭习惯地转过身，陈洪友熟练地为她重编辫子）

容丽章　（对陈洪友的熟练十分惊讶）你编得真熟练！谁教你的？

戴美贞　那有什么稀奇，（指着陈亭）她哥哥衣服扣子掉了都是爸爸钉，洪友嫌我钉得不结实。（有些炫耀地）我现在成天忙妇女会，也管不了。

陈洪友　（笑着）我一直是眼科大夫兼奶妈。

戴鹤飞　（打完了算盘，满意地叹了一口气，举起咖啡杯喝了一口，忽然放下）大小姐！（戴美贞回头）你这是煮的什么咖啡呀！

戴美贞　按您的方儿煮的呀。

戴鹤飞　哎哟，这简直是糟蹋我的钱！心都飞了！你就不干你们那个妇女会也罢。来，来，来，尤大夫，我给你加点儿好东西。（走到左墙角上玻璃柜前）

〔陈亮由左门上，抱着一堆政治书籍。

戴美贞　（对陈亮）你又上哪儿去？都九点了。

陈　亮　我给同学们送几本书去。（说完放下手中的书，又到矮书架旁寻找书籍）

陈洪友　（忽然想起）我那本《美帝侵华史》搁在桌上，怎么又不见了？

戴鹤飞　（取出一瓶白兰地，对尤晓峰）来，来，来，加点白兰地。（倒一些在尤晓峰的咖啡里）

陈　亮　（蹲在矮书架旁，回头）我借给人了，爸。

陈洪友　（对容丽章）我们这位公子啊！这本书我买了三回了，他都拿去送人了。

戴鹤飞　（自己也倒了一点白兰地，端着那小杯子，对尤晓峰）怎么样？

尤晓峰　（长长地闻了一闻）喷香！喷香！真是太奢侈了。

戴鹤飞　（万分得意地）真正法兰西老白兰地，一百年的。（神秘地）你猜哪儿来的？（附尤晓峰耳）……唏唏唏……

尤晓峰　（大惊讶）哦！（连忙喝了一口）

戴鹤飞　（一饮而尽，拍拍肚皮）劳动所得，光荣享受！

〔容大夫站起来，走上凉台。

陈　亮　（立起，气极了）劳动?!

陈　亭　（哥哥的小应声虫）你劳动什么呀？

戴鹤飞　（把算盘一举）这不是劳动？这不是劳动？

陈　亭　（指着算盘）这叫什么劳动？你就没劳动过！

戴鹤飞　（恶狠狠地望着陈亮，忽对戴美贞）美贞，我知道，你这俩孩子，背后动不动就骂我腐朽。（对陈亮、陈亭）我腐朽什么啦？解放以后，大家说买办不好，我就不做！现在我打打算盘，喝点白兰地，这就不正确啦？我偏打！（举着算盘哗啦两声）你们觉得这个声音不好听，我觉得好听，好听得很呢！

〔戴鹤飞怒冲冲地挟起算盘账本，进了左门。

陈　亭　（厌恶地）妈，这个外公我实在受不了！

陈　亮　爸，他为什么总到广州去？听说他现在还偷偷地做投机生意。

陈洪友 他的心思我怎么能知道。

戴美贞 我们不知道的事就不要乱猜。

陈　亮 好，不乱猜！不过，妈，我们这个外公，他一辈子不会老实的！

陈　亭 腐朽了嘛！

〔陈亮由右门下。

戴美贞 尤大夫，你看这两代人，我在当中受的什么气！

尤晓峰 这位老人家呀神通广大，可有办法呢！

〔容大夫由凉台上。

陈洪友 怎么，凌大夫回来了没有？

容丽章 （焦虑地）没有，楼上没有灯。

戴美贞 容大夫，别急了，凌大夫不是在反细菌战展览会吗？那还会出什么事呀？

〔董观山挟着几本书，由右门上。

陈　亭 （愉快地）董伯伯来了。

〔大家招呼董观山，董观山笑嘻嘻地回答着。

戴美贞 董院长，坐吧。来得正好，我们正想搬到外边乘凉呢。

尤晓峰 （立刻响应）好，到外边。

〔尤晓峰帮着戴美贞把水果和饮料搬出去。

董观山 陈亭，你在干什么？

陈　亭 做飞机。

戴美贞 （插嘴）你看，董院长，陈亭做的飞机模型多像啊。

〔戴美贞搬东西上凉台。

董观山　（拿起来看）好，这叫什么式啊？

陈　亭　（得意地）这是米格十五式。我明天要送给庄政委。

董观山　好极了！（对陈亭，喜爱地）怎么样，少儿队，你将来造飞机啊？

陈　亭　（认真地）我还没有决定呢。哥哥叫我学勘探，妈妈要我学音乐，爸爸又要我学医。

董观山　你自己呢？

陈　亭　我都想学。

陈洪友　（对陈亭）别再扯了，你今天一天还没练琴呢，快去。

陈　亭　我去了，董伯伯。

董观山　再见吧，少儿队。

〔陈亭由右门下，一会儿从另外一间屋子传来钢琴的声音，隐隐约约的。

董观山　（对陈洪友）我买到了几本关于角膜移植的书，我是外行，送给专家看看。

陈洪友　对，对，对，角膜移植，这是苏联先进经验。我是要看的，谢谢，谢谢。请到外边坐吧。

董观山　好，我就来。（转对容丽章）容大夫，我这两天比较忙，没有时间找你。我很记挂着凌大夫，（关心地）这两天他在反细菌战展览会工作得怎么样了？

容丽章　（有些忧虑）前天一早，他就去了，当天一夜没回来。昨天夜里他回来得很晚，我问他，他什么也没有讲，看样子非常烦躁，像是心里又有什么问题。今天早上我本来想问问他，可是起来一看，他已经走了。

董观山 （沉思地）噢。

〔高有田由右门上。他是被派到眼科来学习的进修生，原在是部队医务工作者，一直是在革命战争中生长起来的。他很直爽，很热情。派来之前，领导上和他谈过这个医院的特殊性，他一直是谨慎小心，尽量虚心学习。但他碰了不少次的钉子，尤其是大大夫们，他们把这些工农出身的医务工作者完全当作陌生人，甚至于轻蔑他们。高有田他们非常气恼，因为进了学院，一直没有学到东西。他压制了很久，才决心找陈主任谈谈。他穿着军装，浓眉大眼，大手大脚，像一个很可爱的农民，走进这屋子来，和周围的环境一点也不调和，他三十岁，看起来比实际岁数还要大一些。

高有田 （对陈洪友）哦，陈主任在家呢。（转对董观山）董院长。

陈洪友 （一望高有田，像是不十分认识）哦，你，你是——

高有田 我叫高有田，我是您科里的进修生，从部队派来的。

陈洪友 （客气地）哦，是的，是的。好吧，请到外边坐吧。

高有田 （为难地）我想就跟陈主任谈谈。

陈洪友 好，我拿点茶进来。

〔陈大夫和容大夫走进凉台。

高有田 （急切地）董院长，我们真干不下去了。我们这些从部队来的进修生派到这个医院学习，真是白费时间！支书你看，我们到眼科都三个月了，什么还没学到。上个月我们就给陈主任打了报告，到现在他都没答复。

董观山 我知道，这件事情我也是要跟他谈的。

高有田 支书，实在是气人，这些大夫啊！

〔陈洪友由凉台端来两杯茶，放在他们面前。

陈洪友 （一望高有田的神色，立刻猜出来意，对董观山，抱歉地）嗳，科里事情太忙，有时候进修生同志们的学习，总是没有掌握得很好。（又对高有田）真是抱歉极了。嗯，有什么事情吗？

高有田 我们上个月给您打了个报告——

陈洪友 （立刻）对的，对的，关于介绍角膜移植术跟你们的学习问题，就在我屋里。（起身就要去拿）

高有田 （抢着说）陈主任。（陈洪友又坐下）我们大家都想跟陈主任多学点技术。（带点情绪）我们知道基础差，困难多，可大家来以前都下了决心，要把业务提高一步，我们要学习！

陈洪友 （连忙）很对，很对，我们有责任的。（字斟句酌）呃，我们是有些缺点的。（非常谦和的神色中带着一种无法形容的优越感）可是学科学，学技术，要靠基础。你过去上过训练班没有？

高有田 上过解放区医务训练班。

陈洪友 哦，几年？

高有田 一年半。

陈洪友 中学在哪里毕业啊？

高有田 （老老实实地）没读过。

陈洪友　你会外国文字不会啊？拿起一本英文书看得懂吧？

高有田　（忍耐着）就会一点拉丁，英文不认识。

陈洪友　（望望董观山，沉吟一下）哦。物理化学没读过？

高有田　（被问得起了反感）没有，陈主任。我从小就给地主放牛，后来参加八路军，我是在部队里长大的。

陈洪友　是的，是的，那是很好的。可是要按正规化，就得学习八年。而且，总要懂点外国文字吧。董院长，他们都很刻苦用功，可惜底子总是差啰。其实我们对本校的和部队来的进修学生们，都是一视同仁的。我说一句冒失的话。如果实事求是呢，我总觉得这些同志们到此地来进修，还是不很合适的。

高有田　（气愤地）那是不合适！我们基础差，没经过正规学习，又不懂外国文，说一视同仁，其实是不愿意教我们！

陈洪友　（一愣，有些不快，但不肯露出来）哦，哦。董院长，我去把他们的报告拿来给你看看。

〔陈洪友由左门下。

高有田　支书，你看，他就这样态度！我们刚进来的时候，大点的大夫都这样！光让我们在旁边看，老“见习”，教课尽说外国字，啥也不想教给我们。我们变成瞎子，聋子了！（愤慨地）支书，我们从哈尔滨一直打到海南岛，什么仗没打过？什么困难没克服过？吃了多少苦，好容易全国解放了。可到了这个医院，还受这份洋罪！支书，我真想走，真想回部队。回去我还可以为人民服务，在这儿白糟蹋小米！

董观山 （提醒地）那么组织上交给你的任务呢？

高有田 （苦恼地）是啊，要不我着急呢！

董观山 （对高有田，恳切地）高有田同志，他们现在不肯很好地教我们，可我们不能着急。我们在此地有双重任务，我们一面是学生，一面又是先生。我们有责任教育他们，叫他们自觉自愿地教我们，自觉自愿地把技术贡献给人民。（热情地）高有田同志，以前此地从来没有过工农出身的医生，翻了身，我们才打破了这个门！你是一个战士，目前的任务，就是要顽强地学习。

高有田 （想了一会，点点头）嗯。

董观山 我觉得你刚才跟他说话的态度不大好。

〔陈洪友拿着一份报告由左门上。

陈洪友 好极了，在这里。（把报告交给董观山）

高有田 陈主任。

陈洪友 （不知道高有田又要说什么）怎么？

高有田 （诚恳朴实地）我刚才对您说话的态度不好，我向您检讨。希望您还是继续帮助我们，订一个切实的学习计划。

陈洪友 （完全没想到，望着高有田，不知如何答复）哦。

董观山 （亲切地）陈大夫，我们部队的医生在战场上，在农村里，起了很大的作用，因为他们一点一滴的技术都贡献出来了。我们有责任教他们，帮助他们。不错，他们是基础差，技术水平低。可是他们有多年医疗的经验，跟老百姓在一起，知道老百姓的需要。像高有田同志，从十四岁当卫生员，一直搞到现在。问题就在这儿，如果我们真有决心帮助他们，就应该想出办法来解决他们的困难。恐怕仅仅是一视同仁，是很不够的。

陈洪友 是的，院长，我们一定在系务会里，好好研究一下他们的具体情况。

董观山 哦，对了，并且进修生他们还希望学习角膜移植，跟我谈过。

陈洪友 是啊，角膜移植，在我们系里还没有试过。应该介绍，就是怕——

高有田 （热情地）陈大夫，我们在东北见过，好多例子成功了。

陈洪友 董院长，我治病也有二十年了。角膜移植，只听说过，自己从来没做过，也没看见做过。这是个复杂的手术，我们条件不够，成功的把握不太大的。

董观山 陈大夫，如果能把这个手术试验成功，普遍应用起来，会带给很多人幸福的。你记得吗？有一个病人叫赵树德——

陈洪友 你说的就是那个瞎眼睛的老工人？

董观山 是的。两年来，这个工人的眼睛，总是我们心上的一件事情。

陈洪友 是啊，他的两个角膜都破了，我记得三四年前，我跟尤大夫都检查过这个病例。可是能不能应用角膜移植，这就要考虑了。

董观山 你愿不愿意给他先检查一下呢？

陈洪友 当然，当然。

董观山 那明天好吗？因为他的儿子现在当了车间主任，很忙，只有星期日才能送他父亲来看。

陈洪友 好吧。

董观山 （高兴地）那我回头就打电话到钢铁厂，叫他明天来。我走了。

陈洪友 好，这几本书我要好好学习一下。

高有田 陈主任，再见。

陈洪友 再见，董院长。

董观山 再见。

〔陈洪友送他们出去。空场一时。凌士湘从楼上走下来，他手里拿着衬衣和盥洗用具。这时陈洪友送完他们进来，惊讶地望着凌士湘。

陈洪友 （惊讶地）凌大夫！你在楼上啊？

凌士湘 （阴郁地）出去的是董院长吗？

陈洪友 （殷勤地）是啊，要叫他吗？

凌士湘 （冷淡地）不要。容大夫在这里吗？

陈洪友 在。（向外叫）容大夫！

〔容丽章从凉台上。

容丽章 （立刻注意到凌士湘的神色，不安地）你回来啦。

凌士湘 （简短地）我来拿东西的，就走。

容丽章 （察觉到什么）怎么啦，你？

凌士湘 （抑制地）没什么。

容丽章 （关心地）吃饭了没有？

凌士湘　（烦厌地）不想吃。

陈洪友　（笑着，热心地）不成，不成，你得吃点。（从冰箱拿出一盘食物，放在小套几上）现成的面包黄油，还有火腿。来来来，坐下，坐下，我给你倒杯茶。

凌士湘　（疲倦地）我自己来吧。（缓缓坐下）

〔凌木兰由右门上，神色沉重。

凌木兰　（连父亲也顾不得招呼，低声）陈主任！

陈洪友　什么事啊？

凌木兰　我看了庄政委。（忽然地）尤大夫呢？

陈洪友　（有些紧张）怎么？（凌木兰说不出话）

容丽章　（猜到了一些，立刻向外）尤大夫！你进来一下。

〔尤晓峰从凉台上。

尤晓峰　什么事情？

凌木兰　（沉重地）他的眼睛发炎了。

尤晓峰　（不信地）谁说的？

凌木兰　（痛苦地）我刚才看的。我还找了黄大夫看了一下，是发炎了。

尤晓峰　（好像很不理解的样子）你看这奇怪不奇怪！

陈洪友　（立刻紧张）你们这是怎么搞的嘛！（抱怨地对尤晓峰）你不是说经过很好吗？

尤晓峰　（连连声辩）是经过很好啊，你问木兰嘛！（凌木兰不语）手术全部正确，我在旁边。可发炎的事谁能保得了？这能怪我吗？或者怪木兰吗？

陈洪友　（急了）你知道不知道？他是志愿军！出了问题，群众能答应我们吗？病人能答应我们吗？（忽然转向凌木兰）发炎严重吗？

凌木兰　（低声）严重，视力已经不成了。

陈洪友　给他开了青霉素没有？

凌木兰　开了，看着他吃的。

尤晓峰　（泄气地）嗯，可这有什么用？现在一发炎，还有什么办法？就是一条路，瞎！

凌木兰　（烦躁而痛苦地）你先不要这么想好不好？

尤晓峰　（不为所动，反而大声起来）那是科学，我不这么想成吗？我告诉你，眼睛废了！可这能怪我们医生吗？（振振有词）也许他眼睛里的弹片带着细菌，也许路上换药不小心，带了细菌，也许因为空气传染，不知从什么地方来了细菌！（指着）你问凌大夫，细菌引起发炎，可能性可以说一万种！难道要我们都负责？

凌木兰　（激动地）可那是庄政委的眼睛！志愿军的眼睛！偏偏就是我，我动了手术以后，出了这样的事情，这样的事情！（低下头。容丽章走到她身边，安慰她）

尤晓峰　（看着凌木兰痛苦的样子，也烦躁起来）不要着急，小姐！还有我呢！挨骂，我也有一份。可是小凌大夫，当个医生，不能这样事事都动感情。（一副老前辈的面孔，开导起来）你不懂，还年轻，过过你就明白了。（愈说愈有理）解放以前我在外科，看见的病人多了。那时候的病人每天都有死的，死一个哭一个，你有那么多眼泪吗？江教务长说得好，我们要治的是病，不是病人！为治病就得学技术，就得在病人身上实习。技术不是靠成天对病人同情学来的！（着重地）心要硬一点，头脑要冷静一点！病人眼睛一发炎就难过了，那还成？要满不在乎才学得好，才能学得像陈主任这样。（有把握地）你问你父亲，是不是这样？

凌士湘 （一直像一朵乌云似的坐在那里，这时忽然放下刀子，积着一腔烦恶的情绪，踱到尤大夫面前，阴沉地）你怎么能说这种话？你知道不知道，（爆发）我们臭了！我们这种专家臭透了！人民看我们都发了霉了！人民就要不要我们了！

尤晓峰 （第一次从凌士湘的嘴里听到"人民"两字，惊异地）人民，什么？

凌士湘 （怀着一腔对人对自己的不满，郁愤地）对了，这个字如果现在还不懂，那就完了！（沉痛地）我现在真是痛苦极了。到了今天，我们还能糊涂么？尤大夫，这些年我们在这个医院学了些什么呀！我们脑子里装的是什么呀！（激动地）为了学技术，就可以不是人么？为了研究科学，就可以忘记首先是治病救人的大夫么？（对尤晓峰，不知哪里来的一腔愤恨）我现在看见了，有杀人的科举家！你也去杀人吧！

尤晓峰 （完全蒙住了）杀人？（对陈洪友，连连地）你看，这怎么连得上？怎么连得上？

陈洪友 （低声对凌士湘）不要气，不要气。

凌士湘 （一气说下去）尤大夫，你要想当刽子手，你就去吧！可是木兰，不要听他的！明天我也要看他去，看看有什么办法。（愤恨地）准备叫他狠狠地批评吧！批评，骂，都不够！对于有这种思想的人，应该用自己的眼睛来换他的眼睛！（走回去坐在沙发上）

尤晓峰　（受冤屈的样子，不服气地）你看这奇怪不奇怪？

陈洪友　（忙忙乱乱地）他现在心里有事。我们看看去吧。这怎么办？真糟透了！

凌木兰　我也去。

陈洪友　你没有跟他讲吧？（凌木兰摇头）你不要再去了。（对尤晓峰）我看先不要让他知道好。

〔陈洪友与尤晓峰由右门下。凌木兰痛苦地坐着，屋中沉默。

容丽章　（不理解地）士湘，你怎么啦？（凌士湘不应）你发这么大脾气干什么？（凌士湘不应）在人家家里，你不觉得过分吗？（凌士湘不应）

〔半晌。

凌士湘　（抑郁地）丽章。

容丽章　（恳切地）告诉我们吧。在反细菌战展览会，你怎么啦？

凌士湘　（低声）细菌战是有的。

〔凌士湘立起来，拿起他的东西，缓缓向外走。母女二人望着他。

——幕落

第二场

上一场的翌日早晨。是一个星期日，九时刚过。在一间明亮的病房里，志愿军某团的庄政委躺在一张病床上，他双眼蒙着雪白的纱布，什么也看不见。旁边是站着的陈亭，和另一个拉着手风琴的少儿队员贺瑾——一个十五岁的小姑娘，两个人都穿着最漂亮的衣服。桌上摆着她们带来的鲜艳夺目的花，它把喜悦和清香放散在病房的静谧和带着点药味的空气里。花旁放着陈亭送的飞机模型。

对面是另一张病床，上面没有病人，似乎病人刚刚痊愈，准备离院了。小姚——那个青年的护士，现在成熟多了——正在整理病床，带着很高兴的神气。她时时望着陈亭和庄政委，偶尔搭上一两句话。

天气虽然热，病房里却凉幽幽的。从中间纱门——纱门两旁都有宽宽的窗，敞开着——望出去，横着一道宽敞幽静的过道。沿着过道是长长的一排纱窗，可以望见外面的花园。从窗外柳荫里，看见榆树，海棠，枣树，柿子树，美人蕉，和满爬着绿绿的爬山虎的远远一角楼墙。偶尔，传来一阵懒洋洋的蝉鸣。过道上不时来往着穿着白衣服的护士和大夫，敏捷但安静地走过去，也有人推着病人坐着的轮椅缓缓地踱过，也有病人散着步，就倚在纱窗上向外悠闲地凭望着。

〔开幕时陈亭和贺瑾正唱到《侦察兵之歌》最末一段，唱得乐观有力，充满了侦察兵的勇敢与自豪。手风琴拉得快乐极了，热闹极了，畅快极了。庄政委像是忘记了现在的病房和周围的人们，愉快地听着，仿佛回到了前线。小姚也停住工作，轻轻地打着拍子。

陈　亭
贺　瑾　（热情地唱）……

侦察兵，地上的老鹰。

侦察兵，部队的眼睛。

侦察兵，铁打的肠子，钢磨的心。

哪里有战斗，哪里就需要我们。[1]

〔唱完，小姚领头鼓起掌来，窗外一两个欣赏着的病人也称赞起来。

小　姚　好极了，唱得真好！

庄政委　（还在想着刚才的境界）好。

外面的一个年老的病人　（拄着拐棍，由一个护士扶着，笑呵呵地）这两个姑娘唱得真好。庄政委，你看她们多喜欢，看见了你！连我老头子都沾光了。

庄政委　谁呀？

老病人　（称呼自己）隔壁的杨老头子。

庄政委　哦，杨同志，进来跟小姑娘们扯扯吧。

1　引自王剑作小说《侦察兵》内歌词。——底本注。

老病人　（笑嘻嘻地）不成，不成，我得听她的。（指护士）再见，政委。

庄政委　（愉快地）再见，一会儿来吧。

贺　瑾　（目送老病人从窗户走过，回过头来）庄政委，你来了不到几天，怎么认识这么多人？

小　姚　（口快地）他连我读的什么书都知道了，大家都喜欢到这儿来。

庄政委　（笑着）好听我扯。

陈　亭　你还爱听什么？

庄政委　不，歇歇吧，你们唱了半天了。你们唱得真好，这个《侦察兵之歌》，它叫我想起朝鲜前线。我离开了团里才十天，可我感觉得像过了半年似的。（骄傲地）我告诉你们，我们的团里有一个出色的英雄侦察排——（顿）

陈　亭　怎么？

庄政委　（慢慢地）那个排长是个老侦察兵。

陈　亭　（抢着说）是个英雄。

庄政委　（带着深深的情感）对，立过多少次功。才二十三岁，是个难得的好战士。（忽然问小姚）昨天从安东来的电话是谁接的？

小　姚　医务室的人。师部一位冯科长问你的手术经过怎么样了，我们看你痛了一天，刚睡着，就没有叫你。

庄政委　（敲一敲床沿，责备地）你们真是啊，不懂我们刚下来的人的心！（自语地）听听他们几个人的声音也是好的。（转对陈亭、贺瑾）小妹妹，这歌词写得多好！（自豪地）这就是我们的侦察兵。“侦察兵，地上的老鹰。侦察兵，部队的眼睛……铁打的肠子，钢磨的心。”我刚才跟你们讲的赵排长，他就是老鹰里面最有本事的——

〔郭欣由纱门上，后随袁仁辉。郭欣，一个身体魁梧的青年工人，二十七岁，他是勘探队钻探机的机长。

郭　欣　（热情地）同志们，再见吧！

小　姚　离院手续办完了，郭欣同志？

郭　欣　（精神饱满地）完了，就要走了！说不定今天晚上就可以上车。我简直急死了，临走临走，一病病二十天！我们的队早到了西南了。哼，勘探队的帐篷都搭起来了，就把我一个人落在后头。

袁仁辉　郭同志，现在高兴啦？

郭　欣　（咧着嘴笑）高兴了！这得谢谢你们，护士，大夫。现在你们真不错了，对我们工人可尽心了。

袁仁辉　（老姐姐的神气，婆婆妈妈地）可是还得提意见哪。

郭　欣　（豪爽地）自然要提，我有的那点意见，我到医务室都提过了。可我还要说，（转对庄政委）庄政委，这些同志态度是好多了，是不是？（转对小姚、袁仁辉）我感谢你们。（和她们拉手）小姚，我感谢你，一夜不睡看着我。袁大姐，你也好，我为着我这倒霉的病发火，你也不生气。

袁仁辉　我们有什么气可生的？你为着祖国勘探，挖掘宝藏，建设社会主义。把你的病早治好，谁都高兴。

郭　欣　好，我一定要好好地在边疆完成勘探任务，叫你们为我放心。庄政委，我走了！（拉住庄政委的手）可惜就认识你两天。可就这两天，你给我讲了国际局势，讲得真好，我看得更明白了。

庄政委　小伙子，去吧！记着跟我通信！

郭　欣　我记住了，（手里拿着两个本子）我在两个本子上都记上了，丢了这个还有这个。少儿队，我要走了，你们教我的歌，我已经会唱了。（唱）“……我们可爱的祖国呀，要把你变得更美丽。我们要给你，披上森林的绿衣裳……”[1]

贺　瑾　你答应我们到了西南，还得教旁人。

郭　欣　对，我一定把我们勘探队的同志们都教会。我们工人们就喜欢歌，喜欢听，喜欢唱。到了国庆节，谁都学会了，那个时候，我们就一齐唱，向着北京唱。就可惜你们这两个小先生听不见。

陈　亭　我们听得见。

庄政委　（有兴趣地）你们怎么听得见呢？

陈　亭　（聪明地）音乐在我们心里，我们要听就听得见。庄政委，你心里难道没有音乐吗？

庄政委　有的，有的。新中国的人心里都是有音乐的。

郭　欣　（笑着）好，那你们就等着听吧！国庆节北京的礼炮响起来的时候，我们就唱。

1　引自《可爱的祖国》，管桦作词，张文纲作曲。——底本注。

贺　瑾　我们就一定等着听。

庄政委　我在前线一定也等着听。

郭　欣　好，我走了，庄政委，我一定把工作做好。

庄政委　（挥着手）再见。

陈　亭
贺　瑾　再见，郭欣同志。

〔郭欣刚一走，忽然回来拉住小姚。

郭　欣　（低声）他的眼睛究竟怎么样？

小　姚　（也低声）听说不大好。（贺瑾与陈亭注意谛听）

郭　欣　（恳切地）我们不能让他受委屈，他的眼睛就是我们的眼睛。

袁仁辉　我们知道。

郭　欣　昨天晚上他痛极了，头上的汗黄豆那么大，（钦敬地）他不吭声，还笑着跟我讲国际局势。

小　姚　那是他的胃病犯了。

袁仁辉　他不愿意治，怕在后方待久了。

庄政委　（听到他们在墙角说话）你们在喳喳什么？

郭　欣　（走过来）没有说什么。（紧紧握着庄政委的手）你要保重身体呵！你的身体不是你一个人的。

庄政委　知道了，小伙子！快走吧。

郭　欣　走了，再见！

〔小姚、袁仁辉送郭欣下。屋内剩贺瑾、陈亭和庄政委。

贺　瑾　你痛不痛？

庄政委　（不知不觉地向眼睛摸去，手却落在额头上）不。

陈　亭　（沉不住气地）你觉得你的眼睛——（贺瑾以目示意，陈亭就不说了）

〔小姚送完郭欣回来。

庄政委　还好。他走了么？

小　姚　走了。

庄政委　这个小伙子真好！祖国的青年是好的。就这两天，他也给我谈了他的思想，是一个有理想有热情的人，（赞叹地）好工人！小姚同志，我一看见你们，还有这些少儿队，我是真高兴哪！年轻人，我们的年轻人都这么有劲！你知道吗？哦，你参加过志愿手术队——你是知道的。我们的战士一碰在一起，就是谈祖国的建设。（他的手有力地比画着）我记得，在一个坑道的墙壁上，一个四川的战士，用刀子把西南到西北的铁路，都画到了。从重庆到成都，从成都到天水，从天水到兰州，从兰州到新疆。他告诉我，新疆有多少石油，西北有多少钢铁，又怎么样从新疆可以到了苏联。（说着说着，几乎使人感觉得到他的眼睛在闪光）你想想，这就是我们的战士！他在朝鲜流着血，保卫祖国，他的心却飞到四川、甘肃、西北，祖国的土地上，祖国的人民，和建设祖国的这群好工人身上！你想想，少儿队，（抚摸着陈亭和贺瑾的手）你们多幸福呵！我刚才说的那个赵排长，那个钢铁打的老战士，就是这样的一个人。他话说得不多，可是他清清楚楚知道，为什么他可以牺牲一切。可是我临走的时候，（不觉慢慢放下她们的手）他带着一队侦察兵，负着重大的任务进到敌人的后面。任务完成了，我们占领了一二〇高地，他带去的侦察兵都回来了，但是他没回来。我们等他等他，直到我负伤的时候，他还没回来——

贺　瑾
陈　亭　（关心地）那怎么办？

庄政委　我让他们一有消息就想办法通知我，可是一直没有消息，没有消息！（忽然正对着小姚）可是昨天从安东来了长途电话，你们没有叫我接！（捶着床沿）你看！你看！

小　姚　我们真是的！是应该叫醒你的。

庄政委　（沉思）不过我想，到了昨天，一定还是没有消息。因为如果他回来了，他们会告诉你们，叫你们告诉我的。（他手握得紧紧的，看得出来他很激动）如果我眼睛好的话，我立刻就要走，飞也要飞到前线去！可是我的眼睛，我的眼睛——偏偏坏了！

小　姚　（紧紧握着他的手）庄政委，你的眼睛不会坏的！不会坏的！

庄政委　可我觉得，不太好。（顿）我觉得我这眼睛的感觉有些特别。昨天他们又都来看，问他们，他们什么也没有讲，其实应该告诉我。如果是——（顿）

陈　亭　（想哭）不会的，庄政委！

〔凌木兰上。

贺　瑾　（有信心地）不会的！

陈　亭　（期待地）木兰姐姐！

贺　瑾　大夫！

庄政委　谁呀？

凌木兰　我。

庄政委　是你，凌大夫。

凌木兰　（努力镇静）让我再看看吧。你的药吃啦？

庄政委　嗯，针也打了。

凌木兰　我看看吧。（打开庄政委眼上的纱布，拿着“眼底镜”，仔细看着）

陈　亭　（低声）木兰姐姐！

贺　瑾　你别叫她！

凌木兰　（盖上他好的一只眼睛，用一只手摇着问庄政委）看得见吗？

庄政委　看不见。

凌木兰　（用一只手掌摇着）看得见吗？

庄政委　看不见。

〔凌木兰又用镜望了一下，把他的眼睛用纱布盖上，使他靠下，木然地立在床侧。

陈　亭　（担心地）木兰姐姐，怎么样啦？

〔凌木兰坐在床旁的椅子上，说不出话来。

庄政委　（镇定地）怎么样，凌大夫？讲吧。怎么样？我的眼睛是不是已经——（顿）靠不住了？

〔凌木兰呜咽起来。

〔半晌。庄政委默默地坐着，贺瑾和陈亭望着他。

〔凌士湘，陈洪友，尤晓峰慢慢走上来，看见凌木兰在哭，他们谁也没有说话，仿佛立即明白了其中的经过。他们都静静地站在那里，紧张地望着不说话的病人。

〔凌木兰激动的情绪慢慢静下来。

凌木兰 庄政委——

庄政委 （充满了对青年的爱，朴素地）不要哭了，凌大夫，不要着急了。我没有立刻说话，不是因为我气，也不是因为我难过。从昨天起，我就觉得可能发生毛病了。刚才我说不出话来，我是在想，我要用什么话来安慰你，才能使你不难过。凌大夫，我觉得出来，虽然我不太认识你。我知道你是个年轻的大夫，你是在用心为我治病。如果这是因为你个人的疏忽，只要你记住，这是个错误，你就不会在别人身上再犯了。一个人一生要做很多的事情，想做事情的人总免不了偶尔犯错误。你很年轻，不能失掉自信。你要把技术学好，你要经过很多困难。只要你一心为人民，为病人，你是会成功的。我们要坚强，以后祖国需要我们做的事情太多了。（顿，乐观地）不要为我难过，凌大夫，我一只眼睛瞎了，我还有一只眼看得见。我照样能够在前线上发挥力量，我照样可以学习，读书，做很多很多事情。（挥挥手）你走吧。不要急了。

陈洪友 （轻轻地走上来）庄政委。

庄政委 谁？

陈洪友 我陈大夫。

庄政委 啊，陈主任，你都听见了？我有一个要求。（顿）要爱护青年，把你的技术好好教给他们，不要在这种时候使她失去信心。这是下一代，建设社会主义的人，要用一切力量帮助他们哪！

陈洪友 （感动地）庄政委，我一定要治好你的眼睛！我惭愧极了，我要教好学生。

〔袁仁辉抱着电话机，兴冲冲地跑上来。

袁仁辉 快点，快点，快点！长途电话又来了，庄政委，安东来的，师部宣传科冯科长打来的。

庄政委 （立刻）哪里？哪里？

袁仁辉 我就给你插上线，你等等。（小姚立刻帮着袁仁辉在床头的插销里插上线）喂，喂！我庄政委病房，你安东吗？（递给庄政委）

庄政委 （急切地）喂！喂！你哪里？……是啊！我等着，请快一点。

袁仁辉 （忽然发现凌士湘）凌大夫，你在这儿！快去吧，展览会的汽车等你好半天了。

〔凌士湘一直默默地立着，深深地受了感动，这时，最后望了庄政委一眼，心情沉重地走下。

庄政委 我庄政委呀！你是谁？……你老冯啊？你回国来了？……我好啊。结实极了。（焦急地）赵排长回来了没有？……什么？说清楚点，听不见……（兴奋得几乎说不出话来）回来了！可回来了！（管不住地放下耳机，回过头来对贺瑾、陈亭笑）他回来了！（又拿起耳机）好，我好，我的眼睛——不要紧，就好了！我不久就回来——要几天？要——（放下耳机，问陈主任，有些着急地）几天！你们说？十天？（不等陈洪友回答，有力地）十天以后，我跟你一块儿回前线！

——幕急落

第三场

上一场的当天夜晚，十点钟，在凌士湘家的客厅里。门窗关得紧紧的，外面下着大雨，疾风吹着窗外的树梢，沙沙地打着窗。从窗外望出去，黑黢黢地，仅仅从医院的那座楼上透出病房里微微的绿光。偶尔，天空中散下一片无声的闪电，对面的两座楼忽然地看得清清楚楚；同时瞥见茂密的树梢像海浪一样，在疾风中翻抖，但是一下子又埋在黑暗里。过了半天，才听见远远地，仿佛在天边，在疾风骤雨里，滚来拖得长长的一声闷雷。

客厅里，何昌荃徘徊着，凌木兰坐在沙发里，他们像是谈得很久了。在立灯的光影下面，凌木兰显着疲乏而愉快的神色，何昌荃也是很兴奋的，眼神里闪着欣喜的光芒。

何昌荃　（停住步）这么说，庄政委的眼睛终于有了办法了？

凌木兰　（兴奋地嘘出一口气）有办法了。陈主任提出治疗的办法，董院长又把苏联专家请来，最后决定了治疗程序。陈主任向董院长保证，十五天以后庄政委就能出院。

何昌荃　（高兴地）同学们要是现在知道了多高兴！今天一天，同学们都急死了。

凌木兰　（回想着）今天早晨在他的病房里，我真痛苦死了，当时，我恨不得拿我的眼睛换给他！（深挚地）我活了二十八岁，我从来没有像今天这样认识过生活，从来没有这样痛苦过，受过这样深的教育。（感动地）他爱我们，他告诉我们，应该怎么样生活，怎么样工作，怎么样才是爱祖国。这一天，我永远永远不能忘记。他说他是一个普通的政委，一个普通的人。（热情地）何大夫，我希望我也能做到这样一个普通的人，普通的医生，一心为人民，除此以外，再也没有别的。

何昌荃　（受了感动）是的，我们都受了教育。我听说当时陈大夫就对庄政委提出了保证，教好进修生。

凌木兰　（笑着）嗯，他今天晚上已经把高有田他们找来了！现在还在楼下开会呢。

何昌荃　可是尤大夫实在是可气，大家对他那种医疗思想都愤恨极了！

凌木兰　眼科的壁报用了一整版批判他的医疗思想。（忽然笑起来）晚饭的时候，我看见他站在壁报前面，很多人不认识他，一边看一边骂，骂他是医生里面的垃圾。他看见我的时候脸色都发黑了，还绷着脸对我笑着说："你看，我这是激起公愤了！"

何昌荃　（也笑着，严肃地）我相信经过这次教育，他会改的。（一看表）哎呀，不早了，都十点了，凌大夫还没回来。我知道这两天他的思想在激烈地斗争，我真想看看他。

〔尤晓峰手里拿着雨衣，头上戴着雨帽，默默地走上。

凌木兰 （一眼看见尤晓峰）尤大夫。

尤晓峰 （谁也没招呼，突兀地）我刚从病房来，庄政委很好，睡着了。

何昌荃 好吧，你们谈吧。我不能再等凌大夫了，明天我再来吧。

凌木兰 好，再见。

〔何昌荃拿起雨衣，由右门下。

尤晓峰 （一直站着，愣愣地出神，这时拿出一份计划表交给凌木兰）我来是为着把治疗程序交给你。我又复查了两遍，你仔细看看。我走了。

凌木兰 坐一坐吧，尤大夫。

尤晓峰 好。（坐下，脱下雨帽放在桌上。半晌，忽然）小凌大夫，我很苦痛。叫这些学生说我是医生里面的垃圾，是不好过的。前天你父亲在楼下批评了我，经过今天，我越想越不是滋味。（站起）我还是走了。小凌大夫，我一定要把他的眼睛治好。我走了。（向门走）

凌木兰 十二点以后，我再到病房看他去。

尤晓峰 好。（又站住）你猜今天下午我看见谁了？那个瞎了眼睛的老工人，他找陈主任来了。一九四八年我见过他，今天我看见他，我想起很多很多的事情。（长长地嘘出一声）唉！（忽然想起）哦，我的雨帽。

〔尤晓峰回到桌边拿起雨帽，走到门口，正遇见凌士湘进来。凌士湘披着一件旧雨衣，上面还沾满闪光的雨点，手里拿着雨帽，另一只手提着旧文件包，拖着沉重的步子走上。

凌木兰 爸爸！（连忙接过雨帽和皮包）

尤晓峰 凌大夫。

〔凌士湘没理，尤晓峰由右门下。凌士湘自己脱下雨衣，在沙发上失神地坐下。

凌木兰 （关切地）事情完了吗？

凌士湘 没有。

凌木兰 （不安地）今天还去吗？

凌士湘 不。

凌木兰 （想引起他的兴致，也想告诉他）庄政委的眼睛有办法了。

凌士湘 （仿佛从痛苦的沉思里惊醒）哦？好极了。（低头摸着前额，像是又沉在他的痛苦里）他是非常好的人，（敲着自己的头）非常好的，非常好的！

凌木兰 （被他反常的神气吓住了）爸爸你怎么啦？你怎么啦？

凌士湘 （喑哑地）比起他来，我们是什么人哪！（捶桌子）什么人哪！（转对凌木兰）木兰，我不知道以后再干什么好，我看不出前途，我的路——断了！

凌木兰 爸爸！

凌士湘 （镇静一下）今天下午，展览会接到从东北送来的新材料。你想我能看见什么？我亲眼看见什么？田鼠！中国的田鼠！美帝从高空扔下来的。这种田鼠先天是不可能感染鼠疫的，但是扔下来的田鼠，都感染了鼠疫！（激动地）你知道谁发明的这个方法？谁叫田鼠也能感染鼠疫？谁把这个方法送出去的？

凌木兰　（低声，沉痛地）我知道，是你，爸爸。

凌士湘　（立起）是我，是我！先不谈下去了。（走了两步，焦灼地）我一边工作一边想，我怀疑一九四八年CC戴送去的田鼠就跟这个有关系，为什么CC戴跟我要去运送田鼠的办法？为什么Jackson叫江道宗非要我把那篇论文拿出来，为什么他那样子有兴趣，当时就送到美国发表？（忽然对凌木兰）好，不谈了，你赶紧把陈大夫给我请上来。快去！

凌木兰　好，爸爸。

〔凌木兰走出右门。听见她在楼梯上的声音："陈大夫，陈大夫，请你上来一下！"陈洪友立刻走上来，凌木兰随在后面。

凌木兰　高有田他们走了？

陈洪友　（紧张地）走了。出了什么事情？

凌木兰　（对陈洪友，轻声）陈大夫，您先不要走。（对凌士湘）爸爸，我出去一下，就回来。

〔凌木兰匆匆由右门下。

陈洪友　（莫名其妙，担心地）怎么了？

凌士湘　坐下吧。（陈洪友不知所以地坐下）CC戴这两天来了没有？

陈洪友　（慌张地）没有没有，我正要找你，刚才美贞父亲告诉我，说CC前天出了事情——被捕了。

凌士湘　（微微一愣，沉重地）洪友，感染鼠疫的田鼠，美帝已经扔下来了。（顿）扔下来的就是我们中国的田鼠。

陈洪友 （张口结舌）你看怎么样？你看怎么样？

凌士湘 怎么？

陈洪友 （爆发）我告诉过你！三天前我就说了，我们应该把CC送田鼠的事情向组织交代，但是你不听，你不听！我也糊涂，也没去声明，备个案，你看现在怎么办？（恐惧地）CC也被捕了，这不是个简单的思想问题，这是严重的政治问题！掉脑袋的，军事问题！天哪！天哪！真没想到！

凌士湘 （半天不作声，慢慢地）如果政府，群众，这样看我们，那也是应该的！

陈洪友 （歇斯底里地）你说什么？我不懂！送田鼠不是为学术研究吗？不是交换实验动物吗？问你要田鼠的巴齐教授，是个学者，是个有地位的人，是个科学家——

凌士湘 （大声）靠不住！都靠不住！我不相信，我不相信他们。

〔孙荣从右门上。他瘦多了，看出来很疲乏，但脸上有一种坚定清朗的神色，这使人觉得他和从前大不相同。

孙　荣 （摘下淋湿了的雨帽，望着他们）凌大夫。

陈洪友 （吓一跳）哎呀，孙大夫！（孙荣回头望）

〔江道宗像幽灵似的从门外踱进来。他甩着滴着雨点的黑洋伞，穿着胶鞋和一身浅灰色的纺绸长衫，猫似地望了凌士湘和陈洪友一下，就把洋伞靠在墙角。

江道宗 （声音像蜜似地）哦，你们都在这里，还没有睡哩。

孙　荣 （严肃地）凌大夫，我有一件事情要跟您讲。其实明天全院都会知道的，董院长希望我跟您先谈谈。刚才我也找了江先生，跟江先生也谈了。

凌士湘 请坐。

江道宗 （斜斜地扫了孙荣一眼，欣然坐下。十分和颜悦色地）谈吧。

孙　荣 自从贾克逊的问题提出来以来，这几天我内心的痛苦，我想凌大夫和陈大夫也听说过。现在，我实在恨贾克逊，他叫我看不见祖国，看不见自己人！我也恨这三年来，布下圈套，叫我有话也说不出的人！（望一望江道宗。江道宗面不改色，轻轻咳了一声）我也恨我自己，为什么这样糊涂软弱，以至于连凌大夫，像您这样的好人，都受了欺骗。

陈洪友 你究竟说的什么事情？

孙　荣 （沉重地）那个病人是贾克逊害死的。

凌士湘 （站起来）喂。

孙　荣 她不是肺炎死的，她是传染了斑疹伤寒死的。

凌士湘 （忽然明白，恐怖地）哦，那跳蚤，跳蚤，绑在她身上的跳蚤！

孙　荣 对的，贾克逊就是用这些跳蚤把斑疹伤寒传染给她。最初他把病人弄进来，是为了研究她的贫血症，已经给她抽过好些次血了。后来，他要在回国前赶完他斑疹伤寒的论文，就用这个伤天害理的办法，临时又抓了这个病人做了实验。他带着这篇论文回了国。

凌士湘 （盯着他）这件事情你早知道？

孙　荣 我只知道病人忽然得了斑疹伤寒。我奇怪怎么会在医院里得了这种病。后来冯护士偷偷告诉我，病人跟她讲，她身上绑过跳蚤，我忽然懂了，我吓得不得了，我不敢讲，那个时候我非常痛苦。病人刚死，贾克逊把病历要去，第二天我一看，病历上的斑疹伤寒变成肺炎了。

凌士湘 （气愤地）你为什么不早说？你为什么不早说？

孙　荣 （疚痛地）病人家属来找医院的时候，我害怕，我自己糊涂，我不懂得政府。我一向崇拜江大夫，我就找他出主意。（愤恨地）可是他说，（对着江道宗）“不要讲，讲了都不好，医院的名誉，贾大夫的名誉，并且连你自己也保不住”。（讽刺地）江大夫真忠实，他对贾克逊的行为一句批评也没有，只是说贾大夫是学者，大家都受过他的培养。

〔凌士湘气得脸发了青，不吭声。江道宗慢慢地看看凌士湘，又看着陈洪友，还是很安然地。

陈洪友 （在紧张的静默中，感到一种说不出的不安，不知为什么，咳嗽一声）我——

凌士湘 （盯他一眼，冷冷地）你要说什么？

陈洪友 （吓回去了）没什么。

孙　荣 （倾吐）我闷了三年！这些天来，领导和群众启发我，反复地教育我，叫我认清自己受的毒害，我明白了，我再不能不讲了，我想，受怎么样的惩罚我都愿意。今天上午我在小组会上，董院长面前，都讲出来了。（感激地）可是大家没有不要我，大家还欢迎我，鼓励我！我从来没有受过这样深的教育。（憎恶地）所以今天我要对江大夫谈明白。（对江道宗）江先生，我再也不是你能操纵的人了！（江道宗依旧不动声色。孙荣冷静地）我谈完了。我知道你跟我来的用意，我走了，你觉得哪一点是不真实的，你跟他们两位谈吧。

〔孙大夫由右门下。半晌。

陈洪友 （又咳嗽一声）一个人——

凌士湘 （又盯他一眼）我看我们还是听江大夫谈吧。

陈洪友 好，好。

江道宗 （慢条斯理地）我没有什么可谈的，许多心情只有老朋友可以谅解。大家都知道我一直是拥护共产党的，这是肺腑之言，也毋须我再找什么证明。过去我们所处的是乱世，今天还是在新旧交替的时候。（满腔抱负，充满内在热情的样子）我一生就有一个理想，我永远把自己当作一座桥，叫旧的通过我变成新的，叫那愚蠢自私的通过我，变成智慧公正的。（为自己的崇高所感动，流下一滴眼泪）多少年来风风雨雨，我是半身插在水里，叫众多人的脚踩在我的头上，达到幸福，达到文明的彼岸，而我自己，一无所求。（慨然）可是结果呢？我做了墙！大家说我隔绝了进步和落后，还说我是贾大夫的什么什么，还居然有人说我走第三条路线！——

凌士湘 （冷冷地）江大夫，这些高深的政治理论我也不懂，你只要谈谈孙大夫说的话究竟是不是真实的。

江道宗 （从容地）这个问题嘛，很简单。我来不是为向你们二位答辩的，而且以后也不预备在群众面前做什么答辩。如果我的动机不能取得谅解，做了答辩也是意义毫无的。你们二位都明白，在贾大夫的统治之下，各人都有各人的苦衷，其实我不过是贾大夫的傀儡而已。可现在群众对我特别不谅解——

凌士湘 难怪群众对你不谅解。（忽然）我想问你，一九四八年你替贾克逊跟我要那篇论文，他对你怎么说的？

陈洪友 江大夫，现在美帝国主义的细菌战是个极端严重的问题。

江道宗 （很诚实的样子）贾大夫要这篇论文，的确是为了学术研究，而士老也是为了学术研究才给他的呀。细菌战是很出人意外的事情，作为一个科学家，我很痛心。（悲天悯人地）的确，战争是万分可怕的。一打起仗来，谁也就不认识谁了，你用这个武器，他就可以用那个武器。人道不人道，也就很难说了。

凌士湘 （忽然）你是什么人？

江道宗 （一愣）啊？

凌士湘 你是哪国的人？中国的？美国的？

陈洪友 （感觉得凌士湘说重了，怕吵起来）凌大夫！

凌士湘 （愤怒地）如果你承认你身上还有中国人的血，你会说出这种话来吗？要是你自己从那个带菌的田鼠传染了鼠疫，你是不是也觉得美帝国主义的细菌战还是对的？你觉得打起来以后，用什么武器都可以，你知不知道现在是谁跟谁在打仗？你究竟是什么人？你说你是我的朋友，我没有你这样的朋友！你跟贾克逊是朋友，跟美帝国主义是朋友！你说你是贾克逊的傀儡，你不要洗刷了吧！你不是傀儡，你比傀儡坏得多！你一脑子的反动思想！我最恨的汉奸思想！我现在懂了，你这两天来找我是来影响我的，要我变成跟你一样的人。你不要做梦吧！我现在看清楚了，贾克逊是美帝国主义的文化特务，你是美帝国主义文化特务的奴才！给我滚！给我滚出去！

〔半晌。

江道宗 （冷冷地）我没有想到老朋友会这样不谅解我，我很遗憾。

〔江道宗很从容地拿起墙角上的洋伞，有礼貌地点一点头，走出去。

陈洪友 （目送他出了门）真是阴间秀才！

凌士湘 （坐下，痛苦至极）我是什么人？我是什么人？我怎么会叫他蒙骗了我这么久？他是美帝的狗奴才，而我，就是被他利用的人！（抱着头）

〔容丽章和凌木兰匆匆从右门上。

凌木兰 （看见凌士湘的样子，焦急地）爸爸，你怎么啦？

陈洪友 他跟江道宗吵起来了。

容丽章 （望着凌士湘，竭力镇静地）士湘，木兰把你刚才讲的事情都告诉我了，（顿）我也告诉董院长了，他就来。

凌士湘 （吃惊地）什么？你这是干什么？

容丽章 （惊讶地）难道你想瞒着他吗？

凌士湘 我为什么瞒他？（紧张地）可我怎么谈？见了他的时候我怎

么谈？我怎么有脸见他？他又会怎么看我？

容丽章 （劝慰地）你不要这么痛苦，（有信心地）党会了解一切。（温和而有力地）我告诉你，多少年你还是不懂共产党，可是共产党懂得你。

凌士湘 （心神无主地）可是这半夜里，下着这么大的雨！

容丽章 下多大的雨他也会来的。

〔董观山从右门上，披着的雨衣拿在手里，进门就放在椅子上。

董观山 （慢慢走向凌士湘，亲切而诚挚，像家人似地）凌大夫。

凌士湘 （半晌）董院长，是你！（像遇见了自己的亲人一样，忽然迸发出来）我，我错了，（哭）错了，已经错到了不可挽救的地步了！

董观山 错是错了，可并不是不可挽救的。凌大夫，你先安静一点，安静一点。

凌士湘 （心绪紊乱地）你知道吗？我的论文叫他们偷去了！叫他们利用了！不，是我送去的，是得了我的同意发表的。天哪！我做的什么事情！什么事情！他们要杀人，杀我们自己的人，就用的是我研究出来的方法！（切齿）他们想出来这种伤天害理的办法，但是我糊涂，麻痹，他们就把我也拉到他们的阴谋里面去。而我，还说自己是爱国的，人道主义的科学家！董院长，你叫我怎么见你？见我的学生？见我的政府？见我们的共产党啊？这几天我就痛苦，但是今天我才明白，我是罪人，罪人哪！（痛哭）

董观山　（诚挚地）先不要这么快给自己下断语，看你这样我也很难过。过去你不认识，现在你明白了，贾克逊是怎么一个人，科学到了这种科学家手里，会发生什么事情。

凌士湘　我现在明白了。你过去不知跟我说了多少遍，科学不能脱离政治，我听不进去。现在我懂了，科学家就是有阶级性的，贾克逊就是文化特务，杀人的刽子手，他们早就处心积虑，准备着这种灭绝人性的战争！可是我就这样糊涂，一九四八年洪友的内弟，戴CC——

陈洪友　（立刻）是啊，是啊，我真没想到他是个特务。

凌士湘　就是这个人，他把中国的田鼠送到美国去。（痛切地）我，我就是那“帮凶”，是我告诉他的方法。可是送去之后，我并不在意，甚至于洪友提醒说应该早一点告诉组织，我也毫不注意。我现在不求组织谅解我，我是罪有应得！从国家法律上，也不应该谅解我这样的人！我最难过的，是我觉得我仿佛对你在隐瞒事实，欺骗你，对你不诚恳，对组织不诚实——

陈洪友　（紧张地）是啊，我是觉得说得太晚了。

董观山　（十分诚挚地）凌大夫，不要这样想，无论什么事情都应该实事求是，不要想得太多了。思想改造，首先是要自觉的。这个送田鼠的事情组织上早知道。你当时不愿意讲，那么就不讲嘛，你现在讲了，我们只有高兴，这也并不晚。（严肃地）CC戴是个特务，他已经供出来他过去的罪行，其中之一就是关于一九四八年的田鼠问题，他说当时是贾克逊亲自叫他问你，凌大夫，要这个运送和繁殖田鼠的方法的。

凌士湘　（吃惊地）贾克逊？这个也跟他有关系！

董观山　还不止这个。他一直是美国国务院特务组织的头目，用医学院的招牌，调查我们全国各地地理，气象，疾病卫生状况。解放以后，还偷取过我们国家的秘密。

凌士湘　（痛心地）我实在是麻痹极了，糊涂极了！我过去总不承认文化侵略，可我活了六十年，就看不出他们的面目，还替他们辩护，这不是最毒辣的文化侵略吗？（绝望地）丽章，你看我这样的一个人，还能做什么？我还有什么希望？

董观山　凌大夫，不要光恨自己，要恨敌人。敌人今天还没有死心，他们还要找糊涂的人，抱着幻想的人，来破坏我们的国家。你明白了，凌大夫，那就是你丢掉了对他们的幻想了，你的那把快的刀才掌握在你自己的手里，你才能真正为人民做事情。你能够做的事情多得很，你应该继续研究鼠疫疫苗，美帝国主义研究细菌用来杀人，我们研究细菌用来保卫人的生命，而目前对你，最具体的工作，就是继续参加反细菌战。

凌士湘　（踌躇地）可是我没有信心，研究这么一种可怕的科学，而自己身上一点政治也没有。

凌木兰　（期望地）爸爸，难道你就是一个人吗？你想想，难道你没有可以倚靠的吗？

凌士湘　（愣了一下，忽然懂了）是啊，（热烈地）我要领导，我要领导。对了，对了！（忽然拉着董观山的手）董支书，过去我仅仅是尊重你，因为你是好人。现在我懂了，没有党，我不能工作！我需要你帮助我，领导我。

董观山 （朴素地）我们总是跟你在一起的。凌大夫，有一件事情我老早就想跟你谈，现在我觉得是时候了，反细菌战展览会曾经跟我商量过——

〔楼梯上戴美贞的声音："容大夫，董院长在这儿吗？有电话，要紧的事。

容丽章 （对董观山）你的电话。

董观山 （对凌士湘）好，我先去接电话。

〔董观山由右门下。

容丽章 （兴奋得不知如何是好）士湘！（拉着凌士湘的手）你明白了，你到底明白了，我真快活呀！

凌木兰 （喜悦地）爸爸！

容丽章 （对凌木兰）宝宝，你快活不快活？

凌士湘 （尴尬地）你们不要这个样子，不要，不要。

容丽章 可我实在是快活极了。（落下眼泪）士湘，这是我们两个的生命又开始了。从今以后，我们再不会吵架了！

陈洪友 （絮絮地）我感动极了！我受的教育实在是大极了，我一辈子忘不了今天。

凌士湘 天哪，天哪，你们都不要这么感动好不好？我现在还乱着呢！

〔董观山上。

董观山 （高兴地）凌大夫，来的电话就是我要说的事情。国际科学委员会要到朝鲜去，反细菌战展览会希望你能陪着去。他们说，朝鲜前线的物质条件比以前好多了，还能照顾岁数大的老科学家。所以他们希望你能考虑一下。你看怎么样，凌大夫？

凌士湘 （望着他）哪天去？

董观山 急促一点，刚才电话里说，明天早上六点半开车，现在就要集合，要做准备。

凌士湘 好，走。（大家一愣）董院长，我就拿一件东西，我的显微镜。（笑着）这个三十年的老朋友，我走到哪里，它必须跟我到哪里的。丽章，你给我拿出来吧。

容丽章 （高兴地）好，士湘！

〔容丽章从左门下。

董观山 那么，小凌大夫，请你把汽车叫来。

〔凌木兰高兴地从右门下。

凌士湘 有一件重要的事情，董院长，我临走以前必须跟你提。江道宗这个人很不好，我觉得他做教务长是很不合适的。

陈洪友 （严重地）我怕他别是个特务。

董观山 特务他倒不是的，不过他的反动思想很严重。现在群众已经看穿了他，我想他已经变不出什么戏法来了。你放心吧。我倒想起另外一件重要的事情。

凌士湘 你说我的实验？那可以放下，暂时缓一缓。

董观山 不，你的实验很重要，缓不得的。你看是不是可以叫何昌荃代你主持，继续进行？

凌士湘　可以，好极了。

〔容丽章拿着显微镜从左门上。

容丽章　这是你的显微镜。（慌慌张张地，东摸也不是，西摸也不是，对董观山）怎么办？我给他带什么去？给他带什么去？

董观山　（笑嘻嘻地）不要操心了，什么都准备好了。连随身衣服都不用带。

容丽章　可是他，他一点也不会照顾自己。

〔凌木兰从右门上。

凌木兰　汽车就来。

董观山　（笑着）容大夫，别挂念他，两个月一定给你送回来。

容丽章　（忽然年轻起来，妩媚地）我才不挂念他呢。

〔何昌荃从右门匆匆上。

何昌荃　（兴奋地）凌大夫，听说您要走？

凌士湘　对。家里的实验完全交给你，你送我上车，我还可以跟你多谈一下。

何昌荃　好，家里的实验您放心。

陈洪友　（热诚地）凌大夫，我希望你在朝鲜前线做一个科学战士，我们新中国的科学战士。

凌士湘　（有力地）好，让我们都拿出力量来吧！

董观山　（忽然想起）陈主任，我都忙忘了！今天你看了那个姓赵的老工人的眼睛，你看，是不是可以做角膜移植复明呢？

陈洪友　复明我不敢说。但是现在我看，是可以应用角膜移植治的。

凌士湘　（高兴地）那就应该试！——

〔汽车喇叭响。

容丽章 汽车来了！

凌士湘 （对陈洪友，热情地）那就应该试，用各种方法试！今天董院长打开了我的眼睛，我才懂得了一个大道理，看见了光明的人才真正体会到黑暗的可怕。你要用各种方法治他的眼睛，我们有责任，必须叫人看得见，看得见光明！好，再见，同志们！

董观山
陈洪友 再见，再见。

〔凌士湘下，全体送他。外面落着大雨，汽车在发动，听见大家高声欢呼送别的声音。

——幕落

第四幕

这是一九五二年十月一日的清晨，离开上一场将近三个月。大家都在为着国庆节的游行紧张而热烈地做着各种准备。这是在医院里一个半圆形的客厅里，这客厅几乎像一座暖房，沿着墙的上半截都是明光光的玻璃窗户。外面秋花盛开，柳条迎着爽意的风，在窗外摇摆，树荫里不断地来往着穿了节日衣服的青年男女。正面的栅栏外，望得见成群的学生们结队集聚在通着大街的小巷里。人们欢笑着，喧哗着，有的轻轻地吹着军乐乐器，有的高声呼唤着同伴。有时候医院的扩大器清晰悦耳地放送着一个女同学说的哪些队应该在哪里集合，或者传呼某人的名字，要他赶紧来到大队部里的声音。

天空明朗极了。在白云飘过去以后，蓝蓝的天像海水那样的透明。客厅里满是阳光，照着屋里的家具，地毯和白漆的桌子，分外地洁净。在一面有一张办公桌，桌后是一张圈椅，桌上放着长条布标语，笔，墨，和一些纸，还有一张嵌在木框里的毛主席的半身像。左右两面都是通往病房的甬道。这间客厅恰恰位置在两排过去一等病房的当中。

〔开幕时，细菌系的学生小朱正在当中玻璃门前，和一群青年护士和学生在交代关于国庆节游行的事，旁边戴着玳瑁眼镜的老沈，紧张地有一句没一句地插嘴。这时由两边的过道交织着穿过一些白衣的大夫和护士，有的匆忙地从正面的门跑出。外面一群少儿队员们随着一个欢快的手风琴的声音，时而高声，时而夹杂着笑语，快乐地歌唱。仿佛门外边有着一层层的石阶，看不见这些孩子们在什么地方。

小　朱　（竭力地叫着，想把四周各种声音压下去，对着身边的人们）你们快去吧！我们的院旗在大军乐队的后面，我们是第十三小组，在军乐队后面，都在东大街拐角上。

〔众人七嘴八舌地答应着，高兴地和小朱开着玩笑。

老　沈　（拿着一支大毛笔，结结巴巴地大叫）小朱，你先别管这些事情好不好？

小　朱　（急了）老沈，这是国庆节！

老　沈　我知道！可是今天系里有大事情。我就剩几个字了！

众　人　老沈，不要吵！

小　朱　（对大家）现在九点半。我再说一句，指挥部叫大家九点三刻向东大街移动。得了，同志们，你们快走吧！别再跟我唠叨了！

老　沈　小朱！你听见我没有？

小　朱　你们快走吧！不然沈大圣人又要给我们训话了。

〔大家向正门走出。

小　朱　（追喊一句，忽然喉咙沙哑了）告诉他们，（咳了一声，自语）怎么啦，我？（又大声）我们就来参加游行！

老　沈　（拉着小朱到桌边）留着点嗓子吧，游行还没开始呢！凌大夫就要到了，你还在啰啰嗦嗦的。最后两个字，你来帮我一下。

〔何昌荃由左面甬道上，他穿着白罩衣，里面是一身很整洁的淡色制服。

何昌荃 你们两个人在这儿。写完了吗？

老　沈 （忙忙碌碌地）就完了。（一边写着）

何昌荃 （看一下）好，好。凌大夫一下车就会到实验室的，赶紧挂上吧。

老　沈 对，对，写好了就挂。

小　朱 怎么，何大夫，高兴了吧？

何昌荃 （愉快地）当然，当然，他要回来了。（走了两步，又高兴地）幸亏凌大夫在朝鲜多待了半个月，不然的话，家里的鼠疫疫苗试验还没成功，我们拿什么来欢迎他？

小　朱 报告都写好了？

何昌荃 赶完了。你看，什么都准备得刚刚合适。

小　朱 就像我们大家知道凌老师要在国庆节赶回来了似的！

何昌荃 （不觉走到窗前）今天天气太好了。（满心的愉快，谁都想招呼一声）陈亭，你在干什么？

陈　亭 （在窗外）我们？教人唱歌呢！（大叫一声）来了么？走，贺瑾！

〔手风琴声忽然停住。立刻，陈亭跑上来，后面跟着贺瑾。两个孩子都穿着鲜丽的衣裙，贺瑾肩上挎着手风琴。

陈　亭 凌伯伯呢？

何昌荃 你们俩进来干什么？

贺　瑾　欢迎他呀！

何昌荃　还没有来呢！

陈　亭　我哥哥呢？

小　朱　到车站接去了。

贺　瑾　来了，你们得告诉我们。别忘了！

〔两个孩子又一阵风地跑了出去。

小　朱　（对何昌荃）你不知道，现在孩子们对我们科学家的故事爱听极了。刚才我把科学家们反细菌战的事情一讲，她们说，非要欢迎凌老头子不可。

何昌荃　（笑起来）原来是你动员的！

小　朱　（热烈地）不容易，这老头子！过去是想不通，想通了，就真干！

老　沈　（扬起头来，赞叹地）听说他在朝鲜前线，表现得非常积极，非常勇敢。

何昌荃　后来他还要求加入志愿防疫队呢。

老　沈　（又赞叹地）这才真是我们的旗帜！

小　朱　（着急）不早了，车都到站了，你快写吧！

老　沈　（低头写着，叨叨着）真是我们的旗帜！（放下笔）好，写完了！（拉开一看，浅色布上写着大字标语："欢迎凌士湘教授胜利归来"。）

小　朱　（起哄地）看看我们老沈的字！隶书！"酱肘子"体！

〔赵铁生，赵凤英和高有田上。高有田穿着白罩衣，赵铁生穿着过节的衣裳，他的妹妹赵凤英穿着白衬衫和花布裙子，拖着两个小辫。小朱和老沈收拾一下笔墨，举着标语从左面甬道走下。

赵铁生 何大夫。

何昌荃 （回头，高兴地）赵铁生同志。怎么样，你们一家子都来啦?

赵铁生 都来了。我俩妹妹，我爱人，还有小拴子。这是我大妹。

〔赵凤英跟何昌荃点了点头。

何昌荃 （向高有田）赵老师傅的眼睛就要打开了吧?

高有田 快了，都预备好了，就看他起来没有。赵铁生同志，我去看看去。

赵铁生 您去吧。

〔高有田由右边甬道下。

何昌荃 大家都盼了这么多年。董院长一直希望有这么一天，把赵老师傅的眼睛治好。

赵铁生 唉，从一九四八年到现在，多少好事情，我爹就是眼睛看不见！连他的孙子，他的儿媳妇都没见过。

何昌荃 对，这下可要看见了。

〔小朱从左面甬道探出身来。

小　朱 何大夫，你怎么啦?快走吧！

何昌荃 （对赵铁生）对不起，我还有点事。再见！

〔何昌荃和小朱从左面甬道下。

赵凤英 哥，爹的眼睛，什么时候打开呀?

赵铁生 高大夫不是进去看去了吗?（担心地）凤英，你说，爹的眼睛——会看见吗?

赵凤英　我想不会有错吧。（安慰着自己）这个医院跟从前不是一回事了。

〔凌木兰由右面甬道上。外面的喧笑声逐渐减少，四周慢慢安静起来，仅留下远远的军乐声和偶尔街上远处扩大器的声音。

凌木兰　（见他们很高兴，轻声）你们都来啦？

赵凤英　来了。小凌大夫，怎么样了，我爹？

凌木兰　还没醒呢。你们再出去玩会儿，等会儿叫你们。

〔容丽章由左面甬道上。她穿着白罩衣，戴着白帽子，戴着口罩。

容丽章　（一面取下口罩，对凌木兰）怎么样了？揭眼睛了没有？

凌木兰　还没有。妈，这是赵铁生，赵老师傅的儿子。

容丽章　对，对，对，我容大夫。

凌木兰　这是赵凤英。

容丽章　（注视）你？（忽然想起，对赵凤英亲热地）你就是那个妹妹！我看见过你，在医院，解放以前。那个穿一件破棉军服的小姑娘不是你么？那个时候你多瘦啊，简直看不出来就是你了。

赵凤英　那个时候，我腰上还系着个麻绳呢！

凌木兰　现在她已经是个车工了。

容丽章　哦，好极了，好极了！

赵凤英　容大夫，我爹的眼睛——

容丽章　（对赵凤英，诚恳地）你放心吧，成功的可能性是很大的。

赵铁生　凤英，我们出去吧！

凌木兰　（忽然掏出一包糖）凤英，把这包糖交给小拴子。

〔赵凤英接过糖，和赵铁生由正门下。

容丽章　你跟他们挺熟啊？

凌木兰　是啊，我跟高大夫下厂的时候，常到他们家去玩。妈妈，爸爸就要到了吧？

容丽章　董院长去接他去了。

凌木兰　爸爸这三个月够累的。

容丽章　不过他这次表现得真不错。（笑着）我真想不出他现在是个什么样子了。

凌木兰　妈，你的手术帽还没摘呢。那个难产的病人怎么样了？

容丽章　（一边脱着帽子）你看我都忘了。刚生下来，一个男孩子，挺可爱的。爸爸妈妈都高兴极了。

凌木兰　（关心地）你一夜没睡吧？

容丽章　没有，但是我很高兴。（坐下）

〔戴美贞与尤晓峰由左门上。戴美贞穿着质料很好的花旗袍。尤晓峰穿着白罩衣，拿着眼底镜。戴美贞和尤晓峰谈着话走进来。

戴美贞　（一见着容丽章）容大夫，你在这儿，凌大夫还没来吗？

容丽章　还没有呢。

戴美贞　我是想接他，可现在怕不成了。院里家庭妇女会参加游行，我还是小组长呢！容大夫，可忙死我了。

凌木兰　尤大夫，巡诊完啦？

尤晓峰　完了。我赶回来参加揭眼睛。（忽然兴高采烈）我告诉你们一件事，有意思极了！——

容丽章　（一直端详着尤晓峰，忽然）尤大夫，你的小胡子呢？

尤晓峰　（很得意地）没了，我给它来了个“十一”大扫除。

戴美贞　（大笑）真新鲜，真新鲜，我也看着哪儿不对似的。

尤晓峰　（凑上去）怎么样？好不好？观感一新吧？群众老对我有成见，我总觉得是胡子的毛病。其实我自己觉得跟从前大不相同了，你们说呢？刚才我巡诊的时候，给一个病人看完了病，他忽然抓着我，说：“尤大夫，我给你提点意见。”我想，完了，完了！我已经改了不少了，可还要给我提意见！你猜他怎么说？（得意地）他说：“你现在态度好多了，以后我有病还找你来看。”容大夫，（眉飞色舞地）你想想，这叫我感动不感动？人民哪！你真为人民服务，人民心里是一清二楚的。

戴美贞　嗨！尤大夫，我都听了第三遍了。（尤晓峰瞪她一眼）

容丽章　（笑着）老实说，尤大夫现在是不错，真比以前进步多了。可你还剩下点老毛病。

尤晓峰　（热心地）什么？什么？

容丽章　好吹。

尤晓峰　（大为同意）对极了，这点就跟陈师母一样，有时候嘴里是有点闲得慌。

戴美贞　（瞪他一眼）我才不闲呢！

尤晓峰　（一笑）陈师母，您到上海的事，还没跟我谈完呢！

戴美贞 （立刻滔滔地）是啊，是啊！（对大家）我这女儿啊，也算对他尽够了孝了。他那么疯疯癫癫地吵还不算，还偷偷地投机，走私，我的脸都叫他丢尽了！我在上海一共待了两星期，好容易下了葬，还跟那个坏女人吵了一通！

尤晓峰 真是，您这位令尊！

戴美贞 （两手一摊）嗨，这里没外人，都知道，就这么个下场，还死在那种女人家里！在这么一个大时代！这就是我的父亲！怪不得我儿子陈亮说，他一脑子的思想病毒。

〔江道宗由左面甬道上，他穿着灰色纺绸长袍，拿着手杖，慢腾腾地向花园踱去。

江道宗 （一看见这么多人，想躲开，但已躲不了，客气地）你们好，好。再见。

〔大家向他点点头，他尽量保持着从容的步伐，从中门走出去。

尤晓峰 （有含义地）小心，这是另一种思想病毒，滤过性的。谁抵抗力弱，谁就做它的牺牲品！

凌木兰 （烦恶地）国庆节大家高兴，你看他那个丧气样子！

戴美贞 （压着喉咙）他现在不当教务长了，他太太说他脾气可大呢，更像阴间秀才了！（忽然看表）哎哟，不早了，我可得参加游行去了。

〔戴美贞匆匆由中门下。

容丽章 （感慨地）这几年，大家都向前走了，有的快，有的慢。可也有的就是不动，那就只能怪自己了。

〔小朱、老沈、何昌荃和一个女技术员，一个教授由左面甬道上。

小　朱　来了吧？来了吧？

大　家　（兴奋地）凌大夫呢？在哪儿啊？

小　朱　不是来了吗？（容丽章等站起来往外望）

〔陈亮由中门上。他提着凌大夫那架多年的显微镜箱，背着一个满满装着东西的绿色背包，仿佛得着宝贝一样地跑进来。

陈　亮　（大叫）来了！来了！你们看谁来了！

凌木兰　（跑上前去）爸爸！

〔这时凌士湘和董观山由中门走进。凌士湘穿着晒褪了色的绿色军服，头上戴着军帽，手里拿着一件军用雨衣。风吹日晒，他的脸色又黑又红，两鬓添了一些白发，但是精神比以前矍铄多了，眼睛里闪着快乐的光彩。董观山穿着浅色制服，后面跟着陈亭和贺瑾，兴奋地望着凌大夫。大家没想到是这样一个凌士湘走进来，不觉愣了一下。

董观山　你们愣什么呀？这不是我们天天盼着的凌大夫吗？

陈　亭　（跳上去）凌伯伯！欢迎你回来了！（大家忽然热烈地鼓起掌来，有的上前跟凌士湘握手）

凌士湘　（压制着喜悦）嘘，安静点，安静点，同志们，病房就在旁边。

〔大家安静下来。

小　朱　（低声，对何昌荃）讲吧，何大夫，致欢迎词吧！

何昌荃　（热烈地）凌老师，今天大家游行去了，我们全体细菌系叫我代表他们，热烈地祝贺您，胜利的完成了任务，揭露了美帝国主义细菌战的罪行，光荣的立功归来！（小朱立刻领头鼓掌，刚拍了一下）

凌士湘　（摇摇手，低声偷快地）请不要为我鼓掌吧。（大家笑）

何昌荃　凌老师，我们在家里根据您的指示，也完成了您所交给我们的疫苗研究的任务，现在荷兰猪的实验已经成功了。（拿出一份厚厚的报告书）这是报告书，作为我们欢迎您的献礼。（把报告书交给凌士湘，凌士湘接下翻看一下）

凌士湘　（感动地）好，谢谢你们，谢谢你们。大家都好吧，都好吧？

大　家　好，凌大夫。

容丽章　（走向前）你穿了军服，我简直不认识你了。

凌士湘　（挺一挺胸）怎么样？我现在真想当一个兵了。三个月来，我总想写信告诉你一句话。

容丽章　什么？

凌士湘　（带着深挚的感情）我们志愿军的伟大是不可想象的！同志们，我知道，你们要我说几句话。我只想告诉你们，今天做一个中国人是光荣极了，幸福极了！我活了六十年的工夫，我第一次感到在国际科学家们面前，说“我是一个中国的科学家”，我是多么骄傲！可是同时，到了朝鲜战场以后，日日夜夜看见我们的志愿军，我也发现了，就在自己的科学工作上，我过去为国家做得多么少！前天夜晚，车过了鸭绿江，我一看见祖国的灯火，那和平繁荣，我恨不得就穿了这件军装，再回到前线，保卫我们的国家！（有力地）同志们，我亲眼看见了，我完全认识了美帝国主义是我们的死敌！我们必须加倍地，十倍地，百倍地工作，就用我们的武器，（指显微镜）这个东西！董院长，我今天忽然有一个妄想，我还要战斗四十年！做一个真正科学的老兵。

董观山 （喜悦地笑着）这不是妄想，你会做得到的，凌大夫。

容丽章 （忽然瞥见陈亮手中的显微镜匣）你的显微镜怎么啦，士湘？

陈　亮 （把那被弹片打伤的显微镜匣举起来）说吧，凌大夫。（对大家）这还有故事呢！

凌士湘 没有什么故事。经过封锁区，敌机扫射，幸亏我抱着这架显微镜，我好好的，它替我受了点伤。

陈　亮 你们看，这上面还有弹片呢！

陈　亭
贺　瑾 我看看，我看看！

〔大家正想围上去，远远地，扩大器喊着："大队要出发了，第十三组的赶紧集合，第十三组！"

大　家 凌大夫，我们要参加游行去了。

凌士湘 快去吧，一会儿我也要去。

陈　亮
小　朱
老　沈 再见，凌大夫，您就来吧！——走吧！——快去吧！

凌士湘 你们去吧，我就来，一定来的。

〔小朱、老沈、陈亮、何昌荃及群众由中门下。

凌士湘 （四下里望着，自语着）回了家了！回了家了！我们的医院多美啊，多美啊！（转对凌木兰）怎么样，木兰？就要揭眼睛了吧？

〔陈洪友由右面甬道上。他穿着白衬衫，白罩衣，脸上有些紧张。

陈洪友 （笑着）凌大夫，你回来了，真是好极了！（和凌士湘握手）我没去接你，你知道我今天恰巧是——

凌士湘 我知道今天是你的好日子，角膜移植要成功了。

陈洪友 （缺乏信心地）谢谢！谢谢！

凌士湘 我一下车就听见董院长说，我特地跑来看你揭眼睛。

董观山 凌大夫连实验室还没去呢！

凌士湘 （亲切地）老朋友？完全没问题了吧？

陈洪友 我——（老实地）我很紧张。大家还这么关心我，这次要失败了的话——

凌士湘 （鼓励地）洪友，你不会失败的。如果我们下了决心完全为病人着想，那就永远不会失败的。对我们说，重要的是下决心，做一个对人民真正有用的人。路是长得很，这才是开始。可开始走了，这就是好事情。

陈洪友 （深为感动）我知道，谢谢你。

〔小姚由右甬道上。

小　姚 陈大夫，病人醒了。

陈洪友　（沉着地）走吧，尤大夫。木兰，你叫一叫赵铁生他们。

〔陈洪友、尤晓峰和董观山由右面甬道下，凌木兰由中门下。四周忽然安静起来，花园里也不见人来往了。外面鸟声呖呖，远处听见游行的人们在喧嚣中欢快地歌唱。

陈　亭　（轻声）凌伯伯，你说他会看得见吗？

凌士湘　当然看得见。

陈　亭　你说他睁开眼，先想看什么？

凌士湘　我猜不出来。（忽然）我告诉你一件事，我在朝鲜看见庄政委了。

容丽章　　　　　　　　　　看见庄政委？

陈　亭　（一同，你一言我一语地）　他怎么样？

贺　瑾　　　　　　　　　　他好吗？

凌士湘　好，好，好，他现在结实极了。他问你们大家好。特别要我告诉你，陈亭，现在他们天天打胜仗，他心里的音乐更多了。他还说，到了国庆，礼炮响的时候——

陈　亭　（蓦地想起，兴奋地）我记得，我记得！郭欣他们就在西南向着北京唱。

贺　瑾　唱我们教给他的歌。

陈　亭　（望望钟）啊呀，快到了，郭欣来信不是说十点钟吗？

贺　瑾　对了，快十点了。

〔凌木兰带着赵铁生、赵凤英、赵铁生的爱人同由中门上。赵铁生的爱人是一个亲切可爱的农村妇女。

凌木兰　你们在这儿等一等，我进去看看。

〔凌木兰刚向右甬道走两步，高有田推着坐在轮椅上的赵树德走出来，后面跟着陈洪友、尤晓峰，和端着盘子的小姚。赵树德蒙着双眼，和陈洪友愉快地谈着。大家都在尽力压着自己紧张期待的心情。

赵凤英

赵铁生 爹！

赵铁生妻

赵树德 你们都来了。小拴子呢？

赵铁生妻 在外头玩，二妹抱着呢。

赵树德 就开始吗？

高有田 （轻声）还预备一下。（小姚由右甬道下）

董观山 （迎上去，愉快地）赵老师傅，你好吧？

赵树德 （激动地）好极了。我正跟陈主任说呢，今天是我真正见太阳的日子。我心里头的话多了！我要治眼睛，不光是为我自己。我今年五十岁了，抛去我瞎了的这五年，我还有三十四年的工龄。为什么？（沉重地）我十一岁就当小工。天不亮就进石厂，开石，背料。十几丈深的坑，掉下去就算是活埋。死的孩子们多了！唉，我这条命是捡来的！十四岁又跑到门头沟小窑背煤，一百多斤的煤背着，像羊似的往外爬。一会儿塌顶了，一会儿漫水了，背了这趟不知道下一趟怎么样，成天提心吊胆要干十六个钟头。熬到进了钢铁厂，都算到了天堂了！可是进去怎么样？给反动派干了一辈子，我的两个眼睛就废了。（忽然振起精神）解放以后，你们看我过的！高大夫凌大夫到我家去过，我现在是什么都有了，儿媳妇，孙子。大女儿当了车工，俩小的上了学校。同志们，我们的孩子都上了学校了，有了文化，孩子们的前途真是一大片哪！可我呢？就是坐着吃，（着急地）什么事不能干！今天的日子，不干活，那是什么人哪？我的徒弟现在都当了车间主任了。我是个老技工，受了国家这么多好处，我能闲着吗？我要睁开眼睛！大夫们，你们这么尽心给我治，我眼一睁开，我就得回厂去！别看我老，我有多少劲还没使出来呢！（顿，忽然回头）还没预备好吗？

〔小姚捧着盘子，在他说话当中早已进来，在旁边静静地站着，望着他。

小　姚　早预备好了。

陈洪友　（对小姚）我们开始吧。（对赵树德，竭力镇静地）赵师傅，您坐好，我来给您打开纱布。

赵树德　好。

赵凤英　（紧张地）爹。

〔高有田和凌木兰把赵树德的头放好，小姚站在一旁托着盘子。大家屏息静气地望着陈洪友为赵树德打开纱布，屋里安静了。

陈　亭　（望一望钟，忽然抓住贺瑾的手，低声）贺瑾！

贺　瑾　（也低声）干什么？

陈　亭　（仿佛听见了什么）你听见了没有？

贺　瑾　听见什么?

〔这时远远地，几乎听不见地，传来非常愉快美丽的童声合唱的歌声，慢慢地叠上了雄壮的男声合唱。

陈　亭　（入神地）远远的，远远的，你没有听到吗?

贺　瑾　（轻声）我听见了，他们在唱，在西南，迎接着北京的礼炮。

〔歌声逐渐大了一点。

凌士湘　（望着这两个孩子，奇怪地）你们在干什么?

陈　亭　我们在听一个美丽，美丽极了的歌。（忽然）凌伯伯，你说西南能听见北京的礼炮吗?

凌士湘　（欢悦地）听得见，全中国都听得见。

〔在不断的歌声中，陈洪友打开了纱布。赵树德睁着从一九四八年起就什么也看不见的眼睛，向前望着。

赵铁生　（低声）爹!

陈洪友　（举起一个手掌）看得见吗?

赵树德　看见。

陈洪友　（举起两个手指头）看见吗?

赵树德　看见。

陈洪友　（举起一个手指头）看见吗?

赵树德　看见。

〔赵凤英和赵铁生妻感动得哭了起来。

赵树德　（激动地）我要看！我要看!

赵凤英　（拉着赵铁生妻到赵树德面前）爹！这就是大嫂子。

赵铁生妻　爹!

赵树德　（摇头）我要看！

赵凤英　（以为懂了老头的意思）小拴子！

赵铁生妻　（立刻）对，小拴子！（就要跑出）

赵树德　不是的！（激动得说不出话）

〔赵铁生忽然明白了，立刻把桌上毛主席的半身像拿过来。

赵铁生　您是要看他，毛主席？

赵树德　（捧着相片，半晌，热泪流下来）主席啊，主席！

〔这时天安门的礼炮庄严地响起来。

〔陈亭仿佛听得更清楚了，入神地拉着凌士湘的手。远方传来儿童和工人的大合唱，充溢四方。这时赵铁生他们扬起头来，仿佛迎接这充满生命的欢乐和创造的无限精力的歌唱。这歌声和天安门的礼炮交织在一起，是那样的雄健有力，像全国人为着祖国都在歌唱。

——幕落（全剧终）

“明朗的天”前两幕发表之后，我把全剧又读了一遍，觉得第四幕缺点最多，也太长，非大大删改不可。修改以后，改进还是不大，不过原来的两场戏成为一场戏了。但时间与上期分幕表上写的有了出入，因此把新的分幕表在这里刊登一下。

分幕表

第一幕——一九四八年十二月某日下午五时，在Jackson办公室的外间。

第二幕

第一景——一九四九年十月二日下午三时，景同前。

第二景——一九五二年七月某日晚九时，在凌士湘家客厅。

第三幕

第一景——第二幕第二景的四日以后，一个星期六的晚九时，在陈洪友家客厅。

第二景——次日，星期日的晨九时，在燕仁医学院附属医院庄政委的病房。

第三景——当天夜十一时半，在凌士湘家客厅。

第四幕——一九五二年十月一日，在燕仁医学院附属医院病房。

——作者

胆剑篇

【题注】据《人民文学》1961年第7、8期（合刊）初刊本排印。署名“曹禺 于是之 梅阡，曹禺执笔”。通校1979年12月四川人民出版社初版（校注称“川版”）。

第一幕　　公元前四百九十四年

在越国会稽江边禹庙前

第二幕　　距前幕三年后

在吴国馆娃宫畔石室前

第三幕　　距前幕半年后

在越国会稽郊外

第四幕　　距前幕四年后

在越国会稽近郊、勾践竹阁外

第五幕　　距前幕十五年后

在越国会稽江边禹庙前（同第一幕）

人　物

（年岁以第一幕为准）

越王勾践——二十七八岁

勾践夫人——二十五六岁

公主季婴——四岁

文种——越国大夫，三十五六岁

范蠡——越国大夫，约三十岁

泄皋——约五十岁，越国大夫，勾践的师傅

苦成——庶民，五十五岁

无霸——苦成的次子，二十四岁

黑肩——苦成的三子，十七岁

黑肩妻——二十五六岁（第三幕时）

子犁——无霸的孪生子

子剑——无霸的孪生子

鸟雍——泄皋的家奴，三十岁

太辛爹——越国百姓，六十岁上下

防风婆婆——越国百姓，六十多岁

防风——越国百姓，三十五六岁（第三幕时）

防风嫂——越国百姓，三十多岁

匠丽——越国百姓，二十岁

匠丽妻——越国百姓，十八岁

西村施姑娘

献稻穗的汉子和他的女儿

越国文武官员、武士甲兵多人

越国百姓、农民、渔民多人

吴王夫差——三十二岁

伍子胥——五十五岁，吴国相国大臣

伯嚭——约四十岁，吴国太宰

王孙雄——三十五岁，吴国左军副将

被离——二十七岁，吴国右军牙将

希虎——吴国左军牙将，二十五岁

盼子——吴王宠妃的近侍，十七八岁（第二幕时）

武士长

吴国武士、甲兵多人

第一幕

纪元前四百九十四年，吴王夫差侵伐越国，越国大败。

七月的黎明。在越国会稽郊外，乌云盖野，一线阳光照着江里停泊的吴国战舰船只。远处不时有杀声、哭声传来。火光烧红了半边天——吴国伍子胥的兵正在放火，把来不及掠去的稻子烧在田里。

江边，已经被俘的越王勾践正在大禹庙里辞别祖宗。沉重的钟声、磬声一阵阵响着。吴国甲士守在门前。他们是太宰伯嚭率领的左军，着黑色，披玄甲，戴乌羽，操戈持盾，有的戴着兜鍪；杀气森森，一望如墨。

吴国军士正抢劫着越国的宝器，扛鼎抬钟，纷纷杂杂，从江边陆续走过。

逐渐沉静下来。

大禹庙外，跪着一群越国百姓，都是老弱妇孺。离他们不远的江岸上，站着防风婆媳。她们呆呆地望着对岸熊熊燃烧着的田里的稻子和村落。大家一丝不动。

防风婆婆 （低声，喃喃地）灭了，完了。抢光了，烧干净了。

防风嫂 （望着远处的火光）吃什么啊！吃什么啊！地都烧光了。

防风婆婆 天杀的吴国兵啊！

〔跪在大禹庙前面的人们，沉痛坚定，默然不语。这时，其中一个被风吹日晒，面目黧黑的老者，苦成爹，回过头来。

〔苦成——年五十五岁，姒姓，与勾践同宗。是一个庶民。

苦　成　（双目炯炯，望着她们）谁家也没留下一块地。不要再说了，过来吧！

〔防风婆媳走过来，跪在后面。

〔瘦高的鸟雍带着三个光着腚的孩子，夹着个残破的陶甑，像是从很远的地方仓皇走来。

〔鸟雍——三十岁，是越国泄皋大夫采邑的家奴。

鸟　雍　（一眼望见苦成，急促地）苦成爹！

苦　成　鸟雍！你怎么来了？槜（音醉）李怎么样？

鸟　雍　完了。吴兵屠了城，一火烧光。我们这些家奴都叫吴兵抓去。就我一个逃出来。连夜赶了二百里，路上捡了这三个孩子。听说勾践大王叫吴国人俘虏了，这是真的么？

苦　成　（低下头）嗯，是真的。

鸟　雍　（愤慨）真叫人俘虏了，那还不如死了的好！

苦　成　大王正在大禹庙里向祖先告别呢！

太辛爹　我们还要见一见他。

鸟　雍　还见他作什么？

太辛爹　国破家亡，总得有个头领。不指望他，还能指望谁呢？鸟雍，跪下！

鸟　雍　我不！（走下）

太辛爹　（庄严地向鸟雍）跪下！

苦　成　鸟雍！

〔一个手执利剑短盾的吴军小校——希虎，头戴乌羽，身披黑色犀甲，傲慢地由禹庙走出来。

希　虎　（向跪在地上的越国百姓）天亮了。快散开吧！你们还等什么？

卫　士　真是杀不怕的越国人。他们倒是越跪越多了。

希　虎　（忽然瞋目大呼）勾践已经被我们俘虏了。（望着瞪着眼睛的苦成）知道吗，老东西？

卫　士　启禀小校，别招他们，他们都会咬人的。

〔被离——相国伍子胥的亲信部下，气昂昂地率着一群杀红了眼的吴兵冲上来。被离，二十七岁，负智好勇，精力过人，十分爱戴伍子胥，却常先心迎意，没有得到伍子胥的首肯，就把相国心里的事办下。以是，时而得到伍子胥的喜悦，也时而遭受伍子胥的责备。

〔被离和他率领的右军兵士，都着红色。他们披丹甲，戴朱羽，操戈持矛，杀气腾腾，一望如火。

〔被离指挥吴兵，如狼似虎，挥动戈矛，把跪在禹庙前的老弱妇孺赶了下去。

被　离　（指禹庙）杀进去！

希　虎　（忽然望见）站住！你们要做什么？

被　离　（报名）右军伍子胥相国部下牙将被离，我奉相国意旨前来禹庙搜杀！

希　虎　这是左军驻扎的地方。你们右军不得擅入！

被　离　（不服地）庙里是什么人？

希　虎　越王勾践。

被　离　（明知故问）越王勾践是什么人？

希　虎　大王的俘虏。

被　离　那就是了。发兵的时候，吴国三军立下誓言：攻下越国，要烧尽越国的田地，杀尽越国的人民，抓住越王勾践，定要割下他的头颅，快马轻车带回姑苏，悬在宫前旗杆之上，让各国使臣看看咱们大王的威德。如今你不按照大王的命令行事，反要保护勾践。你们这不是违抗军令，背叛大王吗？

希　虎　你住嘴！太宰伯嚭亲笔军令，杀害勾践性命者，斩！劫夺越国宗庙者，斩！

被　离　你们伯嚭太宰收下勾践的赃物贿赂，你分了多少？兵士们，杀进去！

〔被离部下的士兵立刻冲上去。

希　虎　你怎敢违背左军军令？（望士兵）斩他们！

〔又从禹庙里跑出一些守卫的左军士兵，顿时与被离的右军士兵格杀起来。

〔这时，禹庙庙门大开。太宰伯嚭的副将王孙雄走出。他是伯嚭的亲信，三十五岁，矮而胖，有须，披甲，衣着华丽。

王孙雄　停住！这是成何体统？同是吴国的大军，自己却先私斗起来了！

被　离　牙将被离请告王孙大夫。大夫是伯嚭太宰的副将，请问，不许进庙搜杀勾践，难道这是太宰的主意吗？

王孙雄　军令保护越王勾践，正是我们大王的王命。谁敢不遵？相国伍子胥竟敢犯上吗？

被　离　（一愣）怎么，是大王的王命?!

王孙雄　你才晓得？

被　离　我们抓到勾践，呈献大王，大王还要斩首立威，怎么现在就——

王孙雄　就定然不杀了。

被　离　这是捣的什么鬼!（对其士兵）走！不恭了，王孙大夫!（气冲冲地率兵士下）

王孙雄　（自语）小小年纪就当上牙将，真是会爬。（向希虎）伍相国就是喜欢用这种好勇斗狠，不知进退的后生小子!（忽然神气活现地）越国大夫范蠡怎么还没来？

〔范蠡——越国上大夫，越王勾践的重臣，由禹庙大门走出。范蠡态度稳重，神情洒爽，强毅果敢，巧文辩慧，是一个有智有勇，善于应变的人。他穿着越国文官的朝服，戴冠佩剑。他在禹庙门内正向一个越国小臣吩咐什么。

范　蠡　（走出，应声）越国上大夫范蠡在。

王孙雄　（骄傲地）你们君臣上下在庙里这半天，还没有辞完庙么？

范　蠡　（沉稳地）差不多了。

王孙雄　大王就要启行，我到大王中军帐前去一下就来。范大夫，催他们快一点吧。（下）

范　蠡　（一躬）请，王孙大夫！

〔无霸——一个高大健壮的越国武士，持剑跑来，窥见王孙雄走了，连忙上前。

无　霸　范大夫！小军无霸，偷下会稽山，请见大夫。（急迫地）大王现在可是平安？

范　蠡　正在辞庙。（焦急地）你们五千壮士怎么样了？

无　霸　能打的还有三千，都在会稽山上待命。

范　蠡　军情如何？

无　霸　山下全是伍子胥的兵，被他们团团围住。

范　蠡　军米还有多少？

无　霸　（停顿一下）全军只有五斗军米了。（愤激地）可是范大夫，大王被俘，将军战死，我们滴水不进，一粒米也吃不下。大家夜夜朝朝，戈矛在手，甲胄不脱。听说大王被俘，定要冲下来，同吴兵决一死战。宁为玉碎，不为瓦全！

范　蠡　（感动地）有你们在，越国是不会亡的。

无　霸　（兴奋）我们可以即刻打下山来！

范　蠡　可是眼前大王还在吴王夫差的掌心里。

无　霸　大王万一有个长短，我们定要取下夫差的脑袋为大王报仇。

范　蠡　那么越国呢？大王真有不测，越国岂不是更难于再起了吗？

无　霸　哦。

范　蠡　（坚决地）我们要打，但不是现在；要动，还不是今天。你们五千壮士要保住军力，吴国对我们才能有所顾忌，不敢危害大王。（掏出一个竹简）今后如何安排，都在这军简上。你拿回去交给副将。快走吧！

无　霸　（收下军简，走了两步，忽然）我只求见大王一面。

范　蠡　（沉痛地）大王在禹庙里，已经不能随意见我们了。

无　霸　好吧！

〔范蠡送无霸下。

〔右军大将伍子胥相国上。伍子胥，五十五岁，身材高大，巨额深目，双目炯炯，威厉逼人。他为人精诚廉明，但又专横残暴；倔强忠直，却又骄傲自负，不能忘怀他为吴国立下的丰功伟业。他穿着鲜明的深红色甲胄，秉节仗钺，是运筹帷幄的上将风度。他后面跟随着一群雄赳赳的武士，被离正向他禀报什么。

伍子胥　（转过他满腮斑白胡须的脸，锐利地）被离牙将，你真是莽撞！没有向我禀告，就擅自强行进庙，受了伯嚭太宰部下的阻拦。没有斩去勾践，却损害了右军的威严。

被　离　被离知道相国的心中大事，冒万死之罪，想为老相国，为我们万世江山刀下立功，一刀就把此后吴国的大事办了。

伍子胥　（沉思）是啊，有时这一刀的力量，确是比千军万马十年辛苦的汗血功劳还重得多啊！

被　离　（夸傲地）当年老相国辅佐先王攻伐楚国，不是把楚国的宗庙社稷一天就灭了吗？

伍子胥　（怀念地）那是先王活着的时候啊！

被　离　但是现在鱼在网里，虎在笼里，难道不能给太宰伯嚭来个措手不及吗？

伍子胥　（嘘出一口心中的闷气）但是还有我们那位年轻不懂事的大王啊！

被　离　（激昂地）为人臣者，只要尽忠，什么事情只要有利于吴国的千秋霸业，就应该生死不顾，担当下来。

〔此时范蠡早已送了无霸回来，远远立在一旁。

伍子胥　（断然）拿我的军符来！（从裨将手中取来军符，交与被离）去吧。

被　离　（严肃地）领上将军令。（被离立刻领着右军的士兵向禹庙冲去）

希　虎　（拦住）被离牙将，你要做什么？

被　离　（举起军符）奉伍相国军符，进庙搜杀！

希　虎　不成，告诉你，就是伍相国自己来了，也是不成的。

伍子胥　（瞋目）怎么讲？

〔伍子胥奋步前进，后随执戈武士。

希　虎　（大惊恐）伍相国！

〔希虎拱手，伍子胥带着被离正要进禹庙。

〔这时范蠡大喝一声，“谁敢进去？”一手执剑，一手抓住伍子胥的衣袖。

〔被离和兵士们一时僵立在那里。

范　蠡　（挟着伍子胥）伍相国，你要怎样？

伍子胥　（措手不及，却不动声色）范大夫，你身为吴国的俘虏，吴国用厚礼相待，不解衣冠，不去佩剑，你不知感恩图报，难道你还敢对吴国的相国大臣动起刀剑吗？

范　蠡　（瞋目怒视，目眦尽裂）我敢！敢！敢！越国大夫并非犬羊，在这样的时候，他就会勇若虎豹，矫若猿猴，动若闪电的。

伍子胥　你要怎样？

范　蠡　伍相国，我当你是吴国的忠臣，天下的人杰。四海之内，哪一个不知道信义无双的伍相国？但是大王被俘之后，我们献出美玉良金和国家的宝器，为的是保下他的性命。贵国大王已经应允下来。当时并不见相国拔剑相待，今天却在我们背后出尔反尔，动起手来，难道吴国的相国可以这样对待四海的公论吗？伍相国如果以诺言为重，就不要再动这个念头，不然，五步之内，血溅越国土地。天下震惊，二人同尽！伍相国，到了今天，越国人是没有一个怕死的。

伍子胥　（被范蠡的忠义所打动）范大夫，你不愧是个真正的汉子。你是英雄，是圣贤之臣。但是这样死心塌地地辅佐勾践，对你未免太可惜了。

范　蠡　为了越国，为了大王，范蠡粉身碎骨都是不够的。

伍子胥　范大夫，我能亲眼看见越国人这样的气概，（严肃地）这才叫我睁开了眼睛：越国的事情比我方才想的（语重心长地）要严重得多了。（对禹庙门前举着剑的被离）被离，把剑放下！（被离收剑，范蠡也收起剑来）（伍子胥神色坦然）范大夫，你当然明白这不是为了个人的生死，而是恭敬你的忠义正气。只有一件事，范大夫，（藏着傲慢）今后，你们要善事吴国，不能忘记今日的教训。

范　蠡　（含蓄地）敬谢伍相国的忠告，这一切，我们君臣永志不忘。（施礼）（范蠡走进禹庙）

〔这时伍子胥却忧思如潮，抑止不住地焦灼不安起来。他仰天长望。一旁的被离望着他，也若有所失。

伍子胥 （喟然）吉、凶、祸、福！吉常常是凶的开端，福常常是祸的根芽。如果不能及早消除这个致命的祸根，我怕今天吴国这场轰轰烈烈，未必不是来日一场凄凄惨惨的开头啊！（沉吟）

〔一个中年汉子抱着一捆烧焦了的稻穗，挣脱外面吴兵的阻拦，向禹庙奔来。后面跟着他的女儿，一个十一二岁的女孩。她拉着父亲的破烂衣襟，哭喊："爹爹！"

吴　兵 （追上来）站住！你要做什么？

中年汉子 我要把你们做的事情告诉大王！你们杀了我的老婆，抢了我的稻子。（抖动稻捆）抢不走的，还烧成了这个样子！

吴　兵 （持剑威吓）快下去！不要找死！（抓住他）

中年汉子 放开我，我要见我们大王。（小女孩拉着父亲喊："爹爹！"）我要把你们烧的稻子拿给大王看，叫他记住。我们要报仇。

被　离 （抢上去）你住嘴！

中年汉子 你们这些该杀的禽兽！

被　离 （怒斥）这个野人！（一刀砍倒中年汉子）

小女孩 （扑在父亲身上）爹爹！

中年汉子 （挣扎）女儿啊，别忘记这杀父杀母的仇恨！……把这（示意稻子）献给大王！（死去）

〔小女孩抚尸大哭。

〔哭声中，吴王夫差和太宰伯嚭上。

〔吴王夫差，三十二岁，即位不久，喜功贪杀，骄狂自是，自以为有富国强兵的本领，立下独霸中原的大志。他狡而贪，如他祖父阖闾说的，“愚而不仁”。但他却自认有权术，有机谋，而且容不得比他高明的臣下，听不进逆耳的忠言。他孔武有力，披甲带剑，鹰视虎步地走上来。后随甲士和太宰伯嚭。

〔太宰伯嚭，年约四十岁，是个诡诈贪佞、顺君之过的大臣。他和伍子胥同是先王的老臣，但资望浅小，立功不大。现在却是吴王夫差的亲信。他巧言利辞，眼光短小，智而愚，强而弱，是一个只知其前不知其后的“谋臣”。伯嚭美丰姿，衣饰丽都，有一种聪明自负、光彩外露的意态。他穿着武将的衣裳，服玄色，绚丽夺目。

〔夫差自领中军进场，中军皆白旗、白甲、白羽，一望如白茅吐秀。夫差亲自仗钺，立在当中。

〔小女孩哀痛死了的父亲，全未注意。

小女孩 （抱起父亲那捆烧焦了的稻子，望见站在她面前的吴王夫差，突然止住哭声，对死了的父亲说）爹爹，你闭上眼吧，女儿就是死了，也要变成厉鬼掐死他们（指着吴军）的！

夫差的武士长 （怒叱）放肆，砍了！（持刀的武士立刻上前）

〔这时一个生得美丽夺目的十五六岁的姑娘，从侍卫的后边蹿出来，奔向小女孩，迎着手持巨刀的武士。

姑　娘 （挺身遮住小女孩，面对闪闪逼人的刀锋）你们杀我吧！

持刀武士 （惊愕）你是什么人？

姑　娘　（全无畏惧）她的邻居。

〔全场愣住。

〔吴王夫差显然被这个绝色女子顿时吸引住了。伯嚭望着大王的神情。

武士长　（忽然）把她办了。

〔持刀武士正举起刀来，夫差不觉地睃了武士长一眼。

武士长　（对举刀的武士）放下！

伯　嚭　（领会了夫差的沉默，向武士长不经意地）小的轰走，大的拉下去。

〔三四武士一拥而上，立刻照办。

夫　差　（望得出了神）美——美丽的大火啊！（面对一片烧杀后的战场）半个月的工夫，吴国的兵车战马就踏遍了越国的疆土，我们一连杀光了几个城池，俘虏了越王勾践！这才是将士的忠奋，吴国的军威。寡人不德，前年用兵攻打鲁国，去年攻打陈国，今年打了楚国，又打越国。我们就好比那农夫的镰刀，把四海的蓬蒿杂草，割了个干干净净；教我们吴国的文化法度能够照遍九域四方，教越国这种只懂得跟鱼虾王八打交道的蛮野国家，也受到我们的开化！寡人岂敢归功于自己，这都是祖宗先王神灵的保佑，是伍老相国和伯嚭太宰的血汗功劳！

〔伍子胥一旁默默不语。

伯　嚭　臣等不过是海里的鱼虾，地上的泥沙，怎么能分享大王万世不朽的功德。臣以为应该把大王的王道武功，尤其是赦免勾践的大仁大义的决断，全部刻在碑上，叫它与乾坤同存。

夫　差　（得意）我看不必了。

伯　嚭　（十分庄重）臣斗胆已经做主了，就在这越国的大禹庙前，立下大王的丰功之碑。

夫　差　（骄傲地）在此地立碑，倒是很有意思。那么就依太宰的话办吧。伍老相国，你以为如何呢？

伍子胥　老臣不愿意在碑上刻下自己的名字。

伯　嚭　怎么？

伍子胥　事没有成，先就夸功，这个碑早晚是要掘掉的。

夫　差　（不悦）相国为什么这样讲话？

伍子胥　大王，请听从老臣的忠告，斩了勾践，灭了越国，我们便永无后顾之忧。不斩勾践，保存了他们的社稷，便永远留下吴国的心腹之患。

伯　嚭　臣启大王。臣以为老相国全没有为大王着想。大王的王道霸业是要攻服四海。如果听从老相国的话，到处灭国灭宗，杀尽百姓，那么中原诸侯，就会把吴国看成是灾星，把大王看成是仇敌。用兵之道，攻心为上，灭一个国，屠一个城是容易的。但是要摧毁敌国百姓的斗志，就要用一点心思了。

伍子胥　（不屑与辩，径问夫差）水跟火是不能够相容的，人跟虎是不能共枕的。老臣打进越国，才看出越国虽小，却民性强悍。越国虽败，他的君臣却都是沉着负重。这样的君臣百姓能够受我们的怀柔羁縻吗？（沉重地）大王，越国和我们的仇恨，很深了。

伯　嚭　（巧言利辞）那就是了。相国也知道，越国百姓是强悍好斗，难于驱使的。而勾践，在百姓当中，很有信望。如果草率从事，今天一刀结果了他的性命，恐怕也只能落个眼前痛快，反而使得他的百姓对他念念不忘，对我们记下刻骨的仇恨。所以，对吴国来说，用勾践做个幌子，叫他为吴国效力。他虽然活着，也就等于是死了。反之，如果杀死他，他的百姓却蛮性难服，弄得我们永无宁日。那么，他虽然死了，也还等于是活着的。因此，大王不杀勾践，正是杀了勾践；你杀了勾践，才是保护了勾践！——大王的圣明，就在这里！

伍子胥　（愤怒）真是一片胡言乱语，遁辞巧辩，吴国灭亡便灭亡在你这张奸佞的嘴上！

夫　差　（早积下满心的愠怒，悻悻然）伍相国，你为什么要把越国说成天那样高呢？（鄙视地）你是先王的老臣，立过战功，难道今天老了，连这点自信都没有了么？

伍子胥　（早已按捺不住）臣立过战功，而且不小，也见过强敌，那时大王还很年少。先王临终的时候，嘱托老臣，要把吴国放在永远不败之地。刀悬在头上，要知道危险；路走迷了，要知道回头。奸佞的言语不可信，误国的计谋不可听。话已说到尽头，老臣向大王告罪。（伍子胥一怒而下）

伯　嚭　（险恶地）也难怪伍相国当着大王都发这样大的脾气。他常对人说，大王从前能够立为太子，完全是他伍子胥一个人的功劳。

夫　差　（忽然抑制不住，对伯嚭瞪起眼睛）是伍子胥立我做太子的！谁都知道，要你在此地啰嗦什么！

伯　嚭　是，大王圣明。

〔被离急上。

被　离　（一眼看见大王）启禀大王，紧急军报。会稽山上五千越兵已经突围出去。

伯　嚭　伍相国的右军并不中用啊！

夫　差　（对伯嚭，冷笑）你去把这消息告诉他。

〔太宰伯嚭施礼下。

夫　差　（对被离）被离，宣越王勾践见我。

被　离　（想要说些什么）大王，勾践这个人——

夫　差　你也要说甚么？还不快去！

〔被离施礼，进禹庙。

夫　差　伍子胥的爪牙也是这种桀骜不驯的神气。伍——子——胥！（忽然切齿）你立我做太子，难道你的话我就不能更改吗？你是天神吗？为什么你要时时刻刻像一片乌云似的罩在我的头上？专横而昏聩的老东西啊！（禹庙里传来沉重的钟声，夫差望着眼前一片大火）好一片大火啊！烧得多么畅快！就像我心中的大火一样！威武的大火啊！教四海沸腾的大火啊！我——夫差不只是吴国的君王，夫差将是四海的霸主！一个四海的霸主，应该既有军威，也有仁义。我要天下人知道我能严能宽，能收能放，能擒能纵，能暴能忍。不杀勾践，却灭了越国，行了仁义。我的决策是不能更改的。伍子胥，你是多么愚而好自用啊！

〔王孙雄匆忙上。

王孙雄 （兴高采烈，施了一礼）恭喜大王，大王神机妙算。中军得报：果然五千越兵突围以后，正路过会稽河，大王前天派去的战马兵车恰恰把他们截住。

夫　差 战况如何？

王孙雄 （收敛了一些）激烈交锋，还没有结果。

夫　差 那就罢了。

〔这时禹庙内钟声逐渐停止。门开，走出吴国成队的武士，警备森严。移时，越王勾践、勾践夫人和四岁的公主季婴走上。

〔越王勾践，年约二十七八岁，魁伟雄武，眉目轩昂，意志沉着。他依然穿着君王的服饰。勾践夫人，二十四五岁，高高的身材，相貌端丽，是一个通达谦逊，性格坚强的女子。她牵着四岁的女儿季婴。后面越国百官陆续从禹庙里走出，整齐肃穆。范蠡和文种都立在勾践一家的后面。

〔夫差坐在设好的王座上。

夫　差 寡人义师所至，凡有抗命的，都一概斩尽杀绝。你拒不顺降，到底被俘，早该斩首。连你的妻儿老小，全国上下，应该一并收为官奴。然而寡人念你们越国地小民贫，确实可怜。寡人愿以仁义服天下，你们要知道寡人的恩德——（忽然）文种在吗？

〔文种走出。文种是一个木讷寡言，身材不高的越国大夫。

他像是久经风吹日晒，面色乌暗，粗眉大眼，貌不惊人，穿着一身似乎粘满灰尘的官袍，给人一种稳重、沉肃、靠得住的感觉。

文　种　（施礼）越国下大夫文种在。

夫　差　范蠡在吗？

范　蠡　（施礼）越国上大夫范蠡在。

夫　差　勾践君臣听着！寡人恩免越国，不灭宗庙，你们仍旧可以修祭祀，奉祖先，君臣一概不斩。勾践夫妇带回姑苏，再行发落。

王孙雄　（对勾践喊）向大王谢恩哪！

〔勾践不动。全体武士喊："谢恩！"勾践仍不动。

〔这时泄皋——勾践的师傅，越国先王的老臣，暗暗走在勾践的后面。泄皋，年约五十岁，头发斑白，微胖，人生得白皙细致，长着稀稀的几根胡须和一双细小怯弱的眼睛，穿着一身相当讲究的朝服。

泄　皋　（低声、非常关切地）大王，你要谢恩哪，这种时候你可千万执拗不得啊！

〔勾践不动声色，太宰伯嚭悄上。

夫　差　（诧异）怎么，你还不知恩吗？

勾　践　（忽然目若耀火）大王兴兵侵伐越国的疆土，杀光了我们五城三镇，连黎民百姓一年辛苦种的稻子，也一火烧尽。这样的暴兵是千古少见的。勾践不知有什么恩！

夫　差　（勃然）勾践，你简直是不知死活！你是赫赫大禹的子孙，你不能守住祖宗的基业，弄得国破家亡，你有什么可讲的？刚愎自用，不自量力！（训斥的口气）你败就败在骄傲自是，不听谋臣的忠谏哪！（夸傲地大笑起来）

〔勾践低头不语。

夫　差　越国不过巴掌大的地方，几只蛤蟆一样的人。你竟敢不听大国君王的号令，还不是罪有应得吗？

勾　践　（突然抬起头来，愤怒）国不分强弱，有义才能立；人不分智愚，有勇才能存。大王但靠国大兵强，欺凌弱小，这是不义；残害无辜，这是不勇。不义不勇的国家可以出兵遍天下，杀人遍天下，但它是断难立足于天下的。

〔大家听了勾践的话，愕然失色。

夫　差　（愤怒地）拉下去，一起给我砍了！

〔登时许多持刀武士把勾践、勾践夫人、范蠡、文种一起架住。

〔石崖上，苦成和他的儿子黑肩与几个百姓突然探出头来，紧张地注视着。

范　蠡　（大喊）大王，你要示信天下！你的信义在哪里？

伯　嚭　（对武士长）等一下！（跪倒）大王，臣闻大人不因蚂蚁蚊虫的伤害，就失去了威严。勾践这样狂妄无礼，大王如果还是不忍杀他，那就更见大王仁德照天下，心广容万物，传布四海，天下会更快归心的。

夫　差　（果然觉得自己十分宏大）放了他们。

伯　嚭　（走近夫差，低声）启禀大王，那五千越兵并没有截住。他们又杀出重围，引兵南去了。勾践的性命还是保存下来好啊！

夫　差　（顿时心中恼怒起来，忽然立起，拔出了剑）现在我命王孙雄大夫坐镇越国。谁敢不听吴国号令的，就如同这顽石一样！（一剑刺进石崖里，武士们相顾失色）

伯　嚭　大王真是神力惊人！

夫　差　留给你们做不臣服寡人的警诫吧。今后，谁敢碰一碰这“镇越神剑”的，王孙雄——

王孙雄　（躬身）在。

夫　差　你就灭他的全家，夷他的九族，杀尽当地的老小。（转对希虎，指勾践，傲然）把这大禹的末代子孙送上船去。

〔夫差略一挥手，杀气森严的武士们和吴国官员一起簇拥着大王，威严地走下。

〔台上留下越国的君臣，大家沉默。

勾　践　（仰天痛呼）大禹的末代子孙！（勾践一抬头，望见崖石上插着的“镇越神剑”，冲前欲拔。范蠡、文种及群臣慌忙跪下谏阻——）

范　蠡
文　种　（匍匐在地）大王！——

勾　践　（强自抑制）大禹的末代子孙！

文　种　（安慰地）大王珍重。百姓还要求见大王呢！

勾　践　我没有面目见百姓！（勾践望见范蠡身上的佩剑，愤不欲生，上前拔剑，范蠡按剑，跪阻——）

范　蠡
（匍匐在地）大王！——
文　种

勾　践　（悔恨交集）范大夫，寡人悔恨当初没有听你的忠谏。你曾劝寡人坚守不攻，待机迎击，寡人不听，才有今天这样的惨败！

勾践夫人　只要大王记住这会稽之耻，今后肯听逆耳之言，夫差的言语又算得什么？

勾　践　（断然）往者已矣，来者可追！皇天后土，勾践定将不愧为大禹的后代。

〔百姓已经一拥而上。

众百姓　（见着勾践，一齐停住，齐声）大王啊！

太辛爹　（激动）大王，可见着你了！

〔大家一齐跪下。

勾　践　起来吧，众位父老们，你们受苦了。（扶起太辛老爹）

〔大家都随着站起来。

〔苦成领着他的小儿子黑肩，举着酒盘上前。

苦　成　（举起酒杯）大王，我们只有这一杯水酒，为大王送行。（痛切地）今天会稽家家都有战死的人。活着靠一口气！这气不伸，恨不消，仇不报，我们是活不下去的。我们是越国人，越国人是压不倒，折不断，杀不完的。大王，你要回来啊！

勾　践　（接酒，祭了天地，有力地）国家虽小，要有正义。百姓虽穷，要有气节。我们遭受吴国不义的侵伐，是永远不能降服的。寡人已禀告太庙祖宗：范蠡大夫陪寡人同去吴国，文种大夫留守国家，治理朝政。（范蠡恭敬地呈上一个木匣，勾践接下来，交与文种）文种大夫，这是镇国之宝，请你为寡人收下。

文　种　（接下镇国之宝）谨领下。

勾　践　（转向勾践夫人）君夫人！

勾践夫人　（领着四岁的公主季婴，走向文种）文种大夫，公主季婴年纪太小，不能和我们同行，请文大夫扶养。（对季婴，温柔地）去吧，孩子！

文　种　（左手举着镇国之宝，右手领着季婴，朴实地）罪臣文种，奉命守国，今后尽心尽力，抚民守土。众位大夫的职责，也安排停当。

众大夫　（齐声）臣等抚民守土，齐心为国。

文　种　（严肃地）只有一层，国不可长期无君。大王，越国上下，一心等待。（语重心长地）范蠡大夫，你的责任重大啊！（对范蠡跪下）

范　蠡　（十分感动，也跪下）文种大夫，（激动地）范蠡既随大王去，必保大王归！

勾　践　（感动地）我虽然心中悲愤，离开祖宗的故土。但是看见大家这样齐心，我感到我的翅膀并没有折断，我再不忧虑你们，我放心了。

〔船上传来军鼓角号声，喊着：“开船了！”

吴国武士　（向越国君臣）上船去吧。

〔群众骚动。

泄　皋　（涕泪纵横，抓住勾践）大王，老臣不放心你的脾气。（跪下）大王，能忍耐就忍耐——

文　种　请大王上船吧。

勾践夫人　（扶起泄皋）泄皋师傅，珍重吧。

众百姓　（跪下，齐声）愿大王平安！

勾　践　（扶起太辛老爹）珍重吧，父老兄弟！

〔这时江中船只的帆樯逐次升起，勾践、勾践夫人和范蠡等转身向船上走去。

〔百姓在岸上，有的喊着“大王”，有的泣不成声。远处，金鼓声夹着凯歌，逐渐移近。一队吴兵威武地走过，押着一批越国俘虏。大部分都是衣衫褴褛，有的甚至是光着身子。百姓从俘虏里发现了自己的亲人，跑上去，呼儿唤夫，都被挥鞭的吴兵驱散。

〔忽然大家静了下来。在俘虏行列后面，四个吴兵举着一个姑娘。她就是刚才被夫差看中的那个绝美的女子。她已经昏迷了，百姓中似乎有许多人认识她。

匠丽妻　（低声对匠丽）这不是咱们西村的施姑娘吗？

〔惊愕中，那个父亲被吴兵杀死的小女孩抱着那捆烧焦了的稻子跑来，直向船上奔去。

小女孩　（被吴兵挡住，举起稻子喊着）我要交给大王！

苦　成　（不顾一切追上来，抢过稻子）交给我吧，姑娘！

〔苦成径向勾践的船上跑去。上船时，一个吴兵一刀砍伤了苦成的臂膀。他忍痛用另一只手，举着稻子奉与勾践。

苦　成　（满腔悲愤）大王，别忘了越国的土地和百姓啊！（一步跨回岸上）

勾　践　（接过稻子，仰首望天）皇天保佑越民！

〔战舰金鼓齐鸣，开始启行。越国百官黎民，随船下，只留下苦成和扶着他的黑肩。

〔无霸跑上。

无　霸　（喊着）范大夫，范大夫！（望着船已驶去）

黑　肩　（对无霸）二哥，他们走了。

〔无霸才发现父亲和弟弟。

苦　成　（推开黑肩，对无霸）你为什么回来了？

无　霸　告诉范大夫，五千壮士突围成功，向南去了。爹爹，（沉痛地）我大哥战死了。

苦　成　（悲痛地）我的儿啊！（走到石崖，拔夫差的剑，忽然不支）

无　霸　黑肩，爹怎么啦？

黑　肩　叫敌人砍的。

苦　成　（奋力拔下剑来）夫差说这是“镇越神剑”。（昂起头）越国是镇不住的！

〔苦成执剑和无霸、黑肩一起望着驶去的吴国战舰。

〔江对岸，远处，吴兵还在焚烧田野，火光一片。

——幕落

第二幕

过了三年，在吴宫。正是江南初春的破晓，烟笼春水，草木欣荣。馆娃宫畔，遥遥望见雕栏玉砌的姑苏台，在纤云四卷，银河渐隐的时光，沉睡着。

宫外花园的石坡下，有三间矮矮的石室。远处是花道宫墙，高坡石路和守卫石室的岗位。近处是石磡马槽，小小的土坪。这里是囚禁勾践君臣三人的处所。

夜色未尽，勾践早已压不下心中的焦虑，独自悄悄步上高坡，时而遥望着南方的晓星，时而又注视着眼前的馆娃宫殿[1]。

在朦胧晓色里，我们望见勾践的高大的身影，他迎着熹微的晨霭，低沉的独白。

勾　践　三年了，三个春夏秋冬，三个三百六十个痛心切骨的日子！越国啊！我什么时候才能回去？什么时候我才能扬眉吐气啊！

〔勾践夫人，从石室走出。她憔悴多了，披了一件单薄的衣服，四面张望——

勾践夫人　（心悸不止，走向勾践）大王，大王，我做了一个又喜又

1　“馆娃宫殿”川版作“馆榭宫墙”。

怕的梦。我梦见大王骑着一匹高大的骏马飞奔。好像前面横着一条奔腾的大河，河那边一个小女孩在洗衣服。大王骑着马，一纵而过，正好踩在那孩子身上。那孩子回头大叫一声“爹！”原来就是季婴。我就哭醒了。

勾　践　（抚慰地）你太想念季婴了。（隔壁厩内马嘶声）哦！我也真想骑着一匹骏马回去啊！（惘然若失，从石礅旁拾起簸箕，撮起饲料，倒进槽里）

勾践夫人　大王让我来吧。这马越发吃得多了。（诧异地）范蠡大夫还没有回来吗？

勾　践　（放下簸箕）嗯。不知为什么，夫差半夜派人把他带走。到现在还没有回来。

勾践夫人　是啊。

勾　践　我很焦虑——君夫人，这一夜吴宫外面马声不断，过了一夜的战车。

勾践夫人　恐怕夫差又要征伐什么国家了。

勾　践　（沉吟）每次出兵之前，夫差总要在我们君臣身上做一番文章。

勾践夫人　（望见远处朦胧的影子，忽然欣喜）大王，你看是范大夫回来了。

〔吴宫武士数人送范蠡上。范蠡穿着一件淡色的长袍，依然是三年前洒爽的风度，略带兴奋的神色，走向勾践。

范　蠡　（施礼）大王，君夫人。

勾　践　（欣慰地）你安然回来了。

勾践夫人　快请坐下。

勾　践　夫差找你去做什么?

范　蠡　夫差不在。宫中只有伯嚭。他第一句话就说：夫差听了伍子胥的话，明天天亮就要把越国君臣绑出蛇门斩首。

勾　践　哦！——范大夫怎样答复?

范　蠡　（从容地）越国君臣随时准备就义。

勾　践　以后呢?

范　蠡　（微笑）他突然问臣和五千壮士有什么关系?臣说:（一字一字）“同是越国人!”他问臣:“为什么用了大王勾践的名义招抚他们，他们还不放下戈矛，归顺吴国呢?为什么他们偏偏要说放了勾践，他们就可以不打了呢?”臣说:“越国上下，不衣不食，尽其所有，贡献给大国，不过是希望一国有主，大王归来。如今已经三年过了，还是渺无归期。现在越国忠勇的兵士百姓，一不听文种大夫的号令，二不听盗用大王勾践名义发出的招抚。他们只有打、打，在一个弹丸之地和吴国死拼到底。这样对吴国有什么好处呢?为吴国想，与其说扣住了越国君臣，是表示吴国君王的‘仁义’，那么，放了他们，岂不才真是收拾越国民心的道理吗?”

勾　践　伯嚭怎样讲?

范　蠡　（微笑）这时他忽然客气起来，满面春风，向臣让座，请臣饮酒，并且拉着臣的衣袖说:“大王夫差就要出兵伐陈。如果放你们君臣回国，你们能否答应，命五千壮士，从此归顺吴国，解甲归田呢?”

勾　践　你怎么回答？

范　蠡　臣说："不敢答应。"臣说："那五千壮士只说大王回国以后，他们可以不打；并没有讲大王回国之后，他们就从此归顺吴国。没有把握的事，范蠡是不能随便答应的。"

勾　践　范大夫说的极是，伯嚭怎样？

范　蠡　他叫"撤座"！对臣说："我要杀你的头。"

勾践夫人　（着急）范大夫为什么不答应呢？

范　蠡　君夫人，答应了，我们就会上当的。伯嚭定然会把大王答应解散五千壮士的诺言，在越国宣扬出去，那大王还没有回国，就已经大失民心了。其次，现在就答应，那无异于说，大王在狱中还是暗通着越国的五千壮士，伍子胥听了，岂不是更成了他杀大王的口实了么。

勾　践　（得意地）君夫人，你没有想到范大夫这一招吧？（立起，有兴致地）伯嚭以后又怎么样？

范　蠡　（微笑）他没有杀臣的头。停了半晌，他又吩咐"摆座"！仍然满面春风，请臣喝酒，一直喝到现在。

勾　践　哦。

范　蠡　吴王夫差，狂傲自负，始终看不起越国。大王，我们就在夫差的骄狂和轻视当中，也许可以释放回国的。

勾　践　（思索着）但是也许还会有其他的变化。

范　蠡　（点头）大王虑的甚是。臣离开伯嚭的时候，正遇见夫差和伍子胥。伍子胥杀气腾腾，神色不对。他们君臣三人进了便殿，局势究竟如何，还不能尽知。大王，君夫人，我们还应该准备万一。

〔天已大亮，晴光晓风中，远处轻烟柳影，湖光潋滟。这时楼台转折处，奏起笙歌。一些简单的仪仗走出。

勾践夫人 （瞭望着）那不是王孙雄吗？

〔勾践与范蠡不觉注视。

范　蠡 他和文种大夫一块从越国来的。

勾践夫人 （远远望见了文种）文种大夫也进宫来了。

〔鼓乐声中，王孙雄陪着各国大夫走出。他们昂首阔步，意气自得，走过高坡。文种随在后面。这时——

文　种 （蓦然看到勾践，不由快步上前，匍匐于地）罪臣文种，叩问大王安好！叩问君夫人安好！

〔各国使臣望着他们。

勾　践 （半天——只说出）文大夫安好！

文　种 （立起，见范蠡）范大夫安好。

范　蠡 （深挚地）文大夫安好。

〔他们相对无言。

王孙雄 （傲然）文种大夫，大王正要召见，快去吧。

文　种 （俯首）罪臣文种辞别大王，大王珍重！

〔文种由几个吴国武士陪同下。

勾　践 他瘦多了。

王孙雄 （高声，倨傲地）你们看，这就叫作“咎由自取”。不臣服吴国，就是这样的下场。

〔众使臣应声笑了起来。

范　蠡　（勃然）越国虽弱，不畏强暴，这才是君子之国。这有什么可笑的！

王孙雄　（感到在各国使臣面前失了体面，咆哮起来）范蠡！你一个阶下囚臣，竟敢这样放肆！不知好歹！走吧！

〔王孙雄在鼓乐声中，揖让着各国使臣，施施然下。

勾　践　（愤然）范大夫！（十分激动）我为什么受这样的屈辱啊！难道我能长此忍受下去吗？我被囚在石室，让这些鸡狗猴子观看赏玩，成为笑柄，这给祖宗添了多少耻辱啊！（压抑不住的躁怒，止不住地在石礅上猛抽着马鞭，高声疾呼）哦，我要回去！摩顶放踵，粉身碎骨，我也要越国成为富强之邦，天下景仰；不然，我是绝不甘心的！

范　蠡　（沉稳地）大王，请轻一些，免得叫吴宫的守卫听见。

勾　践　（怒气未息）你我君臣囚困三年，尝尽辛苦，难道到了今天，还不明了“知耻近乎勇”吗？

范　蠡　（长跽）大王！臣以为，图大事的人，应该山崩于前不动色，海啸于后不变声。大王三年来很受了一些磨炼，但大王仍然有些浮躁不定，浅显易知。现在正是风云变化的时候，吉凶祸福，瞬息可定。大王要任重致远，就得虚心自匿，多隐藏一些才是。

勾　践　（半天——慢慢地）范大夫，你说得对，我还是气盛一时，又浮躁起来。

〔勾践夫人听见勾践发怒，早由石室走出，捧着一串皮绳穿着的木简，这时——

勾践夫人 （陈木简）大王，你还是服用一下这个药吧。

范　蠡 （诧异）怎么？

勾　践 （接下木简）范大夫，我每次想到会稽之耻，痛心疾首，愤不欲生的时候，夫人总是送来这几片木简。我边读边想，就觉得来日无穷，心中豁然开朗。（把木简递给范蠡）

范　蠡 （接下，读木简）"十年生聚，十年教训。"

勾　践 （又兴奋起来）这几个字应该用黄金铸下，它给了我们多少自信，多么宽阔的前程啊。

范　蠡 大王，"十年生聚，十年教训"，这八个字里面有千头万绪。请大王不要再忧愁愤怒，就在这上面多想想吧。

勾　践 我是在想，时常在想，我昼夜地想！（忽然）范大夫，吴国现在很富啊，（从怀里掏出一个帛包，打开来，里面包着一穗烧焦了的稻子，沉吟）但是越国啊！——

范　蠡 大王，这里边是什么？

勾　践 烧焦了的稻子。范大夫，这是——离开会稽的那一天，一个老者拼了性命递给我的。（给范蠡看）越国的稻子，多瘦啊！

〔远处传来田野里布谷鸟的叫声。

勾践夫人 田里的布谷又叫了。

勾　践 （抚弄着手里的烧焦的稻子）不知道我们越国的田地已经播种了没有？（蓦然）范大夫，请随我来，我请你看一件东西。

〔范蠡随着勾践走上高坡，后随勾践夫人。

勾　践 范大夫看见田里那个农夫没有？他用什么耕地？

范　蠡 （瞭望着）犁呀。

勾　践　不是我们越国那种用木头做的犁，那是铁犁！

范　蠡　（迎着阳光）对，铁犁比木犁耕地深得多。

勾践夫人　铁犁。

勾　践　越国要使五谷丰登，就得要用这种东西。

范　蠡　（肯定地）用铁犁来代替木犁。

勾　践　我们一定要弄到一把，交给文种大夫带回国去。〔这时，一个吴国的宫女名叫盼子的，带着无霸上。

〔盼子，年约十七八岁，机智伶俐，很有胆量，她是吴国王妃宠幸的近侍。她引着无霸走近石室，指点一下，对他笑了笑，就走了。无霸穿着文种大夫随从侍卫的衣服，佩剑。他四处寻找什么，忽然望见——

无　霸　（叫）范大夫，范大夫！

范　蠡　（回首，惊愕）怎么是你！

无　霸　小军无霸随文种大夫来的，叩见范大夫。（施礼）

〔这时，勾践和勾践夫人从高坡走下。

无　霸　（跪见勾践，激动地）小军无霸，叩请大王安好，君夫人安好。

范　蠡　大王，他便是臣向大王提起过的五千壮士里面的无霸。

勾　践　你辛苦了。

无　霸　（望着大王瘦削的面庞和周围的景象，愤慨地）大王怎么住在这种地方！

勾　践　你们五千壮士怎么样了？

无　霸　（精神突然振作起来）自从接到范蠡大夫的密简以后，我们五千壮士立刻又向王孙雄猛攻猛打，打得他们粮草断绝，死伤很大。听说王孙雄这次又请救兵来了，文种大夫特命我来向大王禀告。

勾　践　这一年百姓过得怎样？

无　霸　（不觉低下头）很苦，连年饥荒。只靠吴国运来的烂米活着。吃得人都生了病，不吃又不成。

勾　践　哦！

无　霸　这次文种大夫来朝，又进贡了大批珍奇宝物，都是为了打点伯嚭和他们君臣上下的东西。

勾　践　（叹息）这都是我们的膏血啊！

无　霸　可是大王，再苦，越国人也要报仇雪耻！文种大夫说，我们定能转弱为强，他叫我带来一样东西给大王看。看了，大王就会稍稍放心的。

勾　践　什么？

无　霸　（打开带来的包裹，里面是一个崭新的铁犁）犁，铁犁。

勾　践　（连忙欣喜地摸着铁犁，转向范蠡）真是“二人同心，其利断金”了！（望着无霸魁梧健壮的身材，十分欣悦地）你怎么能够进宫的？

无　霸　文大夫叫我找一个宫女，那个宫女把我带来的。她说君夫人认得她。

勾践夫人　（惊讶）我？

无　霸　这个宫女说她常找君夫人。她的主子，君夫人也知道。

勾践夫人　（望着勾践微笑）哦，那就是那个不知名的贵夫人了。

勾　践　什么，又是她吗？

勾践夫人　这个贵夫人真是奇怪。从不露面，她的宫女也没说过她到底是个什么人，可是总送来消息。

范　蠡　（沉思）可是她送来的消息，总跟文大夫托人透过来的，完全一样，没有错过。这位夫人倒是一个靠得住的有心人啊。

勾践夫人　（寻思着）不过就是奇怪，她为什么冒这么大的危险呢？

〔盼子匆匆走上。

盼　子　（低声，急促地）夫人，夫人！

无　霸　（对勾践夫人）就是她把我带来的。

勾践夫人　（熟悉地）姑娘，你又来了。

盼　子　有要紧的事，我来通知你们。你们要等待着，我走了。

勾践夫人　什么事？

盼　子　你们就会知道的。（转身就走）

勾践夫人　（笑着）等一等，你叫什么名字？

盼　子　盼子。

勾践夫人　盼子？

盼　子　（伶俐地）对了，盼子，盼子！就是早早晚晚盼着你们的盼子啊。

〔她笑着走下去。

〔外面忽然高呼："王妃殿下到！""迎驾！"宫乐声中，吴宫王妃的仪仗排列走出，其中有持刀的宦竖等等。

范　蠡　（对勾践）奇怪，这想必是夫差最宠的妃子到了。

勾　践　她忽然来这里做什么？

范　蠡　大王和君夫人先回石室去吧，免得对她也得行礼。让臣来见她。

〔勾践与夫人进入石室，无霸随进。

一个佩剑的宦竖 王妃殿下到，见驾！

〔吴国王妃走出。谁还能认识她呢？比起三年前，她又是一种不同的惊人的美丽了。谁还认得出这就是三年前越国的那个“西村的施姑娘”呢？在众人面前，她越发仪态万方，光彩四射。在她明媚的眼睛里，闪出聪慧和威严，她已经完全掌握了吴宫的规制，应对进退，游刃有余了。

范　蠡 （施礼）越国下臣上大夫范蠡，叩见王妃殿下。

〔王妃雍容颔首，回头望仪仗挥一挥手。

佩剑的宦竖 王妃殿下传命，随身仪仗退下。

〔佩剑宦竖和宫女、仪仗退下。

盼　子 （对范蠡）有急事，烦范大夫快请夫人出来。

〔范蠡进石室。有顷，勾践夫人出，后随范蠡。

勾践夫人 （沉稳地走向王妃）臣妾勾践妻，叩见王妃殿下。

王　妃 （忙扶起勾践夫人，温和地）君夫人，请起。事情很急，恕我不向君夫人行大礼了。这一年，盼子来往于君夫人和我之间，君夫人可能多少知道一点我的心意了。

勾践夫人 （恍然）感谢王妃的盛情，使越国君臣得在吴宫武备森严当中，知道怎样自处。

王　妃 （坦率地）下妾是一个越国女子。三年前就在大王与君夫人辞别禹庙的时候，被吴军劫虏到此。以后的情形，今天君夫人想必看明白了。

勾践夫人 王妃这样来看我们，恐怕于王妃不便吧。

王　妃 （衷诚地）今天我不得不出来与君夫人见面。也只有这样堂堂皇皇地出来，夫差大王才听不进去别人对我的猜疑。方才我在便殿听见伍子胥与夫差大王争辩激烈。后来大王点头称是。盼子说已经看见大王取出斩人的令符。（回头向盼子）你是看清楚了？

盼　子 看清楚了，王妃。

王　妃 顷刻之间，就会发出令符。他们会把大王和君夫人都送到蛇门去。君夫人，请赶快和大王一同走吧。

〔无霸突然从石室走出。

无　霸 （贸然）范大夫，就走吧。

王　妃 （惊问）这是谁？

盼　子 这是越国壮士无霸。

王　妃 （打量一下）你能卫护大王出宫吗？

〔范蠡进了石室。

无　霸 小军有快马三匹。凭着我这口利剑，我可以护送大王和君夫人出境。

王　妃 怎样出宫，我已经交代盼子了。

勾践夫人 （紧张地）不过，王妃，吴国关口重重，十分严紧。

盼　子 王妃已经冒死盗出大王夫差的验关金符。

王　妃 （捧出一只铜制物件，庄重地）君夫人，请收好。

勾践夫人 （接下，感动地）那么王妃殿下怎样自处呢？

王　妃 （温静地）君夫人放心，总该有办法的。

〔勾践由石室出，后随范蠡。

勾　践　（对王妃）王妃殿下。

王　妃　（一见勾践，热爱越国的乡土情感，顿时涌上心头。不由己的走上前去，匍匐跪拜）大王！下妾叩见大王，死罪，死罪！大王囚禁三年，下妾不能亲来问候。现在大事很急，请大王速速启行，离开此地吧！

勾践夫人　王妃把一切都准备十分停当，连验关的金符也有了。

无　霸　（催促）大王，赶紧走吧。

勾　践　（有所动）范大夫。

范　蠡　（沉吟不动）容臣再思索一下。

勾　践　范大夫以为如何呢？

范　蠡　大王，臣以为不可。今日的“生”“死”都为了复兴越国。这样逃走，吴国君臣必不甘心，定会派遣大军追来。越国的处境必然就更加危险，大王的雄心说不定就从此落空。臣以为当今之计，只有取得吴国的释放，不生枝节，才能离开，那么，以后的“生”——

勾　践　（憬然）才能大有用于越国！不然，宁可死在此处，勾践君臣的“死”，也可以激扬越国军民的正气，让他们奋发图强——

范　蠡　这“死”也大有用于越国啊！

王　妃　那么，大王——

勾　践　（断然）我看就这样吧。

王　妃　（感动地）大王有这样的气概，我的盼望是不会落空的。让下妾留在此地，尽我的心意，为大王保驾。

〔勾践夫人把验关金符交还王妃。

〔说话间，四周渐渐岗哨密布，军士都换了人。盼子一望。

盼　子　（惊呼）王妃，坡上换了人，满是兵士了。

王　妃　（一惊）怎么，都变成伍子胥的人了！

范　蠡　（自语）他要做什么？（瞭望岗哨）

勾践夫人　我看事情不大好！

无　霸　（急切）大王——

〔勾践无语。

王　妃　（低声）只怕出不去了。（忽然）下妾请大王暂避一下。

〔无霸送勾践进入石室。

勾践夫人　（略显惊慌）这怎么办？

王　妃　（自语）难道伍子胥竟然要亲自动手吗？

勾践夫人　（瞭望）那不是被离吗？

范　蠡　（忽然）君夫人，我看事情有了转机了。情形显然：大约，吴国君臣的意见最后又出了变化。如果吴王夫差真是听从了伍子胥，下令处死越国君臣，那么，现在来的人，应该是吴王夫差的监斩官吏，而不是伍子胥的部下。这分明是吴王夫差最后还是不用他的意见，采取了太宰伯嚭的计谋。文种大夫送来的珍奇宝物，又教伯嚭在夫差面前做下了文章。这位堂堂的伍相国，才出此下策，铤而走险，要先斩后奏。（转向王妃，恳切地）王妃，现在就要靠殿下了。只要殿下在他们来的时候，挡过一阵，我看释放的好信就不远了。

王　妃　（称赞地）范大夫料事如神。（对盼子）急传侍卫。

盼　子　（喊）急传侍卫！

〔刹时，王妃的侍卫一拥而上。

〔被离领着甲兵持刀冲上。

被　离　杀进去！

王　妃　（凛然）被离！

被　离　（施礼）小将被离参见王妃殿下。

王　妃　你要做甚？

被　离　奉命提越国君臣，押送蛇门斩首。

王　妃　可有相国军令？

被　离　（支吾）还没有，就等送到执行。

王　妃　可有大王的金符？

被　离　这个——臣料想伍相国会亲自送来的。

王　妃　（勃然变色）你们也做得太荒唐了。一无相国军令，二无大王的金符，你们就敢私自来提越国君臣，押送蛇门，你们心中还有国法吗？这个地方是吴宫禁地，大王的起居安息之所，你们未得大王宣召，就带兵进宫，难道你们要图谋不轨吗？

被　离　（有些惶惧，但还倔强）臣被离忠心耿耿，誓无他意。越国君臣，关系吴国的千秋霸业，这个——

王　妃　（对侍卫们）叱出去！

被　离　可是，王妃殿下——

〔这时，一个伍子胥的军士匆匆跑上。

军　士　（对被离）相国传令，急速退出宫门！

被　离　哦！（令随来的军士退下）

王　妃　（对被离）转来！你们带兵进宫，这件事伍相国做得太颠倒！我定要禀报大王，你去告诉他！

〔被离率军士仓皇下。

〔太宰伯嚭持诏书上，后随卫士，十分轻松愉快地走上来。

伯　嚭　（忽然看见王妃，吃了一惊，却异常恭顺地）参见王妃殿下，大王正在四处寻找，想不到殿下却在此地。

王　妃　知道了。伯嚭太宰来此做甚？

伯　嚭　（得意）奉旨释放越国君臣。

王　妃　哦。（对盼子）回宫。

伯　嚭　（一揖到地）臣伯嚭恭送王妃殿下。

〔王妃和她的仪仗齐下。

伯　嚭　（对范蠡）宣越王勾践君臣听旨！

〔范蠡请勾践从石室出来，伯嚭宣读“王命”，勾践、勾践夫人和范蠡恭立一旁。

伯　嚭　（朗朗宣读）越臣勾践等，在吴宫养马三年，兢兢业业，始终臣顺。越国君臣上下已能仰体寡人仁义之怀，朝贡春秋不断。寡人念其忠德可许，立义四方，诏令越国君臣释放回国。尔等善仰圣德，永保厥土，永示忠顺，永受万福！猗欤休哉！谢恩！（读毕对勾践等拱手施礼）恭喜，恭喜。大王移时就要召请各国使臣一同打猎，着令越王勾践前去谢恩，并作前马。

范　蠡　（吃惊）什么！

伯　嚭　（轻描淡写）前马，在前面骑马领路就是了。恭喜恭喜。

〔伯嚭匆匆下。

无　霸　（无霸从石室中冲出，大怒）范大夫，真气死了，我们大王怎能做夫差的前马呢？就是杀了我，也不能叫大王受这样的屈辱啊！

〔勾践默然。

范　蠡　（走向勾践）大王！

勾　践　（忽然）无霸，你去告诉文种大夫，不久我们就要回国了。无霸，你把铁犁带回去，立刻随文大夫返国，寻找良工巧匠，铸造铁犁！

无　霸　小军回国造犁？

〔鼓乐声中，冠盖如云，羽扇旌旗，布满高坡。吴王夫差穿着彩色的王服，携着王妃的手，像虹霓一般，从高坡上走过。

〔同时，伯嚭捧着王服和马鞭匆匆上。

伯　嚭　（对勾践）快点，大王已经启行了。快穿上，走吧。

〔伯嚭给勾践披上王服，范蠡把马鞭献与勾践。勾践迟疑了一下，庄严地接着马鞭走下。

〔远处，群臣山呼，鼓乐奏鸣。

无　霸　（望着远处的情景，愤怒地）这样的屈辱，靠什么才能洗清啊！

——幕落

第三幕

距前一幕六个月，在越国会稽郊外荒村里。远处崇山峻岭，莽莽苍苍，还是一种没有经过人怎样开辟的所在。左面是一片青郁的空林，掩映着丛生枯草的峭壁。峭壁巅峰，上接云霄，横生一些枯木苍藤。右面，由深谷里流下来一道浅浅的小河，早已听不见潺溪的水声，只看见一道细如银线的沟水，在河床当中的碎石衰草中蜿蜒流过去。

日轮当午，火旗焰焰，地上的生物仿佛放在洪炉中炙烤。人们望着眼前几亩龟裂的田里稀疏的枯茎在热风里摇摆，一声不吭。更远的地里，已经生满蒺藜了。烈日杲杲，只听见荒坡断堑中不知名的夏虫单调地叫着。

台前是一个矮矮的茅棚。茅棚前放着简陋的杂物，其中有渔猎用的东西。

台上，比较触目的地方是一口残圮的井台。

黑肩，苦成的小儿子，坐在一棵榆树下，呆望那一片龟裂的田土。他抱着一根三尺长的竹管——一种越国的乐器，有时呜呜吹起来，声音沉郁感人。稍顷又停下来，默默望着他舍不得离开的土地，悲哀地唱起他自己编的歌子。黑肩已经二十岁了，结了婚。他中等身材，面色被阳光晒得黑黑的，轮廓十分俏美，有一双明亮乌黑的大眼睛。他沉默寡言，细致敏感，坐在那里总像在沉思着什么。他穿得破烂，露出宽宽的胸膛。

离黑肩不远，在井台旁，蹲跪着黑肩妻。她比黑肩大五六岁，长长脸，高高的身材，面色憔悴，看得出从前是一个好看的姑娘。这时，她正用一条长绳汲着快要枯竭了的井水。

黑肩低声唱着歌……

黑肩妻 （拿着竹桶走到黑肩身边）黑肩，你喝口吧？（把水送到黑肩面前，黑肩摇摇头）老天爷一个雨点都不下，热得冒青烟。这口井，就这么点水，吴国兵还说填就填。成天受气，只有逃到东海边去，是条活路。（黑肩不答话。继续唱歌）黑肩，我知道你心里难过，热土难离，可这又有什么法子啊！

黑　肩 （悲哀地唱着）

“鸱鸮啊，鸱鸮！
你已经抓去我的小鸟啊，
就别再毁我的窠巢！
啊——噢——啊——噢——

“搭起这窠巢啊，用了多少辛劳，
叼来芦苇啊，又垫上了茅草。
我们一家啊，是多么恩爱和好！
生下一堆孩子啊，都在这窠巢。

“鸱鸮啊，鸱鸮！

你已经抓去我的小鸟啊，

就别再毁我的窠巢！

啊——噢——啊——噢——”

黑肩妻　（烦怨地）你就会成天唱！黑肩，你要拿主意啊！你要拿主意啊！

黑　肩　你这碎嘴子婆娘！我是要走啊！

〔防风捧着一碗米上。防风，三十五六岁饥愁交并，骨瘦如柴，他突然昏眩倒地。黑肩、黑肩妻忙上前去搀扶。

黑　肩　防风！防风！

黑肩妻　（向田坎上喊）防风婆婆，防风嫂快来啊！

〔防风慢慢醒转，防风婆媳背着装了野菜的竹篮子上。

防风婆婆　我的儿，你可回来了。防风媳妇，你快扶着他！

防风嫂　防风，怎么啦？

防　风　（捧起撒在地上的米）这些畜生抓我去给王孙雄盖歌台，干了一个多月，累的，饿的，我是筋疲力尽了。只给了这一点米，还是霉的，臭的。（敲着胸）我的血都叫他们挤干了！

防风嫂　叫你躲起来，你不躲。

防　风　不成了，我要死了。

防风婆婆　我的儿啊！

〔防风婆媳扶防风踉跄走下。

〔黑肩妻快步走入草棚，提着一个竹篮和一个小包袱，慢慢地走出，对黑肩低声。

黑肩妻　你还想什么呢，走吧！

〔黑肩正要走，苦成和鸟雍上。

〔苦成挑着一担野菜。他一身像是铁硬的筋骨，须发灰白，目光炯炯。

〔鸟雍，带着一种不可抑止的生气，像一棵砍不倒的大树。

苦　成　（大喝）站住！黑肩，你还是要走吗？

黑　肩　爹爹！

苦　成　你这没有志气的畜生！你受不得苦了吗？想离开此地吗？

黑肩妻　爹爹！

苦　成　你这个懒婆娘，怕受苦，没见识。大家都在忍饥受寒，要跟吴兵周旋到底，可是你们两个却想逃掉。（愈说愈气，没头没脑地痛打黑肩）我打你，打你这个没有骨头，没有一点出息的畜生。

黑肩妻　（恳求鸟雍）鸟雍叔，你拉一把啊！

鸟　雍　我看该打！

黑　肩　（抱着头让父亲打。等父亲住手，才哭声说）爹爹，你屈了我了，你打屈了我了！我不是受不得苦，也不是不想争口气。我只是看到这里没有指望，没有盼头。现在大王回来了，我们还不是受吴国兵的气吗？爹爹，你不是也说心里闷得很吗？

苦　成　这里的山河知道我们的闷气，这里的土地见过我们的仇恨，你们要往哪里去啊！

乌　雍　（大喝）你们要往哪里去啊！

〔太辛爹，七十上下，精神旺健，他领着一些百姓走来。他们纷纷敲打着乐器，低声诵读着求雨的祷文，手里举着树枝和祭旗。

〔太辛爹披散着头发，身上束着白茅，打着旗幡。彩衣斑斓的男巫数人和童子们，跳着祈神的舞蹈，随鼓应声，左右盘旋，高亢地唱着走过。

太辛爹　（对众人喊）邻居们，求雨啊，大家求雨啊。一同到江边上去求雨吧！

〔苦成领着众人下。

〔远处祈雨的祷文和敲打乐器的声音。烈日照着河边，空无一人。

〔勾践和文种沉默地走上来。勾践穿着越王的服饰，但简单朴素。他的形容比在石室中显得更憔悴了，面色黑了一些，锁着眉头，仿佛焦思着甚。文种还是那副稳重沉肃的神色，简直是不作声，走在勾践后面。两个佩剑卫士随着他们。

勾　践　（用手遮着阳光，瞭望着）那是什么？

卫　士　求雨，大王。

文　种　（不觉——）百姓在祈雨了。（跪下）

勾　践　（也不觉跪下，卫士随跪）上天福佑越国。请降雨吧。（立起）

〔文种与卫士站起，勾践四面望着这烈日下沉寂闷热的大地。

勾　践　（独语）好热的夏阳啊。晒裂了我们的土地，晒死了田里的稻苗，晒干了人们的眼泪，真是晒尽了我们的心血啊。回来巡视三个月了，到处是十室九空，一片荒凉，这景象真是触目惊心。（向文种，痛苦地）文大夫，怎么越国竟会落到这般田地呢？

文　种　（沉静地）越国原是地少民贫。（静默）

勾　践　（文种的静默使得他有些烦躁起来）我在吴国囚禁三年，从早到晚，望着一寸一寸的光阴过去，朝朝夕夕盼望奔回越国，重整江山，而如今，眼前的事情千头万绪，纷乱如麻。文大夫，这“十年生聚，十年教训”怎么这样难呢？

文　种　（意味深长地）难也不难。“十年生聚，十年教训”，是十年又一个十年哪。

勾　践　（很是不满，但仍婉转地）文大夫，我在范大夫面前，就觉得像龙飞在天上，鱼游在海里。真是天马行空，什么事都不难而自在。如今，文大夫，你仿佛把我赶回到地上来。像老牛一样，一步一步地行走。

文　种　（不觉微笑，雍睦地）是啊，大王。到了地上，是要一步一步地走的。

〔卫士上，他举着一把华丽的宫伞。

卫　士　请大王御伞，泄皋大夫送来的。

勾　践　范大夫呢？

文　种　在船上，还在跟泄皋大夫谈话呢。

勾　践　（向文种）大概还在争议定都的事情呢。

文　种　定都是件大事。泄皋大夫迁都的主张，臣不敢苟同。

卫　士　请大王御伞。泄皋大夫怕大王中暑。

勾　践　（不悦地）把伞拿回去！百姓光着身子在太阳下面求雨，寡人怎能忍心用伞呢？

〔卫士持伞下。

〔远处求雨的百姓已经听见勾践来到，纷纷走上，喊着大王来了！大王来了！苦成、太辛爹跟在后面。

苦　成　（不由得露出快乐的笑容）大王！

太辛爹　（拜见）大王！

勾　践　（扶起他们，感动地）父老们，你们吃了苦了。三年来文种大夫代寡人守国。文大夫说，“今日上下同心，民气不屈”，寡人十分欣慰。然而今年又遭荒年，寡人为此心中愁苦，带来一些白米，为父老兄弟暂度饥荒。

〔大家没有料到，愣住。

匠丽嫂　（几乎是不相信的口气）米？白米？

百姓甲　大王送米来了。

太辛爹　仁慈的大王，你送米来了！

匠丽嫂　（感激地）大王，你送的多是时候啊！

众百姓　（激动地喊）大王！

〔另一个卫士上。

另一卫士　大王，米已运到岸上，就在前边。

文　种　父老们，你们领米去吧。

〔众人纷纷走下，卫士领着他们。

勾　践　文大夫，我们到前面看看去吧！

〔勾践向前走去。文种和卫士随在后面，同下。

〔希虎带着几个吴兵上场。

希　虎　把这水井填死！

吴兵甲　是。

〔希虎下。

吴兵乙　他们的勾践大王就在前边。

吴兵甲　怕他做什么？我们大王放他回来，留下他的脑袋。他还敢怎样？填！

吴兵乙　是。（他们动起手来）

匠丽嫂　（提着一袋米跑上）你们干什么？

吴兵甲　填井！

匠丽嫂　（高呼）苦成爹，快来啊！吴兵又来填井了！

〔苦成、鸟雍、匠丽和几个百姓上，有的百姓还捧着筐箩，里边装满刚刚领来的白米。

鸟　雍　又来填井？

吴兵甲　你们这群刁民，该出的丁夫徭役，你们抗拒不出，这就是给你们的惩治！（转向吴兵乙）填！填得严严实实，渴死他们！

〔鸟雍、匠丽正要上前阻拦，吴兵轰隆一声把井台推倒，填死了水井。

百姓们　啊！

吴兵甲　哼！吃着我们夫差大王的白米，还不知感恩的奴才！

鸟　雍　哪个吃你们夫差大王的米？

吴兵甲　（指着百姓手中的米箩）那不是？

匠　丽　这是勾践大王发的！

吴兵甲　可那就是夫差大王的米。

苦　成　（惊诧）什么，这是夫差的米！

吴兵甲　连田都不懂得种的东西！只靠我们的大王的米养活你们。

〔吴兵扬长而去。

苦　成　（审视箩中的米）夫差的米！

鸟　雍　仇人的米！（坐下）

匠　丽　（抓一把米看）哼，等了这许久，大王给我们送夫差的米来了。

匠丽嫂　（愤愤地）难道没有夫差的米，我们就活不下去了吗？

苦　成　大王真是不知百姓的心肠啊！

鸟　雍　（猛地站起来，把陶罐扔在地上）脏了我的罐子！（拔出短剑来）夫差的米，我们不吃。越国的水是不能不喝的。（要走）

匠丽嫂　你干什么？

鸟　雍　去找那填井的畜生！（下）

〔黑肩妻兴冲冲地从草棚钻出来，拿着一个破口袋，急匆匆地要走。

苦　成　做什么？

黑肩妻　领米。

〔这时勾践和文种走来，一边望着。

苦　成　（拦住）不许去！不吃这米也饿不倒的。

〔黑肩妻吓得放下口袋。

苦　成　（自语）大王啊，你真是没有骨气啊！（抬头忽然看见勾践，向他施了一礼，沉默地走下）

勾　践　（愠怒）卫士，抓他来见我！

文　种　（耿直地）不可，大王。

〔卫士望着文种没有走。

勾　践　（很不高兴）这是为什么？文大夫，百姓可以这样侮骂我吗？寡人怜恤百姓困苦，用宫中珍宝籴来白米，怎么，这些人竟然不领寡人的恩惠，不知君王的深情？

文　种　（沉静地）大王，动怒了吗？大王应该高兴才是。

勾　践　怎么？

文　种　臣说过，越国无以为宝，唯有民气是宝。

勾　践　（不能释然）这就是文大夫说的民气吗？

文　种　（和悦地）是的，是民之正气。大王回国以后，忙于收拾民心的念头多，谋国治本的念头少。民心是不能用财物要（读如"么"[1]）买的。大王虽然巡视全国，安抚百姓，但是百姓的下情，大王还是听不见看不清。大王应该多想一想"天高听卑"这四个字啊！（肃然）君有错，臣应该谏；君圣明，臣才能够直言。

勾　践　（半晌）"天高听卑"？寡人还不甚解。

文　种　（老实地）天是有耳朵的，天虽然高，地上的话都应该听得

1 "读如'么'"中国戏剧出版社1962年版作"读如'夭'"。

见。方才那个老人，正是此地的乡贤，他通习六艺，是个有学问的庶民。大王何不请来见一见呢？

勾　践　（半晌，对卫士）你把他叫来。

文　种　（执着地）这不可以，待臣去请。（下）

勾　践　（独白，有些懊恼）文种的话说得太重了。“要买民心”？他的话是很不入耳的。（沉吟）人真是难用啊！正直能干的往往不驯顺，（皱着眉头）不驯顺！可是在患难中要有容人之量啊！（思索着，尽力说服自己，抬起头来）对，他还是对的，他的忠谏还是有道理的。我应该听取他的话，我应该耐心听取百姓的直言。（徘徊几步，忽然）但是一个百姓竟然说我没有骨气，这真是难以耐下啊！

〔文种偕苦成上。后随匠丽。以后陆陆续续走来众多的百姓。

苦　成　（恭敬地）拜见大王。

勾　践　老人的姓名？

苦　成　苦成。

勾　践　（望着他，半晌）你为何不领寡人发的赈米？

苦　成　（质朴地）大王，米有可吃，有不可吃。这样的米是不可吃的。

勾　践　（对老人刚强爽朗的气质有些惊异）为什么？

苦　成　（理直气正地）那是夫差的米。

勾　践　（望着苦成炯炯有神的目光，开始察觉这是一个不寻常的老人）但这是寡人的恩惠，是寡人费尽心机弄来的东西。

苦　成　（侃侃而谈）大王在吴三年，百姓忍饥耐寒，伐木织布，勤勤苦苦，日夜不息，为的是赎大王早日归国，立志雪耻。如今盼得大王回来，满想大王能有富国谋强的办法，哪知却是赈发夫差的米。（越说越振奋）我们一见这米就满心气愤，这无异是用毒药解渴啊。（停一下）小民责怪大王，请大王降罪。（跪下）

〔大家静默，望着勾践。天边云动风来，大家微露喜色。

匠丽嫂　（低声）起风了！

太辛爹　（低声）云来了！

勾　践　（不觉叹息）请起，这是寡人的不是了。（兴奋地）是啊，没有米不算穷，没有志才是真穷。（关心地）苦成老人，那么现在你们吃什么？

苦　成　野果苦菜。

勾　践　以后怎么办？

苦　成　（指着河边的土地）辟荒兴农。

匠　丽　（向勾践）我们的沟渠被吴兵填毁了。

苦　成　我们要通沟洫！

匠　丽　我们没有牛——

苦　成　用人拉！

勾　践　用人拉。

匠　丽　我们没有犁。

苦　成　用手刨！（伸出双手）大王请看。匠丽，黑肩，你们都过来给大王看。

〔许多人都向勾践伸出手来。

勾　践　（吃惊）怎么都是伤痕斑斑！

苦　成　我们就是这样耕种的。非自耕者不食。

勾　践　（兴奋地）非自耕者不食。

苦　成　这样才是靠自己。

文　种　这样才能图自强。

勾　践　（脱口而出）君子自强不息！

〔说话中阴云四布，这时一声震天动地的响雷——

勾　践　（欢喜地高呼）自强不息！这四个字真像天上的响雷一样，可以震撼天地，叫万物都随着它的声音生长起来。（振奋地）对，靠自己，图自强，自强不息，非自耕者不食。真是有志气的百姓啊！有这样的百姓，我还有什么忧虑，有什么畏惧。

〔鸟雍手中提着一个吴兵的帽盔走上。

鸟　雍　苦成，你看！（朝远处一指）

苦　成　什么？

鸟　雍　你看那树梢上挂的什么？

众　人　（一惊）人头？

鸟　雍　就是那个填井的畜生！

太辛爹　你又闯祸了。

勾　践　（愤然地）好！叫那欺压人的也受点警诫吧。

〔泄皋拉着范蠡上。他们都显得比以前苍老一些，泄皋还是胖胖的。

泄　皋　（气吁吁地）大王，迁都之举，是万全之策。老臣和范大夫争论不下。老臣受先王重托,（一句赶一句）为了国家的万世基业，断然主张必须南迁义乌，这样，吴国再来攻打，就一不会危及宗庙社稷，二不会危及大王的安全，而且——

勾　践　好了，泄老大夫。（对范蠡）范大夫，我已决定。国都就建在此地。

范　蠡　此地?

勾　践　就在会稽建起我们的万世基业。

泄　皋　（大吃一惊）那岂不是靠吴国更近，更危险了吗?

范　蠡　对啊，大王，靠近吴国，将来我们就有进取之便了。

泄　皋　（出乎意外）进取?

勾　践　（断然）定都会稽，决不南迁。

文　种　臣文种恭贺大王。

苦　成　（感动地）真是圣明的决策。大王，我有一件东西要献给大王。（他早已告诉黑肩取来藏了许久的“镇越宝剑”。这时，由黑肩手里取来，献与勾践）夫差的“镇越宝剑”。

勾　践　（惊愣）什么?这剑在你手里?

苦　成　它一直在我手里，请大王收下。

勾　践　（郑重地接下剑）好。（对剑，振奋地）剑哪!日后你会有用的。（把剑交给范蠡）

文　种　大王，他就是三年前在江边向大王献稻子的人。

勾　践　（注视苦成）哦，是你?

苦　成　正是。

勾　践　（从怀中取出一束焦禾）这就是你给我的稻子。

苦　成　正是。

勾　践　烧焦了的越国稻子！

苦　成　正是，这烧焦了的稻子就要滋发生长了！

勾　践　（十分感动地）苦成老人，你们现在缺少什么？

苦　成　牛。

文　种　牛就要从楚国运来。

勾　践　还缺少什么？

太宰爹　犁。

文　种　无霸正领人造犁。

勾　践　还缺少什么？

众　人　（齐声）雨。

勾　践　那么就缺少雨了。

〔远处猛风飘电，黑云涌起，高林霎霎，仿佛就要落雨的样子。众人翘首企望，屏息静待。勾践不觉随着仰望。

勾　践　（焦灼地）上天，你落下一场好雨吧！多么刚强，多么有志气的好百姓哪！他们辛勤耕种，自强不息。这是多么可敬的志向，多么可贵的期望啊。“自强不息”，这句话叫我们眼前出现一片生机。从此，我们君臣上下，自强不息，至死不变。上天哪，风来吧，雨来吧，雷电一起都来吧！

〔谁知天有不测风云，在勾践祈求当中，大风吹过，把满天乌云吹得渐渐消逝。随着乌云的消逝，勾践更焦急起来。

勾　践　（几乎是叫喊）让甘霖普降，让禾苗复苏，让越国大地呈现一片郁郁葱葱，让越国百姓焦急的心情被甘霖润泽透了吧！上天哪，你就叫禾苗和百姓一同生长起来吧！天高听卑，你是有耳朵的。降雨吧！降下一场透透的大雨吧！

〔这时天上没有一丝云彩，烈日杲杲，又和方才一样。众人默默无声。

——幕落

第四幕

四年后，会稽近郊。

天将晓，夜色有些透亮了。风雨潇潇，鸡鸣不已。南风吹着饱蕴雨水的薄云，把云彩吹成一块一块的絮片。

是一夜透雨就要晴霁的江南景色。水足土润，田里满是肥茁茁的禾苗。一夜淅淅沥沥的春雨，水满沟洫。春雨一点一滴都落在人的心坎里。半夜里，人们起来听见雨声，都喜滋滋地睡不着觉。

远处，浓浓的云雾，笼罩着会稽的崇山峻岭。山下，阡陌纵横，河里畅流着花花的雨水。过去的荒岭，有些已经开发了，露着一片刚砍伐过的硕大的树根。

右方，稀疏的村落，露着点点微弱的灯火。

东面，望见会稽城郭一角，在依山傍水、风景秀丽的冈峦上，矗立着一座富丽的楼台，画栋雕梁，檐飞若舞，那是镇越的吴国将军王孙雄的别邸。

眼前是勾践的几间简陋的竹阁的一角，是勾践偶尔耕地的时候，在城外建筑的“行宫”。阁前，立着戴着斗笠的卫士。竹窗敞开，灯火荧煌，照着勾践和文种他们正专注地读着案上的木简。后面，勾践夫人在纺葛。静穆中，听得见纺机吱吱的声音。

远处传来牛吼声和鞭哨声，有的农民开始牵牛下田了。

勾　践　（立起，不觉望着窗外）雨停了。好一夜透雨啊。每一滴都仿佛滴到我的心里。（喜滋滋地）文大夫，你看家家都在织葛。（牛吼声）有人已经下田了。这跟四年前，真是大不相同了。

文　种　（指着案上木简）大王，让臣再读一下臣的方策吧。

勾　践　（爽朗地）不用细读了，你这些理国的办法，减赋税，省刑罚，开沟洫，选贤能，轻徭役，叫百姓先富足起来，都很好。至于如何使人丁兴旺，君夫人倒又想了几条。

勾践夫人　（微笑地）庶民家奴，生了男孩，大王就赐给一壶酒，一只狗……

勾　践　（插话，颇有兴致地）生了女孩，就赐给一壶酒，一头猪。

勾践夫人　（谦和地）文大夫，你看行吗?

文　种　（大笑）臣照办。

〔勾践从竹阁走出，四面眺望，文种随后。这时天已大明，朝阳照着雨后的田野，一片青葱。树枝上的雨珠都闪着金光。

〔泄皋上。后随卫士二人，绑着苦成。

泄　皋　（憋着一口闷气）启奏大王。老臣奉命和范大夫一道陪侍吴国使命被离将军。天还没有明，被离将军要亲自巡视会稽新城，走到城门楼上，不料苦成早已在内。

苦　成　我奉了文种大夫之命，在城楼上正装设报警大鼓，没想到，吴国使臣居然派兵拦阻！……

泄　皋　（怒责）你竟敢打了吴兵，得罪了被离将军!

苦　成　（理直气壮）城是越国的城，鼓是大王的鼓。为什么他不许装在城门楼上。

泄　皋　启禀大王，被离将军说："鼓是进军用的，难道你们要向吴国进军吗？"

勾　践　（愠怒）一旦有了敌人，怎么，越国不能鸣鼓报警守卫吗？

泄　皋　被离将军说："越国在吴国的羽翼之下，有了敌人，吴兵会保护的，用不着这种进军报警的东西。"（指苦成）他就打了吴兵。臣因此将他绑来。（狠狠地望文种一眼）他是文大夫派去的，就请文大夫处置吧。臣以为他应受刖刑，断腿示众！

〔这时，鸟雍急急惶惶地跑上，喊着："苦成！"

〔鸟雍的脸上曾受墨刑，刻着一个鸟形的标记。他听清了泄皋的话——

鸟　雍　（高呼）大王，不能啊，大王不能。鼓是大王叫装的。我们理直，他们理屈。大王如要处分苦成，我情愿代他受刑。（跪下）

泄　皋　你是什么人？

鸟　雍　（抬头一看，认清是泄皋，大吃一惊）老大夫！

泄　皋　（发现是鸟雍，看清他脸上的标记）啊，你原来是我采邑上逃亡的家奴！

文　种　老大夫的家奴？

泄　皋　他脸上还刺着标记呢。逃亡者死。（向卫兵）把他捉起来。

〔卫士立即将鸟雍绑住。

文　种　大王，这个人就是臣提过的鸟雍。

勾　践　（向鸟雍）你是能造船的工匠吗?

鸟　雍　小人和苦成爹，在先王时候，都造过战船，当过水军的。

勾　践　泄皋大夫，他既是你的家奴，那就赠送给我吧。

泄　皋　（很出意外，勉强地）大王既要这种不法逃亡的家奴，臣敢不众命。

勾　践　苦成——我自有处置。泄皋大夫，你快去陪侍被离将军去吧。

泄　皋　臣奉令。大王，这几年来，越国百姓，不知道保国求安的道理，动不动就跟吴人争吵，甚至像这些庶民、家奴也学得竟敢得罪吴兵。此风断不可长。文大夫百般纵容，才使得他们这样嚣张。这有关国家的安危大事，老臣不能不讲，请大王圣察。（愤愤地）这两个人，臣以为应当重办，惩一儆百！老臣告退。（下）

勾　践　（转向文种）文大夫，你看这事应如何处置?

文　种　（深深一躬）臣惶恐。大王，（指案上方策）臣在方策中曾经提到，要省刑罚，用贤能。当此邦家多难，有用的人才是应该破格录用的。伊尹扶汤，傅说[1]相殷，伊尹、傅说两个也都是奴隶啊。

勾　践　（微笑）好吧，左右，将他们放开。

〔卫士将苦成、鸟雍的绳索解开。

1　此处川版有“（古代用作‘悦’字）”。

文　种　臣以为泄皋大夫太没有是非了。

勾　践　文大夫，由他去吧，还有没用处的人吗？我们和吴国交往，他还是有些用处的。

文　种　（执着木简）臣就将此方策去诏告百姓了。（下）

勾　践　（转向苦成）你打了吴兵？

苦　成　打了吴兵。

勾　践　打得好！可是你要晓得，猛虎是不把牙齿露在外面的。以后你要谨慎了。

苦　成　（赤诚地）小人叩谢大王。（向鸟雍）鸟雍，还不快谢恩吗？

鸟　雍　（直拙地）谢个什么？今后有的是报国的日子。

勾　践　（颇觉他不凡）好，鸟雍，寡人命你去做造船工匠。今后你要好好报效寡人。

鸟　雍　是。

勾　践　（欣赏地）你们都当过先王的水军？

苦　成　曾经在一条船上。

勾　践　你们是老弟兄了。

〔范蠡匆匆上。

范　蠡　启奏大王，祭城衅鼓的事又有波折了。

勾　践　怎么？

范　蠡　被离在城上巡视之后，突然指出，会稽新城，城高池广。他说筑城是对吴设防，不是臣服之道。他命令将新城拆平。

勾　践　（大惊）拆城？

范　蠡　是的，拆城。臣特来报知。

勾　践　（愤怒）刚才他说城上不许设报警之鼓，如今他又要寡人把新城拆平。

苦　成　连城也不许筑吗？这还叫什么国家！

勾　践　坚决不可。勾践头可断，城断不能拆。

苦　成　多少百姓服劳役，日夜辛勤，才造成这座城。

鸟　雍　刚刚盖好。大王难道叫我们再去拆平吗？

勾　践　范大夫去告诉他，决不能拆。

范　蠡　（沉静地）大王，是否容臣再思索一下。

〔静默。

勾　践　范大夫，你有什么好对策？

范　蠡　臣只想到，吴国今日正像夏天的骄阳，毒烈无比啊。臣有一策，十分冒昧，不知大王能否垂听？

勾　践　你讲吧。

范　蠡　拆平新城，劳民过甚。不如把城门拆掉，不设关防。那么这座城，名存实亡，他就没有话讲了。

勾　践　（大怒）范大夫，想不到你竟想出这样荒谬的对策。没有城，寡人如何自保？吴国兵不是随时可以长驱直入，我们岂不要日夜提心吊胆了吗？

范　蠡　不死不生，不断不成。这是置之死地而后生的道理。拆去城门，叫夫差不生疑虑，不把越国看成眼中钉，肉中刺。拆去城门，才更叫我们君臣上下不能高枕无忧，知道吴兵随时打得进来。大王，城的用处，只是退守。而如今，我们生聚教训，是为了来日向吴的进攻。如果只求退守，不想进取，那么，这仅余的弹丸之地，也是不能自保的。这样看来，拆与不拆，都是小事。

勾　践　（有所领悟）都是小事。

范　蠡　苦成，鸟雍，你们是打过仗的，在战场上，不怕死的反会生，想偷生的反会死。大王，如果越国上上下下不准备立志破吴，那么，只是靠城，有什么好处呢！

鸟　雍　对呀！

苦　成　我懂了。拆了城门，这才是下定决心，向前进取。

勾　践　（缓缓地）是啊，置之死地而后生。

〔无霸上，捧虎血一盂。

无　霸　启禀大王，衅鼓的时辰到了。

勾　践　（奋扬地）抬鼓来，寡人就在此地衅鼓。范大夫，从此我们再不能有一丝一毫苟安自保的念头。敌人也不许我们稍有一点苟安的打算。

〔卫士抬上战鼓。

无　霸　（献呈虎血）大王，这是猛虎的鲜血。

勾　践　好。以虎血衅鼓，更加令人勇壮。

〔勾践接过虎血，行衅鼓之礼。众跪下。勾践捧盂过顶，举了三举，祝告。

勾　践　击鼓蓬蓬，外御强凶，

赫赫威武，六军之雄。

击鼓蓬蓬，且击且攻，

声威烈烈，歼彼元戎。

〔勾践用虎血洒在鼓上，无霸接过血盂涂洒鼓身。

勾　践　（激昂地）战鼓的声音，叫我们锐意进取。战鼓的声音，叫我们有进无退。范大夫，今天不能将这鼓装在城上，来日伐吴，我定要用此鼓，击鼓发兵！

苦　成
乌　雍　好，来日伐吴，击鼓发兵。

〔乌雍与苦成抬鼓下。

〔季婴上，后随卫士二人，持着铁犁，季婴手持牛鞭。

季　婴　父王，百官恭候大王行春种之礼，儿臣已经把牛牵来了。

〔泄皋匆匆上。

泄　皋　启禀大王，被离、王孙雄要觐见大王。

范　蠡　昨日和他约定，在城东淮阳宫赐见。

泄　皋　在这里，臣也以为不可。可是被离将军固执异常，定要在此地相见。

勾　践　（冷笑）他无非是要讥笑寡人扶犁耕田，失了君王的体统就是了。（恨恨地）就在此地召见他！

泄　皋　大王，还是换上王服吧！

勾　践　（怒视）为什么要换！叫他上来。

泄　皋　遵命。（向内呼）被离将军，王孙大夫，大王有旨召见！

〔王孙雄引被离上。后随军士。

王孙雄　（荐介）夫差大王特遣使命被离将军，前来宣慰越国臣民。

被　离　被离奉寡君之命，问勾践大王安好。

勾　践　谢大王恩。将军一路辛苦了。

被　离　（捧旨宣读）勾践听旨！

“越君勾践，返国四年，守土事吴，克恭克顺，年来进呈贡品，葛布十万匹，甘蜜千坛，狐皮百双，黄金千镒。良材巨木，犀甲晋竹如数。寡人嘉许，特赐羽毛之饰，以示深恩。猗欤盛哉！”

〔吴军甲士呈上带羽毛的冠服一袭。

被　离　勾践大王，这样的恩赐是稀有的盛事。连伍相国征战有功，辅弼老臣，也没有受过这样的重典啊。

勾　践　勾践谢恩谨领。（接过官服，递与泄皋）

泄　皋　（恭维地）夫差大王的恩德，真是山高水长。

被　离　听说大王躬耕南亩，夫人亲自织葛，真是很得人心啊。夫差大王和伍相国听了你们如此劳心苦志，十分关切。

范　蠡　寡君和君夫人亲自耕织，无非是为了贡献上国。

勾　践　寡人受吴国深恩，死不敢忘。

被　离　（傲然）这样说来，大王颇懂得以小事大的道理了。那么今日筑城是什么居心呢？

范　蠡　寡君奉命唯谨。已命令将城门拆平。

王孙雄　（惊讶地）拆平城门？

被　离　（不满地）只拆平城门？

勾　践　拆平城门，为了便于向上国朝贡。

王孙雄　（立刻转圜）好极，好极。这足见大王与吴国和睦的诚意了。

被　离　（还是不满地）暂且如此吧。大王，我还有一事相商。

勾　践　（笑说）贵使还有何吩咐，可与下国上大夫范蠡商量。（转命泄皋）泄皋大夫，要好好款待被离将军。寡人不恭，寡人要去犁田了。

〔勾践率季婴和持犁卫士下。

被　离　（不悦）好吧！就对你讲吧。（骄矜）前日，夫差大王兴师伐齐，大破齐兵于艾陵，俘虏了齐国的宰相，声威远震，中原慑服。你们既是吴国臣属，早应同申庆贺，犒劳吴军。大王命我传谕勾践，进贡肥牛千头，押送姑苏。

范　蠡　要肥牛千头吗？

被　离　嗯，肥牛千头。

泄　皋　（自作主张）犒劳吴军，下国义不容辞。不过肥牛千头，未免太多了。（转对王孙雄）王孙大夫，我看就凑个五百头吧。

〔范蠡一怔。

王孙雄　（望望被离，笑着）被离将军索牛千头，泄老大夫你就去了一半，这未免太少了。（自作主张地）我看就六百头吧，被离将军以为如何呢？

〔被离不理。

泄　皋　（笑容可掬地上前）被离将军！……

被　离　（猛地翻了脸）我奉了大王使命，和范大夫办理此事，王命国法，怎么有你插嘴的地方！（说着向王孙雄扫了一眼）

泄　皋　（无趣）是，是。

范　蠡　被离将军，越国缺牛。百姓耕田，不能没有牛，否则米从哪里出？

被　离　越国从前本是打鱼打猎的小邦。耕田种稻，不是你们的事情。吴国有的是米，还能养得起你们。

范　蠡　我们不愿做上国的累赘。被离将军要其他东西，越国上下定当勉力奉命，只是牛——

被　离　（满心愠怒）夫差大王意旨，这次要的是牛。肥牛千头，一头也不能少。

王孙雄　（不满被离的年少气盛）被离将军，这事要慢慢磋商才是啊。

范　蠡　请你禀复夫差大王，莫说是肥牛千头，便是一百头也没有力量办到。

〔无霸匆匆上。

无　霸　范蠡大夫，凡是有牛的人家都来了吴国兵，不许牵牛下田，范大夫……

范　蠡　被离将军！这是为了什么？

被　离　（专横地）既要牛来劳军，就不能用来耕地了。

〔忽然传来牛吼人叫的声音。

〔太辛老爹匆匆奔上。

太辛爹　范蠡大夫，不好了！吴兵抢牛了，吴兵抢牛了！

王孙雄　（低声，着急地）被离将军，这是怎么回事情？

被　离　范蠡大夫，这显然是越国刁民对吴国兵士又来撒野，才闹出事来。今天一早，就闹了两次。范蠡大夫，你要查究严办！王孙大夫，走。

〔被离扬长下，王孙雄随下。

泄　皋　被离将军，千万不要动气。王孙大夫，王孙大夫……（泄皋追下）

无　霸　范蠡大夫，奉大王谕，大王要立刻见你。（向远处一指）就在田边。

范　蠡　太辛，你去告诉百姓，赶快赶牛上山，能保一头，就保一头。

〔范蠡与无霸下，太辛爹下。

〔这时在一片牛奔人喊声中，吴兵二人挥着鞭子暴打防风婆。防风婆婆挣扎着上。

防风婆　天杀的吴国兵啊！你们不能抢我的牛，强盗！

〔防风婆跌倒地上，吴兵狠狠毒打。

〔黑肩奔上。

黑　肩　（大呼）住手！

吴　兵　你也找打？

〔黑肩扑在防风婆身上，吴兵没头没脸地鞭打黑肩。

另一吴兵　（向外）把牛牵走！

〔内应："是！"

防风婆　还我的牛，还我的牛啊！（追喊着下）

〔黑肩挣扎起来。这时，吴兵二人掳劫黑肩妻，匆匆走过。

黑肩妻　救命啊！救命！（发现黑肩）黑肩，救我！

黑　肩　禽兽！我跟你拼了！（冲下）

〔四面八方牛奔人叫，鞭打厮斗，乱成一片。

〔匠丽、匠丽妻、越国百姓和"壮士们"执刀剑棍棒追上。

百姓甲　吴兵把黑肩嫂也抢走了，快去救人啊！

众　人　走！

〔许多百姓追下。

匠　丽　无霸，我们绝不叫这群禽兽再横行霸道。

众　人　（擎起刀剑）跟他们硬拼！

无　霸　（怒气填胸）好，天塌下来，有我顶住。我们就去杀光这群强盗，抢牛回来。

匠　丽　我们就去杀死被离。

众　人　杀被离，走啊！杀被离！（正要冲杀前去）

〔范蠡急上，后随苦成、鸟雍。

范　蠡　（大喝）无霸，停住！

苦　成　停住。

〔众人立刻停住。

无　霸　范大夫。

范　蠡　你们要干什么？

匠　丽　去杀被离！

范　蠡　（望众人）这里有“五千壮士”吗？

〔无霸和壮士数人举起刀剑，齐声回答。

无霸等　有。

范　蠡　（沉静地）你们不想报家国深仇了吗？——你们手里拿的是什么？

无　霸　（不觉）刀啊。

范　蠡　这样一来，不是完全泄露了吗？——就为了杀几个吴国兵吗？

鸟　雍　我拼了性命也要杀死被离。

苦　成　杀死十个被离也不能解恨哪。

范　蠡　刀剑收起，仇恨记下。

众　人　（一致收起刀剑，低声）刀剑收起，仇恨记下！

〔沉静肃穆中，勾践上，后随文种。

〔众人屏息，凝望勾践。

勾　践　（镇静）大家去犁田吧！

匠　丽　（轻声）没牛了！

防风婆　（这时踉跄走来，拭着眼泪）大王，我的牛啊！——

〔勾践夫人率季婴上。

勾　践　（望防风婆婆，转对文种）将寡人的牛赐给他。

季　婴　（跪下，悲愤地）父王的牛也没有了。

防风婆　（喃喃）没牛，怎么耕田啊？

勾　践　（坚决地）有人！用人拉！

〔勾践从卫士手里接过铁犁，背在身上。转对夫人和季婴。

勾　践　下田去吧。

〔勾践率夫人、季婴走向田里，把绳子背了起来。范蠡扶犁，他们奋力拉犁前进。

苦　成　（向众人，刚强地）走，下田去！

〔百姓们望着勾践，都默不作声，奔向田里。

〔被离与王孙雄匆上。

〔他们望着田间奋力拉犁、一声不响的越国君臣。

被　离　你看，他们在干什么？

王孙雄　犁田。这群人哪！——被离将军，夺牛的事，未免太鲁莽了。伯嚭太宰是不会赞同的。

被　离　王孙雄大夫，你镇越四年，大王说你办事不力！

王孙雄　怎么？

被　离　失落了镇越神剑，到现在还没有找到。

王孙雄　为了此事，我寝馈不安。失剑之后，我曾按照大王的圣谕，派兵搜索，杀人屠城，前后三次。但是这群蛮子，简直毫无人性……

被　离　大王命你立刻搜剑，今天夜里，我就要带回姑苏。

王孙雄　今天夜里？（谄媚地）我还预备在（指着）我的歌台，笙歌女乐，和你做长夜之饮呢！

被　离　（冷冰冰）我要紧急禀报。请你今夜四鼓，鸡叫第二遍的时候，为我备下轻车快马，我准备星夜起程。

王孙雄　好，我马上动手搜剑！定要穷追到底！

（暗　转）

〔满天晚霞，映在水田里。古槐枝旁，一轮血红的夕阳，正照着勾践、文种和苦成。在沉郁的空气中，三个人在土坡上相对着。

〔远处禹庙的钟声，不断从暮霭中传来。钟声缓缓震荡着。半晌。

文　种　鸟雍在禹庙敲钟了。这一下一下的钟声，告诉了百姓，吴兵正在搜剑，每家赶快把兵器藏好。

勾　践　（抚剑不语。瞭望着远处城郭上的云霞，满脸怒气。忽然拔出剑来，霞光闪闪，向前一挥）这“镇越宝剑”是不能再换主人的。它在夫差手里，是越国的耻辱。百姓将它拔下，为它流了血，死了人，交在寡人手里，它就是越国人的骨气。

文　种　（不安地）王孙雄连下了三道军令，叫吴兵见人就搜，有门就闯。几次搜索兵器，没有这样严紧过。现在他们已经搜过了坠马桥。搜到城南，大王密藏刀剑的兵库，如果因而泄露，全被劫走，那损失就难于弥补了！

勾　践　是啊！交出去就能停止搜索，救下兵库。难道能为了这三尺烂铁，丧失所有的兵器吗？——（低声）交出去吗？（昂奋地）可是交出去，就是交出了越国人的骨气，交出了百姓对寡人的期望。

苦　成　（沉重地）也是交出了越国百姓这一片耿耿的是非之心了。

勾　践　这剑是万不能交的。（望着夕阳）宁可做那笔直折断的剑，不做那弯腰屈存的钩，寡人这番心志，定要上告祖先，昭示百姓。我到禹庙去了。文大夫，你叫范大夫去妥善应付吧。

〔勾践佩剑昂然下。

文　种　（自语）无论如何要保住兵库的剑和刀。

苦　成　（义形于色）定要保住兵库的剑和刀！

文　种　（意在言外，安抚地）苦成老人，不要担心。我和范大夫计议一下，必然想出万全之策。

苦　成　（长揖）苦成领受了贤大夫的深意！

〔文种下。

〔沉重的钟声，不断敲击，一声声震动人心。苦成望着天边殷红的半轮夕阳，镇定肃穆。

苦　成　生当为人杰，死也做鬼雄。宁做那笔直折断的剑，不做那弯腰屈存的钩。兵库的剑、刀是不能搜去的，越国的骨气是不能丧失的。（沉毅地）疾风知劲草，岁寒见青松。只有苦成我去，才是万全之策。（望着远处的禹庙，心思如潮，诵白）

是非难颠倒，就是千刀万剐，
要保下兵库的剑和刀！
拜倒，向钟声起处拜倒，
朝那巍巍大禹闪英灵的庙。
是大禹的裔苗，人不老，
双肩担负下铁铮铮的节操。
要保住这剑和刀！

〔这时，吴兵押着被绑的越国百姓数人，他们坚毅不屈，昂然走过。

这暖水热土啊，你恩盖天高，
为了你，多少人惨烈烈死了。
这红红的夕阳啊，
是流不尽的英雄血；
这腾腾的晚雾啊，
是压不倒的冲天壮气豪。
要保住这剑和刀！

是我拔下这“镇越剑”，

我就去当头劈面，

喝住这横行的鸱鸮。

告诉他们：

“我早将它沉在万丈的剑湖底，

它化成了越国的龙蛟。

正气难摇。你不用找！”

为了保住这剑和刀，

做了厉鬼也咆哮！

儿孙们哪，

你们定要揭地掀天，

将今日的乾坤翻倒！

〔鸟雍匆匆上。

鸟　雍　（急煎煎地）苦成老爹，大王这时还要我带人上山伐木！

苦　成　为了造船吗？

鸟　雍　（愤急）正是啊！现在吴国兵眼看着就要搜到我们的兵库了，可是大王这个时候，还叫我伐木造船！

苦　成　（沉思）大王这时还不忘记造船伐吴的大事，这才是我们的大王啊！（望着鸟雍）你还不安心吗？

鸟　雍　（恍然）对啊。

苦　成　你还不去吗？

〔勾践上。

鸟　雍　（兴奋）对啊！

苦　成　去吧，乌雍。（望见勾践，语重心长）你要衔枚疾走啊。从今以后，要像追剿敌人那样，口含竹枚，默不作声，奋迅前行。

乌　雍　知道了。（反身就走）

苦　成　知道什么？

乌　雍　“快快做，莫作声”。我走了。

〔乌雍下。

苦　成　大王，我献给大王一件东西。

勾　践　什么？

苦　成　（从腰间取下苦胆）胆。胆能明目，它叫人眼亮。大王要看清哪！一时强弱在于力，千古胜负在于理。大王，我去了。（下）

勾　践　（将胆随手挂在石崖上，陷入沉思中）千古的胜负在于理！

〔在这当口，日落云憩，夕阳沉落在暝色里，最后的几缕晚霞散了。

〔天暗暮浓，茂竹丛岭上，升起一轮新月。

〔勾践在徘徊着，沉思着。

〔远处有几声清亮的渔歌，随着月光照着的江水，逐渐消失了。

〔村落里，劳累一天的人们回了家。炊烟熄了，村落开始入梦。偶尔有几点星火，想是妇女们还在纺织。

〔勾践在徘徊着，沉思着。

〔禾田里灌满了水，星光在水里，静静的。春风荡漾，夜色是那样晴朗。

〔竹阁里，勾践夫人走进来，点起油灯，坐下纺织。

〔竹篱外，无霸默默走上，执戈守卫。

〔更锣敲了两声。

勾践夫人 大王，二更了。（见勾践没有答应，仍坐下纺织）

勾 践 千古的胜负在于理。然而要多少今天这样的日子才能赢得这个胜负啊。

〔木铎声缓缓走过去。

勾 践 二更天了。这一天哪，拆城，抢牛，搜剑，民受苦，君受辱，还不知道兵库如何呢？

漫说人非木石，就是一块石头也会气得喷出火来。

大禹啊，我的祖先！你披荆斩棘，劳神焦思，奔走七年，过门不入。

你为了百姓的疾苦，奔波劳碌。草鞋掉了，你顾不得回头去拾，树枝挂住你的王冠，你顾不得回头去摘啊！

大禹啊，我的祖先，你形容枯槁，面目黧黑。你奔走四海，研究山川脉理；你疏江导河，凿石决流，你终于制服了天下滔滔的洪水。

你说：一个男子不耕田，就有人因而受到饥饿；一个女子不采桑，就有人因而受到寒冷。

你威德通神明，连一群群飞鸟都为你耕田！

会稽，就是你得天下的地方。是你叫四海九州，都知道会稽这个光灿灿的名字。

而我，你的子孙，一个鱼虾都不如的东西，竟然辱没了你，也辱没了会稽。

我，继位的时候，只知道酗酒打猎，流连荒亡。略略知事的时候，又骄傲盈满，不知养民。我把会稽这个名字变成了粪土败絮，会稽在我的手里，成了最羞辱，最见不得人的地方！

〔这时，一阵急管繁弦，伴着女歌，从王孙雄的楼台，随风飘来。

勾　践　这是什么声音？

王孙雄就在我的京城会稽，盖起歌台，夜夜唱着夫差的吴歌。可羞啊，可羞！

我卑鄙，我怯弱，像一只惊弓之鸟，一见猎人的影子，就钻入天去。我只知退缩。抢牛，我不敢回手；搜剑，我不敢回手；连拆城我都不敢回手。这一鞭一道血痕，打在我的心上。我就是脸皮厚，就是不知痛。在群臣面前，在范蠡、文种这样难驾驭、不能长居人下的大夫面前，站着我这样一个不成器的君王！

我是什么人哪！（捶胸长啸）哦，我恨——哪！

〔远处忽然轰轰隆隆，一片倒塌的声音。

勾　践　这是什么声音？

无　霸　大王，我们的城门拆了。

勾　践　（悲愤地，默默低下头来）

〔一个披甲执戈的卫士上。没有看见勾践，对着竹阁。用戈矛敲了三记高声。

卫　士　勾践！你忘了会稽之耻吗？

勾　践　（突然仰起头来，奋声疾呼）没有忘记！勾践没有忘记！

〔卫士下。

〔勾践又在徘徊。

〔更锣敲了三下。

〔夜更深了。月光如水。文种走上，后随黑肩。

文　种　（平静地）启奏大王，吴兵停止搜剑了。王孙雄说已经获得拔剑的人了。

勾　践　苦——成？

文　种　（昂壮地）苦成老人自己去的。他殉了难。他在禹王庙前殉了难！

〔沉默。

黑　肩　（望着无霸）二哥！

勾　践　苦成老人！

黑　肩　二哥，我要去练兵习武。

无　霸　好，你来吧！（无霸领黑肩下）

〔文种下。

勾　践　义士啊，苦成！你死得其所，你死得比泰山还重。（走到崖前，望着苦成送的胆）怪不得你送给我这东西——胆哪！胆哪，你颜色墨而绿，你不美，你不香，你性寒，你苦而涩，一看见你，就知道你的气味是多么难以入口。你像苦成，苦成又多么像你啊。

你苦啊，胆！可你是清心明目的，你叫我们眼亮耳明，看得见希望，听得进一切忠言善语。

你苦啊，胆！然而你是退热的，定神的，使人镇定，你叫我不焦躁，不慌张。在敌人面前，深思熟虑，知机观变，要沉静。

胆，你是多么苦啊。但是你能教人胆壮，叫人勇敢，敢于面对一切残暴和不平。

胆，你苦啊。但你是驱毒的，除不洁的。你教我们把一切懒惰、苟安的毛病都一起抛却，教我们敢于把这肮脏的世界洗得干干净净。

胆哪，你不巧言令色，你外面那样的不动人，你心中却藏了这么多的治国治人的道理！

苦成，这一个胆就顶替了你的千言万语。这一个胆就说出了多少死了的壮士百姓深深的心意。

我要天天尝它，夜夜尝它，日夜不离它。见了胆就如同苦成在我的身边。见了胆，就如同见到多少被杀戮的黎民百姓。

见了胆就会想起千古的胜负在于理，而这理要多少劳心苦行才能争取到啊。

〔这时，披甲执戈的卫士又上。仍对着竹阁，用戈矛敲了三下，高呼。

卫　士　勾践！你忘了会稽之耻吗？

勾　践　（沉静的回答）没有忘记。

〔卫士下。

〔夜更深了，月光下，江山如画。勾践望着睡熟了的村落，一片刚犁过的田野，心中逐渐引起一腔欣悦的情怀。

勾　践　江山哪，我们定会苦尽甘来，我们要赢得千古的胜负。

黎民百姓啊，我们定要苦尽甘来，我们不怕这一时的强弱。

个个执剑，人人扶犁，就在这方圆不满百里的疆土上，也要兴起一片腾腾的王气。

我听见，这是多么美妙的声音啊！一天辛苦，人们在沉沉酣睡的声音。

我听见，妇女们在灯下纺葛的声音，

我听见，南风吹动麦浪的声音，

我听见，丰收割稻的声音，

我听见，酿酒祭神的声音，

我听见，捣土筑屋的声音，

我听见，坎坎伐木的声音，

我听见，叮叮造船的声音，

我听见，战舰上扬起风帆的声音，

我听见，沟洫中哗哗流水的声音，

我听见，泼剌剌鱼跳的声音，

我听见，禾苗在滋长的声音，

我听见——

〔忽然传来呱呱的婴儿的啼哭声。

勾　践　（谛听，低声）——这是什么声音？

〔婴儿哭得更欢，勾践喜形于色。

勾　践　婴儿的哭声，这是多么美妙的声音啊！

〔勾践夫人抱着一对孪生的婴儿上。

勾践夫人（欣喜地）大王，无霸的妻子刚刚生下一对男孩，请大王取名。

勾　践　好，好，一个叫子犁，一个叫子剑。

勾践夫人　好。

〔勾践夫人抱婴儿下。

〔晓星闪闪，鸡唱第一声。

勾　践（满怀朝气）一声鸡叫！我听见支棱棱剑响的声音！（拔剑而起）

〔这时正走上披甲执戈的卫士，他向着竹阁，高声。

卫　士　勾践！你忘了会稽之耻吗？

勾　践（拔剑向前一刺，活跃地）没有忘记！（舞起剑来）

〔勾践舞的热烈欢畅，无霸这时也舞着剑上来。二人月下对舞。文种悄悄上，望着他们。

文　种（向山下一指）大王请看，都在练呢！

勾　践（招手）到这边来。

〔卫士二人抬鼓上。勾践拾起鼓槌，雄壮地击起刚刚衅过的鼓来。

〔无霸用剑一挥。大队青年农夫，整齐肃武，持戈操矛，按着咚咚的鼓声，操练着上来。最末一个恰是黑肩。

〔鸡叫第二遍，远处田野边，有人持着火把，驾着轻车快马，正向吴国飞驰。

〔范蠡匆匆上。

范　蠡　大王，请轻一些。（指着远处移动的火光）被离回国去了，他一定又向伍子胥急报什么去了。

〔勾践警觉地停了一刻，火光隐没，鼓声再起，震荡田野。

〔东方开始露出熹微的晨光。

——幕落

第五幕

十五年后，又一个秋收的季节。江岸禹庙前（景同第一幕）。

清晨，阳光洒满了江畔。江流蜿蜒，远处望见越国一簇簇的艨艟战舰，大小渔船在江上来往如梭。

山青了，树绿了。对岸的田野稻穗累累，茂密的农作物延伸到吴王夫差的丰功碑旁，连碑底的雕饰花纹，都看不见了。

岩石上，夫差插剑的地方还是光溜溜的。这几年里，在苦成殉难以后，不知谁在这上面刻上两个巨大的篆字："苦成"，刻得苍劲古朴，生气勃勃，就像苦成活着时那种神气。人们把这块地方称为"苦成崖"。它成了越国父老经常教诲砥砺子弟的地方。

江岸禹庙焕然一新。门前高悬着越王勾践衅过的钟和鼓。

开幕时，禹庙门前立着两个越国军士。对面防风婆、匠丽嫂、子犁、子剑、黑肩，还有许多越国兵士和百姓，都跪在苦成崖前。崖前燃烧着熊熊的燎火。鸟雍站在最前面，他深深拜了三拜，跪下。

鸟　雍　苦成！老爹！十五年前，夫差就是在这里杀的你。十五年了！这十五年鸟雍没有一天忘记你。越国人也没有一天忘记你。你成了神了。你保佑越国风调雨顺，你保佑越国年年丰收。这十五年，我们忍着这口气，昼夜辛苦，不敢怠慢。苦成，老爹，你来看吧！你看，大江里是咱们越国的战船。你看，家家是谷满仓，牛成群，孩子一堆一堆的。他们长大了，入了伍了。连你殉难那天生下的孙儿，子犁、子剑也都入了伍了，拿起你舍命保下来的戈矛刀剑了。天天都显着灵应的老爹啊，如今我们熬出头来了。这十五年，越国人每年都要在你的苦成崖上磨一次刀剑。你看崖石都磨了深沟。崖石啊，你好比苦成老爹铁硬的骨头！这剑上的钢锋啊，你好比苦成老爹望着我们的眼睛！老爹啊，你看吧，我们不会给越国丢人的。（持剑上前，在崖上磨了两下，退回，对大家）起来吧，都磨了吧？

众　人　（齐声）磨好了。

〔一个青年后生站在崖石上，向远处瞭望着。

青年后生　（一面瞭望，一面兴奋地喊）看哪，船上的渔户们都来了，送壮士从军的都快连成一条河了。

〔完全白了头发的太辛老爹赶来，举着一袭战袍，走到子犁、子剑面前。

太辛爹　（对孪生兄弟）子犁子剑哪，你们入伍了。这战袍是我儿子穿过的，当作寒衣，你们穿上吧。可惜只有这一件，太少了。

几个青年　（齐声）这还少吗？这是五千壮士穿过的啊！

子　犁
子　剑　（接下战袍，躬身）多谢老爹，我们兄弟合着穿吧。

黑　肩　对呀，合着穿吧！（诵说）“谁说寒衣少，咱们合穿一个战袍。大王起义兵，壮士磨戈矛。”

乌　雍　（豪气地）着啊！这个歌才是汉子唱的。

黑　肩　（领唱）

谁说寒衣少，

咱们合穿一个战袍。

青年们　（唱）

大王起义兵，

壮士磨戈矛。

众　人　（齐声唱）

谁说寒衣少，

咱们合穿一个战袍。

大王起义兵，

壮士磨戈矛。

你我同仇恨，

仇恨似火烧。

〔远处军角声。

子　剑　听，这是为什么？

〔一个老妇人仓皇跑上。

老妇人　乌雍爹，不好了，吴国兵来了！

太辛爹　吴国兵又来了？夫差不是要领兵到中原黄池去会盟吗？怎么又到越国来了？

〔四面传来军角声。

乌　雍　你们听，各处都起了号角声，是吴国兵来了。

〔一个青年击着木铎跑上。

青　年　吴国兵来了，离会稽不远了。

子　犁　我们的戈矛都磨好了！

青年甲　杀他个干干净净！

子　剑　把夫差的首级就枭在这里。

〔马嘶声。

鸟　雍　我们的战马都叫起来了。大王要发兵了。

〔众人摩拳擦掌，议论纷纷。

〔文种上。

众　人　文大夫来了。

文　种　（对众人）你们速做准备，归营的归营，上船的上船，等候大王号令。

〔众人下，鸟雍留下。

〔勾践上，后随泄皋与卫士。勾践着戎装。

泄　皋　（急趋前）大王，容老臣再冒死上言，不要因为一时轻举妄动，断送了大王的前程。

勾　践　（严厉地）你说寡人的前程是什么？

〔无霸上。

无　霸　见大王。

勾　践　无霸将军，战舰现在何处？

无　霸　屯在江东。已经祭过了水神，等候开船。

勾　践　无霸将军，你看现在是否还能将战船隐蔽起来？

鸟　雍　（激动地）怎么？隐蔽起来？大王还没有隐蔽够吗？

无　霸　大王，我们应该迎头交锋。（跪下）十八条战船水军叫我向大王请命发兵。

鸟　雍　（也跪下）大王，打吧！再不打，我们又成了夫差的网中鱼，就要下油锅了。

泄　皋　鸟雍，你懂得什么？在此地乱说！（对勾践）夫差大王正要出兵北伐齐、晋两国。他此来虽说与大王会猎，实则必然是有求于我们。大王就应该趁此立功，尽力相助，将来夫差一定对大王感恩论爵。那时，大王虽在夫差之下，却在诸侯之上。越国百姓的万世安乐都看大王当机而断了。

鸟　雍　（愤怒地）泄皋大夫，我从前看你不过是个胆小怕事的大臣，今天我才知道你是个罪该万死的小人！

泄　皋　一个家奴敢这样犯上！左右，把他拉下去斩了！

勾　践　（拦住）泄皋大夫！

鸟　雍　斩就斩吧。大王你要是听了他的话，你会丧尽民心的。

泄　皋　大王，臣以为大王要在黄池会盟之前，争得第一个以霸主之礼侍奉夫差。

鸟　雍　（激愤难抑，指着泄皋，迸发地）无耻！石头人也要气炸了。一个人只要有条脊梁，有点血性，今天就再也不会想到向夫差做这样没骨头的事。（远处，战马嘶鸣）大王，听啊，越国的战马都叫着要上战场啦。我一头都想把夫差的万乘兵车，撞个粉碎！（鸟雍一怒而下）

泄　皋　（气急败坏地）家奴！这样悖乱！

勾　践　（赞叹地望着鸟雍的背影）这是个奴隶吗？（忽然转身对泄皋）你叫些什么？连一个卑贱的奴隶都能说出这样的话来。

（厉色）你不觉得羞愧吗?（抑制住，烦恶地）你快去迎接夫差去吧。

泄　皋　（连连应声）是，是。（退下）

勾　践　（转向文种，刚毅地）“杀敌者，怒也。”文大夫，今天百姓的怒气已经是按捺不住了。

文　种　大王说得是。

无　霸　大王，那么还是立刻发兵，迎头痛击，杀他个片甲不存。

勾　践　我多么想就在这会稽城下，雪会稽之耻啊。（挥手）无霸将军。

无　霸　（上前）在。

勾　践　（抓住无霸的手腕，机密地）杀猪杀到喉，做事做到头。我们天天踩在老虎的尾巴上过了二十年，今天这一棍打下去，必得叫他永难翻身。今日和吴国对垒，不在眼前小胜，定要一举灭吴。如今还是吴大越小，不可硬拼，利在智取。范大夫联结齐国晋国去了，还没回来。临行之时，寡人和文、范两大夫，定下了灭吴大计。

无　霸　（紧张地听着）哦。

勾　践　我们必须等待夫差北上黄池会盟的时候，趁他精兵北上，国内空虚，攻他的后背。

无　霸　哦。

勾　践　我们必须等待时机，出其不意，从海道袭击姑苏。

无　霸　（一愣，豁然）从海道袭击姑苏。

勾　践　我们必须联结齐国晋国，和我们南北夹击。

文　种　这才能以少胜多，一举灭吴。三者缺一不可。

勾　践　如今，夫差在北上之前，又突然引兵来越，这仍是对寡人不甚放心。为今之计，是要使他安心北上。无霸，你去速做准备。好好开导鸟雍。

无　霸　是，小人懂得了。

〔无霸施礼下。

勾　践　（向文种，有些焦灼）范大夫怎么还不回来呢？

文　种　大约正在路上。

勾　践　文大夫，我们一同到江边迎接夫差去吧。

文　种　时机微妙，越国的生死安危在于呼吸之间，大王要善于周旋哪。

勾　践　（从容地）二十年来，寡人别无长进，听取忠言，寡人学会了。

〔勾践与文种同下。

〔鼓乐奏鸣声中，泄皋引夫差和伯嚭上。

〔夫差年已五旬以上，面染风霜，多了皱纹，但还是神采飞扬。

〔伯嚭颇见苍老，不像以前那样锋芒毕露了。他在润泽的面色下，掩藏着更难捉摸的狡险。

泄　皋　寡君勾践，正去江边迎候，不料大王却换了乘马前来。

〔夫差不理他。

伯　嚭　大王是为了多观赏一下越国的风光。

〔一阵猎犬狂吠奔窜的声音。

泄　皋　（用尽心思找出一句恭维的话）大王此番和寡君会猎，所携猎犬真是又胖又壮，胖，胖得可爱极了。

夫　差　（打断他，不怿地）去，速传勾践，前来见我！

泄　皋　是，下臣告退。（泄皋施礼下）

夫　差　（进场来便背身望着江上的一片战船，一语不发。这时忽然回首，悻悻然地向伯嚭）太宰，这些年来，你只知贪财好货，收下勾践的贿赂，却看不见他处心积虑，早生了异心。

伯　嚭　（惶恐地）大王圣明，臣罪该万死。

夫　差　幸亏寡人听了伍子胥的话，在会盟之前，亲来看个虚实。

伯　嚭　（窥探着）大王圣明。

夫　差　（踱了两步，面色略霁）不过伍子胥也未免大惊小怪了。

伯　嚭　大王圣明。（依然窥探着）伍老相国虽是危言耸听，而大王还是不虚此行啊。

夫　差　哼，越国情况，不过尔尔。这次来越，耽误了寡人两天北上会盟的日期。

伯　嚭　大王圣明。（摸准了夫差的心意，滔滔不绝地）大王，十五年来，南征北讨，宣布威德，就为的是今天能够会盟诸侯，称霸中原。如今，陈、卫、晋、鲁四国诸侯都已在黄池等候。万一误了会盟日期，那不仅失信诸侯，还要贻笑天下。这样看来，伍老相国定要大王来越，未免是多此一举了。刚才伍老相国与大王争执不休，有失臣礼。也难怪，自从他卸了兵权以后，对大王心怀不满，这次——

夫　差　（用眼一睃）伯嚭，你又想说他的坏话了！

〔这时，伍子胥上。他须发皓白，精神矍铄，但眉宇之间透露着内心的忧思。他穿着文官宽大的朝服。

伍子胥 （直咄咄地）大王还要北上会盟吗？

夫　差 伍相国，你又看到了什么？

伍子胥 老臣看到——（痛心疾首）越国将兴，吴国将亡。

夫　差 （隐忍地）伍相国，你老了，你很忠心。你讲什么，我都懂了，你去吧！

伍子胥 大王，你并没有懂！（长者的口气）你并非孩童，而是五十以上的人了。你应该看清，朝廷里里外外都是你的仇人，满朝文武对你不敢说一句真话。各国诸侯都窥伺吴国，要来挖我们的祖坟。老臣一想到大王的处境，不禁忧心如捣。

夫　差 （骄横自负地）二十年来，寡人战无不胜，攻无不克。你有什么可虑？

伍子胥 我怕不等你会盟回来，勾践大军已经打进姑苏了。

夫　差 （盛怒）你简直妖言惑众！（又镇定下来）那么，伍相国，依你之见呢？

伍子胥 （一字一字地）马上调回北上大军。就在此时，一举灭越，永除后患。

夫　差 会盟称霸，寡人二十年来苦心经营，寝馈难忘。如今已是势在必成，而且，这是天命所归啊。

伍子胥 （惊诧，转而大笑）天命所归？大王的雄心真令人吃惊。（冷冷地）大王与其这样想，就不如那样做了。

夫　差 怎样做？

伍子胥　今天大王就带领伯嚭，解去衣冠，在勾践门前，长跪不起，叩头请罪，俯首称臣，也许还能保住大王的性命。

夫　差　（大怒）荒谬已极，你给我下去！

伍子胥　大王，你睁开眼睛吧。你看！那是满江越国的战船，这是遍地丰登的稻田。越国现在坚甲利兵，仓廪充足，上上下下，立志灭吴。而吴国呢？（向近处一招手）你过来！（一个瘦弱的吴国士兵应声而上，伍子胥揭开他的甲胄）大王，你看吧！（士兵的甲胄里露出嶙峋的瘦骨，褴褛的衣衫）这就是吴国！外强中干！他一身铠甲，却面有饥色，体无寒衣。

夫　差　你住口！

伯　嚭　（斥退士兵）下去！

〔士兵惊惶退下。

伍子胥　大王，恐怕会盟之后，你的尸首都回不得家乡啊。

夫　差　（气得发抖）住口，寡人平日对你百般优容，你始终不改你那骄横的禀性。伍子胥，寡人如果不念你是先王老臣——

〔王孙雄匆匆上。

王孙雄　启禀大王，北上大军中不少兵士逃亡，请大王圣裁！

伍子胥　（恺切地）大王，你还不省悟吗？

夫　差　住口！这都是因为你妖言惑众，扰乱军心所致。（转对王孙雄）王孙雄！

王孙雄　（急应）在。

夫　差　把逃亡兵士，统统捉回杀掉！

王孙雄　是。（王孙雄下）

夫　差　伍子胥，你老而不知安分，心怀奸诈，不忠不信——

伍子胥　大王！

夫　差　你一贯欺压寡人，专权专威，倾害吴国！

伍子胥　（几乎是狂喊）大王，老臣忠心无二，可誓天日！

伯　嚭　（淡淡地）伍老相国，你难道忘了，你把你的儿子偷偷送到齐国去抚养的事了么？

夫　差　（突然一脸怖厉的杀气）是啊，此事寡人隐忍至今，不肯说穿。伍子胥，今天你还有何话说？左右！取寡人的“属镂剑”来！

卫　士　是。

伯　嚭　（大惊失色，匍匐在地，仓皇地）大王，这这，万万不可，万万不可……

〔卫士捧剑上。

夫　差　伍子胥！你拿去自处吧！

伯　嚭　（连连叩头）大王，大王不可啊！不可！

伍子胥　（接剑，仰天长呼）臣死不足惜，只可惜先王血汗得来的江山，白白断送在你的手里。

〔这时，前后左右战歌声起。越人齐唱：“谁说寒衣少！”歌声昂扬。

伍子胥　你听吧，他们就要来杀你了。

夫　差　（大叫）我是天之所生，地之所载，神之所使，谁奈我何？

伍子胥　（悲怨已极）老臣死后，请把老臣的眼珠高悬在姑苏城上。

我要亲眼看着越国大军，杀进姑苏！

夫　差　（恶狠地）我要豺狼吃你的肉，野火烧你的骨，大风扬你的灰，叫你骨肉糜烂，化为齑粉，你还看个什么！

〔越人军歌声更加雄壮。

伍子胥　（他执剑走了两步，忽又反身停住，向夫差，哀恳地）大王，就听老臣死前的一句话吧！越王勾践，爱民敬贤，肯听忠言，此人不死，必成大事！越王勾践，寝不安席，食不兼味，此人不死，必得其愿！越王勾践，整军经武，立志灭吴，此人不死，必为大敌！

夫　差　（盛怒，顿足）下去！你还留恋什么？

伍子胥　（跪下，施礼）臣——走了。臣伍子胥一生受吴国厚恩，向大王谢罪。

〔伍子胥持剑下。

〔越人军歌声又起。

夫　差　他们唱些什么？

伯　嚭　他们唱的是："你我同仇恨，仇恨似火烧！"

夫　差　（沉吟自语）想不到巴掌大的地方，蛤蟆一样的几个人，却成了这样的局面了。

伯　嚭　大王，（窥探地）那么就此刻动手吧。

夫　差　（有些犹豫）可是北上会盟之期——

伯　嚭　是啊，打起来，我们就被拖延住了。

夫　差　（决断地）还是先会盟，后灭越！

伯　嚭　大王，（指点看）这些越国船舰，不可轻视啊。

夫　差　（徘徊，忽然）这我自有办法。

〔被离匆匆上。

被　离　（施礼）臣被离见驾。有紧急军报。（望着左右，有些迟疑）

夫　差　你快讲吧！

被　离　（机密地）齐国暗中发了甲兵五万，兵车千乘，意图夺霸，正向我们北部边境集结。

伯　嚭　（大惊）真有此事！

被　离　是！

伯　嚭　齐国果然不可靠！

被　离　听说晋国也誓师发兵了。大王，情势危急啊！

夫　差　嗯。

被　离　（又露出悻悻的神色）臣还有一事不解，刚才伍老相国从臣身边走过，对臣一言未发，面有忧色，这是何缘故？

夫　差　（怒斥）此事你不必多问！

伯　嚭　被离，齐晋两国发兵的事情，你泄露过吗？

被　离　被离一字未泄。

夫　差　（从容）被离，你上前来！

被　离　（走上前）大王！

〔夫差一剑刺杀被离。

伯　嚭　大王，这是为何？

夫　差　免得惑乱军心，让他从伍相国于地下去吧！

伯　嚭　大王圣明，拖下去！

〔卫士将被离尸首拖下。

〔卫士长上。

卫士长 启禀大王，勾践君臣，率妻子来迎见大王。

夫　差 传他上来！

卫士长 是。（下）

夫　差 希虎。

希　虎 在。

夫　差 我命你调动吴国舰船，火速带一队兵马，疾驰江边，把越国船只统统看守起来！

希　虎 遵令。（希虎下）

夫　差 （焦灼，自语）看来，伍子胥的话，还是叫他讲中了。

〔一阵猎犬狂吠声传来。

夫　差 （咆哮地）把这群猎犬给我统统杀掉！

〔卫士应声下。

夫　差 （恶狠地）中原称霸，势在必行。勾践，勾践，会盟之后，我定要斩草除根，把越国灭个干干净净！

〔内呼报："勾践君臣到！""勾践君臣见驾！"

〔勾践、勾践夫人、文种、泄皋等上。后随越国仪仗。

勾　践 （与夫人同施礼）东海贱臣勾践率臣妾参见大王。

文　种 （施礼）陪臣文种参见大王。

夫　差 （欠身还礼）请起，赐坐。

勾　践 臣等僻居海滨，蒙大王不弃，亲来下国会猎，不胜惶恐。

夫　差 （语意深长地）姑苏一别，二十年了。

勾　践 勾践获释返国，一直战战兢兢，侍奉大王，不敢怠慢。

夫　差　你不忘本就好。吴越一水之隔，朝发可以夕至啊。如今，寡人将北上会盟，诸侯拥戴，要寡人为中原的霸主，寡人只好从众。你多年来臣事吴国，望你继续忠顺，谨慎小心！

勾　践　勾践敢不受命，请大王安心北上。

夫　差　寡人有一子，尚未成婚，愿与你结为儿女亲（读正音）家，不知你意如何？

勾　践　（一惊，沉吟）这——

夫　差　（逼紧一步）此事我想了很久。勾践，你很通达，谅你不会不允。

伯　嚭　（逢迎上去）吴越两国，君臣之邦，今又结为亲好，向大王恭贺！

泄　皋　恭贺大王！

勾践夫人　（抑制不住，向夫差）大王，此事万万不可……不可如此轻率。小女年幼，鄙陋不堪，不足以侍奉公子……

夫　差　（威胁地）难道你不肯吗？

勾践夫人　大王！

勾　践　（拦住夫人，断然）君夫人，只要大王不加嫌弃，勾践敢不从命。

〔夫人领会不语。

夫　差　很好。（突然）今天，寡人就要带着新儿媳回姑苏成亲。

勾践夫人　大王，如此仓促吗？

文　种　寡君只有一位公主，十分怜爱。为了备妥妆奁，也要从容一些才是。

伯　嚭　大王一言既出，不便更改啊。

泄　皋　良缘天定，还是早办为是。

勾　践　（紧紧握着玉圭）好吧。

伯　嚭　（忽然发现）勾践大王，你的玉圭断了。

勾　践　（强笑）儿女之情，在所难免。君夫人，请你马上为季婴料理一下去吧。

勾践夫人　遵命。

〔勾践夫人忍泪下。

勾　践　大王北上会盟，何时启程？

夫　差　寡人还有一事问你，我看江上舟船如云，不知你造此何用？

勾　践　（侃侃地）为了经商。下国僻处东海，向慕中原文化，愿与他国往来，开我教化。

夫　差　船上为何安置甲兵呢？

勾　践　为了防盗守国。越国虽小，也是非兵莫守的。

夫　差　寡人运兵北上，要借你的船只一用，会盟之后，定然归还。

勾　践　（坚决地）此事断难从命。

夫　差　（大怒）怎么，勾践，你忘了，二十年前，寡人在此地立碑的时候了吗？而且，镇越神剑还没有下落呢！

勾　践　（毅然地）夫差大王，二十年来，我越国君臣，侍奉吴国，翼翼小心，年年纳贡，岁岁朝觐。凡有需索，无不从命，为的是上报大王的恩德，求得两国相安。但是，到了今天，还不能取得大王的相信。如今，勾践又将小女允婚，实则，就是送到吴国，作为人质。骨肉之亲，勾践怎能断然割舍。难道大王还不相信勾践吗？大王要船运兵，并非真意！船行缓慢，一定会误了大王会盟的日期。勾践今天纵然从命，只要大王心存疑虑，勾践就是肝脑涂地，也难求得今后的相安。因此，刀斧鼎镬[1]，勾践甘愿一死。交船的事，断不答应。至于那“镇越神剑”，勾践不久一定交还。

夫　差　你全是巧言强辩。不肯借船，就是图谋不轨。寡人大军十五万，挥兵南下，那时，就要你全国“血流漂杵[2]”的！

勾　践　（坦然而豪壮地）越国虽是小国，大王如果只逞豪强，那么两国兵车战马，再周旋于会稽山下，勾践也只好奉陪了。

夫　差　（暴怒）你竟敢如此狂妄！

〔此时王孙雄急上。

王孙雄　启禀大王，有紧急军简。

夫　差　拿来我看。（接看军简，强自镇定）王孙雄，我命你火速传令三军，弓上弦，刀出鞘，立即待命！

王孙雄　是。

〔王孙雄下。

夫　差　勾践，我现在回到中军大帐，限你在辰时正刻，交出船只与季婴公主。不然，寡人提兵问罪，灭你君臣，毁你宗庙。

1　此处川版有“（‘镬’读若‘祸’，音huò。古代的大锅，煮人用的刑具）”。

2　此处川版有“（‘杵’读若‘础’，音chǔ。古时捶衣的木棒）”。

这次你们定要玉石俱焚了！（夫差率伯嚭匆匆下。卫士随下）

泄　皋　臣等恭送大王。（施礼）

勾　践　真是欺人太甚了。

文　种　大王做得对，船是万不能交的。

泄　皋　（匆忙回来，十分着急）大王，你不该这样冒犯夫差，借船的事应该立即答应。越国刚刚过上几年太平日子，大王，你又要惹事吗？

勾　践　（盛怒）奴才！下去！

泄　皋　（愕然）是，是。（退下）

〔夫人与季婴上。季婴匍匐在勾践面前。

季　婴　父王，爹爹！

勾　践　（扶起季婴）孩子，苦了你了。

勾践夫人　（强自抑制，悲愤地）大王，我们怎么忍心把季婴送到吴国去做人质呢。可怜，身为王侯，一国之主，连自己的亲生骨肉，都保不住啊！

勾　践　“皮之不存，毛将焉附？”勾践岂无父女之情。二十年来，我们受尽欺凌。夫人，越国黎民百姓，哪一家没死过人，哪一家是骨肉团圆的？今天也轮到我们王侯之家了。为了争得战机，一举灭吴，只好忍痛。孩子，你要识大体。

季　婴　孩儿领受父王教诲。请父王母后珍重。（刚强地）愿父王坚决破吴，不要以孩儿为念。（施礼，诀别）

勾　践　（深情地）季婴，你……你去做些准备吧。

〔夫人领季婴下。

文　种　刚才臣看夫差临去的时候，嘴上强硬，面色惨变，心中似有大忧，莫不是齐晋两国已经发兵黄池了？

勾　践　范大夫回来，便知究竟。

〔远处，江上战船，隐约中浓烟滚滚。

卫士甲　（惊呼）大王，不好，江上战船起火了。

勾　践　（大惊，向江边瞭望）这是为了什么？难道夫差动起手来了吗？

〔越国百姓仓皇奔走，有的顺着江岸呼喊。

老人甲　战船起火了，救火去呀！

青年甲　吴兵抢船了！

青年乙　战船起火了，救火去呀！

〔远处战角声此起彼应。

〔急促的马蹄声由远而近，军士甲匆上。

军士甲　启禀大王，吴军偷袭，要夺战船。现在激烈交锋，我们的战船着火！

勾　践　随我来。

〔勾践下。

〔鼓角之声大作。

〔越国百姓执戈矛飞奔而过。

〔一霎时，远处江上熊熊烈火，烧红了半边天。听得见桅杆和帆篷噼啪的爆裂声。

〔有顷，鼓声渐息。偶然还有一些断断续续的厮杀声。

〔勾践走上，后随无霸。勾践焦灼地立在江边，望着远处的火光。无霸急促地叙述方才的战况。

无　霸　臣罪该万死！事出仓促，吴国船只，出其不意，顺风而下，围住了我们，夺去了我们船只三艘。

勾　践　夺去船只三艘？

无　霸　其余的和敌人激烈交锋。就在这个时刻，我军被掳船只，忽然着起火来。这时，我在风上，敌在风下。北风正紧，吴国船只立刻烧成了一片。我们乘火急攻，杀得吴兵喊爹叫娘，江上成了一片血水。

勾　践　（不禁连连夸赞）烧得好，打得好。

无　霸　这时我军被掳船上，只见鸟雍忽然从火中跳出。原来就是他，鸟雍，点起来这把烈火的。他领头跳上敌船，大喊："有种的汉子随我来！"他冲进大火，跳上吴国帅船，砍倒了十几个兵将。在四面火焰当中，他爬上了桅杆，砍断了吴王夫差的帅旗，大喊："吴国的士兵们，你们还打什么？我们已经占了你们的姑苏了。杀敌呀！"这时，吴兵像潮水一般，慌慌张张，一起退却。希虎也仓皇起来，只好鸣锣收兵了。

勾　践　真机智，真勇猛！"占了姑苏！"他会想出这句话来，真是先得我心。那么鸟雍呢？

无　霸　这时，黑烟冲天，一片火海，一箭正射中鸟雍的脚心。鸟雍就从桅杆上，一头栽倒在烈火里。我们把他救出来的时候，他已经不能说话了。他躺在地上，纵了三纵，只喊出两个字来："杀——敌！"

文　种　可敬的鸟雍啊。

无　霸　这就是鸟雍砍下的吴国帅旗。

〔两个军士呈献已被烧残的帅旗。

勾　践　今后就将鸟雍配祭在苦成崖上——我们的船呢？

无　霸　被吴兵掳去的船都烧光了。可是吴国的十几艘大船烧去了一半。现在我军还有十五只大船，完整无缺。

〔一越国军士匆上。

军　士　禀报大王，吴王夫差的中军大帐，旌旗飘展，辕门大开。里面却空无一人，连造饭的锅灶也拔掉了。

〔外报："范蠡将军到！"

勾　践　（满怀欣喜）范大夫回来了。

〔范蠡风尘仆仆，走上。

范　蠡　（施礼）参见大王。

勾　践　范大夫辛苦了。大事如何？

范　蠡　臣与齐晋两国诸侯已经会商妥帖。齐侯已发兵车千乘南下了。晋侯也答应尽力相助。我们争得了时机，有了与国。

勾　践　范大夫，那么我们现在就从海道发兵吧。无霸听令！立刻将所有战船，扬帆出海。

〔泄皋跑上。他抱着一个龟甲和一些卜筮用的东西。

泄　皋　（气急败坏，大叫）大王，我们该卜算一下啊！

范　蠡　怎么？

勾　践　你又要如何？

泄　皋　（振振有词）先王说过："兵者，凶也。"吉凶福祸，关系非浅。按先王遗言，誓师发兵，必须卜算。先问天神，这是祖宗的法制！

勾　践　祖宗的法制？

泄　皋　（把龟甲一举，得意非凡）要问神的！

〔范蠡拔剑而起，一剑将泄皋手里的龟甲砍成两半。

范　蠡　（断然）有疑惑才问神。没有疑惑，还问个什么？如果神说不打，难道就不打了吗？大王，臣在齐国听说，泄皋大夫喝醉了酒，向王孙雄泄露了我们造船的事！

勾　践　（吃惊）真有此事？

泄　皋　（语塞）这，这……

勾　践　（大怒）绑了！查实以后，定拿你的头来祭旗，带下去。

〔卫士将泄皋带下。

〔许多渔民百姓拥上。

黑　肩　大王看，我们把王孙雄的楼台放火烧了。

勾　践　父老将士们，千古的胜负在于理啊！灭吴雪耻，在此一举。我们立刻发兵！

击鼓蓬蓬，且战且攻，

声威烈烈，歼彼元戎。

〔勾践举起鼓槌，在庙前巨大的祭鼓上，重重地击了一下。一时四面鼓声隆隆，无数的军鼓响应起来。

〔远远近近，唱起雄壮的战歌："谁说寒衣少，咱们合穿一个战袍！……"

〔歌声不断，愈唱愈奋发有力，激昂高亢，洋洋满满，一若滚滚的人潮在怒吼，一若千军万马在奔走，一若长长的战伐岁月，在歌声中一闪而过。

〔歌声中，江边禹庙前，夫差的丰功之碑已经不见了。

〔云弥四野，雪蔽山林。大雪纷纷扬扬，下得那样欢畅而愉快。冻起一层薄冰的江上，一艘高悬越国帅旗的大船，逐渐驶近。上面站满了越国的武士，衣甲鲜明，十分煊赫。他们脸上带着庄严而自信的神采。

〔庙前，在一片旌旗中，摆满了越国的仪仗，刀戟斧钺。勾践身穿甲胄，披着战袍走上，当门而立。夫人与季婴随立旁边。左右侍立着范蠡、文种和无霸。

〔苦成崖前，燃着一堆余烬未熄的微火。

〔战歌声中，从警备森严的越国战船上，走下许多吴国的俘虏。他们垂头丧气，缓缓从江岸走过。

〔这时，战歌声停，四周寂静。在纷纷大雪中，夫差从船上走下。后面跟着越国的武士。夫差仍然着王服，面色惨沮，他被武士们押到勾践面前。

勾　践　（对夫差）战伐的岁月，过得很快。上次会猎以后，又是三年了。

〔夫差一语不发。

勾　践　（向卫士）取剑来！

〔卫士将“镇越宝剑”献与勾践。

勾　践　（持剑）“镇越宝剑”！无霸，赐还他。

〔无霸受剑，持与夫差。

勾　践　你拿去自处吧。

〔夫差愣了一下，将剑接了。

〔卫士押夫差下。

〔百姓欢腾，歌声四起。勾践神采飞扬。

〔这时，一个百姓忽然指着苦成崖，呼出。

百　姓　你们看哪！这是什么？

〔众人随声注视着苦成崖，崖上悬着一个胆。

百　姓　胆！

〔勾践惊望。

文　种　（含笑）大王，还记得苦成老人献胆的日子吗？

勾　践　（悚然）寡人没有忘记。（振奋地）无霸，取过来！

〔无霸摘下胆来献与勾践。

勾　践　（接在手里）卧薪尝胆，自强不息。勾践永远不会忘记。

〔大雪纷纷扬扬，弥天盖地。

——幕落

（注：此幕时间变化最好不用暗转）

附：越人“战歌”

一

谁说寒衣少，

咱们合穿一个战袍。

大王起义兵，

壮士磨戈矛。

你我同仇恨，

仇恨似火烧。

谁说寒衣少，

你穿上我的战袍。

你我同仇恨，

仇恨似火燎。

拿起我戈矛，

【题注】据《人民文学》1961年第7、8期（合刊）初刊本排印。

杀敌在今朝！

二

谁说没衣穿，

咱们合穿一个布衫。

大王起义兵，

磨起我刀剑。

你我同仇恨，

杀敌如捣蒜。

谁说没衣穿，

咱们合穿一个布衫。

你我同仇恨，

仇恨似火焰。

拿起我刀剑，

杀敌如捣蒜！

三

敌人来侵犯，

拿起我刀剑！

敌人来侵犯，

咱们冲向前！

敌人来侵犯，

杀敌如捣蒜！

王昭君

【题注】据《人民文学》1978年第11期初刊本排印。通校1979年2月四川人民出版社初版（校注称“川版”）。

献　辞

感谢华主席和以华主席为首的党中央，粉碎了“四人帮”，《王昭君》这个戏终于写成，发表，并将演出。

敬爱的周总理生前交给我这个任务，写王昭君历史剧。我领会周总理的意思，是用这个题材歌颂我国各民族的团结和民族之间的文化交流。

写这个剧本，用了很长的时间。开始构思，还是在六十年代初。后来由于“四人帮”的干扰，我搁笔十多年。现在总算写完了。但是我非常难过，敬爱的周总理看不到了，周总理的意见我再也听不到了。

我把这个剧本献给祖国国庆三十周年，并且用它来纪念[1]我们的敬爱的周总理。

《王昭君》一剧，早已准备交给北京人民艺术剧院演出。他们也准备用这个戏向国庆三十周年献礼。我相信经过北京人艺同志们的艺术创造，一定能弥补这个剧本的一些缺点，赋予它舞台上的生命。

我等待读者、观众与批评家的意见，不断修改。

曹　禺

一九七八年十月十二日

【题注】据《人民文学》1978年第11期初刊本排印。通校1979年2月四川人民出版社初版（校注称“川版”）。

1　“纪念”川版作“献给”。

人物表

王昭君——十九岁。汉宫待诏，后为匈奴阏氏[1]。

姜夫人——四十开外。汉宫女官。王昭君的姑姑。

盈盈——二十岁。汉宫侍女。

戚戚——二十岁。汉宫侍女。

孙美人——六十多岁。汉宫“美人”。

汉宫娥、侍女若干人。

刘奭（shì音氏）——四十三岁。汉元帝。

王龙——二十二岁。汉元帝之王皇后的弟弟。送亲侯。

萧育——五十五岁。汉朝中郎将。送亲正使。

王公文武大臣若干。

黄门若干。

抓金瓜武士若干。

太监、礼官若干。

呼韩邪（yè音耶）——四十七岁。匈奴单（chán音蝉）于。

苦伶仃——六十五岁。匈奴龙廷奴隶。

1　此处川版有“（yān zhī音‘烟支’）”。

乌禅幕——七十五岁。骨突侯。单于的岳父和他手下的用事大臣。

温敦——三十五岁。匈奴左大将。乌禅幕之子，呼韩邪的妹夫。

休勒——约四十岁。温敦帐下的小当户。

拔都——二十多岁。龙廷卫士长。

玛纳——四十多岁。穷苦牧民。

小玛纳——十岁。玛纳之子。

匈奴礼官、卫士、武士若干。力士二人。

少年贵族二人——休勒之子。

阿婷洁——三十二岁。匈奴大公主。呼韩邪之妹、温敦之妻。

匈奴侍女、女兵若干。

匈奴少女们、歌手们。男女牧民们。

时间和地点

第一幕　　时间：竟宁元年（公元前三十三年）。暮春四月。

地点：汉后宫。

第二幕　　时间：前场午后。

地点：汉建章宫。

第三幕　　时间：三个多月后。夏天。

地点：匈奴龙廷。

第四幕　　时间：紧接前场。

地点：龙廷附近。

第五幕　　时间：距前场一天午后。

地点：昭君的帐幕。

草原上。

匈奴单于祖庙前。

第一幕

公元前三十三年——汉竟宁元年。

暮春的清晨。长安，汉长门宫侧，一个静悄悄的庭院里。院内有石溪、池塘、垂柳、雕栏，碧悠悠的青天映在水里。仰望森森的宫墙，隔断了春天，隔断了人世。从墙外流进来的溪水又汩汩地流到太液池去了。

四月天，黄鹂低鸣，飞絮蒙蒙，雪白的梨花开得茂盛，仿佛都听得见蜜蜂嗡嗡地叫着。

侧面是王昭君的寝宫，回廊一面临水，一面便是院内小小的中庭。

院正中，是一座青色的大门，难得开一次，一般总是由后面的小门出入。

隐隐的笙歌似乎从天外飘来，那是太液池的尽头，在那里，仿佛成千上万的人不知为什么正热闹得紧。

这里，帘栊垂下来，垂柳在栏杆上拂来拂去，春天就在这寂寞幽静中消逝了。

院中石径上，放着一架箜篌，一张胡床，几个绣墩错落地放在一尘不染的石板上。

王昭君，十九岁，乍看上去像是一个沉静温柔的姑娘。一双秋水似的眼睛，神采清明，顾盼多姿，有时眉宇间含着一种不可言说的沉思的神态。在某种情况下，有时也出人意表地露出一种轩昂夺人的光彩，使人感觉到这是一个十分坚强的女子。

〔王昭君倚着廊柱，望着池塘，旁边是盈盈，一个欢悦多情，聪明伶俐的宫女。

〔另一个宫女戚戚，一个谨慎小心，有些呆板，好哭，事事总往坏处想的宫女，坐在箜篌旁弹弄着，发出优雅的弦音。

〔墙外，甬道上，滚滚走过一辆宫车。戚戚住手。

盈　盈　又过去一辆宫车。（对王昭君）昭君姑娘，你不偷偷出去看看吗？

戚　戚　今天宫里热闹极了。你听，吹吹打打的，这不是从太液池那边来的吗？宫里的人都到太液池那里去了，等着看匈奴大单于。

盈　盈　就是我们关在这里。

戚　戚　盈盈，姜夫人不许我们去，那就别去吧。去了，惹出麻烦，姜夫人又该骂我们了。

〔墙外，鼓吹乐器，隆隆的鞞鼓敲了好多下，有人喊着："肃静！匈奴大单于车驾就要进宫，车驾已经来到未央宫前，后宫肃静！"

盈　盈　（跑到门缝望）多少人哪！多少仪仗！快来看！（王昭君和戚戚都没有动）人家大单于几千里路来到长安，要娶汉朝公主。皇上赐天下大吃大喝三天，长安的人都出来了，都要看我们汉家皇帝的女婿，就你们两个不起劲！

戚　戚　姜夫人不叫看，看了叫大单于点了去，一辈子再也见不着长安了。

盈　盈　怕什么！你住在长安，就在这院子里，三年了！你看见了几丈远？

〔笙歌悠扬，柳丝在王昭君面前轻轻地拂动着。

盈　盈　昭君姑娘，您怎么又半天不说话了？想什么呢？

王昭君　我想一件事。

盈　盈　什么？

王昭君　我想的……自己也不明白。你说，人可以活几年？

盈　盈　几年？七八十来年吧。

王昭君　那么，关在这墙里要几年？

盈　盈　也七八十来年吧。

王昭君　那么为什么要我进来呢？

戚　戚　为什么？

盈　盈　天子选的，姜夫人送来的。您有一个好姑姑姜夫人哪！姜夫人说，您是命中注定要当皇后的。

王昭君　那就是了。现在我想出去，就从这个门堂堂皇皇地出去。

戚　戚　昭君姑娘，出去？

盈　盈　您说梦话呢吧？

王昭君　盈盈，我要出去，就从这里正正当当地出去，再也不回头。（把手中的卵石向池塘扔去，塘边的水禽惊起飞去）

戚　戚　姜夫人来了！

盈　盈　昭君姑娘，您姑姑来了。

〔姜夫人上。她是一个高大身材的贵妇，一个雪白的圆胖子，四十开外了，声音洪亮，说话的口气充满了自信。她在宫里有二十多年了，出入宫廷，是一个不算很得意的女官。但她有资历，好摆架子，知道宫闱中许多秘闻，熟悉后宫的礼仪，懂得一些如何晋升的门路，但她并不聪明。在宫廷里她有一定的威望，大家都有些怕她。她好说，自以为是，非常崇奉皇室，是一个“保守派”。她觉得她一生的希望就在她哥哥的女儿王昭君身上。她一直培养着王昭君，也非常溺爱她，但她一点也不知道王昭君是怎样一个人。

〔她身后跟随着两个小黄门。

姜夫人 （对小黄门）小黄门，你们回去，天子国舅王龙进了宫，你们就来告诉我。

〔小黄门下。

姜夫人 （喜孜孜地）昭君，有件大喜事我要告诉你。你就要——（神秘地）这事谁都还不知道呢。（望着盈盈和戚戚）你们谁也不许讲出去。

戚　戚 是，姜夫人。

姜夫人 （得意地）昭君，你姑姑可为你办了好事了，你就要高升了。你就要——（忽然）不，我不说，宫里的事情是不能先说的，这天机不可泄露。昭君，正宫皇后虽然跟咱们同姓一个“王”字，她再也想不到你身上。只有你姑姑我，才真正想着你一辈子的大事——咦，你怎么不吭声呢？怎么一点喜容都没呀？

王昭君 您的“喜事”还没有说，我从哪儿“喜”去？

姜夫人 对，不说。还是憋你们一会儿，我还是不说。昭君，昨天我给你们讲到哪儿了？

王昭君 您讲到“德言工容”，姑姑。（坐在绣墩上）

〔盈盈端上茶来。

盈　盈 姜夫人，请用茶。

姜夫人 对，“德言工容”。（没有接茶，就滔滔地讲下去）盈盈，你也坐下听！戚戚，你也听！“德言工容”，“德”就是道德的“德”，“德”就是女子的德行。你们要目不斜视，耳不旁听，口不乱问，心不乱想。一言以蔽之，女人就得像个女人的样子。如今，昭君，你在汉宫三年，这就更不同了。你总归是要见皇帝的人，见了皇帝，得到恩宠，你就是有盼头的人了。要做万民之母，天下之后，都是从“德”那儿来的。你要从早到晚，目不斜视，身不乱动，心不乱想；见了皇上，脸上总是一副温柔敦厚，和和顺顺的面孔，就像我这个样！万民之母，都是这个样子，听懂了吗？（王昭君和盈盈不吭声）

戚　戚 （木头木脑）听懂了。

姜夫人 （斜眼望了戚戚一下，又说下去）讲女子的“德”，这“心不乱想”，最重要！这“心不乱想”，也不是不想，要想，就想天子，皇帝。你一天到晚，只要想这一个念头——皇帝，就成了。昭君，你听见了吗？

〔戚戚悄悄地推了推昭君。

王昭君 听见了，姑姑。

盈　盈 （忽然发言）姜夫人，我陪昭君姑娘进宫三年了。我不知昭君姑娘想过没有，我是天天替姑娘想着的。怎么，想了三年了，早三遍，晚三遍，半夜又三遍，怎么皇帝还不来呢？

姜夫人 （喟然叹息）蠢材呀！蠢材！皇帝有后宫三千人，难道不要一个一个地轮吗？

盈　盈 （扑哧一笑）哎哟，那要轮到什么时候呀？

姜夫人 蠢材，这有什么好笑的？在宫里，有人轮到的，就有人轮不到的。我在后宫看了二十年，皇后就不是轮得来的。要不轮班，这里就有个讲究喽。这就不是你们能懂得的了。（睃见王昭君望着青天出神）你愣着做什么，啊？

王昭君 天骤然暖了，花气更香了。

姜夫人 （溜着眼笑望着她）你这倔丫头！你又在想什么了？告诉姑姑。

王昭君 没有想，姑姑，我什么都没有想。

盈　盈 （插嘴）昭君姑娘，姜夫人说，心不乱想，不是不想，要想，就得想皇帝。听见了吗？姑娘？

〔隔壁传来孙美人幽幽的低唱声：

“北方有佳人，

绝世而独立……”

〔伴着一手熟练的琵琶，清逸悦耳。

盈　盈 隔壁孙美人在唱呢。

〔歌声：

“一顾倾人城，

再顾倾人国……”

王昭君 她唱得真好，就像个小姑娘似的。

盈 盈 小姑娘？她六十多岁了。她想了皇帝四十多年了，都想成了疯子了。按说，也该轮到了，怎么还没有轮上她呢？

姜夫人 这叫“轮不着”，轮子外边的，轮的，不轮的，都没有她。盈盈，你就是话多。所以“德言工容”，第二就是“言”，言语的“言”。女子的“言”就是少说话。这怎么讲呢？昭君，你记住。（很得意地）人家说“好”，你不要说“好”，你就说“哦”！人家说“不好”，你也别说“不好”，你就说“啊”！然而最好，还是嘴里一个字没说，可心里的话，就在这眼神儿里，又都说出来了。这才是女子的“言”，世上最深沉的言语。这个道理不浅，听懂了吗？

戚 戚 （木头木脑）听懂了。

姜夫人 你多嘴！昭君，你呢？

王昭君 （不耐烦地）听见了，姑姑。

姜夫人 有了“德”，有了“言”，剩下的，就是“工”“容”了。“工”就是做活儿，不用说，不重要，这是为磨时候的。“容”，容貌的“容”，就是修饰，打扮，不用说，重要极了，这是为了——

盈 盈 （插嘴）给皇帝看的。

姜夫人 （夸赞）你说对了。“德言工容”不是我瞎编，是圣人说的。

有出处，出，出于——咦，我怎么忘了？

王昭君 《周礼》。

姜夫人 好孩子，我不爱念的书，你都念了。你就是一个毛病，书念多了，都念糊涂了。（把茶一呷）嗐，我说累了。我又该为你跑路了，我的孩子。你听见没有？（喜鹊叫）喜鹊冲着你叫呢！我的儿，我该走了。我哥哥剩下的独根女，我们王家的希望都在你一个人身上，你这无父无母的、苦命的，只有你姑姑疼的孩子。（转向戚戚）刚才喜鹊向哪边飞了？

戚　戚 向南。

姜夫人 开南门，我向南走。昭君，今天真要给你带喜信来了。姑姑不会白把你送到宫里来的。你可要见着咱们皇上了。

〔姜夫人雍容华贵地走下，盈盈和戚戚恭恭敬敬地陪送出去。

王昭君 （望着墙外的青天）母亲，你生我为何来？难道这青森森的宫墙要我来陪伴？难道这苍松、垂柳、望不断的栏杆要我去看管？啊，这一天三遍钟，夜半的宫漏，一点一滴，像扯不断的丝那样长。姑姑啊，你错了打算，欠商量，急急慌慌把我送进这三丈八尺的汉宫墙。

姑姑啊，你的“德言工容”说得巧，难道我必须在这里等待，等待到地老天荒？一个女人是多么不幸。生下来，从生到死，都要依靠人。难道一个女人就不能像大鹏似的，一飞就是九千里？难道王昭君我，一生就和这后宫三千人一样？

见皇帝，我已经不再想。就是见了皇帝，又能怎么样？我只想，我只想——我想什么？我讲不出，我也不敢讲！

〔盈盈和戚戚慌慌张张走上。

盈　盈　坏了，坏了！孙美人出来了。

戚　戚　她来了，向我们这边来了。这一定是看门的宫娥看热闹去了，忘记了锁门。怎么办？怎么办？

王昭君　那有什么？她出来看看，不好么？

盈　盈　可她是疯子！

戚　戚　她，她……

〔有个声音，尖尖地叫着："孙美人到！"

戚　戚　这是谁在叫？

〔声音："孙美人到！"

盈　盈　这是鹦鹉说话，孙美人的鹦鹉。

王昭君　（沉静地）迎接她。

盈　盈　对，先皇封了的"美人"，要跪接的。

〔戚戚扑腾跪下。

戚　戚　迎接孙美人。

王昭君　接美人。（作礼）

〔孙美人上。孙美人是一个已有六十多岁的宫姬。她穿戴还是五十年前的宫妆，幽闲沉静，打扮得很艳丽，但并不给人任何不协调之感。她的头发完全白了，但她的心情、神态，还像是一个安静的，使人同情的少女样子。她仿佛是从地下宫殿挖掘出来的一个女人，谈吐装束都和在场的人们不一样。但她一点也不觉得。她活在自己的世界里，活在一种永远是春光明媚，等待皇帝宣召的世界里。

戚　戚　她多大岁数?

盈　盈　(惊讶地)六十多岁！她穿的是什么?这不是我祖奶奶时候的打扮吗?

王昭君　不要笑。(对孙美人)接美人。

戚　戚　她不认得您，都不认得。

盈　盈　不要理她吧。

〔这时孙美人望了望她们，点了点头，缓缓地走向池边。

王昭君　(走上前)孙美人，让我扶着您吧。

戚　戚　(想拦，低声)昭君姑娘!

孙美人　(声音很美)不用扶，好姑娘。春水比天还蓝哪！没有一丝风的水面，像缎子一样的，多么平哪!(她弯腰对水面理着云鬓)

戚　戚　(低声)她在干什么?

盈　盈　傻东西，她在照呢。

孙美人　(指着水，婉约地)这是什么?

王昭君　水里的花。

孙美人　不对,(指着)这个。(缓缓地转向王昭君)这水里面是花?还是我?

王昭君　(同情地)是您，孙美人。

孙美人　(望着一池春水)花，好看吗?

王昭君　(忽然明白了)是您好看，孙美人。

盈　盈　(笑着)花不及您好看。

孙美人　真的么?

王昭君　她说的是真话。盈盈!(用眼色示意盈盈)

孙美人　(对王昭君)聪明的好姑娘，你是个明白的姑娘，会弹琵琶吗?

王昭君　会一点，常听美人在隔壁弹。

孙美人　你十几了?

王昭君　十九了。

孙美人　十九?你几月的生日?

王昭君　五月。

孙美人　那你还是我的姐姐呢。(爱怜地)你很美，很好看，真是一个很好的姑娘呢。你看，柳絮!(她向空中轻轻扑捉着)杨花!多么轻的杨花呀!

〔孙美人轻盈地扑着空中的柳絮，一边走进了王昭君的寝室。

盈　盈　(惊愕)她到您的寝宫里去了!

王昭君　让她进去吧。(思忖着)六十多岁么?她的确还是一个很好看的美人呢!

盈　盈　从前她明白的时候，总说她母亲生她的时候，梦见日头扑在怀里，才生下她来。选进了后宫，全家都说她定要当皇后的。她天天梦着万岁宣召她，天天打扮得这样好，五十多年了。

王昭君　拿琵琶来。(戚戚递给她)我要唱一个歌，(对戚戚)你用箜篌伴着。

戚　戚　唱什么?

王昭君　《长相知》。

盈　盈　《长相知》？怎么能唱这个？叫掌管刑罚的太监听见，要杀头的。

王昭君　你不要管。（对戚戚）弹！

戚　戚　我不敢，隔墙有人的。（恳求地）昭君姑娘！

王昭君　好，你不弹吧。（自己拿起琵琶弹弄，像吐出一腔的痛苦，高声唱起来）

盈　盈　（制止她）昭君姑娘！（戚戚忙向门隙探望，盈盈走到石坡上探望）

王昭君　（不理她们，唱）

上邪！

我欲与君长相知，

长命毋绝衰。

…………[1]

盈　盈　（急了，跑过来，跪下了）不成，昭君姑娘，您不能唱这个，有人从门口走，求您不要唱这个。

戚　戚　（也跑来跪下）这是杀脑袋的情歌呀！

王昭君　（高亢地再唱一句）

上邪！

我欲与君长相知，

（琵琶划然[2]而止，转头掩面哭泣）

1　原为汉乐府词，作者引用于此有所改动。——原刊注。

2　“划然”川版作“嘎然”。

盈　盈　（抚慰着王昭君）您在想什么?《长相知》，您为什么要唱这个？这个，墙外面可以唱……

戚　戚　墙里面，是不能唱的。

盈　盈　难道您也天天想着墙里面的那一个人吗?

王昭君　墙里面的？谁?

戚　戚　（想当然）皇帝呀！

〔王昭君凄婉地一笑，摇摇头。

盈　盈　那么是墙外的了?

王昭君　（叹一口气）我也没有什么墙外的。（对戚戚）你把箜篌弹起来。这碧悠悠的青天是多么高啊。（空中有雁叫声）天气又暖了，向南飞的雁，又向北飞了。我要像一只雁，在碧悠悠的、宽阔的青天里飞起来多好。

盈　盈　（惊愕）姑娘，难道您心里真有一个什么人在外面等着您?

王昭君　（淡淡地笑着）你这个傻姐姐，没有，我什么都没有，就我一个人。我小时候总听见我母亲唱这个歌《长相知》。我爹爹到边塞守边去了，他们新婚不到一个月，就分开了，生下了我。爹爹一去就是十年，没有一丝消息，母亲天天盼，夜夜盼，睁大眼睛，望着北边，抱着我低低地唱《长相知》。人家劝她改嫁，她摇摇头。有人说，有的男人八十岁才从边塞回来，她说："我就等到八十。"可是十年后，来了消息，原来爹爹到了边塞第四年就死了。妈妈听了，就在当天离开我吊死了。

戚　戚　（落着眼泪）我弹不下去了，姑娘。

王昭君　那就不要弹吧，戚戚。爹爹带回来一封信。他说，男儿为国死是应该的；但是塞外的人想和好，塞内的人也想和好。可是长久和好并不容易，要有人做。要是生了男孩的话，就把这话告诉他，要是生了女孩的话——

戚　戚　怎么样?

王昭君　爹爹说，那就是他在边塞上白白地死了。可现在，生下的是个女儿——

盈　盈　（叹了口气）那不完了吗?

王昭君　（忽地站起）没有完，我对你说，没有完!

〔这时屋里的孙美人又悠悠地唱起:

“…………

一顾倾人城，

再顾倾人国，

宁不知倾城与倾国，

佳人难再得。”

戚　戚　她唱的是什么?

盈　盈　她唱的是:

“看她一眼，城就倒了，

再看她一眼，国就亡了。

谁不知道城倒国亡这不好，

这样的美人，世上不易找。”

〔鹦鹉叫:“万岁到了，接驾!”

戚　戚　这是谁?

盈　盈　没有人，鹦鹉在说话。

〔鹦鹉又叫："万岁到了，美人接驾！"连叫不已。孙美人忽然不唱了。

戚　戚　坏了，她不唱了，她听见了。

〔孙美人悄悄走上。

戚　戚　盈盈，你快去找人。她听见万岁来了，就要出事了。我看着她，你去。

〔盈盈下。

孙美人　是万岁来了吗？（目光转到王昭君）

戚　戚　（低声）说"是"。不顺着说，她就要更疯了，要摔东西了。

孙美人　是万岁来了吗？

王昭君　是，孙美人。

孙美人　万岁在哪里？

王昭君　在前面——昭阳殿。

孙美人　候着我吗？

王昭君　候着。

戚　戚　是候着。

孙美人　好姑娘，你看，来了，陛下到底来了。

戚　戚　是啊，万岁宣召您，孙美人。

孙美人　（从容地）那就快吧，快吧，我要打扮。（对王昭君）好姑娘，我的青铜镜呢？

王昭君　这里，孙美人。（举着铜镜，为孙美人照，又给她一面，孙美人在镜里顾盼着）

孙美人　后面照。

王昭君　是，孙美人。

孙美人　左面照。

王昭君　是，孙美人。

孙美人　右面照。

王昭君　是，孙美人。

孙美人　发髻够高吗？

王昭君　好，高得很。

孙美人　衣袖够宽吗？

王昭君　宽，宽得都拖到地了。

孙美人　我的玉搔头呢？

王昭君　这里。（从自己头上取下来送给孙美人，孙美人没有接住，啪的一声，落在地上断了）

戚　戚　（惊）哎呀，断了！这样好的玉簪。

〔但是孙美人毫不觉得，她仿佛接住了，优美地插在自己的发髻上。

孙美人　（照着）好看。（对王昭君）好姑娘，我的双明珠呢？

〔王昭君一摸，自己耳上没有。

王昭君　您戴上了，孙美人。

孙美人　（照着）好看。陛下赐给我的金跳脱呢？

王昭君　您腕上戴着，响当当的不是吗？

孙美人　陛下赐给我的蕙香囊呢？

王昭君　您挂着呢。

孙美人 我的双鸳鸯呢？

王昭君 您系着呢。

孙美人 可是我的红罗裳呢？

王昭君 这不是么？（指孙美人的身上）

孙美人 （忽然急慌慌地）这不是，这不是的。

王昭君 哦，那么在屋里呢。（低声）戚戚，快进去，把我的红罗裳找出来。（对孙美人）请吧，孙美人，到屋里换去吧。

〔鹦鹉叫："万岁叫你，孙美人。"

孙美人 （有点慌张）怎么办？怎么办？

王昭君 来得及的。

〔王昭君正要陪孙美人进去，盈盈从外面进来。

盈　盈 （低声）昭君姑娘。

〔王昭君留下来，孙美人由戚戚陪进去。

王昭君 怎么啦？

盈　盈 昭君姑娘，真奇怪，真的是皇帝宣召她来了。

王昭君 什么？真的？

盈　盈 在坟里的先皇帝，驾崩了的先皇帝，说是给当今的皇帝托了梦，说他在坟里寂寞得很，要人去陪，要从前的美人。

王昭君 去陪先皇帝？

盈　盈 就是，进了宫一辈子，也没见过皇帝，这次真的被皇帝叫去了。

王昭君 孙美人！

〔王昭君正想进屋，姜夫人急匆匆走上。

姜夫人　（气急败坏）昭君，你回来！

王昭君　（走回来）怎么，姑姑？

姜夫人　你前十天到掖庭令那里去了？

王昭君　（看出姜夫人的心思，打定了主意）去了。皇帝旨意，后宫人、待诏等，愿到匈奴跟随单于的，都可以请行。

姜夫人　你这个活冤孽呀！你知道你报名请行，说不定匈奴大单于就会把你点去吗？

王昭君　我知道。

姜夫人　你就见不着姑姑，再也看不见长安了！

王昭君　知道。

盈　盈　我的昭君姑娘。

姜夫人　（怒斥）你这个糊涂东西！你不能去！

王昭君　别人能去，我为什么不能去？

姜夫人　（又软下来）我的活命宝呀！你跟别人不同。你生下来，满屋喷香，月亮扑在你妈的怀里，才有了你。看相的说，你是天上的，命定要当皇后的。你怎么能想着离开汉宫，离开皇帝的身边呢？你疯啦？你发了迷啦，读书读昏了头啦？是屈原叫你去了，还是庄子叫你去了？难道你就不想着你的姑姑？年老无靠的姑姑？你这狠心的孩子，就想走了吗？

王昭君　我是舍不得姑姑的。姑姑舍不得我，就跟我一道去吧！

姜夫人　什么？我不去！你要去，你一个人去！（忽然）谁说的，你也不能去！不能去！

王昭君　庄子说过，大鹏乘风飞上天，一飞就是九万里。

姜夫人　我的儿呀，我说不过你。姑姑为你想了三年，走了门路，好容易给你弄一个“美人”的缺，眼看着“美人”你就要当上了，眼看着个个都得叫你“王美人”。当了“美人”，一个月就是两千石的米呀！这且不言，你从此就可以真见着皇上了；一见了皇上，你的路子就通上了青天了。大鹏乘风九万里，庄子那老头儿说的，就是这个意思啊！那时候，姑姑教给你那“德言工容”就大有用处了。我的宝贝儿，我的血块，那时候，你就明白你姑姑的道理了。（忽然非常和婉地）孩子，怎么样，你去告诉掖庭令，说你不去了，你自己把请行的帖子取回来吧，啊？

王昭君　我不去。姑姑，你看，连大雁都向北飞了呢，多么长的一群啊。

姜夫人　你是人，你不是大雁。你去就是你一个。

王昭君　就是一个，我也去。

姜夫人　不成，不要你去，不准你去！你去，我就死，我就死！我不活着！（捶床、打头、在地上滚起来，盈盈在一旁劝）

盈　盈　（边劝边喊）姜夫人，姜夫人！昭君姑娘，昭君姑娘，您看，您看！

王昭君　（一旁不理，只在说）姑姑，“德言工容”，慢点慢点，您想想，您的德言工容呢？

姜夫人　都是这些书卷子，害得你。你胡思乱想。（拿起一轴一轴的书卷乱扔）去你这屈原！去你这庄子！把这些书卷都烧了，

烧了！（索性在地上滚起来）

王昭君　（静静地）姑姑，您越这样，我就越不理您了。

姜夫人　（忽然站起来）好，都是我不好，都是我惯的你，惯坏了你！（一边哭，一边絮叨着）你这忘恩负义的东西，是我找人教你弹琵琶，是我找人教你唱，教你舞，是我找人教你怎样穿衣裳，怎样打扮。对了，也是我找人教你读了书，什么屈原，庄子。有了我，你才认识这两个老头儿。你这狠心的孩子，我哥哥的独根女，我王家的后代一块肉，我自小抚大的亲女儿，没有你，你姑姑怎么活得下去，活得下去？我的活命宝啊！

王昭君　姑姑！

姜夫人　（忽然拭去眼泪）好，一句话，你听不听我的？

王昭君　我想一想。

姜夫人　那你去，你就去改。

王昭君　不，我不能改。

姜夫人　那我替你去改。

王昭君　皇帝要挑选宫人到匈奴去，违抗圣旨是要杀头的。

姜夫人　（气馁）你这忘恩负义的东西！

盈　盈　姜夫人，说不定会选不中的。

姜夫人　你这畜生，畜生！我一定要你当“美人”，看看谁厉害？是你，还是我！

〔姜夫人怒冲冲下。

〔沉默。

盈　盈　昭君姑娘，您把姜夫人气坏了。您真的要走吗？万一您被选中了……

王昭君　盈盈，你把箜篌弹起来。

〔盈盈弹着。

盈　盈　昭君姑娘。

王昭君　万一选中了，从此再也看不见长安，也许再看不见姑姑，看不见你和戚戚。我是真舍不得你们，我是真舍不得我的姑姑，我的亲姑姑啊！

〔从外面走进来一个年老的黄门，后随一名宫女，拿着衣包和琵琶。

宫　女　请孙美人登辇。

〔孙美人由内走上。她穿着王昭君艳丽的红罗裳，轻轻走到王昭君面前。

宫　女　孙美人，请上车吧，车驾等着呢。

孙美人　皇帝在等着吗？

王昭君　等着呢。

孙美人　再见，我的好姑娘，好心肠的姑娘。我要是得了宠，我在皇帝面前不会忘记你，我是不嫉妒你的。

〔这时鹦鹉不断地叫着："孙美人，你好看，你年轻。"

孙美人　（对王昭君）鹦鹉说什么了？

王昭君　她说您好看。

孙美人　我好看吗？我要走了。好姑娘，我告诉你一件心事。我实在是二十了。我瞒了一岁，谁也不能说，瞒岁数是要杀头的。

宫　女　请孙美人登辇。

〔盈盈陪孙美人下，后随年老的黄门和宫女。王昭君送她。

戚　戚　到哪里？

宫　女　到皇陵去，到先皇的坟里去。

〔戚戚在抽泣，鹦鹉在叫："孙美人，你好看，你年轻。"

〔忽然正门大开，姜夫人兴冲冲捧着一套"美人"的宫服走上，后随一位大黄门，他拿着一条黄绫，庄严地走上。外面吹着笙箫，喜气洋洋。

姜夫人　好了，我的孩子，快来接封吧！黄门令准了你是"美人"了，这是皇帝封的，快接封吧！

〔这时大黄门站在当中。

大黄门　王昭君，王美人接封。

宫　女　王美人，大喜。（跪下）

戚　戚　（跪下）王美人！

姜夫人　去呀！孩子，接封吧，戴上黄绫，叩头谢恩！

〔门外忽然有哭泣声，盈盈从外走进，捧着孙美人的琵琶，满脸的悲戚。

王昭君　怎么了？

盈　盈　孙美人，她，她死了！她出门刚一上车，就问"到哪里？"黄门说"去见皇帝！"她欢喜过度，一下子就断气了。

王昭君　哦。

盈　盈　这是她的琵琶，上车前，她说送给那个好姑娘的。

〔鹦鹉叫："孙美人，你好看，你年轻。"

盈　盈　鹦鹉，她也说送给你了。

〔王昭君低下头来，拿起地上断了的玉簪，望着。

姜夫人　昭君，你拿那断了的玉簪做什么？还不上前叩头接封！皇恩浩荡啊！

〔这时鼓号齐鸣，另一位年老、非常有威严的黄门捧着圣旨，前面小黄门提着香炉，一起上。

〔香烟缭绕中，有人喊："圣旨到！"

姜夫人　（惊惧）这是怎么了？

老黄门　接旨！（大家跪下）"汉胡和好，天地同春。单于来长安求亲，良家子王昭君仰体天恩，自愿请行。王昭君德行昌懋，聪慧知礼，可为单于阏氏（yān　zhī 音烟支）备选，即令上殿陛见。"（对姜夫人，笑嘻嘻地）姜夫人，您大喜了！

姜夫人　天哪！这不是要我的命吗？

老黄门　王姑娘，你可真的是大喜了。立刻朝见，后宫大礼穿戴。王姑娘，你见的是一位皇帝，一位单于，一步一语，你可得特别小心哪。出了差错，性命关天。王姑娘，叩头接旨吧。

〔王昭君站立不动。

姜夫人　老哥哥，我们王姑娘，皇上已经封了她"美人"了，是当今天子的臣妾，不能接旨了。

老黄门　怎么？

姜夫人　昭君，跪下，快去接封吧！（指着拿黄绫的大黄门）

大黄门 接封吧，王美人。

宫　女
戚　戚 等 （一起对主昭君跪下）王美人。

姜夫人 昭君，孩子，我那听话的儿啊！

王昭君 （望着他们）这里有过孙美人，永远不会有王美人的！（走向老黄门）良家子王昭君，接旨奉诏。（跪下。随立起，向盈盈）把我最好看的衣裳拿出来，我要打扮，好好地打扮，见皇帝，见大单于去。

〔音乐大作。

〔王昭君仪态万方，庄严地从正门走下，后面跟着一群衣饰辉煌的宫女。

〔姜夫人追了两步，忽然坐倒地下。

姜夫人 昭君，我的活冤孽呀！

——幕落

第二幕

这是汉朝建章宫的便殿。前一场的下午。远望宫殿嵯峨，满山翠柏，丽日阳春，佳气腾腾。

建章宫的左面，是汉宫的虎圈鹿苑，偶尔看得见轻盈的小鹿，从殿旁悠悠踱过。便殿上放着两张胡床，一大一小，上面都挂起避尘的轻纱罗帐。香烟缭绕，殿前汉朝天子的旌旗在日暖风和中轻轻摇动。不时由远处太液池传来宫娥们划舟的号子声。笙鼓悠扬，时隐时现。便殿所有的落地大窗都敞开着，望见近处坡下金碧辉煌的楼台，殿顶琉璃碧瓦在日光中闪烁着。

开幕时，温敦站在便殿的后方，向太液池那一面瞭望着。他在思索着什么，不住地摸着手里的那把“经路”宝刀。

温敦，三十五岁。是匈奴呼韩邪单于的左右手。二十年来，随着呼韩邪单于讨伐征战，在统一匈奴的战争中立下了功劳。但他的位置不算很高，仅仅是一个左大将。他是呼韩邪单于的妹婿，同时，又是他的内弟。大家都夸奖他是一个骁勇剽悍的将领。他怀抱着极大的野心，而表面上看去，十分忠勇诚直。仿佛他从不计较功赏，只是死心塌地地为他的姐夫效忠。

他生得一表人才，浓眉大眼，眉眼里甚至有些俊俏。当他心怀不满的妒火时，便能看见那削薄的嘴唇，在他那鹰勾的鼻子下面剧烈地颤抖。他的牙根咬得紧紧的，像是要把所有的仇人都用他的牙齿碾碎。背着人，他是在恐惧与愤恨中过着生活。他恨他笼天盖地的才智不能施展；他怕他的野心，会在时机还没有成熟的时候，被人发现。他甚至在睡眠的时候都尽量避免睡得沉熟。在他和他的妻——阿婷洁，这个单于钟爱的妹妹，同床的时候，他都怕在酣睡中说梦话，泄漏深藏的心思。他是他父亲乌禅幕最宠爱的小儿子，老人暮年的拐杖。温敦的两个哥哥都在二十年的战争中阵亡了。

温敦的脸上横划着一道鲜明的刀痕，这是他在为呼韩邪取得龙廷宝座的征战中留下的纪念。他不相信汉朝对待匈奴的诚意，看不起长安的文化。在他的父亲面前，他是个桀骜不驯的孩子。他的残忍和狠毒，时而不知不觉地在老人面前显露出来。老人知道自己窝里藏着一个能够毁坏一切的“枭鸟”，老人不敢讲，甚至连对自己都不敢承认。

在温敦身边，一个汉宫宫娥跪着向他献酒。

宫　娥　左大将，请再饮一杯我们天子赐给您的西域贡来的葡萄美酒吧。（温敦不答）左大将，您的随从都在看马戏、杂技呢。左大将不要去看么？

温　敦　（把酒一气喝完，放下金斗）不要啰嗦了。你很会款待，很会说话，匈奴的客人很领情了。

宫　娥　不再喝一杯了？

温　敦　（顿足）不要，走！

〔宫娥惊异地望着他。

〔乌禅幕上。

〔乌禅幕，一个七十五岁的老人，匈奴龙廷管事的骨突侯。他是呼韩邪单于的岳父，他的女儿——单于的心爱的玉人阏氏已在一年前死去了。这次老人和他的儿子随着单于朝觐天子，为单于求娶汉家公主。

〔乌禅幕的大半生，是在匈奴不断的天灾、人祸和战争岁月中过去的。他深深知道，匈奴上层的统治，还处在摇摇欲坠之势。虽然这些年依靠汉朝的帮助，匈奴有了一点中兴景象。但是今后匈奴的命运要依据和长安与汉族人民长期的和好。不能再掀起匈奴内部的战争，更不能在塞上挑起战衅。他这次是诚心诚意和单于一道来求亲的。

〔他个子不高，方方的脸，高颧骨，气色红润，笑起来露出整齐结实的牙齿，是一个能大碗喝酒，大块吃肉的老人。他走起路来还能健步如飞，但是汉朝天子为了敬老，仍赐给他一支精美雕漆的御杖。

〔他喜气洋洋，很有兴致地走上来，后面跟着两个宫娥。

〔乌禅幕一进门便看见了温敦在呵斥宫娥。

乌禅幕 （责备地）温敦，这是什么地方?！这是天子的便殿，你怎么这样放肆!（温敦望望他的父亲，没有理。像一只秃鹰，兀立着。乌禅幕转过身来，和善地对着宫女）天子脚下的汉家姑娘们，你们歇一歇吧。你们辛苦了。

〔宫娥施礼退下。

乌禅幕 温敦，来了长安一个半月，在我面前，总看见你横眉竖眼，满脸的怨气。今天就要拜别天子了，你再这样放肆，我定然要禀告单于。

温　敦　（狠狠地）爹爹，你就禀告吧！

〔汉礼官上。

礼　官　匈奴大单于圣驾到。

〔呼韩邪单于上。后面跟着汉大臣萧育。

〔呼韩邪年约四十七岁左右，是一个饱经忧患的单于。是他在天昏地暗的匈奴内战中，终于在马背上统一了匈奴。他打过多少次败仗，东奔西逃，最后决定了与汉家和好的大计。靠着汉朝的帮助，一年一年地剿除了各路凶残的敌人。是他把匈奴从黑漫漫的天灾、人祸的风波里，逐渐引进了一个平安的港口；是他从半生的战斗中，深切地认清了与长安和好的重要；是他铲除那一小帮顽固的匈奴贵族们的偏见，坚决主张与汉和亲，与汉朝通“关市”，研究汉朝的文治，归顺汉朝。这是一个有胆量，有远见的单于。他是以宽厚出名的，讲究忠信。是一个励精图治，革故立新的单于。

〔十八年前，汉甘露三年，在元帝的父亲——宣帝还在位的时候，他便来朝长安，受了汉朝隆重的款待，他“位”在诸侯之上。此次是他来长安的第三次了。他通晓汉朝风俗、文字，和当时许多民族的王侯一样，都把长安看作文化昌明的地方。长安对于他来讲，可以说是他的第二乡土了。几十年来，汉人与他的交往，朝廷对他的信义和帮助，使他看清了长安对匈奴和好的不变之策。只有如此，匈奴与汉人才能享受到“边城晏闭，牛羊遍野”的太平光景。对于连年的混战，他确实是十分厌倦了的。

〔呼韩邪高高身材，面如秋月，在他的脸上有一双灿烂发光的眼睛。他的双鬓斑白了。嘴角上留着两道向上弯着的胡须。他的眼睛有一种迷人的柔和，仿佛这威严森森的单于，时常在悲哀地沉思着什么。他微笑着，经常是和蔼而沉默的。说起话来，有时讷讷然的，总是不肯多说的样子。但他像许多匈奴人一样，爽朗明快，在时机到了的时候，他能够像倒悬的黄河，倾吐不绝。

〔这时，他的脸色红扑扑，半个时辰前，他陪伴天子酣宴。他的酒量吓着了一朝文武。他身后跟着他的奴隶苦伶仃。

〔萧育是汉元帝太傅辅弼大臣萧望之的儿子。这时萧望之已死去。萧育正以中郎将的身份又将被派出使送亲。元帝作太子的时候，萧育就作“太子庶子”，太子门下的高官。元帝即位后，他当过御使，出使过匈奴。他是名相之子，以才能闻名当时。元帝号召尊师重傅，太傅屈死之后，就非常重视萧育。深谋远虑的萧望之，一向主张礼待边塞民族，与他们和好往来。他的儿子萧育，也承袭了这方面的政事。

〔萧育严猛尚威，是一个有决断、有肩膀的汉子。他五十多岁了，通诗书礼乐，习武善骑，神采洒脱，长须飘拂，按汉代朝仪，他头戴貂尾，佩剑入朝。

萧　育　方才在王公大臣的筵席上，单于的酒量简直吞下了江海，真是大得惊人！天子亲口叫我问单于可安息好了。天子要亲自驾临建章宫，再赐见单于。

呼韩邪 天子光宠极了。那么，就去迎接吧。

萧　育 （恭敬地）请稍候，待萧育再问一下，就来禀报。

〔萧育施礼下。

呼韩邪 （轻松地，向苦伶仃）苦伶仃，我的老奴，长安的美酒没有把你醉倒吗？

苦伶仃 单于，您的酒量惊呆了天子，老奴的酒量吓呆了马夫。我和他们喝得好痛快啊！

〔呼韩邪笑了。

〔苦伶仃，一个龙廷后帐的老奴隶。是随处跟随呼韩邪单于，为他取笑逗趣的人。他原是乌禅幕的老奴，有过一段谁也摸不清的痛苦的经历。自从乌禅幕的女儿嫁与单于后，他便当作货物一般送给了后帐。玉人喜欢他，单于也喜欢他。他是龙廷中唯一可以说话逗乐，而没有顾虑的人。但他不能算是一个弄臣，他至今还是个奴隶，虽然他的穿戴和从前是不相同了。他是一个世情懂得很透的老人，在关塞一带住过很久，知道汉人的生活和感情，更懂得匈奴百姓的生活和感情。他胆大，不怕挨打；他心细，几乎可以窥见每一个人的不肯告人的心思。但是他脸上总是那一副憨傻可笑的模样。他的眼睛很大，非常灵活，六十多岁的人了，还能滴溜溜地乱转。他傻敦敦的，可眼神里又藏着敏捷；言谈举止来得滑稽可笑，却给人的感觉又像那样忠诚可靠。他是一个来自匈奴底层的既聪明又善良的人。

〔他乐观，好笑好说，好逗弄人，爱喝爱唱。他身上总是一边带着乐器，一边挎着酒葫芦。即便在单于面前，他也敢要酒要肉，敢说些单于不爱听，而他要说、非说不可的话。他挨过一顿鞭子，他抚着痛处，一声不出。过了半天，依然是那个又唱又笑的苦伶仃了。他知道自己的身份是个奴隶。他看透了贵族生活当中的黑暗和残酷。只因他心中藏着扑不灭的生命的火，才使他本着自己的“良心”，按着他认为的蓝天下人如何活着的道理活下去。

〔他是多才多艺的人，吹胡笳，奏胡琴，打羯鼓，任何一种乐器，到他手里便成了打动人的仙乐。他有一肚皮的故事，边说边唱，边演边奏着乐。在他未成乌禅幕家的奴隶的时候，他便是草原上受人喜爱的昂爽有趣的青年。玉人阏氏在的时候，最爱在月下和单于听他打起匈奴的鼓，依着悲哀的胡笳，沉郁地唱起辽远而又亲切的歌，唱着古战场上的英雄。他还能随时抓住眼前的事物，编成一段动人的歌曲。大家笑了，高兴了，快乐了，他在兴奋中，忘却了过去的一切苦难。他没有得到任何可以安慰他的心灵的赏赐，但他还是按照他的忠正的心肠活着。他知道汉匈老百姓的心愿是什么，他总是怀着这心愿去讲，甚至对单于讲。

〔他极能干，会治病，会种菜，会做木工，以至酿酒、掘井、养蚕他都能做得来。至于养马牧羊、识别天气、念咒祷告，这些匈奴人做的事，已是他生命中的一部分。死去的玉人阏氏把他称为龙廷的“宝”。

〔这时，他恭顺地立在呼韩邪单于身旁。

呼韩邪 （向温敦）温敦，我的内弟，你的脸上怎么还是罩着一层霜啊？天子这样厚待我们，你难道还不高兴吗？

温　敦 我太高兴了，我都怕忘了我是从哪里来的了。大单于，请您向北站，让我行匈奴的大礼。天地所生，日月所置，呼韩邪大单于好！（行礼）

呼韩邪 你为什么给我念这么多头衔？

温　敦 （冷冷地）我怕您忘了。

乌禅幕 （勃然）温敦，你犯上。

呼韩邪 （和蔼地）你有话，就讲出来吧。

温　敦 呼韩邪大单于，我们匈奴人爱烈性的马儿，明亮的刀儿，草原上的风儿；我们靠天、靠水、靠肥草、靠勇、靠强、靠弓箭、靠尖刀。现在既然我们统一了南北匈奴，为什么还要归顺中原，当长安天子的女婿？单于，你来长安这是第三次了，难道你要长久向汉朝皇帝讨赏，长久依靠汉朝活下去吗？

呼韩邪 温敦，冰山也有融化的时候，你这奇怪的念头怎么到现在还没有化开。甘露元年，在龙廷上，全匈奴的王公大臣争议了多少天；我决定了归顺长安，大家都向我表示忠诚拥护。事到今天，你难道还想推翻吗？我跟你说过，打猎靠山，做箭靠树，二十年来，匈奴上下靠汉朝天子的兵器粮草。我们人没有死光，牛羊没有死尽，兵祸连年之后，终于得到了太平。中原的天子，哪一点亏待了我们，是我和汉朝使者在诺水东山共饮血盟，订下汉与匈奴合为一家，这世世子孙的盟约已经上告于天，你难道还想违背天意吗？

温　敦　臣温敦不敢。可是大单于，匈奴的万世基业就这样丢掉了吗？

呼韩邪　你说什么是匈奴的万世基业？

温　敦　鞭打着我们的马，朝着富裕的地方飞跑，叫汉朝百族都向天地所生、日月所置的匈奴大单于跪倒。我们踩着他们的尸首，抢来牛群、马群和好手艺的奴隶。这就是祖先定下的家规！不战不能立，不取不能富。什么“汉匈和好”“汉匈一家”，这是黑天的月亮，早晨的露水，长久不了的。单于，赶快回去！不要再想娶汉朝女人，不要让汉朝女人来管住我们的手脚。温敦跪下求您，（跪下，若狂地）这是我最后一次请求您！单于！

呼韩邪　（愠怒）温敦，你居然到了天子朝廷上还存着这样的念头，你是疯了么？

乌禅幕　饶恕他吧！单于，是我没有管教好。

呼韩邪　（停顿）温敦，你要知道，我们匈奴人和汉人都是夏禹王的后裔，是手足，是兄弟，汉匈本来就是一家人，这才是我们真正的万世基业。要娶汉家的公主作为我们的阏氏，这是不能更改的。（转对乌禅幕）乌禅幕老侯爷，我的心腹老臣，我和你故去的女儿，玉人阏氏，是患难夫妻，我对她永世不忘，对你乌禅幕一家的赫赫功劳，我也永世不忘。我向上天发誓，玉人永远在我心里。老侯爷，你就是我的父亲；你，温敦，就是我的弟弟，你好好待我的妹妹，你的妻子，阿婷洁大公主。我会把你看得比亲弟弟还要亲的。

乌禅幕 （跪下）谢单于深恩。（向温敦）孩子，你还发什么愣？

温　敦 （心思一转，跟着跪下）叩谢单于，温敦无可报答，只有一颗忠心。

呼韩邪 起来，（上前扶乌禅幕）快快起来。

〔萧育上。

萧　育 大单于，天子就要到了，已离凤阙不远。

呼韩邪 苦伶仃，拿好乐器跟我来，天子是爱音乐的。（向乌禅幕、温敦）你们都跟我来吧。

〔呼韩邪、萧育下。后随苦伶仃。

乌禅幕 （望着温敦）孩子，你要小心，你要多想想。我们贵族祖先传下一句话："但有无言能免祸，稍微妄动便招殃。"

〔乌禅幕下。

〔休勒上。

〔休勒年约四十岁，谪属左大将温敦帐下的一个"当户"。他出身贵族，匈奴内战时，他曾在呼韩邪的哥哥，也是呼韩邪的死敌，郅支单于的军队中，当中裨小王，得意过一时。事败，郅支那些不义的军队最后被汉军消灭后，他便投到温敦帐下，做了一名官职虽小，但得到温敦的宠信的小"当户"。他狡黠阴狠，善于迎合谄媚，窥探新主人的心意，为他献计定策。在呼韩邪单于统一了匈奴后，他是个极不得志、唯恐天下不乱的人。他煽动、助长温敦烈火一般的野心，使他心中惦记着单于的宝位，他捏造许多迹象，使温敦相信自己大有可能当上单于。在事情顺利的时候，他几乎自己也醉心在自己所造成的一片灿烂前程的梦想中。那时，他便更阴狠毒辣，想出令人不能置信的荒唐方式，来实现他主子的阴谋。

〔他代表匈奴那一部分最顽固的社会势力。不事生产，只靠劫掠虏获为生，在抢劫杀人中得到快乐。对汉人更是如此。他一味地讲狠，讲马上立功。现在他的这一套行不通了，他便满心地仇恨。恨呼韩邪，恨汉朝。他隐匿着毒狠，靠温敦来报他的仇，实现他的野心。

〔这次，他以温敦侍从的身份随温敦来到长安。他个子不高，瘦长的脸，脸色发青，淡淡的眉毛，细而长的眼睛，没有光亮。他的华丽的服饰和他萎缩的外形极不相衬。

休　勒　（匆匆跪到温敦身旁）小侯爷！恭喜小侯爷，您命我办的事，我已办好了。

温　敦　什么？

休　勒　我的人在鸡鹿寨关市上，把汉家商队抢了。

温　敦　怎么？你怎么这样大胆！我只是叫你骚扰一下。

休　勒　我怕抓痒痒，惹不起皇帝的火。

温　敦　（有些迟疑）那……那怎么办？

休　勒　汉朝皇帝的盛怒，一定会落到他的新女婿头上。我们是清白无辜的。

温　敦　（想了一下）我们的人落到汉人手里没有？

休　勒　我那两个儿子带着骑兵，像一阵狂风，刮过之后，无影无踪。

温　敦　（一丝冷笑浮上）好，看呼韩邪怎样讨他岳父的欢心吧。

〔远远传来宫乐。

温　敦　天子来了，你去吧。

〔休勒下。

〔撞钟击鼓，鼓吹乐大作。汉元帝和呼韩邪单于上。后随萧育与汉元帝内弟王龙、乌禅幕老侯爷，苦伶仃也跟在后面。有两个黄门手执凤羽豹尾，两个黄门托着香烟缭缭的香炉。元帝是很简单随便的样子。

〔汉元帝——刘奭，是西汉第九代的皇帝。外貌温雅端庄。言谈举止与其说像个皇帝，不若说像个洒脱的文人。他善音乐，能鼓琴瑟，吹笙箫，甚至于可以作曲谱歌，是个儒雅的皇帝。

〔他继位十六年，现在四十三岁。他承袭了高祖以来汉朝廷对匈奴的和睦政策。在他当太子的时候，便和呼韩邪两度在长安会面，他对于匈奴的风土人情有一定的了解。

〔他在位时，匈奴由于侵伐和内战，更趋疲弱。汉与匈奴人民都盼望和平安居。汉朝长期以来对匈奴防御安抚的政策，此时结下了硕果。整个局势使汉、匈的统治者更趋向和好相处。在郅支单于反汉政策失败，被灭之后，呼韩邪又来长安朝觐。从此更确定了君臣关系，匈奴奉汉正朔，匈奴便成为统一的多民族的中国的一部分。元帝在汉匈和好，臣服匈奴这一事业上，承袭了前朝的政策，是一个幸运的因时成事者。

〔元帝中等身材，面白净，微胖，穿着宴会的便服，他拿着一支洞箫，很自在地和呼韩邪单于闲步走来。

〔王龙，是元帝王皇后的弟弟，年二十二岁，是一个养尊处优的权门子弟。他小时斗鸡走狗，由于姐姐王皇后的督促，不知为什么忽然汲汲于功名政事。他看不起朝廷老成持重的大臣。他是一个不知轻重，自逞聪明，飞扬骄悍的青年贵族。皇后宠爱他，他能说会道，无论在哪方面都喜欢炫耀自己、抑压同位的人。他十分重视他的家世，好卖弄，喜欢排场。

〔今天他特别高兴，据他姐姐告诉他，他就要被天子赐封"送亲侯"。

元　帝　（忽然转对黄门）叫他们不要奏乐了。

王　龙　按朝礼，天子赐见诸王侯，照例要奏大乐的。

元　帝　朝觐辞别的礼节已经行了一早晨了。单于就要回去，让朕和单于在幽静的地方，再叙一叙吧。

萧　育　吩咐停乐。

〔乐声止。

元　帝　乌禅幕老侯爷，你们在长安这些天，游玩观赏得可好？恐怕有慢待的地方吧。

乌禅幕　臣启陛下，臣随我主单于来朝，受到陛下深恩款待，瞻仰了中原的文治教化。几天来，我们的生活新鲜得像奶、像蜜。真要感谢天子。

元　帝　老侯爷真是一位善颂善祷的人。单于，朕也要感谢你给朝廷带来了塞上的肥羊、好马和养马、畜马的一套本领。（对呼韩邪）单于，方才你说得好，好马该是怎样？

呼韩邪　臣说到，真正的好马，马头就是“王”，要正要方；眼睛是“丞相”，要神要亮；脊背骨是“将军”，要硬要强；肚子是“城池”，要宽要张；四条腿是“王的命令”，要快要长；两耳像劈开的竹管，尖而刚；皮毛像太阳下的缎子，闪亮光。这样的马，不乱吃、不乱动，骑上去，它不狂奔、不乱跑。但是在宽阔无边的草原上，它驰骋起来，千里万里，像风也似地飞过，在它眼里，没有不能到的地方。这才真是生死可以相托的好马。

元　帝　真说得好。（沉思地）“生死可以相托”，是啊，这才真正是好马。

呼韩邪　陛下，臣等今后愿做中原的这样一匹良骥好马，生死相托。

元　帝　好极了，这样就天下大安，万民共乐了。朕和你可以安心了；我们的“诺水之盟”，就永不可变了。呼韩邪单于，请登胡床吧。

呼韩邪　臣敬谢。（坐下）

元　帝　（满面春风）单于，你记得十八年前，我们在长安，畅游聚首多次。

呼韩邪　是的，那时先帝还在，陛下还没有继承大位。（亲切而有分寸地）然而，臣很荣耀，和陛下在太子宫中，饮酒高歌了几个长夜。

元　帝　（回忆着，高起兴来）那时，你我都还年轻，岁月如流，人老多了。呼韩邪单于，朕没有忘记当时你奏的胡乐，没忘记你嘹亮的歌声。

呼韩邪　臣在匈奴打仗的岁月里，也常常想起陛下吹的洞箫，真是仙乐一般哪。

元　帝　（感慨地）辛苦了，单于。二十年来，你已经立下了盖世的功勋，平定了匈奴的内乱。

呼韩邪　（发自衷心地）那要感谢先帝和陛下多少年来给匈奴的种种帮助和赐予啊。

元　帝　（坦挚地）有难相扶持，这不也是"生死相托"的道理吗。呼韩邪单于，关市畅通了，你们的良马、肥羊已在汉家传种，你们的胡乐也已经传遍了中原。（恳诚地）单于，我们的嘉宾，我们的昆弟。（这时，鹿苑中一只梅花小鹿嚼着青草，轻捷地由窗外走过，呦呦叫着）你看，吃草的小鹿不也欢迎你吗？可惜，你就要走了。前天，我为你谱了一首歌，叫《鹿鸣》。那辞是取自《诗经》上的，妙极了。

呦呦鹿鸣，
食野之萍。
我有嘉宾，
鼓瑟鼓琴。
鼓瑟鼓琴，
和乐且湛。

我有旨酒，

以燕乐嘉宾之心。

（殿下清越的箜篌，衬托着元帝诵诗）

呼韩邪　（点首）好，好。

元　帝　好，取酒来，我们再饮一觥。

〔宫娥们呈酒。

呼韩邪　（接酒）谢陛下。（一饮而尽）苦伶仃。

〔苦伶仃走上。跪呈一支玉饰金镶、美奂绝伦的胡管。

呼韩邪　这是臣家中传世之宝，一支……

元　帝　胡管。（接下，赞美地）精美极了。一定会吹出天籁一般的音乐。可惜，我的酒喝多了，不能亲自为你吹我作的歌了。我会找一个人为你唱的。（对着胡管）胡管哪，呼韩邪单于叫你发出欢好悦耳、万民都爱听的声音。（转过头来）好，单于，我也送你一件礼物。（笑望着呼韩邪）希望这礼物能给你带来幸福，给匈奴带来安宁、和平。

呼韩邪　（笑着，有些惊奇地）哦？有这样神奇的礼物吗？

元　帝　（笑答）嗯，是可以这样神奇的。这就要看你的运气了。单于，这就是我为什么要请你到便殿来的缘故了。我要给你开宝了，单于。（转对萧育）准备好了吗？

萧　育　臣准备好了。

元　帝　（低声）她好看吗？

萧　育　臣不敢说。臣等先看的是“德”，而“德”……

元　帝　（听腻了）对，“德”“德”，德言工容的“德”。“德”“德”……

萧　育　至于美，美会因人的眼光而不同的。美，不美，还是请陛下和单于来看吧。

元　帝　（对呼韩邪）那就真的是开宝了。单于，我还没看过呢。（对萧育）传吧。（忽然和悦地）奏乐。（向呼韩邪）美妙的音乐才能唤出美妙的人。

〔燕婉动听的宫乐在大殿里飘荡。宫娥仪仗迤逦摆开。

〔王昭君丰容靓饰，光彩照人，顾影徘徊，竦动左右。她走上来。

〔在庄肃沉静的一朝文武的目光下……

王昭君　（独白）这半天，

我忍不下心在发抖。

寂寞、白发的孙美人，

还在我的心头。

可眼前，忽然管弦笙歌，金碧辉煌，

一霎时，人间天上。

歌台舞榭，复道回廊。

一路上，

站满了文臣武将，

九州的侯王。

六宫一齐向我偷眼望，

我怎么能怯生生、虚恍恍？

空张皇？

这时刻，怎么可以“当仁”而“让”？（目光一扫）

上面坐着的，莫非是生杀由他的天子和单于？

他们“喜”就是“生”，“怒”就是“死亡”。

可六宫都羡慕我，一天便见到了，

一位单于，一位皇上！

管他是什么！

我淡淡装，

天然样，

就是这样一个汉家姑娘。

我款款地行，我从容地走，

把定前程，我一人敢承当。

怕什么！

难道皇帝不也是要百姓们供养。

〔她风韵万千，吸摄着一朝上下的眼神。

王昭君　（跪拜）后庭王昭君朝见天子陛下，天子万岁！万万岁！（垂下眼）

萧　育　请贵人仰望天子。

王昭君　遵命。（抬头仰视）

〔天子和单于大惊愕。半晌。

元　帝
呼韩邪　哦！

苦伶仃　（在满朝充满了喜悦的静默中，旁白）

满朝上下，

变成了庙里的泥胎。

皇帝和单于发了呆。

听不见一声咳嗽，

只有一个女人的眼睛，

在发着光彩。

乌禅幕 （出神地望着王昭君，禁不住地叹息着，旁白）

看见这样的女人，不说好看的，

是瞎子；

看见这样的女人，不爱上她的，

是傻子。

萧　育 贵人朝见大单于殿下。

王昭君 后庭王昭君觐见大单于殿下，千岁！千千岁！（垂下眼）

呼韩邪 （自语）这是什么？眼前忽然发了亮？

元　帝 （似乎回答呼韩邪的话，自语）这不就是春光？她照亮了我的六宫。哎，可惜已经不是我的宠爱。

呼韩邪 （像一声回音，自语）仿佛暗夜的草原，陡然升起了月亮。

温　敦 （盯视着单于喜悦的眼神，忽然旁白）我看得出单于已经把我的姐姐忘却了。我恨这女人，她会毁了我。

元　帝 平身。

王昭君 谢天子。

萧　育 （望着元帝与呼韩邪）下面还有备选的美女，还要看吗？陛下。

元　帝 （望着王昭君）不、不用了。

萧　育　（对呼韩邪）大单于呢？

呼韩邪　（还在惊愕中）不、不，就依天子陛下吧。

元　帝　（赞美地）汉宫中居然有这样一块未曾雕琢的美玉啊！

姜夫人　（不觉转对盈盈，夸傲地）你看，我教的孩子就是没有错儿。一下子就抓住了皇帝和单于。

元　帝　（和蔼地）好，你为我们唱一段《鹿鸣》之曲，来欢祝单于吧。

王昭君　后庭王昭君万死，昭君没有学过。

元　帝　哦？

王昭君　臣昭君愿唱一支比《鹿鸣》还要尽意的歌子。

〔举朝震惊。

元　帝　什么？

王昭君　（从容地）《长相知》。

〔姜夫人忍不住"哎呀"了一声，盈盈、戚戚都大惊失色。

王　龙　（厉声地）大胆！这是乡俚下民的情歌，怎么能在天子面前歌唱，侮慢圣听！

姜夫人　（惊恐，自语）我的天！好好的，你怎么想起唱这种"哥哥妹妹"的调儿来了。这一下真正要杀头了。

元　帝　（吃惊，却没有发脾气）哦，《长相知》，这叫什么东西？

王昭君　（从容不迫）就是《长相知》，陛下愿听吗？

萧　育　（也忍不住了）这个姑娘简直是出人意外。

元　帝　（被王昭君雍容自若的态度所吸住，笑着）好，你唱吧。下面有人伴奏吗？

〔殿下无人回答。

苦伶仃　（走出跪下）老奴苦伶仃愿试一试。

王　龙　（抗议地）陛下！

元　帝　（温和地）让她唱。

〔苦伶仃从腰间拿出一支胡管，吹起来。

王昭君　（唱）

上邪！

我欲与君长相知，

长命毋绝衰。

山无陵，江水为竭，

冬雷震震，夏雨雪，

天地合，乃敢与君绝。

长相知啊，长相知。

〔王昭君唱得悠婉动人，声彻天外。元帝随着歌声，领会每一句诗。王昭君唱毕，跪拜。

元　帝　唱得好，真唱得好。是天上的音乐。平身。

王昭君　谢陛下。（站起）

元　帝　（忽然）但是你不觉得你有罪吗？

王昭君　（又跪下）昭君死罪。昭君没有迎逢陛下圣意，歌唱陛下的御作，昭君死罪。

元　帝　不是。你在这样的嘉宾面前，唱起这样儿女的情歌，不是失了礼吗？

王　龙　就是啊，陛下，这应该交掖庭治罪，该砍头的。

姜夫人　（自语）这不是！糟了！糟了！

王昭君　陛下能容臣昭君一言不？

元　帝　好，你说。

王昭君　陛下，如果能容昭君一言，这样的话是要站着说的。

元　帝　好，你就站着说。

王昭君　（立起来，意态自若，侃侃然）陛下，礼发于诚，声发于心，行出于义。天生圣人都是本着“义”和“诚”的大道理治理天下的。于今，汉匈一家，情同兄弟，弟兄之间，不都要长命相知，天地长久吗？长相知，才能不相疑；不相疑，才能长相知。长相知，长不断，难道陛下和单于不想“长相知”吗？难道单于和陛下不要“长不断”吗？长相知啊！长相知！这岂是区区的男女之情，碌碌的儿女之意哉！

元　帝　（忍不住连连点头）好，好！

呼韩邪　（也忍不住）啊，陛下，这真是说得好极了。

〔这时，全朝上下也忽然欢快起来。

元　帝　（听了多遍，依然忘记）你叫什么名字？

王昭君　臣早已禀奏，王昭君。

元　帝　哦，王昭君，王昭君。你恰恰说到我们的心上了。

姜夫人　（对盈盈，得意地）你看，我教的孩子就是没有错儿的。

元　帝　（对呼韩邪）你看，这一点不就神奇吗？（对苦伶仃）可你怎么也会吹这个调子呢？

苦伶仃　启奏天子，塞上胡、汉两家百姓都会唱这个歌子的。

元　帝　哦，胡人、汉人都会唱的？

苦伶仃　是，陛下。

〔这时，一个年老的大黄门执羽檄上。

黄　门　启奏陛下！鸡鹿寨十万火急，羽书传到长安，请圣裁。

元　帝　萧卿代读。

萧　育　（展开羽书）“鸡鹿寨都尉祁连将军、云中太守陈昌等急奏天子陛下：昨夜匈奴骑兵，突然袭击，放兵抢劫汉朝商队，将货物一扫而空，又乘风纵火，将关市烧毁。臣等急派兵马。胡骑遁去，不知下落……”

元　帝　不要念下去了。

呼韩邪　（大惊失色）温敦，这是怎么回事？

温　敦　消息突然，小臣毫不知晓。

元　帝　（拿着羽书，笑着说）你们说，这个紧急军报奇怪不奇怪？大单于……

呼韩邪　（离座）陛下！

元　帝　（望着萧育）这岂不是太荒唐了吗？

呼韩邪　（猜不出元帝是什么心思，紧张地望着元帝）陛下……

元　帝　（忽然向王昭君，立起）你刚才说什么“相疑相知”的话，是怎么讲的？

王昭君　（清清楚楚地）长相知，才能不相疑；不相疑，才能长相知。

元　帝　（忽然，对呼韩邪闪出宽慰的笑容）对啊！不相疑，才能长相知。弟兄朋友之间，不就是这样吗。（走到呼韩邪面前）呼韩邪单于，边塞上的事情出人意外，总是不免的。但是对我们天长地久的昆弟、翁婿之欢，这不是一件很小的事情吗？放心吧。猜得出来，匈奴刚刚太平，有一些不臣之徒在找单于的麻烦，趁你在长安，要给你难堪。难道中原的人可以上这样的当吗？

呼韩邪　臣惶恐。今天，中原天子的深情，臣永远不能忘记，臣定要彻查此事，禀报天子。

元　帝　（劝慰地）不说这些了吧。我们亲家还谈我们的和亲大事吧。（对萧育，指王昭君）这就是单于未来的阏氏吗？

萧　育　（望着呼韩邪）那就看大单于的心意了。

呼韩邪　（立刻走向元帝面前，作礼）臣感谢天子。

萧　育　恭贺单于殿下选了阏氏。

〔这时，全朝上下顿时欢呼起来。殿外喊着："单于和亲，千秋万岁！"

元　帝　恭贺单于，万福吉祥。单于的阏氏，吉祥如意。

温　敦　（压下内心的愤恨，笑着走向元帝，跪下）启奏陛下，温敦万死。不知我们的新阏氏是天子的哪家公主？

元　帝　（转身对王昭君）王昭君听封。

王昭君　（跪下）臣昭君在。

元　帝　汉天子刘奭，御封王昭君为昭君公主。

姜夫人　（惊喜）哎呀，你公主啦！

元　帝　佩紫绶金印，鸾旗凤辇，仪同汉朝王妃。

姜夫人　（自语）我的儿，你王妃了！

王昭君　王昭君恭谢圣恩。

元　帝　萧育、王龙听旨。

萧　育
　　　在。
王　龙

元　帝　萧育是辅弼大臣太傅萧望之之子，多次出使匈奴，累建功勋。兹再命大臣萧育持节匈奴，为汉天子送亲正使。并将匈奴所需丝绵、铁器、粮食、文物如数送往龙廷，作为昭君公主嫁妆，并连年输送，长此不断。

萧　育　臣领旨。

元　帝　王龙听旨。王龙是朕王皇后幼弟，是汉家国舅。现封王龙为昭君公主之兄，晋封“送亲侯”。并做萧育副使。

王　龙　…………

元　帝　（对呼韩邪）怎么样？大单于，昭君公主都请更衣吧。未央宫上就等着你们举行大礼了。

呼韩邪
　　　是，陛下。
王昭君

元　帝　好，请吧。

〔呼韩邪退下。后随乌禅幕、温敦、苦伶仃及宫女黄门等。

〔王昭君与姜夫人等由另一方退下。

王　龙　（急煎煎地）陛下，鸡鹿寨关市被抢，这是匈奴蓄意谋犯边塞，意在威吓长安，侮慢天子。这是呼韩邪大逆不道。臣以为朝廷对他，轻则延缓和亲大事……

元　帝　重呢？

王　龙　重则扣住呼韩邪。他若不服，就杀了他，以示天子武威。

元　帝　（申斥）昏话！你小小年纪，懂得什么？你这岂是祖先顺天恤民，怀远和亲，做一家人的道理。

王　龙　（有点骄宠自恃）陛下……

元　帝　（高声）不要再说了！真不知道皇后是怎么教训你的。

王　龙　（仍然有些固执）可是陛下，呼韩邪这个人……

元　帝　这些事萧育爱卿都很清楚。你到匈奴去要言语谨慎，事事多问萧育正使。萧爱卿啊，朕叫他跟你在匈奴历练历练。不然，封他为侯，朝廷的御史大夫们又要说朕看重外戚了。

萧　育　臣领旨。

〔宫乐大作。呼韩邪与王昭君从便殿两方盛装走上。

呼韩邪　（来到元帝面前）臣感谢陛下这样神奇的厚礼。

王昭君　臣王昭君感谢天子深恩。

〔呼韩邪、王昭君向元帝施大礼。

元　帝　祝你们安康长乐！

呼韩邪　（向王昭君）昭君阏氏，让我和你一同去向北方，去向美丽的大草原吧！

王昭君　是，呼韩邪大单于。

〔呼韩邪与王昭君相对缓缓作礼。

——幕落

第三幕

匈奴龙廷附近。远望是崇山峻岭，葱葱郁郁的阴山。碧绿的黑河，由山谷中蜿蜒而来，在风光绮丽的草原上，缓缓流去。

阴山下面是一片清澈见底的大湖，匈奴人把它叫“海子”。这是一个风景优美，水草肥沃的地方。宽阔的黑河、茂盛的草原和眼前一片湖光山色，使匈奴人祖祖代代都聚集在这里，放羊牧马，盛暑夏天，此地却十分凉爽。

这是夏天傍晚的草原，天上云霞似火。红、紫、蓝、黄，一时像千军万马，一时像苍龙在天，一时像巉岩断壁，一时像火海烈焰，变化奇幻，说不出的绚丽多彩。

昭君公主从长安到匈奴已经三个多月了。这是她要受单于加封，晋单于祖庙的前一天的傍晚。按匈奴风俗，龙廷上下、王公贵族、牧民奴隶，从早到晚，欢宴三天，饮酒纵歌，彻夜不休。远望湖边上一片大大小小炙肉的燎火。近水的地方，都罗布着密匝匝的穹幕。喧闹的胡乐和牛马的嘶鸣，由湖边传来。

近处是呼韩邪单于在夏天游憩的地方。一面矮墙似的绣花毡幕，毡幕是为单于巡行时，围成一块露天的行殿，它可以随时卷开，露出四面的草原。帐幕金碧辉煌，地上铺着颜色浓丽的毡毯。象征着单于的大纛，威武地立在毡幕的后面。

草原上美丽极了，长着千千万万说不出名字的野花，像望不尽的蓝天点缀着望不尽的繁星。

开幕时，匈奴的卫士、奴隶在毡幕后面抬着整羊整牛，扛着盛酒的皮囊、铜炙、铜锅，络绎走过。远处，年轻的贵族们正在一面喝酒吃肉，一面骑马射箭。

毡幕前站着王龙、姜夫人和盈盈，苦伶仃坐在地上。毡幕外立着匈奴的卫士等。

王龙穿得十分华丽。脚上穿着马靴，手中拿着马鞭，指指点点，一边说着，一边踱着步。姜夫人在一旁恭恭敬敬地听，盈盈是一副不十分在意的神气。

王　龙　从长安到匈奴三个月了。明天，昭君公主就要进匈奴的祖庙了。

姜夫人　是啊，明天一早就举行加封大礼。

王　龙　匈奴龙廷上上下下都在庆贺加封晋庙，我专来向昭君阏氏贺喜。她为什么不在后帐？

盈　盈　我不是跟您说过了，昭君娘娘到海子边上去了。

王　龙　姜夫人，你这事是怎么办的？怎么办的？

盈　盈　（不等姜夫人说话，插嘴）启禀送亲侯……

王　龙　你称呼我什么？

姜夫人　（低声）他要你称天子国舅。

盈　盈　（伶俐地）成，启禀天子国舅，从远方来了一群牧民，受了天灾，（指着）来到那海子边上。昭君娘娘就请阿婷洁大公主陪着她去了。

王　龙　阿婷洁？谁？

姜夫人　单于的亲妹妹，温敦侯爷的夫人。

王　龙　哦，她呀！她们匈奴公主爱怎么疯怎么疯，我们汉朝公主是有汉家规矩的。怎么可以私自离开后宫？嗯？

姜夫人　（心中也不高兴，但是仍然恭恭敬敬地）老妾对娘娘说：离开后帐，这不合汉礼，这事应向天子国舅请示才行。

王　龙　她怎么说？

姜夫人　她说：抚慰百姓也是匈奴阏氏的责任。不必再问天子国舅了……

盈　盈　（望着王龙不可一世的神气，故意满不在乎的样子）就骑着马去了。

王　龙　（没有想到）什么？骑马？汉朝的公主骑马？

盈　盈　启禀天子国舅，到匈奴不骑马，难道要娘娘坐长安的牛车吗？

王　龙　（追到姜夫人面前）是谁教她骑马的？

姜夫人　是娘娘请阿婷洁大公主教她的。

王　龙　（一肚子气）夫人，你是做什么的？为什么不拦？

姜夫人　娘娘说，她自己要想想了。

王　龙　她想什么？她会想什么？她现在脸上擦上一种红不溜丢的东西。那，那叫……

盈　盈　那叫胭脂。天子国舅。

王　龙　她想的就是这个。汉家派来的公主，脸上擦上匈奴女子的胭脂，汉胡之分在哪里？姜夫人，你想想看，从古到今，汉朝的贵妇什么时候擦过这种红不溜丢的东西？这又是谁教她的？

苦伶仃 （一直坐在地上，静静地捧着他的乐器，睃眼觑着他们，这时，翻翻眼）是我，苦伶仃。

王　龙 （诧异）这是谁？干什么的？

盈　盈 他叫苦伶仃，单于最爱的奴隶。会唱，会逗笑，单于特意派来伺候娘娘的。

王　龙 （向苦伶仃）是你教的？

苦伶仃 这不用教。喜欢美，汉、胡两族的女人都一样。我把胭脂递给昭君娘娘，娘娘就擦上了。

王　龙 （对姜夫人）你为什么还是不拦她？

苦伶仃 （笑着）咱们匈奴人的胭脂，擦上就是好看。您看，姜夫人现在都年轻多了。不是吗，天子国舅？

王　龙 （大惊）什么？（望姜夫人与盈盈）连你们也擦上了，你们简直是丢了祖宗的脸。（讥讽地望着姜夫人的脸）姜夫人，想不到你也会这样糊涂。

姜夫人 （被逼急了）天子国舅，老妾倒也觉得不很难看。

苦伶仃 你看，是不是？

盈　盈 （故意气他）而且所有从长安带来的宫女，都擦上胭脂了。

王　龙 （大叫）这是谁吩咐的？

盈　盈 我们娘娘，娘娘的旨意。

王　龙 （向姜夫人）吩咐所有从长安来的汉家宫女，一齐洗脸！把胭脂洗掉。姜夫人，别忘了你自己。

姜夫人　（嘟嘟囔囔的）好，都对，都对，您都对，老妾奉命。（气得转身走下）

王　龙　请转回来，姜夫人。

〔姜夫人只好停步。

盈　盈　（自语）就是他霸道！

苦伶仃　（对盈盈）脑袋像条驴，就越装得像人样。

王　龙　（听见他们两个在嘀咕）他说什么？

盈　盈　我听不懂，天子国舅。

王　龙　（庄严地）姜夫人，你对昭君公主少教导、少开化。

姜夫人　（顺从地）是，天子国舅。

王　龙　你对不起本国舅对你的提携，忘记了我时时刻刻对你的嘱咐。

姜夫人　（小心翼翼地）老妾时时刻刻不敢忘记。

王　龙　你没忘记，那么你说一遍。

姜夫人　（兢兢业业，背书一般）天子国舅面谕，进了匈奴之后，要时时刻刻提醒老妾的侄女……

王　龙　王昭君公主。

姜夫人　（立刻改正）是，提醒王昭君公主，处处对匈奴上下摆出汉家朝廷的威仪，处处要遵守汉家的礼节。不吃胡食，不穿胡服，不许言笑，不能和单于家人过分亲密，不要在胡家贵族中丢了汉家公主的身份。

王　龙　和单于相会呢？

姜夫人　（倒背如流）和单于相会，也要遵礼守度。先要通知汉家礼官，胡家礼官。阏氏说“可”，这才召集乐工，奏“鼓吹乐”，开帐迎接，三次更衣，四次奉茶。单于进了帐，奉汉食三次，男左女右，阏氏坐南，单于坐北，相对而坐，不得乱动。然后，阏氏四次更衣，再奉“雅乐”。奏到二鼓。宫漏三下，宫娥掌灯跪送。奏“安室乐”。阏氏在前，单于随后，出牙帐，奏“燕乐”，进后帐。

苦伶仃 （瞪着大眼睛听着，不觉……）这可该睡了吧？

盈　盈 早着呢！

姜夫人 再奏“小胡乐”，登胡床，提幔帐，五次更衣，再奉晚茶。奏细乐，登帐。礼官高呼：“全宫安静！阏氏进帐，单于进帐了！”

苦伶仃 我的祖宗！（长叹一声）哎哟！这一夜，可真把我们单于折腾够了。

姜夫人 宫娥进帐，奉夜茶，又奏……

王　龙 不要念下去了。你究竟按照这典章办了没有？

姜夫人 （不安地）老妾就、就、就行了一次。

王　龙 （大惊）什么，一次？

盈　盈 以后，单于也就不来了。

王　龙 也好。反正他们在长安已按汉朝仪式行过婚礼，如今，叫匈奴的龙廷上下也瞻仰一下汉家天子的礼法。

盈　盈 （吞吞吐吐地）天子国舅，听说汉家祖先曾说过，汉家公主到了胡地，也是要随胡俗的。

王　龙 （脸子一沉）这又是谁讲的？

〔盈盈望着姜夫人。

姜夫人　（低下头）萧育正使大人当面对老妾这样谕告过。刚才您定的那套礼法，已经废了。

王　龙　（突然坐在石礅上）姜夫人，我问你，是谁的命令算数？听我的，还是听萧育的？听一个小小正使的，还是听送亲侯的？你们说！

〔戚戚引萧育上。他穿着正使的礼服，身后随从持节旄。

戚　戚　萧育正使到！

〔戚戚下。

萧　育　国舅，听说您又不高兴了？

王　龙　（站起身）萧正使。

萧　育　（轻对盈盈）我问你们一句话，从长安启程，三个月来，昭君阏氏究竟如何了？

姜夫人　（刚要说，便叹了一口气）唉！萧大人……

盈　盈　第一个月，咱们娘娘有说有笑；第二个月来，咱们娘娘不苟言笑；第三个月来，咱们娘娘不言不笑。

萧　育　（对王龙）送亲，送亲，如果弄得昭君公主这样不安，我们为臣的，不于心有愧吗？

王　龙　难道为了要单于到汉家阏氏的后帐来，还得由汉家国舅向单于叩头请驾吗？

萧　育　送亲侯，你说到哪里去了？昭君公主现在是匈奴的阏氏。单于与阏氏的欢好，关系着中原与胡地的相安，关系着万民的安乐，对我们来说，这难道是一件小事吗？

王　龙　老大人，这一套和亲的大道理，我不明白是对谁说的？

萧　育　王大人，现在汉匈互通有无，“关市”大开，匈奴人学汉语、学纺织、学种地、学冶炼、学掘井、学中原文化。我们呢，也向匈奴学放牧、学马术、学骑战、学胡乐。连长安，今天不也仰仗从匈奴来的马匹牛羊吗？这便叫作汉胡一家。这是汉朝和匈奴的祖先多年苦心修好，谋求和睦的结果。可是你到此地，只知炫耀长安对匈奴的恩德，处处摆你的架子。仿佛匈奴一无所有，只是你在施恩舍义。昭君公主以后要长居龙廷，你这样做法，能对她有一点好处吗？对长安朝廷，对中原的百姓，能有一点好处吗？王大人，你要切记！我们只能战战兢兢，按照朝廷的旨意，谨慎行事。

王　龙　（连连摇头，不在意下）老大人，您做了一生的边事，屡次入使匈奴。您难道还没明白匈奴人的脾气。他们遇了难就卑顺，得了势就骄横。欺软怕硬。这是个最浅的道理。

萧　育　不，你说得太不得体了。呼韩邪单于就不是如此。他确是匈奴的英主。（转向姜夫人）姜夫人，我再说一遍，昭君公主的后帐内，一切按龙廷的规矩办事。

姜夫人　（望着王龙）天子国舅，您看……

王　龙　（愠怒）好吧，全凭萧育老大人！小侯从此不管了。告辞。（转身便走）

萧　育　慢。送亲侯是天子圣命所托，您如何能置身事外？

王　龙　（愤愤然，自语）不顾中原的威仪，失了汉家的体面，连小侯的体面也不顾了。你还叫我管什么？

萧　育　国舅，我看最体面的事莫过于把汉家好的东西送过去，把匈奴好的东西传回来；取长补短，使两家百姓欢乐富足，这就是我们的体面。

王　龙　（恶狠狠地）萧大人，你大权在手，一切由你。回了朝廷，我是要向天子面奏的。

萧　育　（严峻地）请奏。不过国舅，我还是劝你三件事。你不得再自称天子国舅。你要人称你天子的国舅，难道你不是单于的国舅吗？这样你置单于何地？温敦现在龙廷，他也是国舅，是死去的玉人阏氏的国舅。姜夫人，后帐是怎么说的？

姜夫人　（咕噜地）他们说："前国舅、后国舅，谁是真国舅？汉国舅、胡国舅，谁是单于的好国舅？"

萧　育　（对王龙）听见了吗？温敦对长安、对单于和昭君公主的亲事，本来心中有些不快。如今你自称天子国舅，这不是更增添他的不满，更忌恨侯爷吗？

王　龙　（听着听着，忽然哈哈大笑）正使大人，您说得真是天花乱坠。无奈事实并非如此。温敦侯爷一直在我面前称赞昭君阏氏。他非但不忌恨小侯，而且和我一见如故，十分相投，成了莫逆之交。我和他才真是汉匈一家、和睦真诚的表率。

萧　育　和睦真诚？

王　龙　不像那些自命老成的人，不分善恶、疑东疑西，拿汉匈和好为幌子，好回朝夸功。

萧　育　（勃然变色）萧育只知行天子之命，推行四海一家之理。其他成败利害，一概不计。王大人，天子吩咐我，对王大人有管教的责任……

王　龙　什么？你把天子都抬出来！

萧　育　（点点头）天子上月的诏书，您愿意我对您再读一遍吗？

王　龙　（低头，嘘一口气）……

萧　育　（诚恳地）萧育但愿王大人少与温敦来往。这个人的心摸不透。他对王大人亲热非常，特别要好，你更要当心才是。

王　龙　（没有办法）好，听您的。

萧　育　今天晚上，他请你赴宴，就不要再去了。

王　龙　（耐不住）什么！你怎么知道他今晚请我？你怎么知道？

萧　育　自然有人告诉我。

王　龙　（奈他不得）也好，听您的。还有什么？

萧　育　（对姜夫人和盈盈等）你们下去！

姜夫人　是，萧大人。

〔姜夫人、盈盈和苦伶仃等下。

萧　育　有一件事我应该告诉你。天子圣体欠安。

王　龙　（大吃一惊）天子有病？

萧　育　当然绝不会有什么意外。但是我们应该尽快把送亲大事办妥，待昭君公主加封晋庙大礼之后，立即返回长安复命。

王　龙　那么我们就回长安了？

萧　育　是的，就回长安。天子欠安的事你要保密！“臣失密，则失身！”这是机密大事，泄露出去，那是要掉脑袋的。

王　龙　（不耐烦地）我晓得。

〔匈奴卫士高呼："国舅骨突侯温敦侯爷驾到！"卫士们上。

〔温敦兴致勃勃，仿佛刚从宴会里走出来的样子。

温　敦　（十分尊敬地）哦，正使大人。龙廷大宴三日，您二位怎么不去喝酒了呢？

萧　育　我们到后帐为昭君阏氏叩喜。

温　敦　呼韩邪单于叫我请正使大人到前面，看一看单于送给长安的好马。

萧　育　是。感谢您来传旨，萧育就去。

〔萧育下。

〔王龙默默不语，望着萧育的背影。

温　敦　看，萧正使多么有德行，多么叫人尊敬。走起路来，一步一步都显露出中原的文化来。

王　龙　（按不住）什么中原文化！一个老木头橛子就是了！

温　敦　怎么啦，天子国舅？

王　龙　（仍在生气）难道叫我天子国舅，就是对单于的不敬吗？难道叫我天子国舅，侯爷你听着就刺耳吗？

温　敦　（惶恐地）这是谁说的？这毒蛇一样的念头！天子国舅，请您不要让毒蛇来咬我的心吧。

王　龙　（愤愤地）以后不要再叫我天子国舅！

温　敦　怎么？

王　龙　萧正使不许。

温　敦　（为难的样子）不准我叫，我就不惯，龙廷上下都会不惯的。

王　龙　（得到了安慰）是啊，温敦侯爷，我知道你为人正直，你是爱汉朝的，绝不是像萧正使说的那样。

温　敦　（一惊，立刻）不，国舅，萧正使的每句话都像宝石一样珍贵。

王　龙　你的心太好了！你知道他说你什么？

温　敦　小臣不敢乱问。

王　龙　我告诉你吧。他说你对汉朝不满，对昭君阏氏不满。他不许我跟你交游，怕我上你的当。

温　敦　（突然）啊，天神，如果我有这样罪恶的心肝，您就用利剑把我劈成两半！

王　龙　（劝慰）不要这样，温敦，我是信任你的。

〔不知什么时候，苦伶仃悄悄地又溜进来，在旁边坐了半天。他闭着眼睛，像是在打瞌睡。其实，他在听。

苦伶仃　（笑嘻嘻地望着王龙）你呀，你呀，你这就上道了。

王　龙　这个老东西咕噜什么？

苦伶仃　酒喝足了，要睡觉了。

温　敦　滚开！（苦伶仃不理，温敦转向王龙）别理他，这是个东西，不是人。

王　龙　（望着温敦）温敦侯爷，我就要走了。

温　敦　（吃惊）什么，要走了？

王　龙　萧正使告诉我，我们等昭君公主加封晋庙之后，即刻返回长安。

温　敦　（警觉地）为什么？有什么事情吗？

王　龙　不，没有，这是不能说的。

温　敦　噢，朝廷的秘密，温敦是不能听的。可是天子国舅，您要离开龙廷，离开我了，我心里真是舍不得……

王　龙　（感动）我说过，你是靠得住的。龙廷里只有你一个人对汉朝是真心。

苦伶仃　（又睁开眼睛）你说的，可对极了。

王　龙　（想起一事）温敦侯爷，我的好兄弟，昨天你说单于背后对我不恭敬，那是怎么回事？

温　敦　龙廷的事是不许乱说的。

王　龙　难道我们不是无话不说的亲兄弟吗？

温　敦　那要看什么话。

苦伶仃　（忽然睁开眼睛）这下，可套上了。

温　敦　（上前踢了苦伶仃一脚）滚！老东西，不挨打，你就不舒服。

苦伶仃　（喃喃地）是喽，我要走了，我长了一双多余的耳朵。

〔苦伶仃摇晃着走下。

王　龙　温敦侯爷，你还是不肯说，不肯相信我吗？

温　敦　国舅，您怎么对温敦说出这样的话？为了您，我有十个脑袋，就可以掉十个脑袋。我怎么能不相信您呢！天子国舅，我是怕说了，会叫您生气。

王　龙　（急于想知道）说吧，侯爷，我不会生气的。

温　敦　（摇头）不，不能说，说了，我也会生气的。

王　龙　（恳求地）你先不要为我动怒，你就说了吧！别叫我着急了。

温　敦　那，我只好说了。国舅，单于说，王龙是一个不知事理的少年新贵，全凭他姐姐是长安天子的皇后，才弄了个送亲侯。（停住）您看，您生气了。

王　龙　我，我没生气。

温　敦　（觑着他）他还说了……

王　龙　什么？

温　敦　三岁的匈奴娃子，都比您这个王八脑袋聪明得多。您看，您生气了！

王　龙　不，不，我不生气，他还说什么？

温　敦　他说您是个说不出人话的驴！

王　龙　（气得发呆）还有吗？

温　敦　他从来不称您送亲侯，更不称您天子国舅，他只叫您王大人。他还……

王　龙　（爆发）这个大坏蛋！原来他是这样。恶毒、阴险，眼里没有朝廷！

温　敦　（连忙分辩）送亲侯，您不能当着我的面，这样骂我们的单于。

王　龙　（全然不顾）他欺人太甚！我真后悔当初他在长安的时候，没有扣押住他。弄得他现在无法无天，居然敢骂天子派来的人。

温　敦　（小心地）怎么，朝廷要扣押他吗？

王　龙　你忘了，他纵容下面抢了“关市”，目无天子，至今仍未查清。当时，是我奏请天子立刻将他扣押。

温　敦　哦？

王　龙　非但扣押，依我之见，立刻把他杀了，一了百了！

温　敦　为什么没有这么办？

王　龙　（长叹一口气）天子失策哇！如今放虎归山，你看他逞强逞能到什么地步！

温　敦　（低声）您真是英明，您真看透了他的心了。

王　龙　（感觉温敦话里有话）怎么，你还有什么非分之念不成？

温　敦　单于是我的大恩人，我对他是忠诚的，可是我想更该对朝廷、对天子忠诚。我心中痛苦，我真想说，我又不能说，可是，不说，就是对天子不忠！不孝！

王　龙　对！你就对我说吧！你跟我说，也就像跟天子说一样。

温　敦　（一横心）送亲侯王龙大人，小侯向您禀报。如今匈奴缓过气了，单于的心已经变了。

王　龙　哦，哦！

〔一阵马嘶声。

温　敦　我现在告诉了您，我就是把自己的头放在您的手心里了。您看到这一片望不到边的马群了吗？那就是方才单于叫我请萧正使一同看的匈奴好马。

王　龙　那马不是送往长安的吗？

温　敦　是要去长安。哎！（顿足）不是送去，是要杀去。

王　龙　（大惊）什么？

温　敦　这是单于叫我练骑兵用的战马。这群马就要入关进犯。

王　龙　什么时候？

温　敦　（忽然刹住，恐惧地）我不能再说了。除非天子国舅拿几句话作为保证，我才有胆量再说下去。

王　龙　你要什么保证？

温　敦　方才，您说萧正使告诉您要赶回长安，那是为了什么？

王　龙　嗯——（沉吟一下）好！我告诉你。你可万万不能泄露！天子病了。

温　敦　（惊）哦？

王　龙　我想是召我们回去商议朝廷大计。你不是说呼韩邪准备反吗？

温　敦　不出三个月。

王　龙　多少人马？

温　敦　不下五万。

王　龙　从哪边进关？

温　敦　鸡鹿寨。

王　龙　（忽然英气勃勃）好，一边是天子，一边是单于，你站在哪一边？

温　敦　（严肃地）天子国舅，我如果不愿跟朝廷同心，我怎么敢向您报告这样机密大事。呼韩邪单于的剑是时刻悬在我头上的。现在事情紧急，如果天子国舅能迅速禀奏朝廷，在鸡鹿寨内屯兵十万，相机接应，到了那个时候……

王　龙　（兴奋地）到了那个时候，怎么样？

温　敦　到了那时候，我便反了单于，投奔寨内。

王　龙　（目光闪闪）那么单于呢？

温　敦　如果有机会的话，我就把这不义的单于……

王　龙　把他如何？

温　敦　（严重地）不是他，就是我，刀总是要见血的。

王　龙　（激动了）温敦侯爷，你真是一位豪杰啊！

温　敦　我只希望天子国舅明白我的赤胆忠心。

王　龙　（兴奋无比）好极了！好极了！我将急禀朝廷。

温　敦　（忽然拉住王龙）可是萧正使……

王　龙　（得意地）这正是我这个“少年新贵”立功异域的时候。他怎么配参与这样的大事。温敦侯爷，事若成功，我一定禀奏天子，将有意想不到的大位，等着你呢！

温　敦　（一躬到地）我愿终生为天子效劳。死而无怨。

王　龙　好，好，请起，请起。

温　敦　今天晚上在小侯帐内，已经准备好羊羔美酒，胡乐歌舞，请天子国舅一同欢宴。为庆贺昭君阏氏受封晋庙之喜，也为了预祝我们的大事成功。

王　龙　好，今晚我定要到你帐中痛饮，小侯告辞了。

〔王龙趾高气扬地走下。

温　敦　（一躬到地）恭送天子国舅。

〔休勒由布幔后面悄悄上，望着王龙和他的侍卫上马，呼啸驰马而去。

温　敦　你看见过没头的骡子走路没有？

休　勒　（不解）嗯？

温　敦　（用嘴一努）那不是吗？哼，我看刚出壳的鸡也没有这位长安的公子哥儿来得快活。

休　勒　（担心地）侯爷，您把话说得太满了，万一漏了底，谎话会把我们淹死的。

温　敦　把谎话堆成山，不相信，也会疑心。王龙是汉朝皇帝的小舅子，用他的嘴替我说话，十句里，只要皇帝信一句，呼韩邪的日子就不好过。（阴沉地）可是长安派来的这个女人是不好对付的。

休　勒　王昭君吗？

温　敦　她敢当着皇帝的面唱那个《长相知》！有这个女人在，我是不能安心的。她在呼韩邪身边，汉朝就不会疑心呼韩邪。一定要把她从呼韩邪身边赶开。

休　勒　可她就要受封晋庙了，真正做匈奴龙廷的阏氏了。

温　敦　（恶狠狠地）不！不能！绝不能！汉家女人别想当匈奴的阏氏！（昂首望天）“胡者，天之骄子”！匈奴人的头，向谁也不能低！当初，我帮着呼韩邪打他的哥哥，郅支单于。没想到呼韩邪他现在向汉朝低头称臣了。他还不如郅支单于！

休　勒　（伤心地）我的老主人郅支单于，打汉朝多少年，到底被汉军打死了，我成了残兵败将。幸亏侯爷您收留了我。

温　敦　（鄙夷地）你那郅支单于，我跟他打过多年的仗，他有勇无谋，不成大事。

休　勒　只有您，才是胡家真正的英主。

温　敦　（自负地）只要长安不再信任呼韩邪，我就可以把他干掉。五年之后，我的马头就要指向长安了！那时候，王龙要爬着来见我，舔我的马靴，跪着求我进长安！（抽出宝刀，刀在暮色中闪闪发亮）刀！我的宝刀！我的命，我的眼珠子！

你就是兵权，你就是威力！有了你，我就可以调动五万骑兵！有了你，我就可以夺取匈奴龙廷！有了你，我就有一切；没有你，我就一切都完了。

休　勒　（兴奋地）我手下还有两千郅支单于剩下的剽悍、善战的兵马，我可以随时召来，誓死为您效劳。

温　敦　（低下头，缓缓地）我们现在需要粮食、兵器。

休　勒　唉，从前要什么，就可以去抢。可现在不打仗了，通关市了，什么都要拿东西去换了。（指远方）你看，多么好的马呀！那一片就是你的，要赶到关市换东西了。

温　敦　和亲了！

休　勒　讲兄弟了！

温　敦　一家人了！

休　勒　偏偏有许多人高兴。

温　敦　谁？

休　勒　所有草地上的牧民、奴隶。

温　敦　（发作）那些下等人懂什么！

休　勒　唉，还有龙廷上下的王公贵族呢。现在从贵族起，就爱换汉家的东西。

温　敦　（昂起头，激愤地）他们都忘了自己的祖宗，自己的身份。我要让他们永远记住！

〔一个贫苦牧民拿着一张牛皮呼喊着跑过来。

休　勒　你是干什么的？

牧　民　我是牧羊的。小侯爷，我要到关市，我要去换粮食，换衣服。

温　敦　好，你去吧。

牧　民　谢谢小侯爷。

〔牧民跑下。

温　敦　（对休勒）拿箭来！（搭弓引箭，一箭射去，就听见外面惨叫一声）让他到关市换汉家的东西去吧！

休　勒　（高声大笑）哈哈哈……

〔乌禅幕满脸罩着怒气，沉郁地走上。

乌禅幕　（瞥见休勒）你这个癞皮狗，你还在陪着我的儿子。

休　勒　（感觉苗头不对）老侯爷，您今天怎么了？

乌禅幕　你做了好事。（盯着他）我以为把狼喂饱，就不吃羊了。可是狼还是狼！你当了“当户”，抢劫的本性就是改不掉。

休　勒　我怎么了？

乌禅幕　（严厉地）你的事情犯了。三个多月前，你挑唆你的孩子们抢了关市，已经查出来了。

休　勒　（跪下）老侯爷，可是这件事……

温　敦　爹爹，休勒不是这样的人。他在我帐下，对龙廷赤胆忠心，不会做这样的事。

休　勒　（从温敦的话中得到暗示）老侯爷，我可以对天盟誓，我的心好得像刚刚挤出的新鲜的奶子。您要不信，（撕开自己的前襟）这是亮堂堂的心，我可以一刀刺进去，死给您看！

乌禅幕　（掏出一把尖刀，扔在休勒面前）你现在就死给我看吧！

〔沉默。

休　勒　（畏葸地）老侯爷！

乌禅幕　（目光炯炯）拿起来，死给我看！

〔休勒只好畏畏缩缩地拿起那把尖刀。

温　敦　爹爹，让他活着，他是儿子的得力的人。

乌禅幕　他是害你的人！（对休勒，气愤地）做了这样的事，休勒，你还不死！你丢尽了匈奴人的脸。（夺过休勒手中的刀，对准他，就要刺下去）

休　勒　老侯爷，饶命……

温　敦　（拦住乌禅幕）爹！有话好说！（抢过那尖刀）

乌禅幕　来人，把他押下去。

〔卫士们上，押住休勒。

休　勒　（一面走，一面回头）老侯爷，老侯爷！

乌禅幕　（鄙夷地）看你那怕死的样子，你还配当个贵族！滚开！

〔休勒被押下。乌禅幕气得坐在石礅上，沉默不语。

温　敦　（不知所措，窥望着父亲）爹爹！

乌禅幕　（忽然立起，盯着儿子）你为什么做出这样不要脸的事情？

温　敦　（有些惶恐）爹爹，您对儿子说的是什么？

乌禅幕　（抑压着怒火）鬼东西！我看透了你，这件事你是主谋，没有你，没有你的命令，这个癞皮狗是不敢做的。

温　敦　（急切地）怎么？他知道了吗？

乌禅幕　（严厉地）他，他是你的单于！

温　敦　（改口）呼韩邪单于已经知道了吗？

乌禅幕　你不要管，我不做你的同谋。（痛楚地）我再也没想到，你会做出这样的事！啊，不、不！（打自己的头）我是该想到的啊。（忽然恐惧向他袭来，他逼视着儿子）我问你，你的用心是什么？

温　敦　（笑着）我的用心？爹爹，我什么时候做事用过心。

乌禅幕　温敦，你狡猾不过去。我的三个儿子数你坏，偏偏就留下你活着！你今天对我说谎，明天就休想再见到太阳。

温　敦　爹，斧子再快，不砍自己的木头把。

乌禅幕　你说实话。（温敦不语，乌禅幕大吼）你说！

温　敦　（低声、服从地）就是想抢。抢惯了，拿东西换，心里不痛快。

乌禅幕　你知道那时呼韩邪单于正在长安吗？

温　敦　（沉默）……

乌禅幕　你知道你这样做会给他带来什么吗？

温　敦　（沉默）……

乌禅幕　你知道呼韩邪单于是我们匈奴的恩主吗？

温　敦　（无赖地）爹爹，我就是"贪"，贪便宜惯了。

乌禅幕　我的马群怎么出了你这样一只疯骆驼！如果你的两个哥哥没战死……（长叹一声，抬起头，盯着温敦，缓缓地）你过来。（温敦走近，乌禅幕猛然对他狠狠一拳）我恨不得这一拳擂死你！

温　敦　（气得发抖，摸着痛处）我背上还有我小的时候，你打的伤疤。那时候，没叫你打死，现在你打不死我了！

乌禅幕　我要亲口告诉呼韩邪，你是主犯。

温　敦　哼，你真的那样爱你的女婿，爱你的呼韩邪大单于吗？你把我最聪明的姐姐嫁给他；你把我们全家的家业丢下不管；你日夜辛苦，帮他筹划，杀败了那许多单于。你的两个儿子都为他战死了，我的姐姐也故去了，我们全家为他打了二十年的仗。告诉我，这是为了什么？

乌禅幕 他是一个好太子，是全匈奴都爱戴的人。别的那些单于是残暴无道的。

温　敦 他得到了什么？

乌禅幕 他得到了匈奴的龙廷。

温　敦 那么我们呢？

乌禅幕 我们得到了看得远，想得周全的主子。

温　敦 你得到了什么？

乌禅幕 牛羊健壮了，草原上飘荡着奶茶的香气，匈奴人不用再去打乱仗。我可以安心升天了！

温　敦 可我得到了什么？

乌禅幕 刀痕横在脸上，是你的荣光；忠心为单于，对得起胡家祖先，是你的好名声。

温　敦 爹，你错了！你在单于心里是个不中用了的老侯爷。

乌禅幕 你胡说！

温　敦 我得到的，不过是龙廷里数不上的左大将。

乌禅幕 你这刁钻古怪的东西。我们家德高望重。呼韩邪单于保护我们、信任我们。

温　敦 （尖酸地）信任？姐姐死了，你的女儿死了！没有人拴住他的心。姐姐在他心上的位置，叫一个汉家女人占去了！你不替姐姐难过吗？现在他靠的是汉人，不是我们了。

乌禅幕 （怀疑地）你究竟想什么？你心里藏着什么？你要在我心里挑唆些什么？你说呀！你说呀！（温敦又闷声不响，乌禅幕气极）你这个鬼！你要葬送我乌禅幕全家！我不能让你这样做！

温　敦 你要告诉呼韩邪吗？他是不会饶过你的儿子的。爹，我是不怕死的。可我死了，我告诉你，爹！你身边就一个亲骨肉都没有了。没有我，你就是一个孤孤单单的老头子。想想吧，你闹了一辈子，身边一个亲人都没有，你过得下去吗？你过得下去吗？

〔外面高喊："单于圣驾到！"

〔呼韩邪应声上。后随卫士兵。

呼韩邪 （对乌禅幕）我已经告诉萧育正使，我们把抢关市的人捉住了。（望见温敦）哦，温敦，你也在这里。

乌禅幕 （考虑着）那么就要告诉萧育正使，我们如何发落了。

呼韩邪 （郑重地）是的。（对温敦）你在一旁听着吧。

乌禅幕 传休勒！

〔卫士押休勒上。

休　勒 单于，大单于，撑犁孤突[1]单于！

呼韩邪 你的孩子们干的事，你知道吗？

休　勒 休勒不知道。

1　匈奴语：天子。——原刊注。

乌禅幕　你撒谎。传犯人。

〔卫士们拥推两个捆绑着的年轻匈奴贵族上。苦伶仃也跟在后面走上。

二贵族　叩见单于。

乌禅幕　（对犯人指休勒）你们认识他吗？

二贵族　爸爸！我的爸爸！

休　勒　（对他的儿子）你们——？

二贵族　爸爸，我们招了。

一贵族　爸爸，我们承认了。

休　勒　你们这两个东西！

二贵族　我们抢了关市。

休　勒　跪下！求单于饶命吧。单于，念他们年幼无知，宽恕了他们吧！

呼韩邪　你想能宽恕得了吗？

乌禅幕　（颤巍巍地）说，孩子们，谁指使你们抢关市的？

温　敦　（忽然插嘴，一面望着乌禅幕，一面盯着年轻贵族）对，说，谁指使你们的？

二贵族　（恐惧）谁、谁指使我们的？

温　敦　（威胁地）你们好好想想！

〔二贵族望着温敦凶狠的脸。

呼韩邪　（对乌禅幕）抢关市的人，照例应该如何？

温　敦　应该杀头，爹爹，是吧？

乌禅幕　（望着温敦，犹疑）……

呼韩邪　（询问地）老侯爷？

乌禅幕　（望着呼韩邪）单于，按龙廷大法，是该杀头。

二贵族　（惊惧）爸爸！爸爸！

呼韩邪　好吧，拉下去斩！

休　勒　斩！

二贵族　（向休勒）爸爸，救我们！救救我们啦！

〔卫士一拥而上，押住他们。

一贵族　（嘶喊着）爸爸，你不能不救我们！你不能不……

休　勒　（一拳将其子打昏）你这狼心狗肺，对不起单于的东西。

〔休勒的两个儿子，被卫士拖下。

苦伶仃　（自语）打鱼，打鱼，只抓小鱼，放跑大鱼。

呼韩邪　（呵斥）苦伶仃，你住嘴！（向帐外）把他们斩了！

乌禅幕　（内心十分矛盾）单于，这件事就这样完了吗？

温　敦　（止住他）爹爹！

呼韩邪　温敦，你有什么话要说？

温　敦　我，我是说，单于您是圣明的。

乌禅幕　（犹豫地）单于，那么就这样禀报天子吗？

呼韩邪　（安慰地）老侯爷，不要多想了，你放心吧。（决断地）不要问下去了，就这样了案。告诉他们，斩！

〔外面鼓声号声。卫士上。

卫　士　启奏单于，已经正法。

呼韩邪　休勒，你要好好教训你的家里人。你听懂了吗？

休　勒　（跪下）叩谢单于大恩大德，休勒永远不忘。

〔休勒下。

呼韩邪 老侯爷，请告诉萧正使，说抢关市的犯人已依法处理，请上报长安。

乌禅幕 是。单于，老臣有一个请求。现在汉胡和好，天下太平，左大将的兵权应该收归龙廷。（目视儿子）左大将温敦应该立刻交兵。

〔温敦大吃一惊。乌禅幕紧紧盯视着他。

呼韩邪 （看一看他们父子，沉吟一下）老侯爷说得很对。（和蔼地）左大将温敦，让我们共享太平吧。

乌禅幕 感谢单于！温敦，你现在就交出调兵的宝刀。

温　敦 （一直狠狠地咬着牙低着头，这时突然抬起头来，一副忠诚爽朗的样子）温敦早就想交还龙廷军马。（解下刀来，两手呈上）单于，这是调兵的宝刀，应该交给单于的新阏氏掌管。

呼韩邪 （接下刀，交给卫士长拔都）左大将温敦，你随我血战多年，功劳很大。现在我封你为右谷蠡王，除原有的草地外，加管阴山右方草地。

乌禅幕 单于，您对他恩宠太深了，不要再加封他了。

呼韩邪 老侯爷，你们一家人待我恩情似海。草地上有我，便有你们一家。

乌禅幕 （感动地）单于，您对我全家的爱护，我至死不忘。温敦，跪下，谢恩。

温　敦 （立刻跪下）单于千岁，千岁，千千岁。您的大恩，温敦永世不忘。

呼韩邪 （很疲乏的样子）我有点不大舒服。

温　敦 速传医官。

呼韩邪 不用了。（对所有的人）你们去吧，我想歇一歇。

〔乌禅幕父子二人下。卫士们退下。

〔天空中霞光敛去，天色渐渐暗下来。

苦伶仃 （轻声地）单于，您不好过吗？

呼韩邪 我这里（抚胸）有一点闷。

苦伶仃 （走上前）单于，您做错了一件事。

呼韩邪 （一字一顿地）我知道。（嘘一口长气）但是这不能问下去的。问下去罪名就会落到温敦头上。那么，怎么办呢？难道也用大法吗？他是玉人的弟弟，是老侯爷唯一的儿子。

苦伶仃 （思虑地）可是不问，单于知道他心里藏的是什么念头吗？

呼韩邪 我想，头一个是贪心，第二是不满，不满意我，不满意中原朝廷，不满意我归顺天子，不满意我娶来汉家阏氏。

苦伶仃 单于，有一句话：魔鬼钻进谁的脑子里，谁就会变成魔鬼。单于，难道您相信他不会再出乱子？

呼韩邪 （烦恼地）难道我能把我的左大将斩了吗？把为我立过汗马功劳的人斩了吗？难道我能把玉人的亲弟弟斩了吗？我能忘记她临死前嘱咐我保护她的全家的一句、一句的话吗？

苦伶仃 我是个小丑，不懂得什么，只会陪您玩笑。可是我怕您救的是条蛇，它是不会感激您的。

呼韩邪 你呀，伶仃，你是有你的道理的。但是，你想想，这里离开长安万里迢迢。长安如果知道抢关市的，不是一两个贵族败类，而背后有我的亲信，一个掌管龙廷兵马的左大将，长安会怎样想我？怎么再能相信我呢？

苦伶仃 单于，长安天子不是说要“长相知，不相疑”吗？

呼韩邪 朝廷上的事情是复杂的。你是个奴隶，不知道皇帝、大官们是怎么办事情的。你聪明，你忠诚，但是你究竟不能懂我们的事情。

苦伶仃 可是单于……

呼韩邪 （不想再谈，忽然）玉人已经离开我一年多了。（渴望地）如果她在的话，我就会知道我该怎么办。我也就明白我刚才办得对或者不对了。（徘徊）没有人谈，没有人商量，没有人能跟我说说心里的话；对于一个单于，这是多么苦的事啊！玉人，我是多么想你啊。（忽然）伶仃，去叫人备马。

苦伶仃 您要出去吗？

〔呼韩邪不语，忧郁地走进帐去。

〔苦伶仃望着他的背影，叹口气，向另一方走下。

〔这时，草原上一片安宁，只听见虫声唧唧。金色的圆月，从东方徐徐升起，逐渐变成银色。

〔悠扬、哀怨的胡乐，不知从哪里，随着一阵风传过来。

〔空场。

〔王昭君和阿婷洁披着一身月光，轻盈地走上。后面随着盈盈、戚戚、匈奴侍女和身佩武器的匈奴女兵。

〔阿婷洁是呼韩邪单于的妹妹，温敦的妻子，约三十二岁。

她刚健美丽，性情爽快、坦白、诚挚，是一个从忧患灾难中长成的女人。她随她的哥哥呼韩邪和丈夫温敦，受过苦，打过仗，带着一群勇敢的匈奴姑娘，引弓骑马，善攻善战，是一个出色的女将。

〔她与王昭君站在一处。王昭君显得比较文静而好沉思；阿婷洁就显得比较豪放、热情。这两个女人各自有着汉和匈奴妇女的特点和美。

〔匈奴的贵族们都称阿婷洁为“龙廷上的明珠”。

王昭君 （仰望）好圆的月亮啊！大公主。

阿婷洁 （忽然挽起昭君的双手，端详着她，喜悦地）你真好，我的新嫂嫂，我真喜欢你。今天下午骑马射箭，你没累着吗？

王昭君 （欢快地）不累，阿婷洁大公主。我喜欢学。

阿婷洁 嫂嫂，你学得很快，你聪明极了。

王昭君 是你教得好，大公主。

〔这时，二人已走到布幔前，阿婷洁停住脚步。

阿婷洁 （回头向匈奴侍女们）你们下去候令。

侍女们 是。（向昭君和阿婷洁行礼）阏氏！大公主！

王昭君 盈盈，你们也下去吧。

盈　盈 是，娘娘。那么我们在外面守候。（向昭君、阿婷洁施礼）

〔盈盈、戚戚和匈奴侍女、女兵们下。

阿婷洁 （郑重地）昭君嫂嫂，你吩咐我办的事，我已经办好了。

王昭君 （兴奋地）哦，在哪儿？

〔阿婷洁走到布幔前，拉开布幔。我们眼前现出一座轻纱的幕帐。幕帐中，立着玉人的石像，神情庄重优美，仿佛在微笑，在聆听。她全身洁白晶莹，如月下积雪。

阿婷洁 你看！

王昭君 （惊异地望着）这就是……

阿婷洁 （点头，望着石像）这就是我故去的嫂嫂玉人阏氏的像。她死后我哥哥叫巧手的匠人雕的，就放在这里。（看看昭君）你来之前，我哥哥把它送到大青山里去了。

王昭君 （凝神看着石像，不禁赞叹）哦，这就是她！她多么美丽，简直像神仙一样。

阿婷洁 （带着深厚的感情）这是她年轻时候的模样。她十八岁嫁给我哥哥，那时我才九岁，是她把我带大的。后来她又把我嫁给她最疼爱的小弟弟温敦。她对我们就像母亲一样。

王昭君 是啊，她的神气这样慈祥。看！她好像在听我们谈话。

阿婷洁 （感慨地）昭君嫂嫂，你现在来是太平日子了。玉人嫂嫂一辈子可受过不少苦。那些年匈奴打乱仗，她跟着我哥哥东征西讨，自己带兵打仗，她是劳累死的。

王昭君 哦，她还是一名女将？

阿婷洁 嗯，她在战场上勇敢极了。我拉弓射箭都是她教的。她是我哥哥温柔的妻子，又是他最得力的帮手，我哥哥一时也离不开她。

王昭君 （入神地听着，深思地）他们是这样的患难夫妻啊！怪不得单于的神情总是那样忧伤，他失去了这样一位阏氏。

阿婷洁 （对昭君微笑着）你知道吗，昭君嫂嫂，是玉人阏氏把你接来的。

王昭君　（惊讶）怎么，是她！她把我接来的？

阿婷洁　她常说，三十多年的经历叫她明白了一个道理，匈奴要太平，百姓要过好日子，一定要和汉朝和好。她临死的时候吩咐我哥哥，嘱咐我哥哥，嘱咐我们大家，要迎一位汉家姑娘来代替她，把匈奴和汉结成一家。

王昭君　（深深感动，对石像）玉人哪，你是一位这样智慧、贤明的阏氏啊！原来你是这样期望我！（沉默片刻，转向阿婷洁，微微叹息）大公主，我怕，我真怕不能代替玉人阏氏。

阿婷洁　（热情地）不，你能！我的新嫂嫂。虽然你来的日子不多，我已经看出来你聪明、善良。你不小气，你叫我把玉人嫂嫂的像搬回来，我就明白你的心肠是多么好。

王昭君　（真诚地）我看出单于怀念玉人阏氏，我只想让他高兴一点。

阿婷洁　（高兴地）对，只有真爱自己丈夫的女人，才说得出这样的话。我真高兴！你是爱我哥哥的，是不是？

王昭君　（在这样的率直的妇女面前，还不免羞涩，但也坦白地）是。他是那样明智、勇敢、真诚，是个真正的英雄。

阿婷洁　我看他很喜欢你。

王昭君　单于对我很和气，很尊重，他……（迟疑不说了）

阿婷洁　（爽朗地）昭君嫂嫂，你有话就跟我说，我们是亲姑嫂，自己人！过去我有什么话都和玉人嫂嫂说，她死以后，我就没人可说了，真是闷得慌。昭君嫂嫂，你来了，我又有了能说心里话的亲人了。我告诉你一句心里话，好吗？我的丈夫温敦是个非常好的人。他的心好，慷慨大方，打起仗来勇猛得像狮子，为了我的哥哥，他连自己的命都不顾。（略顿一下）他就是脾气不好，发起火来，周围的人都害怕极了。可是他从来不对我发火，总是像新婚的时候一样和气。十几年了，我们从来没吵过嘴。你看，稀奇吧？

王昭君 大公主，你有福气。

阿婷洁 真的，女人活一辈子，有这样一个丈夫，是福气。可是……有些心里话，跟他也谈不起来，他和我在一起不大说话的。

王昭君 （不觉共鸣地）是呵，单于也是不爱说话，我常常觉得他像是没看见我似的。

阿婷洁 （笑起来）你不知道，昭君嫂嫂，匈奴男人都是这样的脾气。他们对妻子话不多，但心里是热的。你多跟他亲近些，他一定会爱你的，怎么能不爱这样可爱的人呢！

王昭君 谢谢你，大公主！我来到这儿，什么都不懂，开头，心里真有些不安。亏了你，处处教我，你待我真好。大公主，在名分上我虽然是你的嫂嫂，心里我觉得你是我的姐姐。

阿婷洁 那我可不敢当。（握住昭君的手）昭君嫂嫂，你是汉，我是胡，可我觉得我们的心是一样的。

〔呼韩邪从锦帐中缓步走出，身穿披风。

王昭君 （一眼望见呼韩邪）单于来了。他一个人，要到哪儿去？

阿婷洁 （轻声地）嫂嫂，你去和他谈谈话，我先走了。

〔阿婷洁向王昭君轻轻一笑，自己转身下。

〔昭君转头望望呼韩邪，还是随阿婷洁走下。

〔呼韩邪沉思地走来，在舞台中间站住。草原上夜色宁静，月光如水。

〔呼韩邪一抬头，望见浴在月光中的玉人像。

呼韩邪 （惊异）怎么，玉人！我正要去找你，你却来了。（不知不觉地，半跪下来）我的玉人哪！你到底来了！

〔马嘶声。苦伶仃上。

苦伶仃 单于，马备好了，您还去大青山吗？

〔呼韩邪摇摇头。他用手托着前额，低下了头，仿佛对着玉人在祷念着什么。

〔阿婷洁轻轻地推着王昭君上。她指着呼韩邪，又向昭君点点头。

〔阿婷洁与苦伶仃走下。

〔王昭君一抬眼，面前是沉浸在哀思中的呼韩邪，她一声不响，望着他。

王昭君 （缓缓地）呼韩邪，呼韩邪单于啊！

他在想些什么？

啊！他在想些什么？

一双眼睛像江水没有扬波。

沉静的江水呀，

你是那样温和，

我真想知道在沉静的波面下，

流动着什么。

我是巫山下的女儿，

一个并不出色的姑娘。

千里迢迢，天子派我来，

千里迢迢，你迎来了我。

我来，

是为了两家百姓的欢乐。

萧正使一路上告诉我，

要入境问俗，

要少说话，话多惹事多。

对龙廷贵族要谦逊，

对单于要顺和。

我答应做了的，我都做。

可是，为什么，

我心头总觉得这样的寂寞。

萧正使还叫我不要哭，

尤其不要当着单于流泪。

他说：

我这是到家了，该快乐。

啊，我的家，我的家不是在秭归吗？

长江就从我的家门前流过，

我真想长江啊，

想坐在江边，

洗着衣服，唱着歌。

这里是一片碧草，

望不到尽头。

说心里话，

我也很喜欢这儿的风光，

我也喜欢阿婷洁，她也喜欢我。

可是，在这个家里，

我仍然感到，

我只是一个人，

孤孤单单的。

这里的人对我笑，对我恭敬，对我周到，我都感觉。

然而，从他们的眼睛里，

我也看到疑惑。

在这个龙廷里仿佛有什么东西，

很难捉摸。

单于对我是和气的，

可是，奇怪，他像一匹高贵的骏马，

那样的不爱开口，

我简直不知道，他心里是怎样看我。

现在，他就在我的身旁。

单于啊，

你原来和我是远隔万里的，

长安叫我近在你身边。

如今，就在你身边了，

为什么你对我

又像是远隔万里?

为什么……

啊，他说话了。

〔月光下风吹过来，青草拂动。远远的湖边上，有几处点点的燎火，那是匈奴贵族们还在喝酒、唱歌。

〔呼韩邪缓缓抬起头来，月光照着他，他的脸诚挚庄严，一双明亮的眼睛闪着光彩。

呼韩邪 一年了，我的玉人，你死去有一年了。

一年前，你一直同我日夜相伴，

同生死，共患难。

你看见我年轻的时候，

无家可归的时候，

我被叛逆的贵族们抛弃的时候，

还有我那残暴的哥哥郅支单于，

把我践踏在脚下的时候。

是我，这样一个被人夺去了宝座的太子，

投奔到你的草地上。

是你，和你的父亲，还有左地的贵族们，

把故乡、财产、朋友、家都抛开，

帮着我，帮着我一同起事，

讨伐那些叛逆的妖魔。

二十年了，你跟着我，我们几乎是同吃一口饭、同喝一碗水。

在多少次失败、苦难的时候，

你总是把最后一块肉干让给我，

在亲信们都对我反目的时候，

你呀，忠诚的玉人哪，

你安慰我，你为我出主意，

为我安排，叫我重新有了勇气。

有了你，我在疑难的时候，

我知道有人可以问，

有了你，我在失败的时候，

我知道有人还会给我力量。

如今，你走了，

在这广阔的草地上，

仿佛就剩下我自己，

一个没有真正的知心的单于。

玉人哪，一年多了，为什么我这样想念你，你，就是不肯来？

我没有一夜能梦见你。

玉人，我是听了你的嘱咐，

和汉朝和亲，

是你叫我迎来，

一个汉家的女子。

她来了，一个年轻的、

我还摸不清楚的汉朝公主。

我和她并不常见，

她很少说话，我对她也说不出什么。

为了“汉胡一家”，长安派遣她来；

为了“汉胡一家”，我迎她到了草原。

玉人哪，就是这样一件简单明白的事情。

为什么，我的玉人，

你在我的梦里都不肯来。

难道听了你的话，迎了新人来，

你就从此不肯见我。

我的玉人哪，

我的永远不能忘记的玉人哪！

〔呼韩邪深情地望着纱帐里的玉人，走过去……

〔王昭君默默地望着他们。

王昭君　玉人，草地上美丽的玉人，

我是多么羡慕你。

你有了这样一个忠诚刚强的丈夫。

我来了，你生气吗？

我来了，是想替你，替你在他身边帮助他。

玉人，我听说你一直是爱汉家，

要和汉家和好的；

我来了，也是为了完成你留下的心愿。

我知道了，是你让单于接我来的，

我感激你。

可是，玉人哪，我遇见了困难，

我不大明白，

你所爱的他的心。

他的心对我是关着的。

我是一个开朗、简单、心直的姑娘；

我约束自己，不许我多说话，

我娘家告诉我“少说多看”，

这是所有后宫的规矩。

可是为什么，他对我就是礼貌、微笑，没有别的。

难道真像阿婷洁大公主所说的，

胡人夫妻间，语言这样稀少？

啊，湖水有多深哪，他就有多深。

我多想听听他心里面的声音。

玉人哪，你是爱他的，

看你的眉眼，就知道你是仁慈的，开朗的，

你是希望他幸福。

告诉我，怎么样可以让他明白我的心？

是按照后宫的规矩，默默地，不作声，哑巴一样地侍候着他？

还是按照我的性情，像你一样地和他在一处？

告诉我吧，我爱的，就是你所爱的。

凭着这一点，我知道你一定会告诉我。

（痛苦地）玉人哪，我是多么羡慕你！

在他心里，你虽然死了，却明明是活着的；

我明明是活着的，却仿佛已经是不在了。

〔王昭君坐在石礅上，望着明净清澈的皓月。

〔呼韩邪转过身来，忽然瞥见月下的王昭君。他诧异地望着这个美丽的、年轻的汉家姑娘。

呼韩邪 （缓缓走到王昭君背后）

啊，她来了。

为什么她坐在这里，一个人，冷清清。

她在想着什么？

是想家？想汉朝了吧。

三个多月了！

我仅仅几次跟她在一起，

每次她总是不说话；

可是，明明在长安殿上，

她不是这样。

让我看看她，再仔细看看她。

多么年轻，多么聪明！

我身边坐着的是汉宫最美的女人，

真像是草原上最美的马驹。

我还记得那一天，我第一次见她，

她抬起头来，那一眼像春天的湖水。

啊，美丽的年轻的公主，

你在想些什么？

三个多月了，我还没听见她吐出心里的话。

王昭君　（独自）不，我不能再等了，我相信阿婷洁的话。我要说，说出我心里要说的。

呼韩邪　（独自地）不，我不能冷淡一位汉家公主！让我探一探她心里究竟藏着什么？（走到昭君面前，轻轻地）昭君阏氏，你穿得少了吧？

王昭君　（惊醒，立起）单于，不冷。

呼韩邪　草地的夜晚还是凉的。

王昭君　单于冷吗？

呼韩邪　（微笑着）匈奴人是不大怕冷的。喜欢我们的草原吗？

王昭君　喜欢，喜欢得很，夜晚的草地也是美的。

呼韩邪　是，美得很。（望着月下的草原）我很高兴阏氏喜欢。

王昭君　听人说，过去草原上常常打仗、流血、死人。

呼韩邪　谁和你这样讲？

王昭君　阿婷洁大公主。她说现在好了。单于，我希望草原永远这样美，这样安宁。

呼韩邪　哦。（沉思了片刻）阏氏，想长安吗？

王昭君　（老老实实地）想。我是从长安来的。

呼韩邪　噢，还想什么？

王昭君　还想长江，秭归——我生长的地方。

呼韩邪　那个地方远吗？

王昭君　远得很，比长安还远呢。

呼韩邪 阏氏，你口直得很。为什么在我面前你要说你想念故乡呢？

王昭君 （微笑）我心里有什么，难道就不应该对您讲吗？

呼韩邪 对，说得对。（称赞地）有什么说什么，我喜欢这样的脾气。你多大岁数了，阏氏？

王昭君 十九岁，单于。

〔沉默。草原上，不断传来夏夜嘤嘤的虫鸣。透明的轻云时而从月下飘过。大地一忽儿暗了，一忽儿又明亮起来。

王昭君 月亮圆了。

呼韩邪 又圆了——昭君阏氏，你来到匈奴不后悔吗？

王昭君 单于，我是自愿请行，来到胡地的。

呼韩邪 （惊讶）什么，你是自愿来的？

王昭君 我是带着整个汉家姑娘的心来到匈奴的。

呼韩邪 哦，整个汉家姑娘的心？

王昭君 单于，我没有像您那样看过那么多回圆月，我一生说的话，不及你一天说的多，说得好。

呼韩邪 （旁白）啊，多么明亮的眼睛！

王昭君 但是，比这月亮还亮的，是女人的心；比这圆月还满的，是一个女人希望得到的恩情。

呼韩邪 （旁白）哦，她这样想。

王昭君 比你骑马奔跑过来的路还长的，是一个女人对她的丈夫的情意。

呼韩邪 （走近）你为什么不早说？

王昭君 善良的人才知道一个女人的真心。

呼韩邪　（旁白）多么像玉人说的话。年轻的阏氏，从前我的心也是为一个人跳着的，但是，那个人死了。

王昭君　我知道这是多么大的不幸。

呼韩邪　哦，你知道？

王昭君　她的名字也好——“玉人”。

呼韩邪　（惊愕）谁告诉你的。

王昭君　阿婷洁大公主。（忽然）我们汉人有一句话：“将缣来比素，新人不如故。”这就是说，新人虽好，总不及旧人。

呼韩邪　（高兴起来）对，对，你怎么懂得这样多！可是……

王昭君　怎么样，单于？

呼韩邪　也看什么样的新人了。

〔苦伶仃和盈盈静静地上。

呼韩邪　昭君阏氏，你不怪我谈起从前的阏氏吧？

王昭君　为什么？

呼韩邪　因为你……你也是一个女人。

王昭君　单于，为什么要怪？我只有喜欢。您能不忘记玉人，难道有一天您会忘记我？对人忠诚的人，也应该对他忠诚。

呼韩邪　可是我的忠诚已经给了一个……

王昭君　（真挚地）忠诚的男子是少的，忠诚的单于岂不是更少。单于啊，我为什么不喜欢。

呼韩邪　（喜悦地）奇怪，我眼前出现了什么？我去迎的是一个汉家公主，接来的却是我想要的女人。

王昭君　（也喜悦地）单于啊，您来领我见玉人吧。

呼韩邪 （还是有些不安）可以。可是她，她在……

苦伶仃 （一直是高兴地听着）她就在眼前。

呼韩邪 你！

苦伶仃 （笑着）玉人阏氏的像，就是昭君阏氏告诉阿婷洁大公主搬来的。

呼韩邪 （惊喜）哦！是你，昭君！

王昭君 （诚恳地）让她有时也能安慰安慰你，我多么希望看见你的笑容。

呼韩邪 （不觉仔细地注视她的眉眼）昭君，昭君。

怪不得我一见你，

便觉得在哪里见过，

原来你的眼睛多么像她，

她又多么像你，昭君阏氏啊！

王昭君 （转向盈盈）盈盈，你把合欢被拿来。

〔盈盈下。

〔汉宫廷细乐，抑扬顿挫地奏起来。盈盈捧着合欢被复上。

王昭君 单于，您来看，这是一床合欢被。上面绣着双鸳鸯，里面放着“长相思”。

呼韩邪 “长相思”？

王昭君 我们汉家姑娘把丝绵叫作“长相思”。这四面系着的都是“结不解”。

呼韩邪 “结不解”？

王昭君 我们汉家姑娘把这四边上的花结叫作“结不解”。长相思，结不解。

呼韩邪 叫它拉不断，扯不开。

王昭君 （笑着）是啊，单于。

您总是要出巡打猎的，

让这床“合欢被”常陪着您，

让我们永远长相知！

呼韩邪 好极了，长相知啊，长相知！（接下合欢被，交给苦伶仃）

〔在这段对话中，远远汉家宫女唱着：

文彩双鸳鸯，

裁为合欢被，

着以长相思，

缘以结不解，

以胶投漆中，

谁能别离此。

〔呼韩邪望着年轻美丽的昭君阏氏，忽然沉醉在对她的情感中。

〔温敦从帐外进，看到单于与昭君，他愣了一下。犹豫了片刻，走上前。

温　敦 呼韩邪单于，昭君阏氏，小王子婴鹿在大公主帐里，等着拜见新母亲。

呼韩邪 （点了点头，向昭君探问地）昭君阏氏……

王昭君 （欢悦地）单于，让我们去看他吧。

〔呼韩邪笑着和昭君走下。后跟盈盈与捧着合欢被的苦伶仃。

〔温敦望着走去的呼韩邪和王昭君。

〔休勒上。手里拿着一把利斧和毒药。

休　勒　听您的吩咐，毒药和斧子都准备好了。

温　敦　去吧。

〔休勒下。

温　敦　（阴森地）长相知，长相知，看你们相知到几时！

——幕落

第四幕

呼韩邪单于的帐外。前一幕的次日，黎明之前。

草原上升起一层白雾，迷迷茫茫，连玉人的绡幕也若有若无，掩埋在里面。

乌云逐渐盖遍天空。

苦伶仃走出来。远处有胡人在帐幕里隐隐奏乐。

苦伶仃 （向远处的帐幕瞭望一下，拍起手中的羯鼓一边模仿着侯爷们的醉态，低声地唱）

“月儿偏了西，

侯爷们醉如泥，

一碗两碗，一坛两坛，

你劝我来我劝你，

哎呀，侯爷们醉如泥！

一个是黄鼠狼，

一个是鬼狐狸，

你抱着我来我搂着你，

一碗两碗，一坛两坛，

谁对谁来，都不是真心的。

哎呀，哎呀，哎呀呀！

两个国舅散了席！”

〔由黑暗里，温敦扶王龙上。

温　敦　（仿佛醉醺醺地）天子国舅，您喝多了，喝多了。走路当心。

王　龙　（显然是八九分醉意）没有，没有，离开长安，只有今夜跟你痛饮最乐。温敦，我把我的心都交给你了。说完了，说尽了。

温　敦　唉，天子国舅，我的一家性命早已交给您的手里了。我们两个真是像汉人说的话，相见恨晚哪！

王　龙　（拉着温敦的手，醉眼模糊地）对，对，我们俩，就是你们胡人说的：烈马对烈马——

苦伶仃　（忍不住，插嘴）狗熊对狗熊。

王　龙　（对着眼前黑咕隆咚的东西，惊愕地）这挡路的是什么？

温　敦　（醉态蒙眬，拔出刀，喝叫）挡路的是人是狗？

苦伶仃　（慢腾腾地）是老虎。

温　敦　左右！老虎！

苦伶仃　是个老掉了牙的老虎。（从黑暗中走出来）现在还不想吃你们呢。

王　龙　哦，伶仃啊！（左右跟随笑起来）

温　敦　（趁着酒兴）老鬼，你知道今天爷的肚子里（拍着肚子）满满地装的是什么吗？

苦伶仃　（斜着眼）天子的长安美酒。

温　敦　（高兴地）对呀！（又连连拍着肚子）今天可真是对得起我这

个肚子了。

苦伶仃 侯爷每天都对得起你这肚子，可是你这肚子每天都对不起你。

温　敦 怎么？

苦伶仃 好酒好肉，你天天都给了你这肚子，可是你这肚子没给你出过一次好主意。（王龙笑起来）

温　敦 （恚怒）拉下去，二十鞭！

〔左右正要动手。

王　龙 慢来！（走到伶仃面前）好啊，你说得可真是俏皮。左右，赏他一坛酒喝，天子的长安美酒。温敦，记上账，等他酒醒了，连我那二十鞭一块儿打！怎么样，伶仃？

苦伶仃 我这一辈子，喝酒是解渴，挨打是便饭。

王　龙 （向温敦）你们的这个奴隶，说起话来倒有点派头。温敦国舅，小侯告辞了。我定要到你的草地上打猎去的。

温　敦 温敦就要辞别单于转回我的草地，我在那里等候天子国舅。

王　龙 （一边走着）以后我准来！

温　敦 请！

王　龙 （回头）左右，带好了皮鞭。（向苦伶仃）伶仃老头，喝酒来吗？

苦伶仃 （豪壮地）喝！拿酒来！

〔苦伶仃大摇大摆地先走下，后面跟着两个拿皮鞭的卫士，王龙随下。

〔月色暗了，狼狗远远在嗥叫。玉人立像的帐幕已经埋在黑暗里。草原上的风吹过来，胡笳时而呜呜地吹着。

〔黑暗里休勒拿着一把斧头上。

休　勒　（低声）侯爷！

温　敦　（转身见休勒，立刻）毒药呢？

休　勒　已经放了。

温　敦　那么玉人的像呢？

休　勒　（把斧子一举）我就去办。

温　敦　（冷冷地望着休勒）不怕吗？

休　勒　（低沉地）石头的肠子，铁打的心，要保侯爷成天上的龙，我的儿子都舍去了，还怕什么？

温　敦　（拍着休勒的肩膀）好朋友！土靠着土成墙，人靠着人成王。等到成了功，你的功劳是忘不了的。

休　勒　（叹了口气，贪婪地盯着温敦）侯爷坐了龙廷，只要给我一个小小的右贤王，给我右方一半草地，我就心满意足了！

温　敦　（暗吃一惊）右贤王！

休　勒　（全心期待着）嗯？

温　敦　（微笑着）你要的太少了！去吧！对你，我还有更大的赏赐。

休　勒　（猛然扑在地上，连连叩头）感谢至高无上的撑犁孤突单于！我的再生爹娘，我的恩主！恩主！撑犁孤突单于！撑犁孤突！

温　敦　（惊吓）你，你，你怎么能现在就这样称呼我？你发疯了！

休　勒　（匍匐地上，连连吻他的衣襟，感激的泪水夺眶而出，几乎哭出声来）我的心里没有别人，只有您，只有您，只有您，我的至高无上的撑犁孤突！

温　敦　（急忙闪开）还不快去，呼韩邪单于就要过来了。

〔休勒爬起来，摇晃着向黑暗里走去。

〔胡笳沉郁地吹着。

温　敦　（望着隐入黑暗中的休勒，鄙夷地）哼，有这样一种奴才，献给我的，不过是半个瘦羊腿，可向我要的却是一座金子堆成的山。这是个什么人呢？哼！他的儿子死了，他没有掉一滴眼泪，可是为了他那看不见的一座金山，他对我苦苦哀求，伤心地哭着，泪水打湿了我的靴子。连我这石头一样的人都被他哭动了心，哭断了肠！（阴沉地）眼泪啊，你不过是一滴咸水，可你的力量比毒药还厉害得多呢！泪水在女人眼里是有用的，我看，在男人眼里会更有用。

〔阿婷洁轻轻走上来。

阿婷洁　温敦！

温　敦　你，你来干什么？

阿婷洁　夜深了，你该睡了。

温　敦　好，你去吧。（忽然）阿婷洁！

阿婷洁　温敦。

温　敦　（慢慢地）这些天我睡觉说不说梦话？

阿婷洁　说了。

温　敦　说什么？

阿婷洁　我没有记住。昨天夜里，你喝醉了，我一直守着你。你睡着睡着忽然哭起来，流了很多的眼泪。我想你一定是做什么伤心的梦了。我推你，你不醒，我用头巾把你的眼泪擦了……

温　敦　（望着阿婷洁）啊，我的温顺的女人，怪不得我的玉人姐姐那么喜欢你！

阿婷洁　（深情地）温敦，你——你还那么爱我么？

温　敦　（忽然热烈地拥抱她，充满了魅惑）我爱，我爱，我永远爱你！你真是龙廷上的明珠！不像那个汉家的女人，她和我们不同心，我担心单于上当呀！

阿婷洁　你说的是昭君吗？

温　敦　嗯，就是她！

阿婷洁　（实心地）不，我觉得她很好。她跟你一样，很爱我的哥哥。

温　敦　（冷冷地）是么？

阿婷洁　温敦，我也是有眼睛的。她性情好，也真诚，我跟她很谈得来。

温　敦　（温柔地摸一摸她的脸蛋）你这个小傻瓜！（突然阴狠地）她，她是个狐狸精！你想想，她来了这么几天，就把你的心掏走了，我看你的心里都快没我了，没你的这个丑丈夫了！

阿婷洁　（急煎煎地）不，不，我的温敦，我的丈夫，我的心是完全给了你的。

温　敦　（再逼一步）你是真的爱我吗？

阿婷洁　你叫我说什么？我的最可爱最忠诚的男人。

温　敦　那我告诉你。

阿婷洁　什么？

温　敦　汉朝和我们不是一家，就像草原上的狼和羊。他们对我们没有善心，他们是想吃掉我们。

阿婷洁　是这样吗？我们的哥哥怎么不知道？

温　敦　汉朝的副使王龙这样说的。

阿婷洁　（惊讶）王龙告诉你的？

温　敦　不，是我套出来的。他看不起我们，说我们的毡房，我们的草地，我们的牛马，都不过是汉朝皇帝脚下的一粒灰尘，他一跺脚就可以把我们碾碎。

阿婷洁　（生气地）他这是胡说！

温　敦　他还看不起你的哥哥，我的恩主，匈奴人至高无上的单于。

阿婷洁　我的哥哥！

温　敦　对的，我的公主，他还看不起你呢！他说一百个匈奴公主，比不上汉朝公主的一根汗毛。（满脸义愤）阿婷洁，你是我的妻子，我听了这话，怎么能不气，不恨呢？

阿婷洁　温敦，我的温敦，不要听狗叫就发怒。我们的尊贵，单于是知道的。

温　敦　单于（深深地叹了一口气），汉人要来打我们，可单于还在对他们笑呢。

阿婷洁　（惊）汉朝要打我们？会有这样的事？

温　敦　这也是王龙说漏了的。

阿婷洁　那你为什么不赶快告诉单于？

温　敦　我是想告诉他的，可是我怕他只相信那位汉家阏氏。

阿婷洁　我相信我哥哥会分得出善恶、真假。

温　敦　好吧，为了我们的单于，冤屈我，我也不怕。

阿婷洁　但是我的温敦，你可要谨慎，可不要由着性子胡来！

温　敦　你看，我不是很平静吗？你放心——我和你说的话，你可不要对别人讲！嗯？

阿婷洁　当然，我的丈夫。

温　敦　对昭君阏氏，你还是和以前一样待她，不，要比原来更亲热。她和你说些什么话，你都来告诉我，听见了吗？

阿婷洁　（迟疑地）好——好。

〔月亮从乌云中露出。温敦忽然瞥见呼韩邪在玉人的绡帐里祈祷，这时正站起身来。

温　敦　（突然对阿婷洁）你走吧。

阿婷洁　你还不去休息吗？

温　敦　（急躁地）你先走，我就来。（阿婷洁不解地望着他，迟疑地没有动。他转成温和的口气，一面推着阿婷洁走）我马上就来，我的阿婷洁。

〔阿婷洁缓步走下。

温　敦　（立刻跪下，向玉人阏氏祷告）啊，单于，仁慈、聪明、多情的单于啊！怎么，你又在玉人，我的姐姐面前祈祷了吗？让我也来向玉人祈祷吧！

〔他跪在地上祷念着。在他虔诚的祷念声中，呼韩邪走上来。

温　敦　玉人，我的姐姐，我要走了。我离开你，我是多么难过啊。

呼韩邪　（旁白）哦，他在祈祷。

温　敦　（遥望着玉人的帐幕）你很孤单，因为你离开了人间，离开了你那神一般的单于，你的多情的丈夫。

〔呼韩邪深沉而低声地长叹。

温　敦　可我比你更孤单，因为我在人间，却离开了龙廷，离开了我的主人——我的像父亲一样的单于。

呼韩邪　哦，他是这样看我吗？

温　敦　（充满了热情）不，不，不，比父亲更亲热。因为父亲只给了我身体，可是他——单于，我的姐夫，还有你，我的姐姐——

呼韩邪　哦。（聆听着）

温　敦　在这个万恶的世界里，是你们的手牵领着我——你的最小的弟弟，教给我正直，教给我忠诚，教给我智慧，教给我勇敢，教给我待人宽厚，教给我爱正义，不爱权力。

呼韩邪　（低声）嗯，对，对。

温　敦　还教给我克服一切私心、偏见、邪恶的念头。

呼韩邪　哦，他是知道感恩的。

温　敦　我的玉人姐姐呀，我能成为今天的温敦，就是靠着至高无上的单于一点一滴的赐予，一天一天的教诲呀。

呼韩邪　（旁白）啊，原来他有这样一副忠诚的心肠。

温　敦　（哀伤悲痛地）玉人姐姐，我要离开龙廷了。我把原来属于至高无上的单于的兵马，还给至高无上的单于了。我的肩膀轻松了，可我的心沉重了。以后谁来保护我的单于，我的主子，我的父亲，我的姐夫，我们草地上独一无二的神鹰哪！

呼韩邪　哦。

温　敦　（沉痛地）玉人姐姐，你是有灵的，告诉我怎么办吧！（捶着自己的胸）我痛苦，痛苦极了！（他匍在地上，默默祈祷）

呼韩邪　他这是祈祷，还是说给我听的？好听的话，听下去，真容易，可是信了它，总是要吃亏的。难道我收回了他的兵权，他还能真的对我这样依恋？

不，不，我想的是什么呀？不要把人看得太好了。可也不能把人看得太坏。（逐渐走近温敦）我要仔细地再看看他。（对温敦，温和地）温敦，你跪在这里做什么？

温　敦　（转身，吃惊地）哦，单于，我的主子！

〔月光照着温敦眼眶里的泪水，呼韩邪望着他。

呼韩邪　（感动地扶起温敦）哦，温敦，你怎么满脸都是眼泪？

温　敦　我的恩人哪！（大痛）请单于多多珍重，臣温敦告别了。（转身走下）

呼韩邪　（召唤）回来！站住！温敦，你怎么了？

温　敦　我但愿昭君阏氏晋封拜庙以后，龙廷太平，单于平安。

呼韩邪　（诧异）但愿？你有什么话要说吗？

温　敦　（吞吞吐吐）我一生侍卫单于，一旦离开，就像树叶离了根。单于，我的心中悲痛，有话我也说不出来。

呼韩邪　不要难过，我会到草地来看你和我的妹妹阿婷洁公主的。

温　敦　不，不，单于，您千万不要到我的草地上来。

呼韩邪　为什么？

温　敦　（迟迟地）您千万不能离开龙廷。

呼韩邪　这是什么意思？

温　敦　说出来，怕单于生气。

呼韩邪　什么事这样严重？不要吞吞吐吐。

温　敦　我是不愿扰乱单于新婚的快乐。

呼韩邪　你怎么这样啰嗦？多少年来，我一直告诉你，要坦白直率，为什么现在学得这样躲躲藏藏？不像草原上的人。

温　敦　好，我说！单于，我说了您会怀疑我，但是我不怕，我要忠诚坦白。

呼韩邪　（点点头）哦！

温　敦　我想告诉单于，第一件，昭君阏氏是汉人，单于是匈奴人。

呼韩邪　（沉吟）嗯，说下去。

温　敦　第二件，（稍稍迟疑了一下，感到呼韩邪望了他一眼，立刻）第二件，就是昭君阏氏很年轻，而单于您，是有些年纪了。

呼韩邪　就这点吗？这又有什么呢？

温　敦　我怕汉家派来的阏氏对单于不会有真心的。

呼韩邪　（立起）温敦，昭君阏氏和我，这关系非同寻常，关系着匈奴的命运，任何人不可节外生枝。

温　敦　（义形于色）好，那我就不能不说了！正因为这是关系到汉和匈奴的大事，我不能装聋作哑！

呼韩邪　你讲吧。

温　敦　昨天夜里，我为庆贺昭君阏氏受封晋庙，准备了酒宴，请王龙在我帐里烤肉喝酒。

呼韩邪　噢。

温　敦　王龙喝醉了。酒后吐真言，他说：三个月前单于在长安求亲的时候，长安朝廷原来是想扣押单于的。

呼韩邪　哦，是真的吗？

温　敦　王龙说当时关市被抢，长安朝廷疑心单于故意纵兵，抢劫关市。

呼韩邪　这件事长安天子对我说得很明白，毫不介意，你是听到的。

温　敦　长安天子的话怕是一时应付单于的。王龙说，朝廷上有人说单于表面和亲，实际上是要探一探长安朝廷的虚实。放了单于，就是纵虎归山，以后难制。

呼韩邪　长安朝廷大臣很多，哪有都说一样话的道理。这种糊涂人总是要有一两个的。天子不是答应和亲，百姓同乐，说这是不可翻悔吗?

温　敦　可朝廷有人主张，将计就计，趁单于和亲，不作戒备，就在鸡鹿寨内又驻扎一批大军，时机一到，就向我们发兵。

呼韩邪　（一挥手，仿佛拂去满天的疑虑，爽朗地）我看王龙这个少年新贵的话，不值得深信，不要再想这无中生有的事了！请回帐吧。

温　敦　但是，单于，听说汉朝天子重病，急召萧正使他们回去。

呼韩邪　（回转身来）天子重病?这是谁说的?

温　敦　王龙说，是萧正使告诉他的。待昭君阏氏受封晋庙之后，他们即刻就要返回长安。

呼韩邪　哦。

温　敦　天心难测！现在天子病重，万一有变故——（走近一步）单于，我不得不说，从前汉朝帮我们打郅支，现在郅支死了，就剩下你了！

呼韩邪　郅支杀了朝廷使者，朝廷灭他，是对的。

〔马蹄得得，一个骑兵跑得满头大汗上。

骑　兵　单于，紧急密报。

呼韩邪　哪里来？

骑　兵　鸡鹿寨。

呼韩邪　讲吧。

骑　兵　我们的骑兵在鸡鹿寨外草地上，发现五百里外有汉军马粪多处，察看迹象，像是又来了大批汉军，已经进入草地了。这是拾来的汉军马粪。

呼韩邪　拿来！（掰开看）

骑　兵　（指点着）您看，里面有汉马吃的黑豆与谷米。

温　敦　（也拿一块马粪掰开）果然！我们的马是从来不喂黑豆和谷米的。

呼韩邪　（沉吟）我没得到朝廷的任何旨令，忽然五百多里宽的草地又有了汉军的马粪，这倒真是奇怪了。（对骑兵）你下去吧！等一下，这件事不能和任何人讲，泄露了，要砍头！

〔骑兵施礼下。

温　敦　汉军到草地上来了！单于，他们在龙廷里是有奸细的。

呼韩邪　（猛回身）谁？

温　敦　汉家派来的阏氏。

呼韩邪　（呵斥）你在胡说什么！

温　敦　毒蛇也有美丽的皮。单于，您应该提防了！王龙告诉我，昭君阏氏是知情的，她在注意着我们。

呼韩邪　这不会是真的！

温　敦　单于，我可以对天神起誓。（跪下）

呼韩邪　（并不理温敦）

温　敦　事情紧急了！中原朝廷一定是变了心，而我们龙廷里还放着一个可以做奸细的阏氏，就像蝎子伴在身边。想想吧，单于，不是自己厩里生下的马驹，一脚可以踢死主人！单于啊，她是汉，我们是胡！

〔苦伶仃喝得醉醺醺地，蹒跚走上。

苦伶仃　单于，单于，有人要害你。你不要听他的话，你要听我的。我是匈奴最苦的人，我不用谎话装扮自己。

呼韩邪　你又喝醉了。

苦伶仃　我喝了酒了，挨了打了。

温　敦　快下去，你又喝多了。

苦伶仃　喝多了！

我把阴山黑水，盐池草地，湖海苍天，都喝进去，

（指温敦）连你也喝在我肚子里。我的五脏六腑，

塞满人间的不平气。

张开嘴，我的舌头赛钢刀，

专杀世上的坏东西，

无情义，好比你！（醉倒在树下）

温　敦　放肆！

〔呼韩邪坐了下来，用手遮住了脸，默默地……

温　敦　（上前，轻声地）单于，您累了，歇一歇吧！我先回帐去了。

〔呼韩邪点了点头。温敦退下。

〔苦伶仃醉眼蒙眬地望着单于，像是忽然麻木了。温敦的黑影仿佛还在白杨树下。

呼韩邪 （抬起头，端详着苦伶仃，悲哀地）伶仃啊，你怎么喝醉了呢？你怎么看着我不说话了呢？我很痛苦。对谁能说出我的心思？只有对你，对你啊，伶仃。（喃喃地）我像是做错了一件事情。知道吗？一个单于做错了一件事情！三个月了，我看着我身边的那个汉家姑娘，慢慢地我感到她是个很好的姑娘。我高兴，我的心就像迷迷惑惑地找到了一个可靠的朋友，就像在沙漠里找到了解渴的清泉。我忽然年轻起来。我爱她了，也相信她了。我正想把龙廷上调动军马的宝刀交给她，替我保管，就像从前我交给玉人那样。可是，就在半刻前，我忽然疑惑起来，我怕我看错了。我怕我身边的不是一个真心爱我们胡人的阏氏，而是一个……啊，（痛楚地）我不愿意说出来。伶仃，你怎么总望着我，你怎么不说话呀，为什么不说话呀？

〔苦伶仃忽然立起，弹着小弦琴，奏着一支欢乐无比的胡曲，一边歌唱着，旋舞着，一边机警地向四周巡视。

〔苦伶仃十分活泼，又十分幽默而俏皮地舞着、跑着、指着、唱着《小眼泪》：

嘣嚓，嘣嚓！

嘣嚓，嘣嚓！

我骑着小马儿，快得像飞，

　　　　　　快得像飞！

我不告诉你，我是为着谁，
为着谁。
你是个机灵鬼！机灵鬼！[1]

骑着快死的骆驼，你慢得像乌龟！
你还想探听我心里想着谁，
想着谁。
哼，你也配，
你也配！

我的马儿跑得快断了腿！
我就不告诉你她是谁，
你这个机灵鬼，
机灵鬼！[2]

白云下面，黑眼睛在等着我，
她还淌着小眼泪，
淌着个小眼泪！
不是为我，还会为谁？

1　此处川版有“驾！驾！”。

2　此处川版有“驾！驾！”。

（笑嘻嘻地，神秘地）

喂，把耳朵伸过嘞！

啊，伸过嘞！

（低声，蜜语）

我那黑眼睛她，她就叫个“小眼泪”，“小眼泪”！

啊，她就在前面等着我。

（兴奋地）她是我的“小眼泪”！

（忽然，变了脸）

这，我可没有告诉你，

闭上你的嘴！

你这个机灵鬼！

讨厌的机灵鬼！

讨厌的机灵鬼！[1]

〔白杨树下温敦的黑影不见了。苦伶仃突然停止歌唱，走到呼韩邪的身边。

苦伶仃　（低声）快乐的歌儿不能再唱了，我的单于，你身边有人要害你。

呼韩邪　（悲哀地）什么，谁呀？又是昭君吗？

苦伶仃　单于，你什么都能辨清，不论是风声，不论是鸟鸣，不论是蛇在咝咝叫，快咬人。可是现在，你被什么塞住了耳朵，

1　此处川版有“驾！驾！”。

遮住了眼睛，我的主人？谁对你忠心？难道是温敦侯爷？谁对你假意？难道是昭君阏氏？主人，狼就在你身边，它已经露出了尖牙。等你睡着，就要咬你了！

呼韩邪 （沉静地）谁会这样？你说的是谁，我的忠实的老奴？

苦伶仃 一个你宠爱的人！

呼韩邪 是谁？快讲！

苦伶仃 他以为我醉了，我没有醉，我时刻在竖着耳朵听着他，眯起眼睛看着他。单于，我说的是你的内弟，温敦侯爷！

呼韩邪 你胡说！不，你凭什么这样说？

苦伶仃 难道你感觉不到他恨你吗？你给了他什么？

呼韩邪 我给了他一切。

苦伶仃 你拿了他什么？

呼韩邪 我仅仅拿回了宝刀。

苦伶仃 对呀！你看不出这样的人吗？给了他的，他永远不满足；拿了他的，他永远怀恨在心。这个人我从小看到大：狐狸的嘴、蛇的心、狼一样的贪狠、鬼一样的聪明！

呼韩邪 我知道他贪心、残忍，但是他不会害我的！不会！伶仃，你说呢？

苦伶仃 老奴不懂单于的心思。可我亲眼看见他喝醉了的时候，把战袍披到草人身上，拿起尖刀，一边刺一边喊："你呀！你呀！我怎么刺不出你的血来呀！"

呼韩邪 哦！

苦伶仃 他在刺谁？单于！

呼韩邪　不，不会，他是玉人的弟弟。

苦伶仃　玉人阏氏同他，一个是女神，一个是魔鬼。

〔沉静的空气中，远处嗖嗖响着森然可怖的箭声。

苦伶仃　你听，单于！

呼韩邪　什么？

苦伶仃　响箭。温敦的人练响箭呢！一箭射出去，二十支跟着，他的仇人是活不了的。

呼韩邪　他敢对我？

苦伶仃　单于呀，对你忠诚的是那十九岁的昭君公主，汉家送来的年轻的阏氏。

呼韩邪　（思索地）嗯。

〔阿婷洁急匆匆上。

阿婷洁　（惊恐万状）哥哥，不好了，婴鹿死了！忽然死了！

呼韩邪　什么？

阿婷洁　吃了什么坏东西。

呼韩邪　吃了什么？

阿婷洁　奶母说没吃别的，就吃了昭君阏氏赐给的糖食。

苦伶仃　单于，我去看看他！

〔呼韩邪挥挥手，苦伶仃急下。阿婷洁跟下。

呼韩邪　吃了昭君的糖食，就死了。（忽然感到有些恍惚，悲恸万分）玉人，玉人，我们的小婴鹿——你的亲骨肉……

〔呼韩邪突然发了病，晕倒下去，四面无声，雾越发浓了。

〔温敦疾步走上，看见倒在地上的呼韩邪，跑过去。

温　敦　（摸一摸他，低声，对着呼韩邪的耳朵）单于，我的单于！您怎么啦？（仔细地看了一下），啊，他发了病了，他晕死过去了。（四面望一望）这是天赐给我的机会，就只有我一个。

〔休勒悄悄走上。

休　勒　（阴沉地）还有我！

温　敦　还有人吗？

休　勒　没有别人了。只有侯爷、我和满天的大雾。

温　敦　（从怀中掏出一把明晃晃的尖刀）尖刀啊，你日夜想着仇人的血，那么，让你真的尝一下吧！（举起尖刀，对准呼韩邪）

〔忽然，远处雾里传来欢叫的声音。湖边上已见鱼肚色的晓光，无数星星点点的火把在雾里闪耀着。

温　敦　（恐惧地）这是什么声音？

休　勒　怎么了？快！卫士就要来了！

温　敦　（拿着刀，远望着，紧张地）这是什么声音？什么声音？

休　勒　天快亮了，王昭君就要晋庙了！王公贵族都在向单于的帐幕欢呼呢！

温　敦　他们喊什么？

休　勒　他们喊：“单于和亲，千秋万岁！”

温　敦　又是这刺耳的声音。（恐惧地）仿佛草原上的每一根草都在呼喊着呼韩邪这个人的名字！而我们就要他死，要他死！

休　勒　那么就快动手吧！不能再等了！

温　敦　（举着尖刀）我多么恨哪！我恨我不能扎下去！

休　勒　为什么，侯爷？

温　敦　（目光闪闪）翻天覆地的事情往往因为一个冲动而葬送了整个前程！现在这个人死了，左贤王，他的弟弟，右贤王，他的儿子，所有的王公贵族，甚至连我那个糊涂的父亲，都会立刻起兵讨伐我。现在这个人死了，长安天子，汉朝的大军也会讨伐我。现在这个人死了，我手中恰恰没有调动龙廷兵马的宝刀！

休　勒　老虎睡着不杀，醒了早晚会吃了我们。现在一刀下去，龙廷就是你的了！

温　敦　（内心斗争着）不，不成！这是不成的！只有撒下天大的网，才能打起最大的鱼。要取得他的信任，要狠、要灵、要阴、要做得更忠诚。我要叫长安疑心呼韩邪，呼韩邪疑心长安。只要这个人把宝刀从那汉家女人手里拿来再交给我，只要他说出一句出兵、反汉，我就对长安有话说，对王公贵族有话说！那个时候，把这个人的头割下来，就像割草一样容易了！

〔这时休勒来回张望，看见温敦还在那里沉思默虑，突然走到温敦面前，抢过温敦的尖刀——

休　勒　侯爷，您脸发白，您害怕了！让休勒替您担下这杀单于的大罪吧！（对呼韩邪）神鹰呀，你的末日到了！（野兽似地冲上去）

温　敦　（仿佛从噩梦中突然惊醒，一步挡住休勒）放下！

〔休勒不顾，疯子似地又刺下去。

温　敦　（护着呼韩邪，对休勒）你疯了！（抢回尖刀，对准休勒的脸上狠狠打了一记）狗！你醒了没有？

休　勒　（被打清醒）我，我醒了。

温　敦　（低声）卫士要到了，你走开。

〔休勒顺从地走下。

温　敦　（望着呼韩邪的脸，嫉妒地）多么英俊的一个单于啊！多么雄武的一个单于啊！难怪我的姐姐要嫁给你了，难怪汉家的阏氏也爱上你了。而我，这个丑东西，非要你死不可。你死了，我才能生；你活着，我就是死了。我恨啊，我恨！这天神给我的机会，我只能放过去！（温柔地）单于，醒醒吧！温敦在救你呢。（解开呼韩邪的衣服，给他按摩，声音颤抖地）单于，我的恩人，你怎么了？单于，我的父亲，你怎么了？醒醒吧，快醒醒吧！

呼韩邪　（呻吟一下）好闷啊！

温　敦　我的单于，我的父亲，醒醒吧！

呼韩邪　我怎么了？

温　敦　您发病了，晕倒了。

呼韩邪　哦，就只有你在我身边？

温　敦　就我一个。我的单于，您，您把我急坏了。（低下头）

呼韩邪　（站起来，整整衣服）你怎么了？抬起头来。

〔温敦抬起头来。

呼韩邪　（惊愕）你哭了？

温　敦　我怕，我怕万一您醒不过来……（禁不住地抽噎）

呼韩邪　（望着温敦，感动地）哦，是你，是你把我救活的！

你！——我忠心的温敦。

〔温敦不语，热情地望着呼韩邪。

呼韩邪 （忽然）伶仃！叫伶仃来！

温　敦 单于，您忘了，伶仃去救婴鹿了！

呼韩邪 （仿佛不记得）什么？

温　敦 刚才婴鹿不是吃了昭君阏氏的糖食，忽然死了吗？

呼韩邪 （恍然记起）哦，是的。我要去看看他！

〔阿婷洁上。

阿婷洁 （高兴地）哥哥，放心吧！幸亏伶仃去了。他说中的毒可以用羊血解，给小婴鹿灌了羊血，已经活过来了。

呼韩邪 哦，好，好！（沉思地）那么放毒的人——

〔一个宫女慌慌张张上。

宫　女 （急迫地）启奏阿婷洁公主，玉人阏氏的像，不知叫什么人打碎了！

阿婷洁 啊！

呼韩邪 是谁做出这样的事？

温　敦 谁这样恨我的姐姐？

阿婷洁 怎么，婴鹿刚救回来，玉人的像又碎了。

温　敦 昭君阏氏现在就要晋庙了。

呼韩邪 嗯。

阿婷洁 （仿佛起了一个可怕的联想）哦，会有这样可怕的事吗？

呼韩邪 不，不，不像。

温　敦 （庄严地）天神说，草原外面来的人会做出我们想不到的事情。

阿婷洁 刚才姜夫人和我说……

呼韩邪 说什么？

阿婷洁 昭君阏氏已经有了喜了。

〔远处连续喊："接昭君阏氏！"

温　敦 她来了。（对呼韩邪，低声）让她晋庙吗？

〔呼韩邪紧闭嘴巴，沉默着。

〔喊声："昭君阏氏圣驾到！"

〔优雅的汉、胡细乐。王昭君春风满面，盛装走出。姜夫人陪着她，后随盈盈、戚戚。

姜夫人 恭喜大单于，我们的昭君阏氏，她有喜了，单于殿下千岁，千千岁！

呼韩邪 感谢姜夫人你来报喜。

王昭君 昭君奉命晋庙，参拜祖先鬼神。单于千岁，千岁，千千岁。

呼韩邪 阏氏千岁，千千岁。

礼　官 （高声地）晋庙时间到！

温　敦 单于怎么吩咐？

呼韩邪 （沉默一下，对昭君）昭君阏氏，我刚才晕倒过去——

王昭君 （吃惊，关切地）怎么了，我的单于？

呼韩邪 现在好多了，可是还是不大舒服。（有礼貌地）加封晋庙的大礼，是不是可以延迟一下，昭君阏氏？

王昭君 （惊讶，立刻，顺从地）当然。谨奉命，单于殿下。

温　敦 （立刻大声传呼）单于有命，晋庙典礼暂停！奏乐停止！

〔乐声停住。空气突然冷落下来，所有的人都在惊愕之中。

呼韩邪 阏氏，我想独自去歇一歇。

王昭君 是，单于。

〔呼韩邪下。温敦与阿婷洁随下，众多随从默默下。

姜夫人 （低声）这是怎么回事？

王昭君 不要紧的。姑姑，您先去休息吧。都下去吧，盈盈留下。

〔姜夫人不安地退下。侍女们都随下。

盈　盈 （十分同情地）娘娘。

王昭君 你去请萧大人来！

盈　盈 是，娘娘。

〔盈盈下，台上只剩下王昭君。

王昭君 （痛苦地）

这是怎么回事？

我忽然感觉地覆天翻。

单于怎么忽然对我这样冷淡？

仅仅过了几个时辰，

他便露出这样的一面。

难道龙廷也像汉宫？

我真不知如何把这突然的变化扭转！

我真是迷惑呀！

我从来没有这样不安。

加封晋庙，我并不怎样看重；

但是龙廷中的事却使我看不透，摸不到，

变化万端！

天已经大亮了，

我的心却只觉得阴暗！

莫非是风暴来临？

我感觉到了，感觉到了！

我啊，

我该怎么办？

〔盈盈随萧育上。

萧　育　（庄严地向王昭君行礼）臣萧育参见昭君公主，千岁，千千岁！

王昭君　（仿佛见到自己的父亲一般）萧大人，萧大人，加封晋庙的事延期了，您知道吗？（突然眼泪止不住地流下来，急忙用帕子掩住）

萧　育　（劝慰她）昭君公主，不要这样难过。单于欠安，一时改期，也没有什么。

王昭君　萧大人，我管不住，我实在难过。我感觉到事情不是那样简单了，到底出了什么事情？

萧　育　公主殿下，臣萧育应该向您禀告，刚才龙廷发生了两件事。小王子婴鹿突然中毒。

王昭君　（大吃一惊）哦！

萧　育　虽然救活了，玉人阏氏的雕像又被打碎了！

王昭君　哦！谁敢这样，萧大人？

萧　育　难以得知。臣以为是恶人中伤，要把罪名推在公主的身上。

王昭君　（仿佛被霹雷击中一般）难道单于都怀疑是我吗？

萧　育　公主，您不要这样想。

王昭君　（喃喃地）所以单于忽然对我那样冷淡……

萧　育　公主，您一定要把心胸放宽了。干这两件坏事的恶人不仅是要中伤公主殿下。公主，老臣说一句放肆的话，您这样一位年轻公主，不会引起这样大的仇恨。可是您身负着“汉匈一家”的重任，那就大大地不同了。龙廷里的恶人中伤公主，正是要毁掉归顺汉朝的单于，毁掉中原和匈奴的和好关系。

王昭君　萧大人，这是不能允许的。

萧　育　昭君公主，您说的极是。天子和朝廷一直是相信匈奴和呼韩邪单于的。

王昭君　我知道。在长安时，我已经明白了。

萧　育　那就好了！公主，您要相信呼韩邪单于是忠于朝廷的，您必须信赖他。如果有一时的不顺心之事，希望您有天一样宽大的胸怀，为了国家的安宁，为了天下苍生、各族百姓的康乐，忍得住个人的委屈。

王昭君　萧大人，我感谢您的指教。昭君记住了。

萧　育　（跪下，盈盈随同跪下）昭君公主，您的责任是重大的，朝廷和汉匈两家百姓都期望您，信任您。

王昭君　请起来，萧大人。（仰望苍天）昭君决不辜负朝廷和黎民百姓。

——幕落

第五幕

前一幕的次日下午。

龙廷后帐，王昭君的毡幕中。中间设着一张长几，一张胡床，旁有几个坐垫和方几。方几上放着金银食器，盛着匈奴的奶点心，汉朝的糖食、水果，以及奶茶和马奶酒。帐幕地下，满铺毡毯；四壁悬挂着美丽的织毯和汉、胡的各种乐器。在显著的地位挂着一只琵琶，是孙美人赠给昭君的。

开幕时，霞蔚云蒸，向晚的草原十分安静。没有一丝风，羊牛不叫，鸡犬不鸣，夕阳照着无边的草地。地平线上偶尔出现一缕乌黑的浓云。

随着戏的发展，天空逐渐阴沉。草原上微风吹过，草在颤抖，帐外的大纛的穗子被风吹起。乌云从天际冉冉上升，地上听不见一丝风。仰望天空，暗黑的浓云如千军万马，迅速掩袭过来。草原骤然不再宽阔了；周围暗下来。天空中仿佛有一只巨掌，伸向大地，要抓起地面上的一切：山丘、湖水、岩石、牛羊、马群、穹庐、毡房和老少牧民，逐渐什么也看不见了。

远处有牧民赶着牛羊入圈，牧马的骑兵呼啸着，鞭打着一群群的骏马。他们举起套马杆，指挥着马儿，把一群群锦缎般美丽的战马赶进避风的山谷。

一时，牛羊不安，都在哞哞地恐惧地叫着，似乎大地都在摇动。

天在发怒，湖水从深处涌起波涛，像有什么神鱼由海一般深的湖中游出来，突然要飞上漆黑的天空。

胡笳与鼓声逐渐由缓至紧，从远处传来，它们在告警。

开幕时，一切是平静的。三名胡女和戚戚在帐中练习胡乐。

姜夫人带着两个侍女进帐，姑娘们站起来。

戚　戚
胡女等　姜夫人安好。

姜夫人　戚戚，昭君阏氏呢？

戚　戚　娘娘和苦伶仃、盈盈骑马出去了。

姜夫人　怎么还没有回来？我已经来了两次了，她又疯到哪儿去了。

戚　戚　我们不知道。

姜夫人　（对戚戚）我不知道你是干什么的。走的时候，你不拦住她，也不告诉我。你看你那样子，也不着急，真是块木头！

戚　戚　是，姜夫人。

姜夫人　是什么？

戚　戚　是木头。

姜夫人　（走来走去）真气死我了。（对胡女）走开，你们都走开。

〔胡女们下。

戚　戚　禀告姜夫人，我也走吧？

姜夫人　你别走，我说话，要人听。唉，我的话，你也听不懂。你坐着。

戚　戚　我不敢坐。

姜夫人　（气呼呼）叫你坐，你就坐。我要发脾气了！我要摔东西了！

〔戚戚听话地坐下。这时一群马快跑着的声音，由远而近。

戚　戚　（又站起）启禀姜夫人，大约昭君娘娘回来了。

姜夫人　（坐下）你去到帐外看看。

〔苦伶仃、盈盈和一群武装的匈奴侍女簇拥王昭君进来，后随牧民的儿子——十岁的小玛纳。

〔戚戚和奏乐的侍女们迎上去接王昭君。

侍女们　迎接阏氏殿下。

姜夫人　（也只好立起行礼，但仍气鼓鼓地）参见公主娘娘。

王昭君　姜夫人请起。

〔王昭君戎装胡服，英气夺人，端庄美丽，神色时时像是思索着什么。

王昭君　（对侍女们）你们可以去休息了。

侍女们　是，阏氏殿下。

〔侍女们退下，留下盈盈、戚戚、苦伶仃和小玛纳。玛纳睁大眼睛，四下望着，紧贴在苦伶仃身边。

姜夫人　（不满地）昭君，你究竟想干什么？这是什么时候，还去骑马？

王昭君　我闷，出去走走。（转对小玛纳）小玛纳，饿了吧？

〔孩子点点头。

王昭君　（对盈盈）拿点心来。

〔盈盈、戚戚端上奶茶和点心。孩子害怕，不敢吃。

王昭君　（和蔼地）吃吧！孩子。

〔苦伶仃取食物递给小玛纳，他开始吃起来。王昭君望着他。

姜夫人　这孩子是谁？

苦伶仃　这孩子的命真不好。就在前天，他爹要去关市换东西，被温敦侯爷一箭射死了。

盈　盈　娘娘骑马遇见这孩子，我们到他家帐幕去看了看。他妈妈见到娘娘，满脸的眼泪，又怕又哭……

王昭君　（同情地）可怜的孩子！

玛　纳　（停住不吃了，咬着牙，落下了眼泪）我妈妈告诉我，（从身边抽出一支箭）这支箭是温敦侯爷射在我爸爸背上的。我们做梦也得记住。

苦伶仃　（沉重地）老百姓有一句话："头发像韭菜，割了还会生。脑袋像公鸡，砍掉还打鸣。侯爷大人们不可怕，小民从来不可轻。"[1]

王昭君　（对姜夫人）姑姑，这孩子叫我想起我小的时候。（对苦伶仃）我从小也是没爹没妈，是我这个姑姑姜夫人把我养大的。

姜夫人　（感动了，说哭就哭，眼泪汪汪地）那时候，你还没这孩子大呢，我的苦命的儿。

1　古民歌："发如韭，剪复生。头如鸡，割复鸣。吏不必可畏，小民从来不可轻。"——原刊注。

王昭君　（对盈盈）拿一袋点心，让小玛纳带给他妈妈。再叫人牵二十只羊，交给他带回家去。

盈　盈　是，娘娘。

〔盈盈下。

王昭君　（对玛纳）孩子，以后有什么为难的事，就找这位伶仃老人。

玛　纳　（眼睛睁得大大的，低声问伶仃）苦爷爷，她是谁呀？仙女吗？

苦伶仃　傻孩子，这就是天子送来的新阏氏，还不磕头！

玛　纳　（跪下，吻着王昭君的衣裙，半哭着）阏氏，阏氏……

苦伶仃　回去吧，孩子，快回去吧！

〔盈盈上，手里拿着一个锦缎口袋，内装食品。

盈　盈　娘娘，按您的吩咐办了。

〔王昭君点点头，盈盈牵玛纳下。

苦伶仃　年轻的阏氏，你的心好，天神会保佑你的。

姜夫人　苦伶仃！我问你，哪儿你不能带昭君娘娘去，偏带她到什么……纳的帐篷去？

王昭君　不关他的事，是我叫他领去的。

苦伶仃　我们匈奴人有一句话："会飞的鸟，不能让人捆着。"

姜夫人　（怒）你放屁！将来出了事，我就找你！你们都出去！

苦伶仃　（笑嘻嘻地）是了，姜夫人。

〔苦伶仃与戚戚下。

姜夫人　（训斥）昭君，现在这里没人，姑姑可得要说你几句了。你也太不懂事了！要是在汉宫，许你这样吗？怪不得天子国舅不高兴你。我看，你把温敦侯爷也得罪了，看你日后在龙廷的日子怎么过？

王昭君 （长吁一声）“亦余心之所善兮，虽九死其犹未悔！”[1]

姜夫人 你说什么？

王昭君 屈原说的话。我的脾气就是这样。

姜夫人 又是这个老头儿屈原！昭君哪，你这么任性！现在龙廷上上下下都在议论你，你知道不知道？小王子婴鹿虽然叫苦伶仃这个老家伙救活了，玉人像又砸碎了，到现在还没有查出是谁干的。上上下下都怀疑是你干的，你还不着急！我是一挨枕头就着的人，昨天一整夜都睡不着。（低声）昭君，单于昨天晚上对你说点什么没有？

王昭君 （尽力自然地）他昨晚一夜没回来。

姜夫人 （吃惊地）怎么，到现在，你还没有见到单于的面吗？孩子，这可不是闹着玩的事。你要得不到单于的欢心，你这一辈子就像掉在冰窖里一样，没人会理睬你的！昭君，你一定得向单于辩白清楚。

王昭君 你叫我辩白什么？有什么可辩白的？我心里是亮堂堂的，“水清石自见”。水清了，石头自然会露出来。

姜夫人 你这是废话！后宫的事，水总是浑的。我这一辈子看的事多了，汉宫都这样，匈奴龙廷里就更不用说了。人家说：“草原的天气是孩子的脸，说变就变。”我看皇帝的脸比草

---

1 屈原:《离骚》。——原刊注。

原的天气变得还快。单于也是一样！你看，说好了昨天加封晋庙的，怎么三搞两搞又变了？

王昭君 （叹一口气）我也不明白呀，姑姑！

姜夫人 （伤心起来）昭君，我的苦命的孩子，我眼看就要走了。把你搁在这儿，上不上，下不下，身边没有一个亲骨肉，单于又对你这样！你想想看，我舍得了你吗？你舍得了你姑姑吗？（说着说着生起气来）哎，千不该，万不该，你不该到这儿来！当初姑姑费了多少心思，走了多少门路，才替你弄到了个“美人”的官，两千石米呀！当上了“美人”，一见上皇帝，就前程无限了。

王昭君 （静静地）姑姑，您忘了孙美人了？

姜夫人 就算像孙美人，咱们娘儿俩，活活在一起，死也死在一块，总比到这儿来吃羊肉、喝马奶，当这个受气阏氏强！

王昭君 （安详而坚定）我不是孙美人，我是王昭君。

姜夫人 什么？你是王昭君？你气死我了！我白养了你这么大，你没一点心肝肺。从此以后，你不想我，我也再不想你，咱们一刀两断，一刀两断！（气得揉胸捶桌，上气不接下气）

王昭君 （抚慰地）别生气了，我的好姑姑，我是您的亲女儿，您走了以后，我会永远想着您的，我的亲姑姑。

姜夫人 （又哭起来）哎，我怎么教出你这样一个倔孩子呀！

王昭君 姑姑，您喝口茶，平平气。（端茶给姜夫人）

姜夫人 （端茶到嘴边，一闻）这是奶茶，我不喝！

王昭君　（自己喝了一口，真诚地）喝着挺香的，是挺香的。

姜夫人　（勃然）告诉你，我不喝！

〔盈盈同苦伶仃上。

盈　盈　姜夫人，您还没说完哪！王龙王大人在龙廷上等了您好半天了。[1]

姜夫人　（赶忙站起身）哎呀，天子国舅来了，你怎么不早禀告我？你这个糊涂丫头，真是糊涂，真糊涂，真糊涂！

〔姜夫人慌忙整容，念念叨叨，急匆匆下。

苦伶仃　（幽默地）狗熊闻着蜂蜜，也不及这位老夫人跑得快。

盈　盈　老人家，您可说对啰。

〔姜夫人走后，王昭君坐下不语，呆呆地出神。

盈　盈　（窥见王昭君的神情）娘娘，怎么了，您又在发愣啦？

〔王昭君没听见她的话。

盈　盈　（哄慰她）您弹弹琵琶吧？

〔王昭君望望墙上挂的孙美人的琵琶，仍出神。

苦伶仃　（懂得王昭君的心情，喟然）在龙廷当阏氏，是不容易的。

〔王昭君仍默默不语，站起来，望着外面。架上的鹦鹉蓦地叫起来："孙美人到！孙美人到！"王昭君吃了一惊。鹦鹉又叫："你年轻，你好看。"

苦伶仃　盈盈姑娘，这鹦鹉说的什么？

盈　盈　它说咱们娘娘又年轻又好看。

1　此句川版作"王龙王大人在叫您！他又喝多了，正发脾气呢！"

〔王昭君长叹一声。

盈　盈　（有心替昭君解愁）伶仃老人，您刚才不是说会看手相吗？您替我们娘娘看一看吧！

苦伶仃　（会心地，笑着）要是阏氏愿意的话，我苦伶仃是想替您看看的。

王昭君　（领会伶仃和盈盈的好意，打起精神，微笑着）好吧，你就看一看吧！（伸出手来）

苦伶仃　（半跪下，双手托着王昭君的手看）哎呀，阏氏的手又细又白，真是一位贵人的手，注定您要当单于的阏氏的。

〔王昭君望了盈盈一眼。

盈　盈　（笑着）老人家，您不是长安街上算卦的，别尽拣好听的说，好不好？

王昭君　（忽然笑起来，对苦伶仃）我也会看手相。伶仃，你把手也给我看看。

苦伶仃　我这个苦老头子的手有什么可看的？（恭敬地把双手伸给王昭君看）

王昭君　（看苦伶仃的手）你的手又粗又硬，我看真是一双充满了匈奴人智慧的手呵。

苦伶仃　哎，我一出世，"贫困"是我的母亲，没有奶水滋养我；"饥饿"是我的父亲，逼着我走遍了沙漠。我这就是一双受苦人的手罢了。阏氏，还是让我再给您看看吧。（细看王昭君手纹）昭君阏氏，请看。这道手纹是少见的，它主您这人性格刚强，一定会办成一番大事业。这道纹又长又清楚，它主您这人是聪明，是有志气的。嗯，这道纹这样弯，它主您这辈子的路是不平坦的。（看王昭君一眼，忽然仿佛发现了什么）哎呀，这道纹哪，可不大好，它主您身边有坏人要暗害您。

盈　盈　你说什么？

苦伶仃　（放开王昭君的手站起来，寓意深长）阏氏，您可要小心才好呵。

王昭君　（点头）我明白，苦伶仃。你说的是实话。

苦伶仃　阏氏，草原上不光有羊，也有咬人的狼啊。

盈　盈　（急忙忙地）老爷子，你说这坏人是谁？

苦伶仃　这个人在谋算着您——天子派来的阏氏。他就在龙廷，阏氏，您觉不出来吗？

王昭君　（止住他）不要往下说。这一两天我明白了不少。可是我的苦伶仃，我虽然是天子派来的汉家公主，我现在已经是匈奴的阏氏。我爱匈奴，爱匈奴的人——也有你，苦伶仃。

苦伶仃　（感动地，半跪施礼）为了您这几句金子一样的话，我——一个匈奴最卑贱的老奴，向您感谢又感谢，愿您长命百岁！

王昭君　（站起，避在一旁，谦虚地）我还是一个不懂事的汉家女子，需要有人指点。

〔戚戚上。

戚　戚　启禀昭君娘娘，阿婷洁公主到！

〔苦伶仃出去迎接，王昭君向门口迎上一步。

〔苦伶仃引阿婷洁上，后随四名匈奴侍女。

阿婷洁　（向昭君深深施礼）昭君阏氏，愿您安好。

王昭君　（回礼）大公主安好，您吉祥如意。

阿婷洁　（激动地）昭君阏氏，我的嫂嫂，我的亲嫂嫂！（忽然停住，对侍女们）你们退下。

〔侍女们退下。盈盈目视王昭君，王昭君点头示意，盈盈和戚戚也退下。

王昭君　（亲切地）大公主，您请坐。

阿婷洁　（满腔悔恨，突然流出眼泪）阏氏，我的亲嫂嫂，我向您请罪来了。

王昭君　（惊异）大公主，这是怎么说起？

阿婷洁　（坦率地）阏氏，我的公公乌禅幕老侯爷已经把那个用毒药害婴鹿的罪人逮住了，打碎玉人阏氏的石像的，也是这个人。我……我……（迟疑说不下去）

王昭君　大公主，你讲吧，对我，没有什么不可以说的。

阿婷洁　（鼓起勇气）我原来也疑惑过您，可我总觉得您不是这样的人。现在我明白我错怪了您。我想了多次，我要向您请罪。您是清白的。

王昭君　（站起来，十分感动地）大公主，我的妹妹！我万分感谢，万分感谢你。

阿婷洁　阏氏，我的嫂嫂，您不生气，您原谅了我？

王昭君　天下还有比你这样坦率、诚恳更可宝贵的吗？“至诚能感天”，何况我这样一个年轻的汉家女子。

阿婷洁　老侯爷还要面陈单于，说明这两件事的真相。

王昭君　感谢老侯爷，感谢你们全家。

阿婷洁　我还有一件事想对您讲，不过我有点怕。嫂嫂——

苦伶仃　阿婷洁公主，您讲吧。不要看昭君阏氏年轻，她的心跟匈奴人一样跳，她的血也是红的。

阿婷洁　这件事有关送亲侯王龙王大人，我怕也关系我的丈夫温敦。

王昭君　（诚恳地）你放心，我不会叫温敦侯爷为难的。

阿婷洁　我听我丈夫说，送亲侯看不起我们匈奴。他说我们匈奴的一切不过是天子脚底下的一粒灰尘，天子一跺脚，就可以把我们碾碎。

王昭君　（生气地）他居然敢这么狂妄！

阿婷洁　是的，王大人还看不起我的哥哥呼韩邪单于。他还说，朝廷、天子准备打我们匈奴。这都是王大人说的，我想我的丈夫温敦不会说瞎话。我很担心，我的嫂嫂，这些话万一传到单于耳朵里，是要伤单于的心的。

王昭君　（对帐外）盈盈！

〔盈盈上。

王昭君　（对盈盈）去请送亲侯王龙到我这儿来！

盈　盈　是，娘娘。

〔盈盈下。

王昭君　（急切地对阿婷洁）大公主，你千万不要听送亲侯的胡言乱语，萧正使早已责备过他。天子对于单于完全是以诚相待的，送亲侯这样说话是不能允许的！

阿婷洁　嫂嫂，您不要太生气了。

〔帐外卫士们高声报："呼韩邪单于驾到！"

〔后面的宫女们立刻出来列队迎接。

〔呼韩邪上，后随卫士长拔都和七八名雄壮的卫士。

〔王昭君和阿婷洁跪接。

王昭君 昭君迎接单于殿下，千岁，千千岁！

阿婷洁 哥哥。

呼韩邪 （立刻扶起昭君）快请起来，昭君阏氏。妹妹请起。

〔回头对卫士长及卫士们）你们都退下。

拔　都 是，单于。

〔拔都率卫士们下。

呼韩邪 妹妹，你是来看望阏氏的？

阿婷洁 我来是为了告诉阏氏嫂嫂，那个罪人已经逮住了。

呼韩邪 （点头）我已经知道了，乌禅幕老侯爷正在审问。

阿婷洁 （看看呼韩邪和昭君，高兴地）哥哥，嫂嫂想必等您好久了，我告辞了。

王昭君 送大公主。

〔侍女们送阿婷洁下。毡幕中只留下呼韩邪和昭君二人。

呼韩邪 （走到昭君面前，深怀歉意，温和地）昨天我突然身体不舒服，加封晋庙的事改了期。晚上我又没有回来看望你，恐怕引起了你的不安吧？

王昭君 （懂得了他的心意，明朗地）刚才大公主已经告诉了我，我完全明白。

呼韩邪 你不怪我吗？

王昭君　（微笑）你想想，我会怪你吗？

呼韩邪　（感动地）昭君！

王昭君　（轻轻地）嗳！

〔呼韩邪轻轻地握着王昭君的手，夫妻二人衷心欢悦，相视而笑。

呼韩邪　昭君，我的阏氏，我觉得又像在长安朝廷上第一次看见你。你还记得你唱的那首歌吗？

王昭君　记得。

呼韩邪　只有你是配唱那支歌的。

王昭君　只有你听懂了。

呼韩邪　（拿出宝刀）昭君，这是龙廷调动军马的“经路”宝刀，过去我一向是交给玉人阏氏保管的。现在我交给你，请你收下，昭君，我的阏氏。

王昭君　感谢单于，这样信任我。（半跪接过宝刀，转身珍重地放在案上）

〔盈盈在帐外高声禀报：“天子国舅送亲侯王龙王大人到！”

〔王龙不等传唤，就醉醺醺地步履蹒跚，手提马鞭闯进来，盈盈随上。

呼韩邪　（高兴而诧异）哦，王大人，你来了。

王　龙　（酩酊大醉，勉强施礼）单于，怎么你也来了。

呼韩邪　（有礼貌地）王大人到这儿来，有什么紧要的事吗？

王　龙　咦？（一指昭君）是她叫我来的呀！（站立不稳，一屁股坐下了）

王昭君　（皱眉）送亲侯，你怎么又喝醉了？

王　龙　（摇头）我没喝醉！你叫我来，我就来了。

王昭君　（严厉地）你先回去，等清醒了再说！

王　龙　（口齿不清地）我没醉！我不走！

呼韩邪　（耐心地）王大人，你还是先请回去吧。

王　龙　（抬起醉眼，胡言乱语）你怎么管起我来了？你为什么老叫我王大人？你知道不知道，我是送亲侯，我是天子国舅！你从来不这样称呼我，你这是看不起我呀！（一边说一边用手里的鞭梢对着呼韩邪指指点点）

呼韩邪　（耐不住）把你的鞭子放下！你来龙廷三个月了，你难道不知道，拿鞭子进帐，是对主人的失礼吗？

王　龙　（不放鞭子，反而更嚣张起来）你说我失礼！你昨天才失礼呢。加封晋庙这样一件大事，你说推迟就推迟，你这是眼里没有我，瞧不起我；瞧不起我，也是瞧不起她（指昭君），就是瞧不起朝廷——

王昭君　（大怒）王龙！你站起来！你胆敢对单于这样不敬！

〔王龙不动。

呼韩邪　左右，把他的鞭子拿出去！

王昭君　撤座！站起来！

〔力士们应声上，夺下王龙的鞭子，像提小鸡子似地把他架起来。

王　龙　（挣扎着大叫）好，呼韩邪！你敢这样对待我！你这是目无朝廷！目无天子！你反汉！

呼韩邪 （震怒）什么？

王昭君 （又急又怒）你疯了！（对呼韩邪）单于，不要听他的昏话。

呼韩邪 （对王昭君）不，你等等。（对王龙）你说什么？

王　龙 我说你反汉！

呼韩邪 （压着自己的怒气，一字一句地）送亲侯，你知道这两个字的分量有多重吗？“诺水之盟”，汉与匈奴永为一家，子子孙孙，决不改变。我是杀了白马，喝了血酒，对天盟了誓的。天子相信我的忠诚，我接来了昭君阏氏。你身为送亲侯，居然当着阏氏说我反汉！你有什么根据？

王　龙 （忽然感到事情严重）我说不过你，我走了。（想走）

王昭君 站住！现在你可不能走了，你必须对呼韩邪单于讲明白，你要认错。

王　龙 （又横起来）我认错？还不知该谁认错呢！好，咱们讲就讲。

呼韩邪 （冷静下面燃烧着怒火）很好，王大人请讲，我是很愿意听的。

王　龙 好，第一条，你预备那五万骑兵，是要干什么？

呼韩邪 （惊讶）哪里有五万骑兵？

王　龙 （愈说愈得意）哈哈，单于殿下，你自己都不能自圆其说了吧！第二条，我都知道你的行动日期！

呼韩邪 什么日期？

王　龙 你打长安的日期啊！三个月内，把骑兵练好之后，你准备将这五万骑兵向长安进攻！（咄咄逼人）有没有这事？

呼韩邪 （气得说不出话）哦？（对昭君冷笑）我居然有这样大的

阴谋！

王　龙　（得意非凡）怎么样？事实俱在，无可抵赖。呼韩邪，我告诉你，我是天子的耳朵和眼睛，我是朝廷的刑罚和鞭子——

王昭君　（怒不可遏）王龙，你对单于这样罗织罪名，无中生有！我问你，这些消息是谁告诉你的？

王　龙　（傲慢地）我不答复。

王昭君　那就是你捏造的！

王　龙　什么？我捏造？（忽然对呼韩邪）是你的左大将温敦亲口对我说的，那还能有错吗？而且那些战马，温敦也指给我看了。

呼韩邪　（震惊，不能相信）温敦？他会这样陷害我？

王　龙　（得意地教训王昭君）你明白了吗？温敦才是真正忠于汉朝的。

〔温敦急慌慌上。他故作镇静，但眼神里露出严重的不安。

温　敦　温敦参见单于、阏氏。（没想到王龙也在此地）送亲侯，您也在这儿。

呼韩邪　（目视温敦）你来得正好。

温　敦　（观察呼韩邪的神色）我听说谋害小王子的罪犯已经抓到，是真的吗？

呼韩邪　（不答复温敦，转向王龙）王大人，你刚才说的话，请你再说一遍。

〔温敦惊讶地看王龙，王龙不作声。

呼韩邪　好，你不讲，我来替你讲。（对温敦）王大人说，你告诉他我反汉，我还练了五万骑兵，预备在三个月内向长安进攻，你说过没有？

温　敦　（恶狠狠地瞪着王龙）我……我……（忽然义愤填膺地）王龙！你怎么敢血口喷人？你居然这样陷害我！为了汉匈和好，我把你当成好朋友，亲兄弟。你多次对我不礼貌，看不起我们匈奴人，对我胡说八道，我都没跟你计较过。没想到你这条癞皮狗，不识好歹，反倒在单于面前捏造我这么大的罪名！（转对呼韩邪）单于，这是他离间我们君臣，这是个大阴谋！

王　龙　（瞪圆眼睛，气得结结巴巴）你骂我癞皮狗？是你赖还是我赖？你说过你为了我，死十次都愿意。转过脸来，你就恶狼似地咬我一口呀！你这个坏蛋！你这个胆小鬼！你背着他（指呼韩邪），什么都敢说；见了他，就像耗子见了猫！你说没说过呼韩邪反汉？说没说过请求长安出兵？

温　敦　我，我没有！

王　龙　（更气急败坏）你说过！你明明说过！你还说过长安一出兵，你就杀了呼韩邪，起来响应！

温　敦　（大叫）我没说过！（对呼韩邪，歇斯底里地）我不能忍受这样的冤枉！单于，我的主人，为了让你看看我的心，我愿意死在你的面前，追随我的玉人姐姐……（拔刀，做自刺状）

呼韩邪　（厌恶地）放下刀！不要来这一套！

〔温敦一听呼韩邪的口气，立时泄了气，握刀的手垂了下来。

〔乌禅幕脸色像乌云，步伐沉重地上。

乌禅幕 单于，阏氏，我把罪人押来了。（对帐外）把他押进来见单于！

〔卫士押休勒上。休勒衣服破碎，头青脸肿，绳捆索绑，一下子被推在地上，匍匐在单于脚下。

乌禅幕 （厉声对休勒）休勒，你向单于老实招供，小王子婴鹿是不是你毒的？

休　勒 （低声）是。

乌禅幕 玉人阏氏的石像是不是你打的？

休　勒 是。

乌禅幕 （对呼韩邪）还有一件大事，汉军根本没有出兵，草地上的马粪是他假造的。（问休勒）是不是？

休　勒 是。（一抬头，见温敦，突然嘶声喊叫）可是我冤枉啊，是他（指温敦）叫我——

〔温敦不等休勒话落，抽刀一下向休勒扎去，休勒惨叫一声倒下。

呼韩邪 （大吼一声）温敦！你这个阴险狠毒的东西！（像狮子一样狂怒地扑上去，猛掐温敦的脖子）你，你……

温　敦 （窒息地）单于！单于——[1]

呼韩邪 （气得浑身发抖，像甩条恶狗似地一下把他甩到帐门口）给

1　此句川版作“单于！饶，饶了我——”。

我滚！

〔温敦一跃而起，窜出帐外，立刻听见马蹄声疾驰而去。

乌禅幕　（怒叫）你给我回来，我杀了你这畜生！

〔乌禅幕急追出帐。

呼韩邪　（暴怒地挥手）你们都走，都走！

〔王龙在一旁吓得面如土色，哆嗦得像筛糠一般，随卫士们下。

〔帐中只剩下呼韩邪和王昭君。呼韩邪像笼中的猛虎似地走来走去，王昭君在旁边十分同情地看着他。

王昭君　（轻声地）单于，单于。

呼韩邪　（突然在胡床上坐下，疲惫地，像是瞬息间老了十年。对王昭君，又像是对自己）阏氏，我不行了。我这个经过千百次战争的单于，看见过多少个毒蛇猛兽，看透了多少虎豹一般的心肠，可是我却相信了他，相信了这样一个凶神恶煞。我把我花一样的妹妹嫁给他，我把我的心也给了他。而他，却日日夜夜地希望我立刻死去！偏这时候又来了这位汉家的王龙，这个毫无知识、野心勃勃的花花公子。他们两个串通一气，要杀了我，一个报功，一个领赏，把汉和匈奴百姓当成他们庆功宴上的牛羊。

王昭君　（满腔同情）单于，是我们没有尽力，没有保护好你。

呼韩邪　不，不，汉家派来的阏氏，是我不曾好好地看重你。这一天，我真老了。我看见过草原上的月亮，多少次圆了又缺。岁月像水一样流过去。年龄和我滚烫的鲜血，好像黑河里的波涛，从我的手，我的脚，流出去，流向大海，流得净光。我的气力，我的火性，几乎都没有了！都忘了！（望着王昭君）孩子，年轻的昭君，我的孩子。你是我的阏氏，又是我的孩子。在你面前，我已经衰老了。

王昭君 你不老，我的单于。“老”和“年纪”都怕你。你正是草原上飞驰的骏马，你正是黑河里奔腾的波涛。你永远不会使中原父老失望。你清得像我故乡“香溪”的泉水。我到了龙廷才懂得，草原的人们对你为什么那样景仰。

呼韩邪 昭君阏氏啊，我老了。我和你岁月相差，如同父女。过去，我觉得，你害怕我，恭敬我；过去，我觉得，你离我很远，很远。现在才知道，你的心像水，像明月。我像是经过无边的沙漠，在酷热中，看见一片清碧透绿的水，突然感到一片清凉。你是盐、是米、是棉絮，是我们匈奴人最需要的。

王昭君 （伸出手给呼韩邪）单于，我离你很近，很近，我就在你的身边。

呼韩邪 （握着王昭君的手）我从前不大相信人是可靠的。可我想，如果人都不可靠，活着岂不太孤单？因此，我觉得还是要相信人的心。而我，还是受了欺骗！

王昭君 有的人，心和言语是一样的，也有的人，说话好听，仅仅是为了掩饰他的恶毒的心。

呼韩邪 是啊，昭君。（十分痛苦）背信弃义是插在我背上的一把尖刀！而我回过头来，拿刀的人，就是我亲手带大，又十分相信的温敦！

王昭君　（无限同情地）我明白，单于。不要太难过了，不要让这一片乌云挡住了你心里的太阳吧！（抚慰地）单于，我看你太累了，你躺一躺吧。

呼韩邪　我是累了。我要躺一躺，我要你坐在我的身边。给我唱一支歌吧。

王昭君　我给你盖上我们的合欢被，你闭上眼睛，睡一睡吧。

〔呼韩邪在胡床上躺下。王昭君从墙上取下琵琶，坐在他床头，轻轻地弹拨，像个年轻的母亲唱摇篮曲那样温柔地用另一种缓缓的曲调唱起来。隐约有音乐伴奏。

王昭君　（唱）

上邪！

我欲与君长相知，

长命毋绝衰。

山无陵，江水为竭，

冬雷震震，夏雨雪，

天地合，乃敢与君绝。

长相知呵，长相知。

〔呼韩邪睡着了，王昭君抚摩着他。

〔忽然，呼韩邪掀起合欢被，从胡床上一跃而起。

呼韩邪　（对王昭君）你听，远处有军马向我们来了。

王昭君　（一愣）哦？没有吧？

呼韩邪　（立刻匍匐在土地上，耳朵贴在地面，细听）有！有骑兵向这里奔来。

〔呼韩邪的卫士长拔都奔进帐来。

拔　都　单于，我们被包围了！

呼韩邪　多少人马？

拔　都　五百左右。离龙廷还有八九里。

呼韩邪　什么人？

拔　都　还看不清。像是郅支的残部。

呼韩邪　（拿刀和弓箭）召集我的卫士们。

拔　都　早已成列。

呼韩邪　迎击。

王昭君　单于！你要保重！

呼韩邪　（安慰地）你放心，我就会回来！（向外）苦伶仃！

〔苦伶仃急上。

呼韩邪　保护阏氏！

苦伶仃　是。

〔呼韩邪转身出帐，拔都随下。听到马队飞奔而去。

〔黑夜降临了草地。

苦伶仃　阏氏，你不要怕。有我苦伶仃，就能保护你。

王昭君　我不怕。（对盈盈）叫我的侍女们挂好弓箭，备上马。

盈　盈　是，娘娘。

〔阿婷洁跑进来。

阿婷洁　嫂嫂，听说有叛匪作乱。您不要离开帐幕，我来陪伴您，保护您。

王昭君　阿婷洁，单于不要紧吧？

阿婷洁　伶仃，你来！带我们祈祷！求天神保佑我们的主人呼韩邪单于。

苦伶仃　（庄严地）请阏氏和大公主跪下。

〔阿婷洁、王昭君跪下。苦伶仃跪在中间，手持带铜环的手鼓，用手拍打，开始唱着。节奏由徐缓到急促，逐渐激越高亢。像是有无数乐器和呼喊的声音，伴随着苦伶仃的歌声。

〔苦伶仃低沉的男低音在帐幕的昏暗中振荡，使人感到恐惧与不安。

苦伶仃　（低沉有力地）

乌麻力，乌麻力，

乌麻力力，乌麻力！

黑力乌嘎乌麻力，

黑力乌嘎乌麻力。

乌麻力，乌麻力，

乌麻力力，乌麻力！

黑力乌嘎乌麻力，

黑力乌嘎乌麻力。

…………

〔风摇动着帐幕，雷电忽暗忽明，闪映着三个跪着的蓝森森的身影。苦伶仃唱着，逐渐站起，舞动着。

〔风雨雷电一起来了。

苦伶仃 （唱）

轰隆隆，头顶上的雷！

那是天神发怒的拳头，

劈向大地，

草原上，滚动着一个个火球。

嘎啦啦，苍穹的闪电！

那是天神的眼睛，望着宇宙，

黑夜刺透！

黑夜刺透！

天神发怒了！发怒了！

狼不敢嗥，

虎不敢吼，

毒蛇深深地缩进草里，

牛羊胡乱地挤进马厩，

整个草原吓得发抖。

只有我，

苦难的伶仃，

在高声祈祷，

向天神伸出双手！

看哪！

暴雨把天地连成一片，

拔都和他的勇士们保卫着单于，

我们的主人！

勇士们高喊着：

“拔掉他们的胡子！”

“扭断他们的脖子！”

割头像割草，

人头滚滚，

马蹄踩着石头，火星飞迸！

叛匪们像恶狼一样吼着：

“呼韩邪在哪里？”

“我们要他那颗血淋淋的心！”

王昭君 天神哪！天神！求您保佑呼韩邪单于，我的夫君。

苦伶仃 （唱）

哎呀呀，一匹马失去了主人，

那马在狂奔！

一颗人头落了地，火辣辣地睁着眼睛。

王昭君 那是谁？难道是我的主人？

苦伶仃 （唱）

不！不！

在高昂的神马上，立着单于，

他威武、高贵、沉静。

血在他的马蹄下流淌，

四面都是他的仇人。

仇人像毒蛇吐出舌头，

咝咝叫着，喷出刻毒仇恨。

王昭君　（忽然跳起来）我要去找他！

阿婷洁　（拦住王昭君）不行！你不能离开这个帐幕，你会丢了性命！

王昭君　放开我！我要找我在危难中的夫君。

〔一阵狂风掀起了帐幕，王昭君冲了出去。

阿婷洁　嫂嫂，昭君阏氏！（随着王昭君消失在草原上的黑暗中，马蹄声在风雨中远去）

〔急促的鼓声、号声、胡笳声，震撼着苍穹。在黑暗中，显出了战场，一片格斗厮杀的景象。

〔苦伶仃的声音在战场上空飞扬。

苦伶仃　（唱）

战场上，天陷地沉，

厮杀的人马，像洪水滚滚。

但是啊，

真诚的人有真诚的心，

冲破黑夜，冲破刀兵，

向着她的主人。

〔王昭君出现在战场上，她的身后跟着匈奴的女兵。

王昭君　（呼喊）单于！我的呼韩邪单于！

〔匪徒们的狂喊压住了王昭君的声音。

匪徒们　呼韩邪！交出你的性命！

〔一道闪电，一声炸雷，呼韩邪出现在高高的岩石上。

呼韩邪　（向王昭君）你不要来！昭君！（向匪徒）叛匪！我在这儿！来吧！

〔拔都和英雄的卫士们齐声高喊："叛匪！还不跪下！"

〔众匪徒被呼韩邪和他的卫士们的威武所慑，纷纷跪下。

〔温敦出现在昏暗中。

温　敦　呼韩邪，看箭！

〔"嗖"，箭声划过。"当啷"，呼韩邪疾速隔开飞来的箭。

呼韩邪　（大喝）温敦，你这个狼种！滚下马来！

〔温敦被震慑。就在这一瞬间，小玛纳冲上前来，挥起套马杆，一下把温敦套住。拔都和他的勇士们一拥而上，持弓箭的牧民们也拥上，缚住了温敦。

〔王昭君向呼韩邪跑去，呼韩邪迎着她。

〔在英雄的战士们和武装的牧民们胜利的欢呼声中，暗转。

〔苦伶仃愉快的歌声重起，喜悦和欢庆充溢了大地。光明从天际腾然升起，远处湿润的山坡上缭绕着白云。在白云中隐约看见一座庄严的殿宇，那是匈奴单于的祖庙。

〔草原的后方，搭起一个平坛，这是为了单于晋封阏氏的仪式准备的。坛上铺着锦绣的地衣。开幕时坛上空着。

〔近处，金色的阳光洒满了草原，雨后的水滴像珍珠似的在青草和花朵上闪闪发光。

苦伶仃　（欢乐地唱）[1]

1　此处川版有"哎嗬哟！光明哦！"。

啊，光明终于战胜了黑暗，
呼韩邪单于擒住了万恶的温敦。
小玛纳举起套马杆把温敦套住，
单于的英雄们，
一下子把那豺狼绑捆！

四下里突然一片安静，
海子边青蛙叫得正起劲，
它们也为单于的胜利欢庆！
哎呀，草原上的杜鹃也醒来，
一声又一声[1]，
黄鹂滴溜溜地叫起了清晨。
金色的天空，
紫色的松林，
湖面上升起了薄雾轻轻。
听，草原上的姑娘们，
唱得多么高兴。

〔天色大明。在喜悦的气氛中，一群群美丽的少女欢笑着跑上。传来人们的欢呼声："开关市了，开关市了！"少女们有的弹奏着乐器，有的歌唱，有的舞蹈。

少女们 （急速而快乐地唱着舞着）

---

1 "一声又一声"川版作"一声又一声，一声又一声"。

哎——开关市了，开关市了，开关市了。

领　唱　听！这是什么声音？

合　唱　这是远方传来的

一串串愉快的驼铃。

啊，那是商队的骆驼，

从中原送来了铜、铁、盐、茶，

养人的粮食，

美丽的丝锦。

领　唱　啊，我们又送去了什么？

合　唱　我们的商队出发了，

送去北方的异兽珍禽，

高大的骆驼，

神速的骏马，

和云朵似的羊群。

还有动人的音乐，

和汉胡一家的深情。

领　唱　还有什么喜事？

合　唱　还有更大的喜事，

还有更大的喜事，

普天欢庆，

普天欢庆！

汉家来的阏氏就要晋庙，

朝拜单于祖先的神灵。

领　唱　还有什么?

合　唱　单于还要晋封昭君，

给她最美好的名称，

最美好的名称。

领　唱　什么最美好的名称?

合　唱　（彼此问）

什么最美好的名称?

什么最美好的名称?

领　唱　（白）我还不知情。

合　唱　（白）我也不知情。

我也不知情。

同　唱　我们只好等，等，

等单于向我们宣告那最美好的名称。

〔呼韩邪和王昭君穿着晋庙的礼服，神态安详地走上，身后随着乌禅幕、萧育。

呼韩邪　温敦罪在不赦，他是应该明正典刑，处以死罪的。可他的姐姐玉人阏氏临终嘱咐我，要我好好管教温敦，而我没有把他管教好，我呼韩邪的责任不轻!

王昭君　单于殿下，单于对温敦从来是管教很严，爱护备至。温敦不听单于教诲，犯了叛逆的罪行，咎由自取。昭君认为，最好把温敦送往长安，由天子陛下处理。天子陛下会考虑得十分周全，妥善处置。不知单于以为如何?

呼韩邪　（十分佩服而又欣赏）好，这样处置十分适当。我决定，把他送往长安，奏请天子发落。萧大人以为如何？

〔阿婷洁赶上，静静聆听。

萧　育　单于非常贤明，温敦固然有罪，王龙也罪过不轻，也应该禀奏长安天子发落。萧育就将他们押送长安。（对乌禅幕）天子是圣明宽宏的，只要他们知罪，天子是会法外施恩的。老侯爷放心。

乌禅幕　逆子温敦死有余辜。单于把他交给朝廷发落，是万分贤明。

阿婷洁　（赶上前来，泪如泉涌）哥哥，嫂嫂，我瞎了眼睛，我万万没想到温敦会欺骗我，会谋害单于和阏氏！我是罪该万死，罪该万死的！（跪下连连叩头）

王昭君　（扶起阿婷洁）大公主请起。你对朝廷和单于的忠诚是谁都知道的。（热烈地）大公主，我的亲妹妹。

阿婷洁　我的好嫂嫂，我说不出心里的感激，我是万分的感激！……哥哥，我请求允许我随我那该死的丈夫同上长安，向朝廷请罪。

呼韩邪　也好，你去吧。

〔小玛纳穿一身漂亮的新衣跑上，苦伶仃紧跟在后面。

玛　纳　单于，单于，那个受灾的老头儿还在外面等着阏氏呢！

呼韩邪　他要干什么？不是阏氏已经送给了他粮食和衣服吗？

苦伶仃　他要求昭君阏氏自己给他一点赏赐。

王昭君　（沉吟）我自己的东西？我带来的东西都是汉宫的，如今这一切都是匈奴的。（摇头微笑）这个阏氏自己是穷得什么都没有的。

玛　纳　他说你有，你有。

王昭君　（忽然想起来）哦，是，我是有——可是我已经送给单于了。

呼韩邪　什么东西，我的阏氏？

王昭君　那床合欢被！那是我做女儿时在灯下一寸寸织成，一针针绣成的，是我自己的。贤明的单于，您说该怎么办？

呼韩邪　（微笑着）那还是看贤明的阏氏吧。

王昭君　好。（对盈盈）盈盈，把合欢被拿来。

盈　盈　是，娘娘。

〔盈盈下。以下王昭君和呼韩邪的对白有音乐轻声伴奏。盈盈立刻取来合欢被。

王昭君　单于啊，（抚摸着合欢被）

这床合欢被是我送给你的定情之物；

它，

轻得没有声音，

像雪花落下，寸心暖，广宇温。

呼韩邪　它，

轻轻遮盖，

像炉边火，却柳絮一样轻。

它朝夕相伴，我便处处艳阳春。

王昭君　它，

洁白似汉家女儿心，

清水鸟影，

不见灰尘。

呼韩邪　长相思啊，深深印，

白絮抽丝，绵绵不断，

这里面，藏着海样深情。

〔盈盈望着他们。

王昭君　送给他去吧。

〔盈盈微笑捧被下，小玛纳随下。

王昭君　单于啊，这是我们二人幸福的合欢被，但愿它也把温暖带给汉、胡的千万家百姓。

呼韩邪　这才是万里中原的无限心。

乌禅幕　吉日良辰，是单于晋封阏氏的时候了。请单于和阏氏殿下升坛。奏乐！

〔礼乐声起，呼韩邪领着王昭君缓步登坛。呼韩邪面向观众站立。

乌禅幕　请阏氏受封。

〔王昭君跪下，礼乐声止。

呼韩邪　（庄严地）我，匈奴第十四代单于，挛鞮，稽侯珊呼韩邪，若鞮撑犁孤突，亲往长安求婚，承天子洪恩，赐婚昭君公主。上下臣民，欢欣爱戴，塞内塞外，和悦安宁。今天晋庙祭告祖先，特册封昭君公主为宁胡阏氏！（对昭君贺喜）宁胡阏氏千岁！千千岁！

王昭君　宁胡阏氏昭君谢恩，谢恩。

呼韩邪　宁胡阏氏请起。（扶王昭君起，二人并肩站立）

〔人群欢呼："单于千岁！""宁胡阏氏千岁！千千岁！"

〔小玛纳和盈盈急跑上。

玛　纳
盈　盈　（同时）宁胡阏氏，不得了啦！

苦伶仃　怎么了，小玛纳？

玛　纳　飞了！

苦伶仃　什么飞了？

玛　纳　那个老头儿接过合欢被，忽然唰地变成一只金色的大雁，点了点头，腾地就朝那边飞了！

苦伶仃　胡扯！那合欢被呢？

盈　盈　那合欢被，一阵风把它吹起来，就忽悠忽悠地跟着那金色的大雁飞走了！飞上天去了！——你们看！天上！天上！那不是？正在飞呢！那不是大雁？那不是合欢被？

〔大雁在空中鸣唳。一片光明的彩云在蓝天里悠悠飞过。大家都惊奇地仰望。

王昭君　（对呼韩邪）我们的合欢被啊，真是神明！

呼韩邪　它变成了一床仙被轻轻。

王昭君　像天那样大，广无垠！

呼韩邪　覆盖四面八方，塞南塞北，无止境。

王昭君　祝愿普天之下没有受寒的人！

〔远处传来愉快的驼铃声和悠扬的歌声：

单于和亲啊，路边的杨柳青又青，

送来一个好姑娘啊，我们亲又亲。

汉胡一家呀，路边的杨柳青又青，

千秋万代永不分哪，我们亲又亲。

〔呼韩邪和王昭君向庙走去。

〔歌声中幕落。

——全剧终

附　录：

关于话剧《王昭君》的创作

写历史剧，要忠于历史事实，忠于历史唯物主义，同时还要有“剧”。如果没有戏剧性，别人就会打瞌睡，这个“剧”字，就难了。这里，我谈谈关于话剧《王昭君》的创作问题。这个戏是敬爱的周总理生前交给我的任务。那是一九六0年以前的事，周总理指示我们不要大汉族主义，不要妄自尊大。这是从蒙汉人联姻的问题谈起的。周总理说，要提倡汉族妇女嫁给少数民族。说到有个王昭君，周总理就指着我说：“曹禺，你快写！”要我写个王昭君的剧本。

后来，我到内蒙去了两次，看到了两个王昭君的墓，听了著名的马头琴大师巴杰等弹唱的关于王昭君的传说，访问了一些老一辈的蒙族人。原来，关于王昭君的传说，不仅在汉族有，在蒙族也有。而且，在蒙族地区，王昭君是一个妇孺皆知的、极为可爱的形象，仿佛成了一个仁慈的女神。她的坟墓，又叫“青冢”，包头有，呼和浩特

【题注】据《人民戏剧》1978年第12期初刊本排印，文末注：“本文是曹禺同志在文化部文学艺术研究院召开的‘历史剧与民族关系座谈会’上的发言摘要，题目是编者加的。”通校1979年2月四川人民出版社初版（校注称“川版”），改题《关于〈王昭君〉的创作》（校注称“川版”）。

也有一个很大的青冢，比岳坟还大。传说，有的贫苦的人没有吃的，到青冢去就可以找到。希望得到羊的，到青家上面去，就可以得羊。妇女婚后，长年不生育的，只要到青冢去住一夜，当年就怀孕，第二年就可以生一个又胖又健康的孩子。王昭君在那里，不是一个哭哭啼啼的妇女，而是一个美好的形象，一个神话式的人物，是蒙族人民喜爱的汉家妇女。

而在过去，我所看到、听到的关于王昭君的诗（包括李白、杜甫那样大诗人的）、戏曲、小说、传说中的王昭君的形象，是一个悲悲切切、哭哭啼啼的妇女。她极不愿离开故乡，离开自己故国。我小时候看过一个戏叫《昭君出塞》(见《青冢记》）的就是这样。这出戏演的不错，语言也感动人，譬如，什么“文官济济全无用，武将森森也是枉然，却叫我红粉去和番”之类，非常委屈、凄怨。但这完全不符合历史真实。“和番”之说就表现出大汉族主义思想，不是把匈奴当作中国的民族，而是作为异国番邦。范晔的《后汉书》上的王昭君也不是哭哭啼啼的。我还看过一本敦煌的变文，叫《王昭君变文》的，说王昭君到了番邦，很不安心，整日思念汉元帝，其实变文中写“番王”对她很好，甚至亲自为她熬药煎汤，她死了，还专门为她着汉服戴孝。对她这样好，她还想汉元帝，真是奇怪。另外，传说毛延寿作钦差大臣为汉元帝选美，王昭君之父不愿女儿进后宫。因为进了后宫是很惨的。《阿房宫赋》里说，“有不得见者，三十六年”。大观园中元春一进宫就得见皇帝，那是“有后台”的。一般被选的宫女都是很悲惨的，所以都不愿意进官。另有一个故事（见《琴操》，传说东汉蔡邕著），王昭君为了避免父亲受害，毅然出面进宫。《西京杂记》说：

进宫以后，大约是王昭君没给毛延寿什么好处，没行贿吧，毛延寿就在画象上搞了鬼，使她见不着汉元帝。元曲马致远的《汉宫秋》写毛延寿很坏，逃往匈奴，把王昭君的画象给了匈奴，使匈奴单于见图生情，指名道姓非要王昭君不可。汉元帝为和好，只得给他。我读了较多的关于王昭君的书，但无论是诗词、文章、戏曲，其中史实都不一定确实。我查了《汉书》，只说汉元帝爱音乐，会作谱。再便是呼韩邪单于入朝，请婿汉氏，元帝以后宫良家子王昭君赐单于。所以其它传说都无正史可查。

除了《昭君出塞》，还有不少写王昭君的戏。元朝马致远的《汉宫秋》就是一个，但那是写汉元帝和王昭君的爱情的。戏把汉元帝写得很多情，什么“不思量，除是铁心肠，铁心肠，也愁泪滴千行”之类。郭老在《蔡文姬》中也提到王昭君。左贤王说：“当初不是有个王昭君吗?”蔡文姬为了纪念王昭君，还故意给自己的儿子起一个与王昭君的儿子一样的名字。

为了写《王昭君》，我今年又到新疆少数民族地区去一次，借此，可以再次体验一段少数民族的游牧生活。

我现在想写的王昭君，是力图按照毛主席在“六条标准”中提出的“有利于民族团结”的指示精神去考虑的。关于写这个戏，周总理指示我的基本精神是：民族团结，文化交流。我要写一个比较符合历史真实的剧（当然不能完全符合，因为历史剧不只是“历史”，还有个“剧”字，要有戏剧性）。王昭君是个笑嘻嘻的而不是哭哭啼啼的王昭君，一个促进民族团结的王昭君，一个可能为周总理赞成的王昭君。现在，敬爱的周总理已经故去，我很悲痛，我决心要完成这个任务。过去十多年来，由于“四人帮”的干扰破坏，我没法写，现在我终于写出来了。这个戏已在《人民文学》上发表出来，请大家批评。目前有个好气象，不论好坏，先拿出来，请人民群众提意见，错了再改。因此，我才敢于发表，自然，也要负责任的。过去王昭君哭哭啼啼，现在笑嘻嘻了，有什么不好？！当然，我想，最好请同志们看舞台上的演出，因为那是经过导演、演员、舞台美术工作者和许多同志们的处理的。此外，还有千千万万的观众，可以作为我的老师，为我修改。

在写的过程中，碰到许多困难。但有一个问题是清楚的，肯定的，即匈奴是我们自己的一个民族，不是番邦外国。另外，关于王昭君的评价，翦伯赞教授也有一篇文章，也讲得很清楚。他还说，接触历史，许多人往往不是从正史中学，却常常从历史剧中得到一些历史知识，我很同意这样的说法，的确，许多人接触历史，首先是从历史剧里得来的。我小时候，没看陈寿的《三国志》，看的是《三国演义》，而“白脸”的曹操，是在戏曲中看到的。还有许多历史知识也是通过舞台得到的。因此，我深深地感到，历史剧虽然可放在史实的基础上做一些虚构的文章，但不应该违背历史的基本真实。

艳阳天

【题注】据1948年5月文化生活出版社第一版“文学丛刊”本排印。

人物表

阴兆时律师——即“阴魂不散”。

阴堇修——他的侄女，新闻记者。

阴太太——阴兆时的妻。

魏卓平——惠仁孤儿院院长。

马弼卿——即“马屁精”。

周秉望——医生，阴堇修的朋友。

金焕吾——富商。

杨大——金焕吾的亲信。

姚“三错”——阴家楼上的妇人。

“员外”——姚三错的丈夫。

翘翘——孤儿，女，五岁。

小牛牛——孤儿，男，五岁。

小眼睛——孤儿，女，六岁。

老熊——三轮车夫。

胡驼子——金焕吾的保镖。

保姆。

杨大的同伙们。

三轮车夫们。

孤儿们。

殡仪馆的人们。

送纸钱孝衣的人们。

第一本

『律师就管到我头上来啦！』

秋天的深夜，某大城住宅区一条寂静的马路，路旁木叶未脱，交织着黑黝黝的树影，稀疏街灯的灯光冷漠地洒在路中，两旁的楼房多半都隐翳在黑暗里。这时路上没有一个行人，从昏濛濛的路口拐出一辆三轮车，车子空空的没有乘客，也看不见踏车的人，在这冷落僻静的路上像一个荒诞的魅影诡怪地向前移动。缓缓地在靠近一座铁门前的街灯下，车子紧贴人行道停住，车夫老熊（一个憨厚老实而有血性的年轻人）坐在脚踏板上，车座上放着两小捆木柴。他勾着头向车下探望了一下，站起身把围在脖子上的旧毛衣扔在车上，蹲着收拾脱落了的车链。

他很快地就把链条搭好，刚要站起来，忽然一只粗大的手掌拍在他的肩上，他惊恐地回头。看见戴着黑毡帽的胡驼子（富商金焕吾的保镖）向他狰狞地盯视。

胡驼子　（伸出手几乎碰着老熊的脸，奸笑）巧啦！

老　熊　（想不到，望望道旁铁门）驼子，你住这儿？

胡驼子　（没搭理他）钱呢？

老　熊　（从腰带上打开一个旧皮包给他看，空空的）

胡驼子　（抓住熊的肩）那一半你还不给！（伸手要摸家伙）

老　熊　（也迅速从车上抽出一根木柴，气势汹汹瞪着他）

〔一个苍哑的声音:(低促地)驼子别吵!

胡驼子 (回头望)

〔树叶遮住路灯，昏暗的铁栏门口巴着一张丑老头的脸。

丑老头 (森严地)别吵！老爷还在这儿会客呢。

胡驼子 (转过头，对老熊)滚，明天早晨说,(使劲推了一把车子)推走!

老　熊 (咬紧牙，放回柴棍，骑上车踏走)

〔树影下，胡驼子在铁门前的人行道上来回巡行，他抬头向上望，停住脚步。

〔铁门里的大楼也黑漆漆的，只有二楼角落上的一扇窗子由窗帘缝射出一道灯光。

〔二楼角上这间屋子，是富商金焕吾接见熟朋友和亲信的小客厅，陈设相当考究，深色暗花墙壁，厚重的丝绒窗帘低垂着，除了屋中间一套皮沙发，靠窗放的书桌，以及几把椅子之外，都是些红木紫檀家具，雕花的半圆桌，条台矮桌等。近门旁一个大落地收音机，靠收音机的墙上挂着一个大时钟。长沙发后面立着一个红木镶彩色寿山石楼台人物的屏风。地毯几乎铺满了全屋，走起路来没有一点声音，壁炉架上放着几件铜器，其他台子上也都放着一些古董和花瓶。墙上挂着的也是和屏风的花色一样的红木挂屏。屋子当中的电灯没有捻开，只有站灯台灯和门边的壁灯开着，放出不耀眼的光，因此上半截屋顶和角落都是暗暗的。

〔沙发前矮案上有香烟烟具和三杯盖碗茶。

〔金焕吾——一个富商，曾经在敌伪时期任过要职，胜利后就隐姓埋名做着大规模的囤货生意，手下还有一些当年的亲信爪牙，那种恶的潜势力多少还有一部分存在，不过改变了方式，依然时常施展他们的余威。他是一个非常厉害的人物，中等身材，有点胖，厚厚的眼皮下垂着，形成一对三角眼，掩藏着冷峻的目光。穿长袍西装裤，脚上尖头皮鞋擦得光可鉴人。他靠在单人沙发里，两只脚架在一只棉凳上。

〔杨大——金焕吾的亲信，根底粗野，不学无术，生性暴戾冷酷，配合着他的武断和狠辣，显出办某些事务既能干又迅速，因此得到金焕吾的赏识与信任。瘦高个儿，长脸。墨黑的细眉毛，压着一双突出的金鱼眼，看起来又恶又呆板，态度骄横。穿长袍。他坐在暗处一张椅子上。

〔马弼卿——外号“马屁精”，三十二三岁一个穷书生出身，为人刻薄狭小，没有品格，贫困潦倒更驱使他走上无聊卑下的道路。善拍捧，各处攒混，最近由杨大介绍给金焕吾办事。天生一副俏薄瘦小的外形，黄黄的眼珠时常是飘浮不定的。他穿着一件有些败色的绸夹袍，孤另另地正襟危坐在那张大皮沙发当中，显得渺小萎缩。

〔收音机正放着苏州弹词，声音很低。

金焕吾 （从沙发上坐直，清了清嗓子，两脚从棉凳放到地上，移一移姿势，像要说话的样子）

马弼卿 （注视着金，欠起身来，又望望杨大）

杨　大　（端坐不动，绷着脸，向前直望着）

马弼卿　（又坐正）

金焕吾　（望望收音机，有点不耐烦）关上。

马弼卿　（立刻要站起过去关）

杨　大　（同时，慢腾腾地走过去关上）

马弼卿　（见杨去关，自己又坐下，望望金）

〔钟声滴达，马和杨大沉肃地望着金焕吾。

〔电话铃响。

〔随着电话铃声，我们看见一间铅皮顶破敞的货棚里，层层叠叠堆满了一捆一捆的纱包和木货箱，棚顶木架上悬着两盏铁罩电灯，只开着一盏。灯光昏黄，在货与货之间空隙的墙壁上安着一架老式的电话，电话下靠墙有一张小桌子，桌上有一张货单和一支铅笔。

〔棚中站着两个衣着考究，商人模样，带点流氓气的男人，一个穿着式样时髦笔挺的西装，一个穿中装，皮鞋。

〔穿中装的男人正站在小桌前，两手支在桌沿上看着货单。穿西装的男人在打电话。中装男人看看货单，又望着西装男人打电话。

西装男人（恭谨地）是金先生吗？是，货都弄妥了，这个地方恐怕是不能久搁，最好早——哦——哦——就等您找着放货的地方——

〔小客厅里。

金焕吾 （站在写字台边接电话）是啊，嗯，正在讲，就在这几天，嗯，（挂上电话坐回沙发上向杨）杨大！那孤儿院确实地点好？

杨　大 （站在收音机前）不惹眼，四周围都是些小家小户的。

马弼卿 （热衷地）并且靠码头又近。

金焕吾 （很快地瞥了马一眼，又对杨）那么我们无论如何把这孤儿院买下来，（低沉地）用什么方法都成。

杨　大 是。（决断地）能在三天以内最好。

马弼卿 （谄媚）是。那院长倒是好说话。

杨　大 （冷酷地）他不好说话也得成。

马弼卿 是啊！不好说话也得成，（殷勤地）您放心，这事好办，（又看看杨）就是那个姓阴的捣蛋，专门多管闲事。

金焕吾 （抬身拿烟）哪个姓阴的？

马弼卿 （连忙过来从身上摸出洋火）

金焕吾 （已经拿过几上的自来火点着了烟）

马弼卿 他是个律师。

金焕吾 （不经意地擦亮了自来火，又弄熄丢在几上）律师就管到我头上来啦。

马弼卿 （陪笑）就是啊！

〔钟敲一下。

马弼卿
杨　大 （同时回头望钟）

金焕吾 （打一个哈欠）

杨　大 （望马一眼，马回望一下）金先生，我们走了吧？

金焕吾 （点点头）好，你们走吧。

〔马拿起身边沙发上的帽子，抢在杨前，向金鞠躬。

〔金微微欠身，他们转身走了两步，马不觉回头又向金深深鞠躬，金点点头，他回身向门走。

金焕吾 （欠起身来）啊！马先生，还没请教你台甫。

马弼卿 （赶过来）马，马弼卿，（又弯腰）金先生您多栽培。（向后退，杨立门前开门，二人望金）

金焕吾 （皱眉沉思）

〔马退，杨随在后面轻轻把门关上。

〔他们退出客厅门外，马弼卿满脸感激知遇的表情，杨大冷冷地望着他，摆首示意下楼。

马弼卿 （对杨低声赞叹）真是个人物啊！

杨　大 （低声轻蔑地）走吧。

马弼卿 （还沉浸在方才的情景里。走了两步忽然回身）嗳呀。

杨　大 （低声）什么？

马弼卿 （急急）帽子，我的帽子。

杨　大 （从马手上抢过帽子给他盖在头上）

马弼卿 （赧然）谢谢，谢谢。

杨　大 （睨视，由身上掏出皮包，取出一张本票，递给马）喏，这是金先生给你的。

马弼卿 （喜出望外，犹疑着接下来）啊！我的祖宗爹！两千——

杨　大　（倨傲地）万！

马弼卿　（将本票珍重地收在怀里）

〔马，杨二人下楼走到院中，院中黑幽幽的只有铁门外的路灯隔着树叶投进一点光影。

杨　大　（低沉地）马屁精，明天到孤儿院谈房子，别又叫“阴魂不散”给坏了事。

马弼卿　（得意忘形）“阴魂不散”？哼，瞧我的。

〔丑老头锵朗一声拉开铁门上的小门，马先逡巡走出，杨大随后。

第二本

『跟咱们这位青年学学。』

我们逐渐望见一幅一幅的远景——

清晨，秋高气爽，晴空如洗，耀目的阳光照在一片犬齿交错的街道上。鳞次栉比[1]的矮屋顶，像海滩上的贝壳散乱地排列着。

又是一条卑陋的街巷，老旧的屋子，纷乱破烂，旁边散布着歪歪倒倒的棚户居处。

一家棚户的门前，三个三轮车夫围着胡驼子，谛听他说话。胡驼子提着一块猪肉和一只装满钞票的线网。他们面上显出焦灼而紧张，身后放着三辆空三轮车，老熊坐在三轮车座上，盯视胡驼子，身边站着一个抱着孩子的妇人。

胡驼子 （狞恶地瞥了老熊一眼，转向其他的三轮车夫）你们的牌照都有了，老子不是白替你们跑路的，别人的牌照钱都早给了，（指指）现在就剩下你们这四个不漂亮。

三轮车夫甲 （鬓角斑白，望望身边的车夫，温和地）不，不是不给，我们实在是……

胡驼子 （逼近伸手）拿钱吧。

三轮车夫甲 （又望了他们一眼，踌躇一下，掏出一束钞票，笑着说）

1 “鳞次栉比”底本作“栉次鳞比”，当作“鳞次栉比”。

少交一点成不成。

胡驼子　（没有理他，一手抢过来钞票，转向三轮车夫乙）你呢？（匆匆一数，把钞票放在线袋内）

三轮车夫乙　（从身后取来一沓[1]钞票，递给他，恶声恶气）点点数。

胡驼子　（点着数，同时对三轮车夫丙追讨）嗯？

三轮车夫丙　（由三轮车椅垫下摸出一叠钞票）看清楚，三十万。

〔胡驼子接下钱，放入线网，走向老熊。老熊端坐不动，等待他走来，抱着孩子的妇人不安地紧紧靠近老熊。

胡驼子　（对熊）怎么样？

老　熊　（倏地立起）怎么样？

胡驼子　（挺起胸）你说怎么样吧？

〔熊正要和他争论，那妇人连忙插在他们中间。

妇　人　（把钱塞在胡的手里，）胡大爷，您老人家走吧？

老　熊　（睖了妇人一眼，愤愤不语）

胡驼子　（把钱一数，放在线袋内）妈的，尽是些烂票子。（回头，一条野狗伸出舌头，贪婪地望着他手上的猪肉）你也想吃老子的肉。（一脚踢开野狗，那狗嗥的一声跑走。他回首狞望着老熊他们笑说）下次有买卖，再来找我。

〔胡洋洋自得地走开，他们围拢来，望着胡的背影，脸上罩满了疑虑。

三轮车夫甲　（喟叹）钱算给清了。

---

1 “一沓”底本作“一搭”，当作“一沓”。

三轮车夫乙　（詈骂）戳娘的。

三轮车夫丙　得了，拉生意去吧。

〔乙丙二人骑上车愤愤然踏走。

老　熊　（不理他们，对甲）我看不大对。咱们找位先生家问问，别再上他的当，走，张大伯。

三轮车夫甲　找谁呀？

老　熊　（指着）不远，就前面，阴律师家！

〔他们的视线越过一片矮屋顶，远远望见一根竖着的旗杆，杆上国旗在微风里飘扬。

〔渐近，仰望飘扬的国旗衬着清晨晴朗的天空和一片白云，我们听见一群儿童嬉笑奔跑的喧嚷声。镜头下移，旗杆柱石的周围是一片操场，孩子们正在高兴地游戏。

〔大门边有一个"惠仁孤儿院"的木牌，进门是一条石板路，向左一拐便是操场，操场后是一所简单而整洁的二层楼房，一个工友摇着铃走出，又由台阶下来，转进侧面小道，向屋后走去。

〔翘翘——一个活泼可爱的五岁的小女孩，头顶翘着两条小辫，她正对着稀疏的竹篱孔眼向隔壁的庭院好奇地窥视。

〔竹篱只有半人高，那面是一家小小的庭院，院中有两三棵洋槐树，栽着一点疏落的花草，穿过竹篱还可以望见那屋子的半个走廊。

〔从庭院这边望见翘翘的小圆脸巴在竹篱上，乌黑的眼珠一溜一溜地闪烁着欣喜和顽皮，她要忍而又忍不住地迸出断续吃吃的低笑，脸上是高兴又怕被人看见的神气。

〔由她的视线望过去，我们看见：

〔律师阴兆时——一个四十岁的中年人，中等身材，外表似瘦弱实际很结实，一副和善而有点幽默的脸。他轻财仗义，专好为人打抱不平，对穷苦无告的人们尽力加以援助，对不合理的事尽可能地加以阻击，因此多少人感激他，也有更多的人厌恶他恨他。这些人总是称他为“阴魂不散”的。他乐天，达观，也有一点玩世不恭，落拓不羁。他做律师的收入很少，甚至于有时不够温饱，因为大部分都是在尽义务，所以多年来一直是穷困，日常生活是非常俭朴的。

〔他不修边幅，不注意整洁，对一切琐事都漫不经心，最喜欢孩子和朋友。现在他穿着旧法兰绒西装裤，厚布短夹袄，蹲立在院中练太极拳。

〔他慢悠悠地运着气，两只手臂划着舒展的圆圈，垂着眼皮，眼归心，心归太极，玩味着清晨的气息。

〔阳光照着他的脸，煞有介事地，把垂着的眼皮渐渐闭起，专心地打着拳。

〔竹篱那边传来了一阵悦耳的钟声。

〔他睁开眼，眼中闪着乐天的神采，习惯地停止了动作，从口袋里掏出一支用黑丝线捻成绳子系着的旧怀表，斜着眼向上谛听悠扬的钟声。

〔孤儿院操场里，钟架上的小钟在摇摆着。

〔他慢条斯理地打开表盖，对准时间放回口袋。又缓缓地伸出双臂，左右转动，轻松得近于舞蹈起来。

〔近耳处，听见一串孩子的咯咯的笑声，他依然继续他的动作。

〔笑声更响亮了，他眼珠一转，由眼角望出去，不自觉地停留在一种天女散花的姿态。

〔从竹篱隙孔里望见翘翘，分开两条小腿，握着两个小拳头向前伸着，也在一本正经地学打太极拳。她后面一群孤儿们正向课室奔跑。

〔阴兆时不动声色地瞟了她一眼，还是沉心静气，很"优美"地打他那"阴"式的太极拳。一个金鸡独立，再放下脚缓缓地蹲下去，两手向天一举，眼随手掌，双手落地；一个鸭子扑水，又慢腾腾地站起来，结束了他的太极。他转过身，一只手慢慢伸入口袋里掏出一个月饼，眨着眼，故意做出一副捉弄人的神气，慢腾腾地向前探，像老鹰预备扑食。

〔翘翘望见他的模样，忘记了学太极拳，只张着一双小手臂，又惊又笑地向后退。

〔我们听见小狗吠叫。

〔翘翘张大了小嘴，断断续续地咯儿咯儿地笑，她弯腰拾起小石头做出要打的样子。

〔小狗忽然咆哮起来。

〔翘翘吓得几乎要扔下石头，但还是笑着。

〔近竹篱，阴伏在地上狺狺然装着小狗纵跃[1]，忽然狂吠一声，他扑上去。

〔翘翘大叫，扔下石头就跑。

阴兆时　（立刻站直，摇着月饼笑嚷）翘翘月饼，吃月饼。（见翘翘已经跑了，就把月饼向嘴里放）

〔一个少女的声音：（笑责地）叔叔。

阴兆时　（回头，把月饼从嘴边放下）

〔阴堇修——阴兆时的侄女，做新闻记者还不久，今年刚满廿岁，简单，纯真，聪颖，自负，想到什么就做什么，从来不知后悔，四五岁时父母相继故去，就跟了叔叔婶婶，他们爱她像自己女儿，珍视她，娇纵她，把她当男孩子教养。从来没受过委曲，受不得委曲，甚至看见别人受委曲她都不好过。天性淳厚，和蔼亲人，豪爽处颇像她叔叔。她健康活泼，生得不顶漂亮，但是一双黑而伶俐的大眼含蕴着天真，勇敢，任性和逗人喜爱的稚气——轻盈地跑下台阶。

阴堇修　（笑嘻嘻地伸手）月饼给我！

阴兆时　（顺从地笑嘻嘻把月饼递给她）

阴堇修　（接下，靠着竹篱向那边叫）翘翘！翘翘！

〔翘翘羞涩地咬着指头，踟蹰一下，蹑蹀着走近竹篱。

阴堇修　（伏在竹篱上，递出月饼）拿着，翘翘！

1　“纵跃”底本作“踪跃”，当作“纵跃”。

〔翘翘憨望着，不好意思接。

阴堇修　（探身，把翘翘放在嘴上的手指轻轻移下来，月饼塞在她小手掌里）乖孩子，快上班去，待会我从报馆回来带糖糖给你吃。

翘　翘　（忘记了不好意思，举起月饼）阴姑姑，分不分给小眼睛跟小牛牛他们吃呀？

阴堇修　（粲然）对，乖翘翘！

阴兆时　（霎霎眼，又从口袋里掏出一块月饼）

阴堇修　（没料到）叔叔！

阴兆时　（有点忸怩地傻笑笑，探身把月饼放在翘翘另一只手上，指点着）这块你一个人吃，这块给小眼睛跟小牛牛分。（拍拍她的小屁股）走喽。

〔翘翘高兴地跑了。

〔一个老人的声音：（慈蔼地）慢点跑，摔着！

〔阴，堇，抬头望。

翘　翘　（止步）院长。（两只小手举着月饼，匆匆点头式的鞠了一躬，依然跑着进了课室）

〔魏卓平——五十多岁，惠仁孤儿院院长，饱经风霜的老人，瘦小，面貌生得慈祥清俊，但较实际年龄还显得苍老。透过远视镜，一双昏翳的老眼看来微感凄苍怅惘而又很温柔。是一个古道心肠的好好先生，没有足够的坚强，遇事主张委曲求全。经历了人生的千山万水使他对一切更萎缩冷漠。他和阴兆时各方面都显然绝对地不同，但他们都是多少年来最知己的好朋友。他穿着半旧而整洁的中山装，站在课室外走廊上，拿着一个葫芦瓢，笑眯眯地望着翘翘。

魏卓平 （——点点头，爱怜地）慢点，翘翘；（自语）这孩子，（回头对阴和堇开玩笑地）你们爷儿俩真会惯我的孩子们。

〔隔着竹篱，阴，堇二人站在那里。

阴堇修 （亲热地）魏伯伯，他们真好玩！

魏卓平 （笑嘻嘻）那我都送给你好不？我正愁着没办法呢。

阴兆时 （扶着竹篱）别愁啦！世上没有走不通的路。你花浇完啦？

魏卓平 哎！（放下瓢）浇完啦！（搓搓手掌）你拳打过啦？（从瓢里捧出水洗洗手）

阴兆时 打过喽！（摸摸肚子）过来陪我喝碗稀饭吧！

魏卓平 （撩起衣下襟，擦擦手）今天早晨不来喽！

阴兆时 那就晚上见。

魏卓平 晚上见。

阴兆时 （手不在意地伸进口袋）咦！又一块。

阴堇修 （瞪着月饼！）您……

阴兆时 （掰了一半给她，自己留半块，向嘴里放）

阴堇修 （莫奈他何）哎呀！您还没有漱口呢。

阴兆时 吃了再漱，保存元气。（月饼一下进了嘴）

阴堇修 （笑）叔叔！

阴兆时 （吃着月饼）干嘛？

阴堇修 （忽然想起，顺势）叔叔，又有一件事我……

阴兆时 （早已猜到）你又给我惹上事啦！是吧？（故作严重）今天早

上你婶婶可还在唠叨你好管闲事来着！

阴堇修 （伶俐地）这次可不是我，人家都知道您好——（眼珠一转）好打抱不平。

阴兆时 （翻翻眼）谁说的？我没那么大气性。

阴堇修 这一带三轮车夫，昨天报馆派我去访问过他们。（有点畏怯，又似乎是惯例）叔叔，我可又叫他们来了啊！

阴兆时 （有点没料到）你这孩子！（虚张声势）你婶婶要是知道喽——（忽然）你婶儿呢？

阴堇修 婶婶买菜去啦！大概还没回来吧。（不觉朝屋后望望）

阴兆时 （敏捷地）走！快到后门去拦住他们，别又叫你婶儿看见他们进来。（抬头）

〔阴太太——阴兆时的妻子，三十多岁有一点平庸的胖胖的妇人，胆子小，没有主意，但是她有一副好心肠好脾气和爽直的性情，勤俭吃苦，终年为这个简单的家忙碌着，这时她正站在窗前。

阴太太 （笑着）你们还不进来吃稀饭？

〔阴迅速地做了一个鬼脸，叔侄二人都没料到，互递一下眼色，笑着进屋。

〔阴家书房与卧室连着的一大间，里头毗连卧室的是阴兆时的书房，走廊头的落地玻璃门关断了，挂上帘子，前面放着书桌，桌前一把转椅，桌上挤满了书报杂志笔墨砚。沿墙放着书架书柜，窗洞上端架起隔板摆着书籍杂物和一叠叠用绳子扎好的旧报纸，书架前有小方桌，靠背椅，日本式蓝釉盆[1]里插着一些纸卷，画轴和油纸雨伞。壁炉架上摆着阴兆时平时搜集的各种瓶儿罐儿小泥人等。墙角有一米缸和两个泡菜坛，满屋拥挤却收拾得很整齐。外头算是客厅和吃饭的地方，摆着旧的长沙发，圆桌，帆布躺椅，矮桌等，前面两个落地玻璃门通走廊，旁一门通过道，后面一门通厨房。

阴兆时 （一跨进门）太太，今天早上好啊！

阴堇修 （跟着乖觉地）婶婶，您今天起来得真早呀！

阴太太 你们爷儿俩今天哪儿来这么多礼貌？

阴兆时 （预备漱口）你菜买回来啦？

阴太太 买回来了。（莫奈何地）一进厨房你的主顾们都来啦！

阴堇修 （色喜，天真地）那一定是老熊，叔叔！那个三轮车夫，我昨天访问过他。

阴兆时 （意含申斥）堇修！（对太太体贴地）太太，我去叫他们走！

阴堇修 （热心忽略了一切）请他们到书房来。

阴太太 我的小姐，你叫我收拾收拾这屋子吧，你们这叔侄两个呀！……

〔阴微笑着走向厨房。

〔厨房里老熊和三轮车夫甲站在通后院门口，三轮车夫甲靠

---

1 “蓝釉盆”底本作“蓝砌盆”，疑当作“蓝釉盆”。

门框站着，老熊背朝里，脸对院子。

〔一位穿破旧衣服六十多岁的老妇人，低着头坐在灶边小板凳上。

〔一个穿粗蓝布对襟短衣裤，满头满身锯末灰，跛了一只脚，十一二岁模样的小学徒，站在门后近墙角处。

〔四个人都沉默地等待着。

〔小学徒叹了一口气，侧身低首，头倚在墙壁上。

〔阴兆时进来站在门口石阶上。

阴兆时 （口气中有请他们走的意思）对不起你们诸位——

老　熊 （返身）

三轮车夫甲 （转身注视阴）

老妇人 （抬起头用手掌擦抹一下模糊的老眼）

小学徒 （站直，又退到墙角）

老　熊 （上前）阴律师。

老妇人 （老态龙钟[1]地站起来）救苦救难的阴律师。

小学徒 （委曲地哭起来）

阴兆时 （再也鼓不起勇气请他们走路）你，你们说吧。

〔书房里面堇修和阴太太在收拾屋子。

阴堇修 （匆匆擦一下桌子，丢下抹布就要向厨房走）我去看看去。

阴太太 （弯腰把灰扫在簸箕里，站直）堇修！

阴堇修 （站住望着阴太太）

---

1 “老态龙钟”底本作“老熊龙钟”，当作“老态龙钟”。

阴太太 不是我好唠叨，做好事我哪有不愿意的，你叔叔好帮人忙，我看着也高兴，（向厨房走）就是现在这个年月，好人真做不起了。

阴堇修 （一面听着一面从阴太太手中拿过簸箕）

〔二人走到书房门前，阴太太推开门。

阴堇修
阴太太 （惊讶）咦？

〔厨房里空空地不见人影，后门开着，灶上的水壶滚开了，壶盖被热气顶着一掀一掀的。

〔马路旁一家小木匠铺门前围着十几个人看热闹。

〔阴向木匠铺掌柜的呵责。掌柜的是个大身量，平头，一对小眼睛，大酒糟鼻子。小学徒胆怯地挤在老熊和三轮车夫甲中间。老妇人也站在一旁同情地望着小学徒。

阴兆时 （指着掌柜的鼻子）你知道不知道？现在学徒不是能随便打的，你以后再要拿皮鞭子抽他，一两天不给他饭吃——

掌　柜 （小毡帽拿在手上，惶恐地抵赖）阴，阴先生，我，我实在没有，我实在是……

阴兆时 （狠狠地）我就不饶你！（回头对小学徒）以后他再对你怎么样，尽管找我。（对掌柜）你也听着。（掌柜眨着小眼睛望着他向后一闪。他返身对老熊）走，咱们。（排开围观的众人）

〔众人笑。

〔一家破烂的木头房子，门前用旧木料拼凑着搭出一节屋檐。屋檐底下堆着一个单薄的行李卷，小破箱子，竹架床，小板凳，四周乱七八糟地扔了一地的缺口粗碗竹筷子，香烟筒，洋铁罐等零碎东西。老妇人蹲在地上一边擦泪一边检着，向一只破篮子里放。老熊和三轮车夫甲背影站在屋檐前，屋门半掩着。

〔阴兆时一下子推开半掩的门，拉着二房东出来。二房东瘦小个子，穿着长衫，是个小生意人。

二房东　（甩开阴，一脸乖张的怪样）不成，不成，说什么也不成！（手一叉腰，厌恶地望着老妇人）

〔老妇人停住，畏惧地望望他。

阴兆时　（抑压着）你看看这老太太孤苦零仃多可怜。

二房东　（刻薄地）可怜的人多啦。

阴兆时　（发怒）你放明白，按照现在的法律，不经过法院你就这样赶房客是犯法的。（指挥老熊，坚决地）搬进去！

〔老熊和三轮车夫甲搬起东西。

二房东　（拦门一站）两个月房钱。

老妇人　（站起）阴律师！

阴兆时　（摸口袋，掏出钱）拿去。（一伸手扔给二房东）

〔二房东急急忙忙贪婪地数钱。

〔三轮车夫甲搬东西进屋。

阴兆时　（对老妇人）他以后要再这样赶你，找我来。

老妇人　（感激涕零）您积德，真谢谢，真谢谢！

阴兆时　（摸出表看）哟！（对老熊）你们的事明天我再替你们办。

〔阴家厨房里堇修和阴太太站在桌前摘豆芽。

阴太太 （叹口气）他的脾气是改不了的，嘴上说不管闲事不管闲事，你看他哪次肯不管过。

阴堇修 （微笑）像叔叔这样的人才难得呢。

阴太太 （也笑着）是难得呀，所以叫我碰上啦。

〔阴悄悄地跨进门来，看见太太背向着他，就踮起脚想溜进书房。

阴堇修 （管不住小声）叔叔！

阴太太 （回过头笑着）咦！回来啦。

阴兆时 （故作闲适地向书房走）嗯！出去溜达溜达，吸吸新鲜空气。（一溜进了书房）

〔孤儿院。

〔杨大和马屁精在孤儿院屋前四面张望。

马弼卿 （步上走廊，得意地指点）你看，这是不是摆货的好地方？

杨　大 （冷冷地点点头）不错。

校役 （从屋中走出）院长不在家。

杨　大 （睃他一眼）不在家我们等他回来。

〔阴家书房里。

〔阴太太把茶壶放在桌上，同时递给阴一把热手巾。

阴兆时 （擦着脸）嗯！

〔阴太太看看他们，走开。

魏卓平 （考虑）你说怎么办。

阴兆时 （热手巾擦在后面脖子上感觉舒服地）嗯？啊！

魏卓平 我是卖呢？还是不卖呢？

阴兆时 （把毛巾放在桌上）随便你。（顺手在小方桌上拿起一把剪子剪着指甲）

阴堇修 （站在窗前望着孤儿院）奇怪，马屁精也跟着那个姓杨的来了。

魏卓平 （不安）所以我觉得奇怪呀！老弟这件事应该仔细地斟酌斟酌。杨大这帮人要真是看中了我这所房子，存心一定要买，而我呢，又必须顾虑到，顾虑到——

阴兆时 这些没父没母的孩子们。

魏卓平 （连连应声）是啊！是啊！卖了呢，这些孤儿送到哪里去，不卖给他们呢……（忧虑地）你说这些人会不会跟我倒麻烦，惹出什么别的事情来，同时，现在孤儿院的经费也实在是困难——

阴堇修 （爽快地）魏伯伯，孤儿院是您一个人辛辛苦苦创办的。自己的房子，自己的经费，卖不卖是您自己的主权，由不得他们。（走过去添稀饭）天下没有逼人卖房子的道理。

阴兆时 （丢下剪子）对呀！魏大哥，听听，跟咱们这位青年学学。

魏卓平 （又连连答应）是呀！是呀！可是不卖呢……（满怀犹疑）我就怕得罪了他们。（赧然）你知道，我一生就怕得罪人。我怕上次你替我写的那封回掉他们的信已经得罪了他们。（皱着眉为难地）这件事，我总觉得应该三思而行，嗯，三思。

阴兆时 （微笑）老大哥，我跟你讲，一思而不再思的是个草包，再

思过了，还三思四思的，就是个废物。（兴高采烈，灌下一口凉茶）来，老大哥，咱们吃早饭吧。肚子饿喽！（走到饭桌前）

〔堇修为他添一碗稀饭。

阴兆时 （睨视碟中几粒黄豆，和眼前那碗清汤淡水的稀饭，由不得自己奚落起来）这个饭是个“心理学”，吃了它不饱，不吃又饿的慌。（端起稀饭，对魏）来碗吧？

魏卓平 （坐下，摇摇头）

阴堇修 （又端了一碗稀饭，放在魏的面前）

阴兆时 （在碗内挑了挑，放下筷子）

阴堇修 怎么？

阴兆时 （摇摇头）这个稀饭得罪了我，我吃它不下。（一摸口袋，掏出一把铁蚕豆，顺手一粒扔进了嘴）

魏卓平 （一肚皮心思）你说，杨大这个东西究竟是怎么回事？

阴兆时 我怎么知道？（忽然把蚕豆递出去）来一颗铁蚕豆吧！

魏卓平 （苦笑）我咬它不动。（依然哭丧着脸，怯生生地）那么，对他们……对他们怎么交涉呢？

阴堇修 （有些不耐）哎呀，我的魏伯伯，您真是——

阴兆时 （扔下蚕豆，立起，站在魏的面前，也有点不耐烦）你要卖，老大哥，你就见他们，自己去。不卖，我替你请他们走路。

魏卓平 （沉思半晌，点点头）嗯，不卖。

阴堇修 （兴奋地走过去推着阴）叔叔去。

阴兆时 （欣然拍拍魏肩）这才对啦。（立刻转身走出）

魏卓平 （忽又立起）哎。（赶到门前见阴已去，回头见董对他笑着，他只得也勉强地笑了笑）

〔移时，在惠仁孤儿院院长办公室里。

〔阴兆时坐在办公桌前，马屁精和杨大坐在前面两张椅子上。

马弼卿 说了这半天，怎么样，我的阴大哥？

阴兆时 （望着窗外孩子们玩，把稳地）还是那句话。（顺手拿起铅笔在桌上乱画着）

马弼卿 （从旁吹嘘）价钱不算少？

杨　大 （急欲促成其事）再高也可以商量。

马弼卿 （紧逼）说成就订合同。

阴兆时 （皱皱眉，摇头）还是那句话。

马弼卿 （随口）孤儿院以后的房子——

杨　大 （会意，百般将就地）我们可以替你找。

阴兆时 （依然低头乱画）用不着，还是那句话。

杨　大 （极力忍耐，故做轻松地）哎，你帮帮忙，这笔办事费我不会少的。

阴兆时 （勃然，拍桌）什么？（一顿，又不在意地）还是那句话。

马弼卿 （料到，没奈何盯着他）还是不卖？

阴兆时 嗯。

杨　大 （改容）你说不卖不卖你凭的什么？

阴兆时 （平和而肯定地）孤儿院法律顾问。

杨　大 （暴躁）那么我找院长。

阴兆时 院长不在家。

杨　大　我找管事的。

阴兆时　没有。

杨　大　（气极，不屑地）这件事我没那么大工夫跟你谈。（对马）走！我们找院长。

阴兆时　没用，我全权代表。

杨　大　（不理他，拉马）走！

阴兆时　（突然站起拦他）慢着，杨先生。

杨　大　（以为有望，也猛然停住）啊！

马弼卿　（也觉得有苗头了，望着阴谄笑）嘿！……

阴兆时　我们的孩子们正愁没饭吃。杨大爷，你是有钱人，我很想……（掸掸他身上的灰尘，从呢大衣上拈了一根细毛毛）拔你一毛，救救我们这些没父没母的孩子们，哎，何如呢？（把笔递在他面前）您捐多少？

杨　大　（料不到，暴发）我捐，我捐个屁！

阴兆时　（把笔一丢，严正地）那么就请你以后少来，别再打我们这些穷孩子们的主意，请。

〔阴推他们出门。

〔杨想返身进门殴辱阴。

马弼卿　（劝阻）得了，得了！

杨　大　妈的，他是什么东西，大爷这辈子没受过这种气。

〔阴望见自己书房窗前站着堇修和魏院长，欢忭地挥挥手。

〔堇修在那边压着嗓子问："怎么样叔叔？"

阴兆时　（做一个太极拳的姿势，得意地）推出去了。

〔杨又推开门进来，马抢站在他前面劝阻，有些尴尬。

杨　大　（指着）阴魂不散，你小心，别当你杨大爷好惹的，咱们早晚见！

阴兆时　（淡漠）寒舍就在隔壁，随时恭候。（从容地）鄙人要回府了，（灵机一动，一脚跨上窗棂）再见。

杨　大　（气极语塞，切齿地瞪着他）

马弼卿　（扳杨转身，劝解）杨大爷，杨大爷，（挤弄一下眼色）忍着，忍着。

〔杨被推出门。

马弼卿　（匆匆走近阴，低颜）阴大哥，对不起。（小声鄙夷地）这个人没读过书，粗人，大人不见小人怪。（一面惶惶回头向门口望）今天晚上在你楼上员外家，小弟陪你搓搓麻将消消气。（匆遽地一比）十六圈。

阴兆时　（十分开怀）二十四圈。

马弼卿　（胁肩谄笑）好，三十二圈。（迫不及待窜出门去）

阴兆时　（调侃）那么来吧，你个马屁精。

〔他一脚迈出去，不留神踩个空，从窗台上摔下来，几只空花盆也落下摔碎。

阴堇修　（立在窗前笑）叔叔！

魏卓平　（迈到窗前，惊笑）兆时！

〔阴家楼上窗外。

〔员外——阴家楼上的男主人，四十多岁，家中有点产业，自己过去也做过一阵子生意，规规矩矩地弄了点钱，现在就像老太爷一般养老了，一个无才无能的好人，胆小，怕老婆，“员外”这个外号已经成为他正式的名称。小个子，秃顶，平时总是笑眯眯地一脸和气。这时他正从楼窗上探出头来。

员　外　（慢腾腾地从窗子探出他那光亮的秃头，大嚷）阴三爷！

阴兆时　（爬起来，好兴致地也大声嚷）哎，员外！

〔姚三错——员外的太太，三十多岁，一个头脑简单胸无点墨的妇人，心直口快，粗俗而俏皮，生得不算难看，因此特别喜欢修饰，对丈夫管得严，骂得凶，但夫妻二人却是很恩爱的。

姚三错　（——先闻声后见人，扑到员外半个背上，挤开他，探出头来大惊小怪地）怎么啦！

阴兆时　（摸着屁股）三错，今天晚上你阴三爷可要赢你的金条啦。

姚三错　（心花怒放，嫣然一笑）

第三本

『人们不去争是非，是非就没有了。』

一家老旧而讲究的酒馆——下午一时左右。马屁精和杨大对坐在一张靠角落的桌边。酒馆内稀稀落落只有一两桌酒客。

杨　大　（杯酒下肚，兜地把酒杯向桌上重重一掼，拍桌子）吹吹，你他妈的就会吹，房子呢？（摸起一个腌鸭蛋）我恨不得一下子——（一把捏碎，泄愤地）把你捏成个稀巴烂，给你“走个样”，（眉眼悍横，站起来）姓马的！

马弼卿　（汗流浃背，小心翼翼地跟着站起来）杨大爷别急，别急，有办法，那院长——

杨　大　那院长怎么样？

马弼卿　（侧过脸略略犹疑）

杨　大　（厉声）说呀。（坐下）

马弼卿　（心一横，转过来，慢慢坐下）嗯！我说我说——（杨睖着眼全神贯注的听着）

〔移时，杨大脸上怒气已经消逝，逐渐露出喜色，呷了一大口酒，放下酒杯。

杨　大　（狞笑，兴味无穷地）嗯！院长那个老家伙从前还有这么一段。（又拍一下桌子，打了一个饱嗝，身子向后一仰，粗鲁地）不错，马屁精，你有点苗头。

马弼卿　（受宠得意，乖黠地）我说完，您去办。您替金先生买这个房子，您是买主，您做那黑脸的。

杨　大　（翻脸）你做那白脸？——不成，你去把他叫来。

马弼卿　（难色）我？——不大好吧？

杨　大　（霍地站起）马屁精，你现在还他妈的清高？

马弼卿　（不觉跟着站起）不，不，我去，我去。

杨　大　去，我在金先生家里等着你。

〔二小时后，在金焕吾的小客厅里魏院长孤另无依地坐在大沙发上，杨大坐在书桌边椅上，马屁精站在一旁。

杨　大　（横眉恶目，对魏）你还有什么话说？

魏卓平　（出神）我，我没想到，我一辈子没做错过什么。

杨　大　你还没有做错什么！你在敌伪时期做过事，当过保长，听清楚，那你就是——

马弼卿　（低声，笑眯眯地）汉奸！（从背后递出证据）

杨　大　（举起）证据都在这儿，（逼上前）要活着，要体面，就照我说的办，不然魏院长——

马弼卿　别气，别气，杨大哥，（对魏）天地良心，杨先生给您的买价真不少，并且孤儿院以后的房子——

杨　大　（眼一睃）我保替你找到。

马弼卿　您看，这样里外见光，都好说话。您在敌伪时期那段事鬼也没个知道，连老阴都不晓得，他就是想多事他也——

杨　大　（啐了一口）呸！那个姓阴的，你少跟他来往。

马弼卿　（摇唇鼓舌，一旁助着声势）对，根本就别来往。（魏立起向

前走两步）

杨　大　（厉声呵斥）听见了没有？

〔魏畏缩着，望了他们发愣。

马弼卿　（忤视）杨先生问你听见没有？

魏卓平　（惊惧不安，颤抖地）听见了。

杨　大　（蓦然一句）好，限你三天。

魏卓平　（昏惑）三天？

杨　大　你大后天搬家。

魏卓平　搬家？

马弼卿　（扬声）搬家。

〔魏院长又颓然坐下。

马弼卿　大大后天杨先生就接房子。

杨　大　（从桌上拿起草约）那么，现在签字。

马弼卿　（取笔）一切其他的手续，杨先生以后给你办好。

杨　大　（敲着桌子，不耐）怎么样？喂？

马弼卿　（把笔塞在魏的手里，拍拍他的肩）哎！魏院长！

杨　大　（阴沉沉地）喂？

魏卓平　（哑默）

杨　大　（恚怒，低声）你难道要我们真对你过不去？

马弼卿　（冷森森）院长不签，那就算了。

杨　大　（悻悻然）也好。（把魏手中的笔一抽夺过去）

魏卓平　（瞿然立起，痛苦地）我签，我签。

〔移时，在客厅门边，马替院长拿着呢帽。魏依然笼罩在痛苦的情境里，余悸未定，神情恍惚，踌躇不安地立于门侧，杨大打开门送他。

杨　大　好了，请回去吧。跟我们你吃不了亏。（冷语逼人）记着，你要是翻了，没有你的日子过。

〔院长屏息窘促地走出门。

〔马送院长到楼梯边。

马弼卿　（假情假意）魏大哥，对不起，我也是没有办法，逼到这儿了。您可千万别见我的怪。（故作慨叹）哎，我们读书人——

魏卓平　（饮愤。低首不语）

〔院长与马走至楼梯拐弯处，金焕吾转上楼梯，三人相遇。

马弼卿　（立刻恭谨地深深鞠躬，谦卑地）金先生！

金焕吾　（冷冷望他一眼，低头走过）

魏卓平　（不期然抬头，匆遽间望金一眼，容色愀然一震）

〔当晚九时，在阴家楼上姚三错房中，纱罩的电灯拉低。刺目的灯光下，阴兆时，马屁精，员外和姚三错，四个人正在打麻将。桌角两端各放一茶几，上放茶杯，香烟和一点糖果瓜子。

姚三错　（熟练地摆着自己的牌，抽了一张打出）

员　外　（颠抖着腿）吃。（停止颠腿，拿进牌，两腿一张一合，改颠抖为摇摆）

阴兆时　（摸一张牌，要打下）马屁精，给你一个吃。（啪一声把牌打出）

马弼卿 （口中咂的一声）来得个好，阴大哥，总是你照应我。（打出一张）谁要。

员　外 碰。（打出一张）

姚三错 （嗑着瓜子，吐出瓜子皮拍手）碰！阴魂不散，你瞧还是我们家员外好。（高兴，不暇思索抽了一张打出）

马弼卿 （一手抢过那张牌）你可来了，我的爹！（举着牌在人眼前一幌）碰！（沾沾自喜地摊下了牌）

阴兆时 慢着，（慢吞吞地把马面前那张牌取过来）我也碰。（把自己一副十几翻的大牌摊了下来）

〔三人愕然。

员　外 （睁大了眼，看阴放下的牌）好家伙！（慢腾腾放下香烟，一副一副数点着）平平般般，断断缺缺，连副连副，独听嵌五，无字无花无百搭。（环视一笑）

马弼卿 （掏出手帕擦汗，看了一眼阴的牌，对三错）又打错啦，三错。人家三副筒子落了地，（探头看三错牌指点着）你留这么一副烂对子不拆，把个五筒打出去。全中国哪有你这样打牌的。

姚三错 （推开牌，哗喇地把牌乱洗一阵）我要这样打，你管。你管！

员　外 算了，算了，这是阴三爷打的好，知道我们奶奶扣不住牌，算准了这张五筒要出来的。（喜孜孜地两腿摇得更起劲）

姚三错 （笑啐）去你的！

阴兆时 （洗牌，一面望着他们）

马弼卿　（甜嘴蜜舌）阴大哥，我就佩服你，说聪明有聪明，说学问有学问，什么都有个研究，连打牌都打得神出鬼没。

姚三错　（指他，有意味地）马屁精！

阴兆时　少恭维几句吧。

姚三错　（给钱）给你，阴魂不散。

阴兆时　（满腹牢骚）对了，阴魂不散，讲文，文不能“等因奉此”；讲武，武不能向右看齐。这辈子这点冤气就化成了我这阴魂不散（把“庄子”递给马）哼，陪你们打牌！

姚三错　赢糊涂啦，你连庄！（把“庄子”从马手上夺回交给他）

〔堇修推门进。

阴堇修　叔叔，魏伯伯来了。

阴兆时　（不介意地）告诉他我在打牌。

阴堇修　他说他有事。

阴兆时　等我打完了下去。

阴堇修　（走近阴，附耳低语）

阴兆时　（睁大眼。忽对马狠狠地看一眼，站起）对不起，我不打啦。

姚三错　阴三爷。

马弼卿　（立起）阴大哥！

〔阴没理，夺门而出。

姚三错　那么大小姐替你叔叔打吧。

阴堇修　我不会。

马弼卿　（赶到堇修面前）大小姐。

阴堇修　（厌恶地瞥了马一眼，匆匆出门）

姚三错
（面面相觑）
员　外

马弼卿　（不安）怪！院长这时候来干什么？（略一沉吟轻轻跟出）

〔阴家院中，阴、魏二人对坐在两把旧藤椅上，靠近走廊。阴太太站在走廊上，石台上摆了一个很小的石磨，她在推着大米粉和芝麻，时而快，时而慢，时而停下休息听他们谈话。

〔堇修站在阴的旁边，倚着走廊的木栏，注意听着他们，不断地望着魏。

阴兆时　（对魏，略含责难的口气）老魏，你这是怎么回事？

魏卓平　（沉吟）我——我想了半天，我——我还是卖给他们了。

阴兆时　（愣了半晌，冷冷地）好！房子反正是你的，我管也是多余的，不过——

魏卓平　（羞惭，窘困地）我，我是特意来告诉你，我也是没法子。

阴兆时　（忍不住，忽然愤愤地连问）你怎么会没法子，没法子，难道马屁精那个混账东西他对你……

魏卓平　（心惊地）他——

〔马出房门悄悄向他们走来。

马弼卿　（觑步上前，先声夺人，故做从容之态）魏院长！

阴兆时　（憎恶，依然对魏追问）嗯，他怎么样？

魏卓平　（见马，错愕惶惶）没什么。

阴堇修　（眄睨马，故意）马先生，院长的孤儿院卖给姓杨的啦？

马弼卿　（惊讶之色）真的吗？好快呀。

阴兆时　（悻悻）哼！

马弼卿　奇怪，连我都不告诉。

阴堇修　（蔑视地）你真不知道？

马弼卿　（诡辩）我可以对天赌咒。（望魏）魏院长在面前，这件事有没有我的份儿？

阴堇修　真的没有？

马弼卿　（夸张）大小姐，活天冤枉。（胁吓）魏院长，你凭良心说——

魏卓平　（慑息旁视）

阴兆时　（轻蔑）马屁精，少表白吧。（望魏，平静而严肃）大哥，如果你真是上了当，告诉我，别害怕，我替你争过来。我先问你一下，（指马）他真不在内？

马弼卿　（满脸委屈，对魏，语意双关）您得说老实话，我可顾交情的。

阴堇修　魏伯伯！

魏卓平　（拘忌，望着堇修似乎回答她一个人）他是不在内。

马弼卿　（松口气）

阴兆时　（疑信参半）那么那个姓杨的？

魏卓平　（戒惧）他，就是他买了我的房子，我卖了。

阴堇修　（休戚相关）那些孩子们怎么办？

魏卓平　杨先生说可以替我们找新房子给孩子们住，（渐露舒展之色）说是比这个地方还讲究。（有点欣怿地对阴）老弟，明天你陪我一同去看成么？

阴兆时 （淡淡地）我明天有事。

阴堇修 （不悦）叔叔。

魏卓平 （畏怯地）去吧。

阴兆时 （不置可否）嗯。

阴堇修 （爽朗）魏伯伯，我陪您去。

魏卓平 （走到阴前，昏惫而惭沮地）老弟，一错再错，也由着我错吧。（依依然）堇修，大后天我们要搬啦。

阴堇修 （没料到这样快）啊！

阴兆时 （悄然，站起来）什么，连这些孩子们也就要——

魏卓平 （隐恻）只好搬走啦。

阴堇修 （情急）那么翘翘。

魏卓平 我可以随时送她来看你们。

〔孤儿院钟响，他们不约而同都朝竹篱那面望。

〔孤儿院楼上，几个窗口射出来的灯光渐次熄灭。钟声。

〔孤儿们的一间宿舍里一排简单的小铁床，孩子们已经都睡下，有的侧身，有的平卧。屋中两盏电灯熄了一盏，一半暗下来。

〔在靠墙头的两张床上，一张睡着小牛牛和小眼睛，一张睡着翘翘。小牛牛、小眼睛已经闭上眼，钟声慢下来。

〔钟声慢悠悠的，翘翘在被窝里屈着腿，弓着背，摇来摇去，脸斜贴在枕上，笑眯眯地细声唱着："妈妈坐在摇篮边，把摇篮摇。啊，我的小宝宝，妈妈坐在摇篮边……" 忽然眼睛转向房门方向，望见什么，赶快顽皮地把身子向下一扑，爬睡下去，闭上眼，眼皮一翕一翕的，脚尖对脚尖，两个小脚心露在被外。钟声只剩下余音，灯熄了，房中暗下来。

〔在阴家院子里。

魏卓平 （听着钟声停止了）不早啦，我回去啦。

阴兆时 好吧。（站起来）

〔大家望着魏，他点点头俯首走出。

〔大门口巷子里停着一个馄饨担子，担子一头的柴火正烧得啪嚓地响，卖馄饨的人敲着梆子来回走着。

马弼卿 （双手插在袖内冷冷站在一旁看魏出去，走上前笑着）阴大哥，再来两圈吧。

阴兆时 滚，我不打啦。

〔楼上三错房。

〔三错站在牌桌边，员外坐着，无聊地拿牌摆着玩。

姚三错 （望着牌，忿忿然）以后我再也不找阴魂不散打牌啦。碰见了鬼，刚刚把我的牌瘾勾起来，他又发开疯啦。

员　外 （心不在焉地摆着牌）怪谁呀。

姚三错 （顺手把桌上一个空洋火盒使劲胡噜到地上）怪你，今天是你拉的他，不是我。

员　外 （把站成一队的牌一拨，都顺序地倒下去，很满意地）可以后三缺一，你可别再叫我找他。

姚三错 （用腿把屁股后的凳子一推，气愤地）不找他！不找他！（一手叉腰）员外你个死鬼，你还气我呢。（迁怒）我真是生错了地方，嫁错了人——

员　外　（猜测地摸一张牌，兜地一翻，涎皮涎脸）还打错了牌。

姚三错　（又气又无可奈何）员外，你个死东西，你个死鬼。（抓把牌向员外扔）

员　外　（笑着用手挡）别吵，别吵！你听阴魂不散！（侧耳向下听）

〔二人倾听，三错怒容已消。

〔下面阴家书房里。

阴兆时　（怏怏不乐，一直阖着眼空空地拍着渔鼓）

阴太太　（给阴倒茶，温和地）喝杯茶吧，兆时，别生气啦。

阴兆时　（瞟了她一眼，又拍着渔鼓）

阴太太　（坐在一旁，拿起针线）人家不把你当朋友，你又何苦强拉着人家做朋友啊。

阴兆时　（有点嫌她絮叨，故意放开喉咙大唱）"是非只为多开口……"

阴太太　（停下针线）对呀！

阴兆时　"烦恼皆因强出头。"（又轻轻拍渔鼓）

阴太太　（开始絮聒）就是说啦，一个人还是少管闲事好。多管闲事，就是烦恼。这个世界哪个不是"各人自扫门前雪"？谁管过"他家的瓦上霜"啊！——

阴兆时　（蓦然停止，瞠眼望她）妇人之见！你是妇人之见，我对你没话说。我的夫人（拍了一下渔鼓）我的太太。（又拍一下渔鼓。忽然心血来潮，大叫）堇修！

阴太太　（低声）别叫她，周先生来了。

阴兆时　（不顾）堇修！

阴太太　别叫她，叫你别叫她，他们俩在院子坐着呢。

〔院子里。

〔周秉望——一个年轻的医生，老成持重，有点书呆子气，在冷静的外表下隐藏着热情——和堇修二人在院子里谈话，堇修坐在走廊边石阶上，周站在她面前，一脚放在走廊石台上。

〔阴的声音：堇修。

阴堇修　（应声）啊！（回头）什么呀？

周秉望　（微笑着）你进去看看。

阴堇修　（站起来，对周）等会儿，我就来。

〔阴的声音：堇修。

〔堇修走进书房。

阴堇修　什么事叔叔？

阴兆时　（十分严重似地）我要问问你，（略顿）我知道你会说什么。（忽然向外又嚷）喂，周先生。

阴堇修　（纳闷）什么事呀您叫他？（望望婶婶）

阴兆时　（依然很严正地）我要问问他。

阴太太　你要问他什么？兆时，你在发疯是吧？

阴兆时　（绷着脸）你请他进来！

阴堇修　（浅笑）他，他不好意思的。

阴兆时　（一本正经）有什么不好意思的？

阴堇修　他说这么晚还到这儿来（有点含羞）看我。

阴太太　（体贴）人家周先生难得从医院偷出这么点工夫，晚上跑来看看堇修，你问人家什么呀！

阴堇修　（有点尴尬地望着阴）

阴兆时　（看看堇修，走到门前，对院中）周先生，请你进来。

〔周秉望进来。

阴兆时　周先生。

周秉望　（腼腆地）阴先生。

阴兆时　（还是绷着脸）好，我问你一句，你认为这个世界上有是非没有？

周秉望　（老老实实地）按照我们学科学的人看来，看事简单，我们觉得（讷讷然）是有是非的。

阴兆时　（连连拍周肩，高兴）对呀，这个世界是有是非的。（严正地）可是是非不是轻易有的。（着重）人们不去争个是非，是非就没有了！（突然完结。他若无事然）对不起周先生，我，我就要问你这句话。

阴太太　（啼笑皆非）你真神经。

阴兆时　（点点头）那么你们两位可以——（有点不好意思）在外面……看看月亮。

阴堇修　（爽朗地欣然微笑）不，叔叔，我们看够了。

阴兆时　（忽然兴高彩烈）那么你们两位听我来一段道情如何？（拿起渔鼓就拍）这是我在四川学来的。（心旷神怡）我是个乐天派，我爱个吃，爱个唱，（顽皮地瞟了太太一眼）爱管个闲事，（顾盼自得）我爱看一对青年人在我眼前快快活活的。

你们听，（韵味无穷地唱起来）“常言道千里姻缘一线牵，英雄自古美人怜”，（轻快地拍渔鼓，非常自我欣赏）“且忘却了忧愁忘却那苦，看那青山点点，艳阳晴天，风和日暖，双燕儿也在蹁跹”。（高兴地乱拍一阵，倏然停止，望着堇修）唱的不错呀！（对周）怎么样？

阴堇修 （衷心地）好。（望周）

周秉望 （憨直地点点头）嗯！还好。

阴兆时 （睁大了眼）还好？（摇摇头）我真是对科学家弹琴。（弯身放渔鼓）夫人，今儿这段真是点艺术吧，（转头）我的知音！（发现太太不在，目询堇修）咦？

阴堇修 （笑着）婶婶到厨房去了。

〔阴太太端着大锅热腾腾的烫饭，跨出厨房门。

阴兆时 （一见烫饭又开心了）夫人，我的烫饭；来，来，来。

阴堇修 （对周）秉望，这是我们家的老规矩，到晚上总是一锅烫饭。

阴兆时 （对他们）来，吃。嗯，好吃得很，科学家，你尝尝。

周秉望 （搓搓手，也发生兴趣）我今天夜班，正饿了。

阴太太 （笑喝喝地）好，饿了就吃。

阴堇修 （接过，放在桌上）来，大家围着吃，快点。

阴兆时 来，（推周近桌，掀开锅盖，深深一闻）嗯！我的贤妻！

第四本

『我大概是有点多管闲事。』

阴家的庭院里，早上，满院的好阳光，晾衣绳上晒了几床棉被，阴太太正用藤拍在拍打着。

竹篱那边传来孤儿院孩子们嘻戏欢叫的声音。阴兆时手中拿着帽子和手杖正预备出门，听见孩子们的欢叫，禁不住走到竹篱边去望，望着望着他也好心情地跟着小声哼唱起来。

钟声响了，孩子们开始跳跳蹦蹦一窝蜂向课室跑。

阴太太 （举着藤拍）兆时。

阴兆时 （正望着跑远了的孩子们助兴地大叫）跑跑跑，跳跳跳，（听见太太叫回头，口中仍数着）一二一。——

阴太太 （也笑着）你多咱才老啊。

阴兆时 （走过来一面笑着）嘿嘿，（戴上帽子接着又取下来朝太太一挥）回头见，太太。（向大门走）

〔堇修从书房里叫着跑出，一面穿着大衣。

阴堇修 叔叔，叔叔，等我。

阴兆时 （站住）干什么，要到报馆去？

阴堇修 （跑到阴面前）咦！您都忘了？

阴兆时 （恍然记起）哦，陪魏伯伯去看房子。

阴堇修 （故意地）我知道您是不管的。

阴兆时 （一愣）我？（忽然）你魏伯伯真糊涂，自然我要管！

阴太太 （翻晒着被，喟叹）江山易改，本性难移！

阴兆时 （指指太太）你呀，最好少管闲事。（摇着手杖就走）

阴太太 （不由得一愣）我少管闲事？

〔移时一条安静的马路上，阴和魏二人俯首默默地走路。

阴兆时 （忽然停住又是气恼又是疑虑的神色，凝视着魏）你这么吞吞吐吐地究竟是怎么回事？

魏卓平 （又低下头，无精打采，绝望地）你叫我说什么好呢。

阴兆时 （不耐地）那么你——（抑压下去又慢慢地走，默望着前面，半晌）我们这么多年的交情，难道你不相信我喜欢交个真朋友？

魏卓平 （骇骇地跟着）我知道。（伺望着他的眼色）

阴兆时 （一直是望着前面，突然情急，愤慨地）我是个要朋友的人，除了贪官污吏我不交，囤货的强盗我不交。——

魏卓平 （也有些激动，插入）别急，我说。

阴兆时 （一鼓作气）卖国的汉奸——（顿然停步转身）好，你说吧。

魏卓平 （惭沮）我！

阴兆时 （追问）什么。

魏卓平 （窘促）没有什么，我就是想卖房子。

阴兆时 （不相信地）这是实话？

魏卓平 （低声）嗯！

阴兆时 卖给姓杨的那个流氓。

魏卓平　（痛苦）嗯，有钱就卖。

阴兆时　（不相信自己的耳朵，愣了半晌，绝望而感慨地）我大概是有点多管闲事。

魏卓平　（难过，畏怯地抬头）再见吧，我还有事呢。

阴兆时　（惨然微笑，点点头）

〔阴，魏，二人默默地分手。

〔阴面色沉郁，缓缓走过铁栏旁，他用力把手杖向铁栏上一击，手杖截然两断。

第五本　『再见，孩子们。』

阴卧室。

阴兆时坐在方桌前藤椅里，戴着老光眼镜，两手捧了一本厚书，两脚交叠着放在桌边上。他沉静地阅读，翻过一页，身子移动一下，又接下去看。

同时，在堇修卧室里，床边椅子上放着一个掀开盖的箱子，堇修正收检东西，阴太太坐在床沿上帮着向里放。

阴太太　（泪汪汪地用手指抹抹眼，向箱子里放东西）我还是旧脑筋，一个女孩子家最好别做事，做事也不要出门在外的。

阴堇修　（望望婶婶，依依地）报馆派我去有什么法子。

阴太太　（感叹）哎！抚养孩子真没意思，说走就走。

阴堇修　（安慰着）婶婶您真是！我去也不过三个月。（一件东西落在地上，顺手拾起看看，丢在箱子里）

阴太太　三个月你还觉得短呢？你五岁就跟着我什么时候离开过，（索性不收拾了，掉下泪来）

阴堇修　（也有些凄然，丢下东西，走到阴太太身边，笑着）啊呀婶婶，您看您，我又不是出嫁呢。

阴太太　（破涕为笑）出嫁我倒喜欢喽。（笑责）出嫁，出嫁，嘴上就说，现在这些姑娘家可还有点分寸喽。（一半逼着她）去吧，去吧，快给你周先生打电话去，叫他跟医院告个假，好送你上车。

阴堇修 （笑着从床上拿起一件衣服，转身向箱里放）你别操心，他跟我一道去。

阴太太 （出乎意料）他也去？

阴堇修 他去找朋友。

阴太太 （莫名其妙）找朋友？（一顿，恍然明了，霎霎眼，笑眯眯地）哦，好，好，好，那倒好，那就有人照应啦。

阴堇修 （看看表）我看叔叔去。（放下东西）

〔堇修出去。

阴太太 （站起，关上箱盖，忽然想起嚷着）堇修，你钱够吗？

〔堇的声音：（在门外）够，婶婶！

〔阴太太在口袋里掏出一叠钱，用一个小手帕包好，打开箱盖放在衣服底下。

〔卧室里阴还在看书未动。

〔堇修入。

阴堇修 （轻轻走到阴背后）叔叔。

阴兆时 （从书上移开眼睛，没回头）嗯？

阴堇修 （站到他旁边）还在看书？

阴兆时 嗯。

阴堇修 （温和地）我要上车啦叔叔。

阴兆时 （取下眼镜，把书阖上，低下头）你非去不可吗？

阴堇修 （悄悄望着他，惜别地）嗯！三个月以后我就回来叔叔！

阴兆时 （抬头把书放在桌上，站起，怅然）走吧，你们都走吧。（走到窗前）

阴堇修 （深挚）叔叔。（跟过去）

阴兆时 （转头）啊？（又回头望着窗外）

〔他望着竹篱那边，孤儿院操场上堆了一堆行李，课室用具，以及孩子们的小铁床等什物。

阴堇修 （站在阴旁边，也望着窗外，仿佛哄孩子一般，勉强做着高兴的口气）叔叔，他们的新房子我看见过，挺好，挺舒服，比现在的房子还讲究的多呢。

阴兆时 （淡淡地）哦。

阴堇修 （亲切地）今天早晨翘翘带着小牛牛跟小眼睛来啦，您看见没有？

阴兆时 看见了。你的行李收拾好了吗？

阴堇修 收拾好啦。（拉着他）叔叔，咱们出去看看这些孩子们，送他们走。

阴兆时 （索然望着窗外）不，你一个人去吧。

阴堇修 （忧虑，关切地）怎么，叔叔，干嘛叔叔？

阴兆时 （摇摇头）我不想去。（返身）

〔阴太太一手牵着小牛牛和小眼睛。翘翘走在前面，后面跟着一个保姆，从过道门进，走到书房。

阴太太 （站在卧室门口好兴致地）兆时，你还不出来！你看他们来给你辞行来啦！

〔董修立刻跑出来要抱翘翘。

翘 翘 （向着卧室兴冲冲，亲热地）我们就要上车了，阴爷爷！

〔阴也快步走出。

小牛牛 （甩开阴太太手，上前跟着说）阴爷爷，上车啦。

小眼睛 （也甩开手，抢着说又不好意思地）阴爷爷，小牛牛说，小翘翘说——

小牛牛 （自告奋勇，要说，也不好意思起来）不，小眼睛说，小翘翘说——

阴兆时 （莫名其妙地注视着他们）

阴太太 （喜爱地）说，说什么呀？

〔两个孩子望着翘翘。

翘翘 （仰望着阴）阴爷爷，是他们说，小牛牛说，小眼睛说——（怕羞地低下头，左右摇动着身子）

阴太太 （笑）他们想跟你要月饼吃！

〔三个孩子腼腆地一齐把脸贴到保姆身上，扯着保姆的衣裳。

保姆 （笑着推着孩子）你们哪！叫阴爷爷惯的比有爹有妈的孩子还没规矩。

阴兆时 （完全忘记方才不悦的心情，和大家一齐大笑，忽然绷起脸，一派正经地两手伸入口袋里摸）

〔小牛牛、小眼睛怯怯地把脸转过来，不知不觉先后把食指放在嘴上，翘翘还扯着保姆的衣裳也不觉期待地望着阴。

阴兆时 （对望着瞪了大眼的孩子们，自己也感觉失望似的，慢慢抽出两只空手，很惭愧地不忍举示，偷偷耷拉下来，忽然兴高彩烈）走，咱们去买，咱们今天一个人一盒！

阴堇修 （高兴地）走！

孩子们 （欢叫）阴爷爷，阴爷爷，阴爷爷！（围上去）

阴太太 （也高兴地附和着）走！

〔阴抱着翘翘，阴太太抱着小眼睛，堇修抱着小牛牛，保姆跟在后面，大家都笑嘻嘻地先后走出。

〔一刻钟后在离孤儿院大门不远的路上。

〔阴兆时，阴太太，堇修，周秉望四人向孩子们招手。一大卡车孩子们正开走，一个保姆在车上照顾着。

孩子们 （招着手大声）再见，再见，再见！

〔阴家大门前，约莫十分钟以后。夕阳欲下。

〔堇修和周秉望坐在三轮车上向家门招手。

〔阴和太太站在大门前，太太擦着泪，阴不停地挥手。

阴兆时 （扶着太太肩）进去吧，回家吧。

第六本　『四十而不惑。』

两个多月后，黄昏，在老熊住的棚户前。十几个三轮车夫有的穿着破棉袄，有的穿破西装上身，或破毛衣，有的披着车上的旧毛毯，散落坐立。远远望见老熊走来。大家围着老熊询问。

三轮车夫甲乙 （先后发问，其余的人都期待地望着老熊）找着没有？

老　熊 （摇头，怏怏地）还是没找着。

〔大家失望地低下头，叹气与诟骂声四起。

三轮车夫乙 （气愤愤地）胡驼子这黑心的东西躲到哪儿去了。

老　熊 （挥挥手）大伙儿先别吵！（大家止声）你们车上的照会全是假的？

大　家 （你一句，我一句）是啊？可不都是假的。

老　熊 你们也都交给胡驼子钱啦？

大　家 （愤愤地乱点着头）嗯——给了！——他拿去了。

老　熊 （沉着）好，这两天大家分头找。（扬扬手）你们过来！

〔大家围拢上来，老熊对他们低声谈话。

〔这时胡驼子就在隔邻棚户的后门口，一个一脸粗劣脂粉的女人偷偷地送他出门。他向前街窥听。

〔三轮车夫们群情激昂的声音："打死胡驼子！打死那个狗

杂种!”

〔胡驼子偷偷溜走。

〔阴家庭院中。

〔天色灰濛濛的，树上叶子脱尽，只剩下枯枝，西北风吹过，带来初冬的寒意。枯黄的树叶伴着一阵阵的风落到地上，懒洋洋地打着旋滚停留在阶前，一次又一次的，阶前积满了许多落叶。垃圾箱上半张破报纸也乘风扑跌到铁丝网上，挂在上面。一扇旧百叶窗“砰”地关上了，再吹开，又关上。

〔阴兆时穿着粗毛呢西裤，薄棉袄，围着围巾，仍在原来的地方打着太极拳。

〔他神情悄然，面容略显憔悴，闭着眼懒慢地运动着手臂。一个弹腿，迎面一阵冷风扑到身上，侵人的寒气使他微微打了一个冷噤。他睁开眼，把围巾围紧，不经心地仰头一望。

〔黯淡的灰云笼罩着天空，树梢的枯枝急剧地摇摆。

〔两个月前低矮的竹篱如今改为密匝匝的铁丝网，原来操场上并排的秋千,一架上面的绳板拖在地上，一架就剩下两根长短不齐的绳子空吊着。压板只留一个空架子呆呆地站着，旁边斜倾着两个残破的装货用的空木箱。靠近滑梯边一大堆碎砖，一个空的大油桶触目地横在地上。操场成了一片烂泥地，绕着一圈圈大卡车的轮印。

〔空的钟架还竖在那里，架上靠着几根木料。

〔他悒郁地望望，似乎不愿意再看，又低下头，慢慢打下去。忽然他仿佛听见了什么，又仿佛看见钟影依稀在他眼前摇来摆去，轻快的钟声那样辽远，若有若无地在空中隐约震荡。他有点迷惘地不觉掏出怀表，但又若有所失地把怀表放回袋内，又接着打拳。两臂只划了半个圈子就废然垂下。又一阵风扑来，他挺起胸，两手插入裤袋，迎风屹立，望着操场出神。右手在裤袋里心不在焉地玩弄着。

阴兆时 （忽然摸出一把钥匙）太太！（走了两步，笑着嚷）太太！钥匙找着啦，在我裤子口袋里。（举着钥匙向屋走）太太，太太！（屋中没有反应）夫人，贤妻！（无人应声，他一面嚷着推开书房门，走进，打起兴致高兴地）家里的！老婆！孩子妈！（还是没有反应，更大声，用上海口音）阴家嫂嫂！（忽然一愣，低声）太太！

〔阴太太在米缸旁边小板凳上坐着，不动，也不出声。

阴兆时 （关切，疑虑地）太太！你——

〔阴太太望望米缸，叹了口气，立起。

〔阴顺手掀开米缸的盖子望了一下，又轻轻盖上。

阴太太 （苦笑）想得到吗？住这么大的房子，会愁没米吃。（俯首走进卧室）

〔阴忽然走到书桌前，拉开抽屉翻找。

阴兆时 （翻了一阵，回头）我抽屉里的钱呢？

〔太太声：（埋怨地）你忘了，昨天晚上你不是送给老熊啦。

阴兆时 （嗒然）哦。（双手摸摸口袋，又抽出来）今天什么日子？

〔太太声:(硬板板地)我不知道。

阴兆时 (有点怫然)你还不把钥匙拿去。

〔在卧室里太太坐在床边叠着袜子。

阴太太 (勉强答应)干什么?

〔阴的声音:(烦躁地)开柜看看。

阴太太 (丢下袜子,啜泣)里面哪里还有钱?嗳,这是什么日子,(忿愤)什么日子!(倒在床上)

〔书房里。

阴兆时 (靠在书桌头沙发上,烦闷地翻着一本旧黄历,翻完阖上)什么日子,弥陀佛过生的日子。

〔太太的声音:(仿佛突然从床上坐起)什么日子?

阴兆时 (站起来,把黄历丢在书桌上)阿弥陀佛过生的日子。

〔太太声音:(欣然叫)兆时!兆时!

阴兆时 (回头望望卧房)什么呀?

〔阴太太由卧室门进。

阴太太 兆时,今天是你的生日呀。

阴兆时 (没想到)啊?

阴太太 你忘了?你怎么得了啊,你的生日跟弥陀佛的生日是一天!

阴兆时 (不屑)哼,生日。

阴太太 (望着他,一面心里在计算,突然)啊呀,今天是你四十岁的整寿啊!

阴兆时　（一惊）四十，我四十啦？

〔数小时后，中午十二时许，书房外间饭桌上摆着两碟小菜，半瓶酒和两碗阳春面。

〔阴太太在斟酒，阴站在走廊门前向外漠望。

阴太太　（回头望望，放下酒瓶）兆时！（走向阴）干嘛呀？

阴兆时　（沉默地）嗯？

〔风吹着几片黄叶打在玻璃门上。

〔阴太太也悄然沉默下来，二人一同向窗外望着。

阴兆时　（怅怅地）四十岁的人喽！

阴太太　（望着外面凝神）现在还有谁来，帮了这么许多人，我们没有一个朋友。

阴兆时　（听若无闻）嗯。

阴太太　连魏院长都不来啦。

阴兆时　（感叹万端）哼，"四十而不惑"，从今天起我该不惑了吧，可是在这个世界呀，（摇摇头，苦笑）我"疑惑"的很。（望着前面，清泪盈眶，不觉把手放在太太肩上）

〔我们从窗外望进去，太太似乎突然发现了什么，满脸惊喜的神色，又仿佛不大相信地问着阴，阴也惊疑地探望注视。两个人的目光在大门前停住。太太猛然叫起来推开阴，开门跑出。

阴太太　（站在走廊上，惊喜交集）堇修！

阴兆时　（喜极，木立在开了的门前）

〔堇修推开大门，手里提着一些小包裹奔进。

〔周秉望提着行李也快步跟进来。

〔门口停着一辆三轮车。

阴堇修 （欢忭地叫着）婶婶！我们居然赶上给叔叔拜生啦。（抬头望见阴，喜悦而亲热地）叔叔！

〔阴走出门。

阴兆时 （泪光滢滢）我的孩子，你回家来了！

〔从走廊的玻璃门外望进去：阴很舒适地靠在一个旧沙发上，前面有个小矮桌，桌上放着堇修带回的土产糖食。旁边燃着一个小炭炉。他容光焕发，堇修站在他面前，兴高采烈，指指划划地说着。周秉望坐在旁边的小凳上，微笑地望着堇修。阴太太弯着腰正从小炭炉上提起开水壶向小方桌上的茶壶里一面沏茶，一面听着笑。

〔屋内——他们结束了谈笑，大家脸上还带着笑容。

阴堇修 （忽然看看表）啊呀，不早啦，我得到报馆报到去啦。

周秉望 （站起）对了，我也该回医院看看，我们顺路。

阴兆时 （站起伸个懒腰）待会到我这儿来吃晚饭。

周秉望 好。我先雇三轮车去。

〔周提着他的箱子走出。

阴太太 （赶到门前向外叫）回头早点来啊。

阴堇修 （穿上大衣，走到门前）

阴太太 （拉拉她的大衣）扣好！你也早点回来。

阴董修　嗯,（忽然返身）最近魏伯伯常来吧?

阴兆时　你走以后——

阴太太　一直没来。

阴董修　（望着阴，懂事地）哦。（又想起）对了，待会我会走孤儿院过，我进去看看。

阴太太　（望了阴一眼，对董）干什么?

阴董修　看看翘翘她们。

阴兆时　（向卧室走，感叹）哎，谁知道这些孩子们又怎么样了。

阴董修　（望望阴，一面迈出门）我走了啊。（走出去了）

〔我们依次看见以下的画面。

〔当初孤儿院的屋子，现在的货栈。一只大手把货栈地门“砰”的关上，接着倏地贴上一张封条。

〔一辆六轮大卡车的车轮在泥路上急驶而过。

〔车轮拐了一个弯，水泥四溅，戛然停止。

〔人行道上杨大猛然惊惶地抬头。

〔一个人厉声：下来!

〔杨大脸色大变，惶遽地扭头便走。

〔卡车后身下半截，吊着小梯，一双穿着警装长筒皮靴的脚，一步迈进我们的眼帘。

〔一个人的声音：下来!

〔一双穿着西装裤的腿由小梯上迟疑地步下，接着另一双穿长袍的腿抖擞地伸出……。

〔在金焕吾的小客厅里。

〔金焕吾的背影。

金焕吾　（突然返身，厉声）你这办的是什么事情？

杨　大　（惶恐地低下头）

金焕吾　（愤愤急语）货查封了，人抓去了，世上居然有你们这种废物！（立起徘徊，取下帽子扔在桌上）

〔同时在客厅门外。

〔马屁精窃立门外，屏息觑听。

〔金的声音：那个姓马的说，说孤儿院僻静僻静，不会惹眼……

〔马惶惶然。

〔金的声音：才买下这屋子。（叱咤呵斥）真是一群饭桶糊涂蛋。

〔小客厅内。

金焕吾　（背着手走了两步，又立定，侧面对杨）究竟是谁露的风声，谁告的密。那个马，马——

杨　大　（悄悄松一口气，抬头望着金，赶快提醒）马屁精。

〔小客厅门外。

〔马神色一震，瞪着两眼，慑息注听。

〔金的声音：他靠得住吗？

〔马益发惶恐，紧张。

〔杨的声音：我，我现在不敢说。

〔马愣了一下，皱着眉，心里打起主意。

〔小客厅内。

金焕吾 （怒气难遏）真是混蛋！（坐到沙发里）他在哪里？

杨　大 （站起）我带他来了——

〔小客厅门外。

〔杨的声音向门而来：在楼下。

〔马惶遽地蹑手蹑足，转身要向楼下走。

〔金的声音：叫他上来。

〔马快步跑下。

〔二十分钟以后，仍旧在小客厅里。

〔金焕吾坐在沙发里，马屁精卑躬局促地坐在椅子上，杨大站在一旁。

金焕吾 （对马，冷冷地）你怎么知道一定是他？

马弼卿 （巧言诋毁）您想，一来他跟杨大爷有仇，怀恨在心，二来卖孤儿院他没落着佣钱，三来他现在穷的要喝稀饭，告密就有一票奖金——

杨　大 （插嘴）金先生，我看是像是他。

马弼卿 （得意）并且我今天到过他家里，他跟我说，他说他要搬家，顶个好房子阔一下啦。您想——

〔电话铃响。

金焕吾 （接电话，紧张地）哦？哦？哦！我——哦，我就来。（放下电话，不动）

马弼卿 （殷勤，走过来，侍立金旁，沾沾自喜，丑表功地）您想，他哪来这笔钱？

杨　大 （浮嚣，逼上一步）对呀！他哪来的这笔钱？

金焕吾 （拿起帽子，望望他们，一半是自语愤愤地）哼！这个人真是阴魂不散！（向门走）

第七本

『我发现了一个真理。』

阴兆时潜心伏在窗前小书桌上办稿。

堇修坐在方桌边椅子上。

阴堇修 （大衣还未脱，两手插在口袋里，望着阴，恳求着）叔叔，您听听可不可以？

阴兆时 （没有抬头，随意地）你讲下去吧，我在听呢。

阴堇修 我到孤儿院的新房子去，没找着他们，也没有看见魏伯伯。

阴兆时 （有一点不耐烦，淡漠地）知道，你说过了。

阴堇修 （不在意，依然说下去）我问看房子的人，他说孤儿院早搬了。

阴兆时 （一面思忖着文稿，一面不经心地）嗯，嗯。

阴堇修 （站起取下围巾扔在椅子上，走到书桌边着急）您听呀！

阴兆时 我是在听哪。（稍稍抬一抬头）

阴堇修 后来我就问他搬到什么地方，他说——

〔阴不觉又伏下写稿。

阴堇修 他说，（看阴又写，更急）您在写什么呀？（凑上去看）

阴兆时 我写状子。

阴堇修 别写了。（一手蒙住稿子，想拿过去）

阴兆时 （推开她的手，正色）不，堇修，（沉重地）今天我忽然觉得有好收入的案子也该接一两个办办了，替有钱人打打官司，也并不算罪过。

阴堇修 （有点奇怪）叔叔，您怎么啦，您现在怎么会忽然的——

阴兆时 （无可奈何，把笔放下，向椅背一靠）好，你说吧。

阴堇修 （依然有些奇怪）叔叔您——

阴兆时 （打断她的追问）那么后来呢？

阴堇修 （惊异之色渐消）后来，（慢慢回到原题）后来我就照着他说的地方找去，我一进门。——（以下是无声的画面）

〔画面——杂在贫民窟中一个破敝狭窄的小院子。院内杂草青苔，碎砖烂瓦，荒芜零落。一部分土墙颓倒，缺口处望见隔壁穷苦人家的大杂院。墙四周围也都是些棚户破板屋。贴墙两间简陋的瓦房，长方的正房，和小小的厢房。正房破落的屋檐前，小细柱子上贴着一张写着“惠仁孤儿院”的纸条，上面一道道被雨淋过的痕迹。院中凄惨阴暗，不见阳光，堇修窥探着走进院门，疑惑地四面张望。

〔堇修的声音：（凄切地）那个地方真惨，又脏又破，挤在一家小院子里，四周都是些最苦的人家，我找院长，院长不在，——

〔卧室内——阴立起，走到床边坐下，斜身靠在一叠被上。

阴堇修 （跟上一步）叔叔，您听啊！

阴兆时 （两手压在脑后）你说吧。

阴堇修 （面对床，倚在桌沿上，说下去）听说院长病了，我找到他

住的屋子。——（以下又是无声画面）

〔画面——厢房里，房间小，光线昏暗，破纸窗上嵌着一块小小的玻璃，露进一点光，窗侧是一架简单的双层木架床，下层被褥散乱，上层堆着行李卷和几只皮箱，窗前一张小小的旧书桌，桌上有茶壶，热水瓶，笔砚，书籍等。靠桌一张小茶几，放着脸盆，漱口盅，肥皂盒，手巾挂在墙上的钉子上。桌前一把破藤椅，床头一张旧藤躺椅，魏卓平拥被躺在上面，面容黄瘦，憔悴不堪。他正拿着一碗药在喝。堇修轻轻推开门，呆立在门前，愕然望着他。魏抬头看见她，惊喜交集。堇修快步上前怜悯地望着，他拉着堇修的手落下泪来。

〔堇修的声音：推开门进去，他靠在躺椅上正在喝药。他看见我很高兴，拉着我的手，眼泪都流下来了。

〔卧室内。

阴堇修　（满眼的同情）他说今天是您的生日，早上就想来，可是实在没有力气。他说晚上一定要来的。

阴兆时　（侧过脸去）

阴堇修　后来我就问他怎么会搬到这个地方？他告诉我那个好房子只住了一个星期，就叫杨大他们逼着搬到这个破地方。钱没有，保姆们走光，因为卖房子的钱杨大到今天还不给。

阴兆时　（眼望着屋顶）哦，那些孩子们呢？

阴堇修　（恻隐地）孩子们是走不了的，我看见了他们。进了门，一股子臭气，那些孩子们我都不认识了！……（以下又是无声画面）

〔画面——一间长方形的屋子，墙上只开着两个小窗，窗纸有些脱落了，风一阵阵吹进。靠墙摆着两张破铁床。潮湿的地上有几堆用稻草铺着的地铺。光线更阴暗，看不清什么，隐约感到孩子们有的躺着，有的坐着，悄悄地一声不响。屋尽头的墙角，稻草铺上，靠墙坐着一个孩子。堇修痛苦惊异地待在房中间注视，忽然快步走向墙头处，扑到地铺上摇着孩子，口中仿佛叫着翘翘，低下头哀哀饮泣。

〔堇修的声音：（情见乎辞）他们望着我，我望着他们，翘翘找不着，也看不见小牛牛，小眼睛。好容易在墙角上看见一个孩子像是翘翘，我走近一看（顿了一下，忽然呜咽）翘翘，翘翘——

〔卧室内。

阴堇修　（流下泪）翘翘瞎啦！（用手背擦泪）

阴兆时　（惊愕）啊！（坐起）

阴堇修　（擦着泪）不知为什么魏伯伯那么怕杨大跟马屁精。马屁精进了孤儿院克扣着钱，不给孩子们吃喝。（气愤）孩子们得了麻疹，两个多月没有医生看，翘翘第一个就瞎了。

阴兆时　（霍地站起，一声不响，走到窗前）

阴堇修　（焦灼地）现在孩子们一个招一个，我叫秉望去看，秉望说还有三个，眼睛也靠不住了。

阴兆时　（又踱到桌边）

阴堇修　（低着头目光随着阴的脚步）其余的有的病在床上，有的睡在地上，没有一个还有一点从前的样子。

〔阴屹立沉思。

〔周秉望进屋站在门前。

周秉望　堇修，翘翘我抱来了，在书房里。

〔阴立刻返身跑出。

〔阴家书房。

〔翘翘孤另另地坐在屋子当中门框边凳子上。

阴兆时　（由卧室跑出突然停住）翘翘！

翘　翘　（两眼包扎着，听见声音，立刻亲热地）阴爷爷！（两手伸出，高兴地要跳下凳子，一脚踩空，摔在地上）

阴兆时　（赶紧跑去，扶着翘翘，声音有些呜咽）翘翘，我的好孩子！

〔周秉望和堇修围着翘翘。

翘　翘　（小手摸着刚才摔着的后脑勺，噘着小嘴）我又来了，阴爷爷。

〔阴立起，堇修蹲下紧紧抱着翘翘，眼泪禁不住簌簌落下。

〔阴家书房外过道里的电话旁边。

〔阴在打电话，堇修手上拿着自己和阴的大衣。

〔阴太太站在旁边很担心地望着阴。

阴兆时 好，我马上就来。（放下耳机）

阴堇修 杨大怎么说？

阴兆时 （不屑地笑）哼！他说他正欢迎我去呢。走，咱们。（从堇修手腕上取过自己的大衣，对太太点点头）

〔阴，堇修二人走出。

〔半小时后，金焕吾小客厅——胡驼子和两个大汉站在靠门旁边，马，杨二人站立屋中。

马弼卿 （对杨）金先生回公馆去啦，这个事你没有问问他，（顿了顿）不大好吧！

杨　大 （刚愎自用，指挥两人藏在屏风后）你甭管。（对胡驼子）驼子，叫他进来。

〔胡驼子下。

马弼卿 （畏惧地）你，你要怎么样？

杨　大 （面色深沉）没什么，给他点威风瞧瞧！（朝屏风）喂，派人到阴家去啦？

汉子一 （从屏风探出身子，点点头，谛听）像是来啦！（又缩到屏风后）

马弼卿 （胆怯）我觉得我还是不见他的好——（说着就向另一门溜出）

杨　大 （冷冷地）随便你。

〔阴推门进。

阴兆时　（点点头，淡淡地）杨先生好久不见。

杨　大　（逆目而视）你认识我吗？

阴兆时　（鄙夷地）当然认识。

杨　大　（骄横）好，我叫你认识认识！（一口吐沫啐在他脸上）

阴兆时　（愤极，要还手）

〔屏风微动。

〔阴回头。

〔两个汉子从屏风后面昂然走出，侧目视阴。

阴兆时　（抑压下去，从容不迫地从口袋里摸出手帕，擦着脸，笑着说）你预备的真周到。

杨　大　还有周到的呢。（向阴脸上狠狠地打了一下耳光）

阴兆时　（气极）你！（要上前）

〔两个汉子一步逼上来拉着阴的两臂。

杨　大　（切齿地）我看你阴魂散不散！（又是噼啪两个耳光打在阴脸上，对汉子）送他出门。

〔两个汉子盯视阴。

〔阴压下一腔愤怒走向门，两个汉子跟在后面。

〔金家铁门外，天色渐见昏暗，大铁门严紧地关着，气象森然。

〔堇修焦虑不安地在门前徘徊。

〔傍晚的冷风一阵阵吹着，她把大衣裹紧，理着吹乱了的头发，站在门前向里探望，她仿佛看见里面有人走出，定睛注视。

〔铁门里阴兆时沉着脸向门前走，身后随着两个汉子。走到门前，两个汉子打开门，盯了阴一眼，阴走出，铁门沉缓地拉严，重甸甸地关紧，拴上铁拴。

〔董修忧形于色，不宁地望着他。

〔阴面色铁青，一声不响立在门前。

阴董修　（朝铁门望了望，回头对阴疑虑地）叔叔！

阴兆时　（咬紧嘴唇，望着前面不答）

阴董修　（焦灼）怎么回事，叔叔？

阴兆时　（不语，转身就走）

阴董修　（跟上去追问）叔叔，他们怎么样？

阴兆时　（望她一眼，微微顿一下）

阴董修　（感到严重）他们对您怎么啦？

〔阴忽然又加紧脚步，埋头向前疾走，董修也沉默地紧随在他身后。

〔阴家门前小巷里阴和董修两人依然同样的步伐走到门前。

〔董修更不安地望着阴轻轻推开大门。

阴董修　（惊叫）啊！——

〔庭院里许多杂物扔在地上，被褥枕头沾了污泥，断了腿的茶几，拆了扶手的转椅，扯烂了的藤椅，摔碎了的热水瓶，茶壶等散布阶前。庭中间书籍纸张，报纸，紊乱不堪地摊着，风吹纸片四处移动飞舞，书页也吹得乱翻。

〔阴太太坐在扣在地下的木盆上低泣。

〔阴和堇修站在门里呆望。

阴太太 （回头看见，立刻站起，走向他们）兆时，兆时！（又忍不住抽咽）

阴堇修 （阴走近太太身边，扶着她）婶婶，这是怎么啦？

阴兆时 （已明白了一半）

阴太太 （对堇修）你看这怎么了！这怎么了啊！——

阴堇修 （望望阴）

阴兆时 （走到书籍前，愤懑地望望，抬头对太太）是怎么回事？

阴太太 （噎咽着）是，是，是叫人砸了。

〔阴和堇修望着阴太太。

阴太太 你们一走就来了人，说找阴律师。我说你不在家，他们把我一推，就一哄进来，见东西就砸。我嚷谁，谁不应，等我报了警察，他们已经走了。（望堇修）你看，这怎么办。（对阴）这怎么办？

阴堇修 （听完，半晌，忽然）我去打听去！（气愤）看看这是谁！（返身）

阴兆时 （回头）不用了。

阴太太 （疲惫地坐到一块石头上又唏嘘起来）你看，得罪人有什么好处啊！（用袖子擦泪）有什么好处！

阴堇修 （靠近阴太太身边安慰）婶婶，婶婶，别——

阴兆时 （烦恼，忍不住大声）不要哭了！——

阴太太 （吃一惊，停止抽咽，放下袖子愣住）

阴兆时 （又望望地上的东西，拍拍阴太太肩默默进屋）

〔暮色中阴太太坐着不动，堇修站在她背后，两人疑惑的目光望着阴进屋。

〔阴推开门进屋。屋中寂静，薄暮昏暗中，一片零乱。一面回头四顾，向里走，他弯下腰，把挡在脚边的镜框拾起，放在饭桌上，又一举步，碰着桌腿边地上横着的渔鼓，简板压在底下。他拾起渔鼓和简板，用手拂拭一下，缓步走到书桌前。他漫不经心地坐到桌沿上，随手打了两下简板，沉思着轻轻抱起渔鼓，忽然地他眼睛射出愤怒的光。

〔庭院中堇修和阴太太两人走近阶前。

阴太太 （忧虑）他是怎么回事？

阴堇修 （低声）我不知道，问他他不说。

〔骤然从屋内传出激昂的渔鼓声，充满了深沉的愤懑。

〔堇修和阴太太二人惊愕地相望走上台阶，悄悄推开门进去。

〔昏暗里，阴兆时高踞在书桌上，急雨似地拍着渔鼓。

〔阴太太开了灯，屋中顿显明亮。

〔阴紧闭着嘴凛然望着前面。

〔两个女人站在房中望着阴。

〔渔鼓越发急促高亢，声震屋宇，塞满了空间。

〔两个女人迟疑着走近阴，屏息望着他，他倏地停住，把渔鼓和简板顺手放在桌上，低下头，不自觉地摸了摸感觉火辣辣的面颊。

〔阴太太望着他的脸注视，才看出他脸上的掌痕。

阴太太　（望着他）兆时！（痛惜）你挨了打了！

阴兆时　（依然望着前面不语）

阴堇修　啊！（上前近看也痛惜地）叔叔，是谁？

阴太太　（情急）谁？

阴兆时　（不动声色）他们。

阴太太　（料到）杨大？（愣住——半晌）

阴堇修　（激动）这是什么世界，好人还有活的路没有！当好人有什么好处？我们一辈子当好人，管闲事，帮人忙，什么苦都吃过，可是今天，（语不成声）……今天……（忽然愤慨）好人就是无能，懦弱，羞耻！羞耻！羞耻！（饮泣）

〔阴端坐不动，听着，慢慢立起，沉重地走到堇修面前。

阴兆时　（也激动地）当好人不是羞耻，是好人受了压迫才是羞耻！（走了两步，又返身）嗯，好人受了压迫也不是羞耻，是一次再次地受压迫，自己还不感觉是受了压迫才是羞耻！（快步走开，更兴奋，又停住）不对，不对，这都不算羞耻，是我们这群好人一次再次地受了压迫，（转身对堇修，目光如炬）还不起来争个是非，跟这群王八蛋争个你死我活。（断然加重语气）才是羞耻！（他昂然望着她们）

〔阴太太和堇修想不到他这样激奋起来，睁大了眼望着他。

阴兆时　（忽然露出笑容）

阴堇修　（也不觉染上笑意）您笑什么？

阴兆时　（微笑）我发现了一个真理。

阴董修 （眼中闪着泪光，仰望着阴，充满了赞美和崇敬）

阴兆时 （故意揶揄地拉长了腔调）太太，这个闲事咱们不管了吧？

阴太太 （出人意外地瞪着眼，握着胖拳头，迸出）什么？这个仇我们非报不可！

〔有人敲门声。

阴董修 （不觉紧张）叔叔！

阴太太 （担心）别是他们又来了。

阴董修 （机警地）我从后门出去，报告警察。

阴兆时 （镇静地）用不着，（指指外面）开门。

阴董修 （疑问）开门？

阴太太 （望着阴）开？

阴兆时 （点点头）

魏的声音（在院子里）在家吗？

阴太太 （望望他们，低声）谁呀！

〔魏卓平推门进来，手上提着一包生日礼物。

魏卓平 董修，你们大门没闩上，我就一直进来了，（看见屋中景象，吃一惊，对阴太太）这是怎么了？

阴兆时 （走过来，亲切地）老魏。

魏卓平 （望着阴有些惭怍）

阴兆时 （伸出手）老魏。

魏卓平 （走近他）兆时！（握着阴的手，落下泪来）居然我又见着你。

〔董修感动地望着他们。

阴太太 （也有点凄然）魏大哥。

魏卓平 （放开手）大嫂（四顾，讶异）兆时，这是怎么，出了什么事了？

阴堇修 是杨大——

阴太太 他们把我们的家都砸了。

魏卓平 （怒形于色，管不住地）他们是汉奸！

阴太太 （一惊）什么？

阴堇修 （同时）汉奸？

阴太太 汉奸？

魏卓平 （一鼓作气地说下去）后面是金焕吾隐名埋姓做着囤货的生意。我受够了他们的欺侮。

阴兆时 （容光焕发，抓住魏）汉奸？你说这后面就是金焕吾？敌伪时期那个金焕吾？

魏卓平 （被阴的神情慑服住，迷惘地望着他）就，就是他。

阴兆时 （狂喜，忘情地抱了太太）我的太太，好！好！好！

〔同时，在金焕吾的小客厅里似乎正是阴兆时嚷“好！好！好！”的回声一般，我们跟着听见：

金焕吾 （对杨大咆哮）混蛋！混蛋！混蛋！我告诉过你，现在不是当初，不到不得已的时候不能用这一手。

杨　大 （阴鸷的面色，强辩）我看他也不敢——

金焕吾 （怒极，顺手抓起一把茶壶，用力朝杨摔去）

〔激紧有力的音乐随着茶壶摔碎声骤起。

〔乐声倏然静止。

〔阴家书房里，深夜一时许。

〔房中静悄悄的。阴兆时伏在桌上专心书写，风从破了半块的玻璃窗吹进来，他把手举到嘴边呵着暖。

〔在他背后卧房门慢慢打开。太太双手拿着一件旧皮大衣。堇修一手拿着一个有盖子的大洋瓷碗，装满开水，一手拿着半盒糖食。二人悄悄走到他身后。

〔阴太太把大衣轻轻地盖在他背上。堇修将糖食盒放在桌上，一碗开水放在他手边。

〔阴抬头，和蔼地看看堇修，又望望阴太太。

〔她们对他微微一笑。

阴太太 你真地要告金焕吾？

阴兆时 嗯。

阴堇修 什么时候？

阴兆时 状子写好了，明天。（又低下头写）

〔他又低下头写。

〔堇修和阴太太走出门。

〔阴停笔读着，一面伸手拿起大洋瓷碗，焐了焐手，掀开盖子，一片热腾腾的白气冒上来，漫遮了他的脸。

〔清晨六时许堇修和阴太太二人合衣横睡在床上，下半身盖着一床被。她们是太疲乏了。

〔屋子里还有些晦暗，晨光熹微，渐渐浸入窗棂。

〔阴慢慢推开房门，手中拿着一束稿纸，看见他们睡了，蹑足走到床前，拉过一床毯子给她们轻轻盖上，仔细塞好被角，爱惜地看看她们，又悄悄走出。

〔他轻轻关好卧室的门，脚步轻快地走到书桌前面，翻看着他一夜的成绩。一阵晨风由破窗吹进来，他打了一个寒噤，抬头探望窗外。

〔枯树梢浴在朝阳里，一只小雀吱吱地叫着在枯枝上跳跃。

〔他把稿子丢在桌上，满怀喜悦，走过去打开走廊的玻璃门。一道和煦的阳光斜射在天花板上。他迎着晨光，站在门前。愉快地吸着清冽的气息。

第八本　『我们胜诉了！』

十天以后。晚九时许，阴家大门前小巷里。四周冷清清的，隐约传来一阵婴儿的啼哭声。半晌。一片寂静。

在街灯暗影下悄悄露出胡驼子狰狞可怖的脸。他转头向阴家大门里张望。

阴家院子里黑漆漆的，楼上员外家的两个窗口灯光通亮。下面阴家屋子的门窗上掩着帘帷，从帘缝里露出一点灯光。

胡驼子回身挥挥手，从黑暗里跟着走出两个人影。他们觑步荡过阴家大门。

阴家楼上员外家，此时房中电灯明光，牌桌已经摆好，姚三错站在桌边，手里捧着牌盒子。

员外靠在沙发上，无可奈何地望着她。

姚三错 （打开盒盖，把牌倒在桌上，侧首向身后示意）你还不去叫他？

员　外 （绵羊似地望她一眼，顺手把旁边的小人书拿起翻着）

姚三错 （空牌盒向桌上重重地一掼，回过头，不耐烦地）去呀你。

员　外 （埋头看小人书）我不想去（一页页更翻的起劲）

姚三错 （到他面前，一把抢过小人书）你把我的小人书放下，你去找阴魂不散去。

员　外　（莫奈她何）奶奶！人家前几天家才叫人砸啦。

姚三错　（理直气壮）那牌不能不打呀。

员　外　（懒洋洋地）平时三缺一，今天是四缺二，就是找上来也是白搭。

姚三错　（一扭身走开，任性）我不管，反正你给我拉人来。

员　外　（哭丧着脸）我的奶奶，我不舒服！

姚三错　你不舒服？（转身）我还不舒服呢。（逼到他面前）员外，我跟你说，我真是嫁……

员　外　（笑嘻嘻地）嫁错了人。

姚三错　（一赌气，跑到床上，拉床被，蒙头便睡）

员　外　（望望她，束手无策）好，好，好，我去，我去。（走出）

〔员外站在楼梯旁，扶着扶手，迟疑着不想下楼。半晌，他抬头向房门望望，苦着脸，死阳活气地，双手插入袖筒里，唏唏缩缩，一步一步向下走。

〔他走下最后一层楼梯，又踯躅了一下，悄悄走到阴家书房门前，轻轻叩一下门。里面没有应声。他皱皱眉，才又举起手，刚要再敲……

〔过道门开，周秉望推门匆匆走入，手上拿着一卷报纸。

〔员外向周秉望勉强一笑点点头。周也随意招呼一下，走向堇修房，敲敲门。

〔堇修的声音：进来。

〔房中堇修伏在桌上写东西。

周秉望 （推门入）堇修。

阴堇修 （回头笑笑）你怎么这时候来了？

周秉望 （走到桌边）你还在写文章？

阴堇修 嗯。

周秉望 （把报纸递给她）你看，今天晚报又登出详细的消息。

阴堇修 （一面接下报，抬头望着他）怎么样？

周秉望 （点头称赞）好。

阴堇修 （得意）我写的。

周秉望 （喜爱地）是吗？真好！（指指报，兴趣盎然）你看还有一篇社评。

阴堇修 （没想到）哦？（站起）走，咱们给叔叔看去。

〔房门有人轻轻叩了两下。

阴堇修 （望着门）谁呀？

〔门慢慢的开了一小半，员外勾着腰探进头。

员　外 （眯着小眼睛，讷讷地）阴家大小姐，你打，打牌不打？

阴堇修 （望着他，有点啼笑皆非）我？

周秉望 （瞪他一眼，直腔直调）对不起。（大手放在他的秃头上，毫不在意，机械地把他塞出门外）

〔员外就顺势乖乖地缩回。周打开门，让出堇修，自己随后走出。

〔员外呆磕磕地望着发愣。

〔卧室里，阴兆时坐在椅子上洗脚。他脸上神气很严肃戴着眼镜在看报。阴太太提着水壶，向地下的盆子里加热水。

阴兆时 （看着报，两脚提起）够了，够了。

〔阴太太笑笑走开。

〔堇修同周秉望穿过书房走进卧室。

阴堇修 （欣然）叔叔您看。（把报纸递给阴）

阴兆时 （向周点点头，把手里的报纸丢在地上，接过堇修递过的报纸看。）

阴太太 （走过来，十分关心）什么呀，堇修？

阴堇修 （微微弯着腰，在报上指点）这儿，这儿。（回头对阴太太）大报上都登出金焕吾他们全体被捕的消息，并且有了社论提到这件事。（又弯腰看报）叔叔，叔叔，你看。（又回头对阴太太）现在报上有了叔叔的名字了。

阴兆时 （不做声，专心看报）

阴太太 （伏在阴背后看报，高兴地）这下好啦。

阴兆时 （看完报，放下，望望他们）

周秉望 （热诚）阴先生，这是您的大胜利。

阴兆时 （沉着地）你们慢点欢喜，路还长呢，杨大漏了网。

周秉望
阴堇修 （同时一惊）啊？

阴兆时 我刚从法院探听了回来，杨大走了狗运，逮捕的时候，他不在。

阴堇修 （失望）他跑啦？

〔有人轻轻叩书房门。

阴堇修　（回头大声）谁呀？

〔阴向门望。

〔员外推开卧室半掩的门又探进头。

员　外　（一眼瞥见阴，嗫嚅着）今天阴律师您，您打牌不打？我们楼上……

周秉望　（走去）对不起。（对着他的秃头，又把大手伸出）

〔员外头一仰，小眼一翻，乖觉地自动缩回去。周把门关上。

阴兆时　明天法院第一次开庭。（穿好袜子套上鞋）我出庭，你魏伯伯也要去做证人的。

〔庭院里魏卓平匆匆由院门入，快步走上台阶，急促地敲门。

魏卓平　开门，开门。

〔太太的声音：谁呀？

魏卓平　我，兆时在家吗？

〔阴太太开门，魏走进，顺手关上门。

阴太太　（看他那慌张的神气，惊异）魏大哥！他在家。

魏卓平　（气咻咻地，取下帽子，对阴太太）我有事跟他商量商量。

〔阴的声音：哪一位？

阴太太　（回头）是魏大哥。

〔阴从卧室走出，后随堇修和周。

阴兆时　（笑着迎上来）欢迎，欢迎，我正要跟你谈谈。

魏卓平　（不安地）我，我有点事。

阴兆时　（笑着爽快地）说吧。

魏卓平　（讷讷）我想我们两人谈谈。（取下帽子）

阴兆时　（望望他）好。（对堇修他们）你们先进去。

〔三人也疑惑地望望魏，走进卧室。

魏卓平　（低声）你已经告了他了？

阴兆时　（点点头）

魏卓平　（紧张）法院已经给了我传票，你叫我做证人？

阴兆时　（点点头，将他手中帽子取过来放在桌上）

魏卓平　（急煎煎地）我对你说过。不要把这件事情声张出来。多一事不如少一事，这一帮人。（不觉轻轻跺一下脚）不是好惹的。

阴兆时　（镇定的）别急，别急，说清楚你是什么意思。

魏卓平　（面有难色）我实在对不起，我（躲闪）我，我实在不能当证人。

阴兆时　（望着他）

魏卓平　（从身上掏出一把小手枪和一封信）你看，我刚刚收到的。

阴兆时　（看信）

魏卓平　（伺望阴）你看，他们预备跟你跟我大周旋一下。（抖抖擞擞地）你看这手枪里连子弹都有。（慌张地）我要走了，你要看见马屁精，千万别说我找过你。（神情恳切）兆时，我觉得你也最好不要出庭。（戴上帽子，匆匆地）我走啦。

阴兆时　别走。

魏卓平　（恳求）你让我走吧，我现在确实有点怕。（拔步就走）

〔魏头也不回，匆匆走出门去。

〔移时堇修和周站在桌旁。堇修拿着手枪仔细看。周走过来，堇把手枪递给他，他也细看。

阴堇修　（抑压着气愤，平淡地）来吧，我们看看这个世界还有是非没有。

阴兆时　（低声）这件事千万别告诉你婶婶，省得她害怕。

阴堇修　（点点头）我知道。

周秉望　（感到情势的紧张，义不容辞，沉肃地）今天我想不回去啦。

阴堇修　（坦然）为什么，何必呢?

〔魏又在走廊上急急敲书房门。

〔魏的声音:（急骤）开门，开门!

〔堇修去开门，魏一步迈入。

魏卓平　（神色惶惶，一面向里走，一面说）外面大门开着，你们还不关上!（看他们都不动，着急）关上，关上。

阴兆时　（看见魏惊慌的神气只好对周）请你去关上。

〔周看了魏一眼，走出去。

阴堇修　（拉开一把椅子）坐下魏伯伯,（倒杯茶递给他）喝点茶。

魏卓平　（不坐，紧张地）我，我刚一出门就看见有人。

阴堇修　（看看阴，不十分相信）不会吧?

魏卓平　是有，他们跟着我，我就回来了。

阴堇修　（转身向外走）我去看看去。

魏卓平　（要拦她）不要看，不要看，小心。

〔堇修已出去。

阴兆时　（安静地）老大哥，坐下。

魏卓平　（忧容满面）今天晚上我住你这儿。

阴兆时　好，正好。明天我们早上一块到法庭。

魏卓平　（恳求）不，兆时，今天早上马屁精对我说过，叫我不要去，去不得，我是去不得的。

阴兆时　（凝视他）你为什么这么怕他们？

〔董修缓步进屋。

阴董修　（沉着）叔叔，是有人。

魏卓平　你看，你看。

阴兆时　（依然正色盯着魏）你还没答覆我的问题。

魏卓平　（心悸）什么？

阴兆时　你为什么这么怕他们？

魏卓平　（忐忑）我，我……

〔重重的关大门声。

魏卓平　（惊魂不定）啊！

〔半晌。

〔周推门走进，一脸愠怒。

阴兆时　（立起，严肃地）你坐下，我要问你。（正言厉色）你到底为什么这么怕他们？你有什么短处在他们的手里？你难道不知道我人挨了打，家叫人砸了，惹出这么多事情，为的是什么？为的是你们孤儿院！为的是那些无父无母的孩子们！为的也就是你。（愤切）你怕，你怕，你现在就知道怕！躲躲藏藏，不知你心里打的什么主意。（爆发）今天我要跟（拍桌）你翻了脸，我要你说，你说，你说，我要你说，你过去做了些什么！

魏卓平　（窘迫惭愧）兆时，我，我……

阴兆时　（沉重）要不然就是你根本没把我当做真朋友，（愤愤不能自持）你从头到尾瞒着我，你跟他们串通在一起。……

魏卓平　（情急）不，不，不，我，我说。

阴兆时　（厉声）你说。

魏卓平　（痛苦地）我，我也是一个……

阴堇修　（思过半，惊异地低声）汉奸！

周秉望　（没有料到，望魏）

阴兆时　（注视）

魏卓平　（苦笑）所谓的汉奸吧。他们拿住了我这个短，恐吓我，要挟我。

阴兆时　（抑压下惊异，沉隐地）卓平，你究竟是怎么一个（略顿，不忍直说）汉奸？

魏卓平　（面有愧色，低头）我在那时候，当过，当过保长！

阴兆时　（微笑）一个保长！

魏卓平　（恳切）天地良心，我确实是被逼才做的，我没做过一件亏心的事。可是马屁精他们就这样的欺侮我！占了我的房子，害了我的孤儿们，（落泪）累了我的朋友，弄得我现在像个孤鬼。兆时，我的朋友，我的好朋友！（大哭）

阴兆时　（恻然，正要安慰他）

〔有人敲门声。

〔马的声音：阴律师在家吗？

魏卓平 （慌张立起）马屁精他来了，兆时，把他支走吧。（急切）把他支走，千万别叫他知道我在此地，我来找你。

〔马的声音：（有点不耐）阴律师在家吗？

阴兆时 （高声）在家。（对堇修）你去开门。

魏卓平 （焦虑）兆时！

〔堇修、周二人走出。

阴兆时 我正要见见他。

魏卓平 （惊弓之鸟）兆时，他是来找我的，一定又有什么事情啦。我现在看见他就怕。我看我躲一躲，要不，想法把他支到别处去。兆时，你答应我。

阴兆时 （沉着脸）好。（向门走）

魏卓平 （拉着他）你小心，别吃他的亏，他是个笑面虎，（管不住）你挨打是他害的你，他那天喝醉了，得起意来，跟我说的。

阴兆时 （沉默地点点头，走出）

〔过道里。马屁精衣着考究，不见往日的寒碜，眉宇间有点骄谩。

马弼卿 （笑着）大小姐，好久没见啦。（四处用眼一扫）还是那个老样儿，真是到老朋友这儿就像到了家似的。（随意地）魏伯伯在这儿吗？

周秉望 （瞪着他）

阴堇修 （冷冷地）不在。

马弼卿　（还是随意地）咦！他刚才跟我说他要到这儿来的吗。（拔步就向书房门走）

〔堇修刚要上前拦，阴走出来。

阴兆时　（端立门前）

马弼卿　（亲昵地）阴三爷！

〔员外从楼上咚咚地跑下来。

员　外　（兴匆匆地）马屁精，我听着就是你，稀客，稀客，来得正好，来得正好！四缺二，我们二奶奶正等着你们二位打牌呢。

马弼卿　（望望阴的郁暗的脸，强笑着）好，好，好，怎么样，阴大哥？（若无事然）嘿！嘿！我是进门就打牌。

阴兆时　（盯着他）

员　外　来吧，阴三爷。

阴兆时　（决定）好。

〔三人上楼。

〔书房里堇修在窗前窥望，魏站在她身后。

魏卓平　（忧容满面，拿询问的目光对着堇修）

阴堇修　（看看魏，又向窗外望）

〔大门前，二三人影拖长在地上，一个个缓缓踱过去。

〔胡驼子又从黑暗中返立路灯下，凶恶的目光闪闪对着阴家窗子。

阴堇修　（回过头）没有走，像是又多了几个人。

魏卓平　（颓然坐下，忽又站起来，拿起帽子向厨房走）

周秉望　（从厨房走入）您不用去啦，后面也有人。

〔楼上员外家。阴兆时，马屁精，姚三错，员外，四个人正围桌打牌。

〔员外拥在一床花格毛毯里，打着哆嗦。

〔三错一脸懊恼，输多了钱，正没好气。

姚三错　（对员外）抓牌呀你。

员　外　（哆哆嗦嗦摸了一张牌）

姚三错　（望望马，望望阴，又瞪了员外一眼，忽然感慨地）没法子，我呀一辈子就爱打个牌，我们员外呀，就爱打个摆子。

马弼卿　（正偷偷瞟着阴，听见三错的话，笑了一声，一面带笑咳嗽）

阴兆时　（敲着牌，目不转睛地望着马，随意打出一张牌）

姚三错　（望了阴一眼）阴魂不散，钱都叫你赢去啦，你怎么还绷着脸像阎王爷似的。

阴兆时　你没看见我头上有一股子冤气？

马弼卿　（谄笑）您还冤？我们三个人都是送款委员，今儿个小弟我专心给您阴大哥开心来的。碰。

阴兆时　（瞪着他）你发了财了吧？

马弼卿　（莫知所以）没有，没有，我哪儿来的财气呀。

阴兆时　（冷冷地望着他）看你这个脸可像。你看你这眉毛多清多淡，像把没毛的刷子，送到当铺里押，起码是五根金条。再加

上你这根鼻子，一共就是十根。(使劲打出一张牌)

马弼卿 (赧然)您多夸奖，多夸奖。吃。

阴兆时 (抓一张牌)可你眼前就有一个不大不小的灾星。

马弼卿 (变色)啊。

阴兆时 (盯着他不放松)杨大的事犯了案啦。

马弼卿 (开始惊慌失措，却故作镇静)我知道，我知道。(摸牌)

姚三错 这儿，这儿，你摸错了牌啦。

阴兆时 (对马，一直是用平稳的声调)你最近没看见他?

马弼卿 (连忙)没有，没有，(鄙夷地)我怎么跟他来往。

阴兆时 我倒是跟他来往过。

员　外 (毛毯包得更紧，咬着牙，莫名其妙地呆望他们)

姚三错 (大声)开杠!

阴兆时 前两天我去找他。

姚三错 (高兴地拍掌)又开杠!

阴兆时 进门我就挨了两个耳光。

〔三错与员外也感到奇怪了，停牌不打，员外益发抖得厉害。

马弼卿 (躲避阴的眼光强笑)那怎么会!

阴兆时 (仿佛很和蔼地)你知道是谁打的我?

马弼卿 (畏怯，低声)杨大?

阴兆时 (摇摇头)不是，还有比杨大更可恶的东西!(拿起筹码向马脸上一扔，立起，接着噼啪两个耳光打在马脸上)

马弼卿 (猛地没有提防，昏惑)阴大哥!

〔此时在阴家大门前小巷里。老熊刚收车路过这儿，他闲闲搭搭地坐在脚踏车上懒洋洋地踏过来，忽然若有所见，下车站定注视。

〔昏暗的街灯下，胡驼子把脸缩在大衣领子里，露出一对凶恶的眼睛，身后隐约伺立几个汉子。

〔老熊倏地跳上车，折回来路，急踏而去。

〔马屁精拖着围巾和大衣从楼梯上一面回顾，一面向下跑。

〔三错在楼梯上边大声劝着，员外也裹着毛毯惊慌地站在三错身后，哆哆嗦嗦扶着她的肩膀。

姚三错
员　外　（同声）得啦！得啦！阴大爷！算啦！算啦！

阴兆时　（跟下，气咻咻地）我就打你，打你，打你这个王八蛋！

马弼卿　（一言不发，打开门跑出）

〔阴太太，堇修和周从书房匆匆走出。魏在里面很快地把门关上，留了一个缝向外张望。

阴太太　（惊惶）兆时，兆时，你又怎么了，你发疯啦！

阴兆时　（微笑）没怎么，我打一条狗。

〔堇修和周二人得意地相望一眼。

阴兆时　（走到门前，一手推开门，兴奋地）别再躲着啦，明天我们一同到法院。

魏卓平　（惊惑）法院？

〔次日晨八时许，法院里旁听席上陆陆续续坐满了人，辩护律师和记者们都已就席，法官们还未升庭。旁听的人群中大都在谈着今天要审的案子。

〔同时，阴家庭院里，阴兆时，堇修，魏卓平三人步下走廊站在院中。

阴堇修 已经不早了，快走吧。（正欲开大门）

阴兆时 （忽然想起）哦，手枪没带。（要返身进屋）

阴堇修 这儿呢。（从大衣袋内掏出手枪递给阴）子弹也在里头。

魏卓平 （愕然）这是干什么？

阴兆时 这是给法官看他们恐吓你的证据。（向大门走，对魏）你看！

〔他们望出去。

〔一个八九岁的小学生，提着书包从门前经过，一边高兴地唱着“我是一个小炮手……”

阴兆时 （轻快）大太阳下面，这还有什么事情？别怕，走吧。

〔他们出了大门。

阴堇修 （看看腕上的表）又去了五分钟，快走。

〔堇修与魏走在前面，阴随后。

〔胡驼子正在墙边窥伺着，看见他们，就向另外两个流氓招手跟上去。

阴堇修 （感到后面有人，低声）人来了。

〔魏胆怯回头。

阴兆时 （对堇修）慢点走。

〔魏意欲走开。

阴堇修 （拉着他的衣袖，急促地）别再想回去了。

〔魏低头急走，堇修放慢脚步靠近阴。

〔此时法院正在开庭，五位法官入座。正中是审判长，衣蓝边黑袍，左右是两位陪审推事，公案两端是衣紫边黑袍的首席检察官，和衣黑边黑袍的书记官。人声顿时停止。法警嚷着“起立”，大家站起，坐下。全庭只听见起，坐时发出的声响，空气肃静庄严。

〔同时，小街上，阴，堇修和魏，三人仍埋头急走，胡驼子等尾随在后。一条小石子路横在前面，沿路一带污水河沟。阴等走到小街尽头墙角处正欲拐弯，河沟边电线杆下站着几个流氓迎上他们，阻住去路。他们返身走，胡驼子与流氓等会合紧紧跟上，走了不几步。

胡驼子 （上前寻衅地拉堇修的围巾）

阴堇修 （猛地返身，厉声）干什么？

〔阴抢上护住堇修，被胡驼子一拳打倒。

阴堇修 （气极，冲到胡面前）你们讲理不讲理？

阴兆时 （爬起来，拉过堇修）走，讲理不在此地。

〔镜头，闪入法庭，人们注视法官。

审判长 提被告金焕吾。

〔庭后角一小门打开，金焕吾低头走出，大家回顾。

〔镜头闪入路上。我们只看见阴，堇修，和魏三人急走的脚步。胡驼子与众流氓的脚步跟随着。

〔堇的声音:(小声)不早了。

〔阴的声音:(急促地)快,还赶的上。

〔三人脚步加快。

〔流氓甲的声音:(脚步稍落后,低声)驼子,该动手了吧?

〔胡的声音:别急,到地方动手。

〔镜头闪入法庭。金焕吾垂着双臂站在被告栏里,满脸阴霾。

〔镜头闪入路上。阴,堇修,和魏经过一条满是破落门户的小街,快到与大路衔接处。

阴兆时 (望望前面)到了大路了。

〔流氓等慢慢跟在后面,一个个窥视着他们。

胡驼子 (环视身边流氓)是地方了,来吧。

流氓甲 (一步蹿上,在魏肩上重重一拍)喂,滚开。

魏卓平 (回头,大吃一惊)兆时,兆时!

阴堇修 (情急)叔叔,手枪。(手伸入袋内)

阴兆时 (厉声)别动这个,动这个就不用到法院了。

〔他们赶忙走,但左右去路都被另一批流氓所阻挡。他们正要不顾一切地冲过去。

胡驼子 (大嚷)动手吧。

〔忽然由马路右方传来一片喧嚷声,大家不由得都回头望。

〔远远大批三轮车向他们急踏而来。

阴堇修 (看清楚,喜极大嚷)是老熊!

胡驼子 （听见一愣）

〔镜头闪入法庭。庭上有人不时回头朝入口的门望。

审判长 请检察官陈述起诉意旨。

检察官 （立起）被告金焕吾……

〔镜头闪入路上。我们看见大批三轮车的车轮飞快地滚过。

〔三轮车由远而近。

老　熊 （越过其余的车子大嚷）胡驼子，我们找你来了。

胡驼子 （惊慌中回顾众流氓，示意向阴动手）打，快打！

〔流氓等一拥而上，流氓甲乙将堇修和魏推开，二人被推踉跄跌入人行道上。

〔老熊跳下车冲进去解救阴。

〔流氓乙举起一根木棍要向阴打，阴已跌倒地上。

阴堇修 （惊叫）叔叔！（欲上前，魏拉住她）

〔三轮车夫们骑着车子冲上去。

老　熊 （混乱中打倒胡驼子，一把拉起阴）你们快走吧。

〔镜头闪入法庭。

审判长 （高声）传原告阴兆时，证人魏卓平。

〔原告栏与证人栏都空着。

〔镜头闪入路上。一边是阴，堇修和魏向前跑。魏渐落后，堇修拉着他同跑。

〔一边是众流氓急奔，老熊等追赶。

〔镜头闪入法庭。原告栏，证人栏依然空着，人们焦灼地等待着。

〔镜头闪入路上。我们先只见阴，堇修和魏三人的脚步跑着，镜头渐向上移看到全身。愤急交迫使得他们木然没有一点表情。

〔另一边，在十字路口上，众流氓纷纷散去，只剩下胡驼子慌张而吃力地拐弯跑上人行道。三轮车夫们弃车徒步追，老熊冲上人行道，与胡驼子二人距离已近。

〔镜头闪入法庭。审判长见阴与魏久候不到，转头与推事商量，他们抬头看钟。

〔时钟正指八点五十九分。

〔被告栏里，金焕吾双手扶在栏边，望着原告人空栏，脸上闪过一丝微笑。

〔镜头闪入法庭门前路上。阴，魏和堇修三人脚步渐渐慢下来。

阴兆时 （喘着）到了，怕已经晚了。

〔此时法庭里，人们都显出失望的神色。

审判长 本案告发人同证人没有到，改期再讯。

〔阴的声音:（大声）审判长!

〔人们回头望，阴，堇修和魏急急步入。

〔金焕吾看见他们，脸色一沉。

阴兆时 （在门前站定）审判长，阴兆时报到。

〔阴，魏二人分别走上原告栏与证人栏。

阴兆时 （喘息未定，向审判长鞠躬）审判长,（掏出手绢擦着满脸的汗，转身对金，正色地）金焕吾先生，法庭以外还有你许多狐群狗党，法庭之内就有你无数的敌人。（向法官）审判长，我可以用多少事实来证明，过去现在这位金焕吾先生和他的徒子徒孙们所做的种种罪恶。我要控诉他们！不，不是我，是眼前在旁听席上多少不会开口的被害者，大家要凭着法庭的公正和尊严控诉他们!

〔乐声骤起，由低沉森严逐渐转为凄厉洪亮。

〔紧随着乐声闪出以下的画面:

〔画面渐显。我们看见一付粗巨的铁链落在金焕吾面前荡来荡去。金愀然变容睁大了恐怖的眼望着，慢慢低下头。

〔画面叠化入。链在摆动。金焕吾旁边出现了杨大狰狞恼怒的脸。

〔画面渐隐。

〔乐声严肃，沉重而急切。

〔画面渐显。

〔春雨绵绵，天色灰暗，阴兆时撑着一把油纸伞，提起裤脚，走过泥泞的石子路，站在人行道边，向远远的三轮车招手，三轮车走近他。

阴兆时 （手一指，匆匆地）到法院。

〔乐声不停。

〔画面叠化入。

〔酷夏，烈日蒸人，阴兆时挥着芭蕉扇，站在一个冷饮摊前喝酸梅汤。员外从后面走来，一手拍在他背上，阴回头，员外似乎是问他到哪里去。

阴兆时 到法院！

〔乐声不停。

〔画面叠化入。

〔阴家庭院里，一片黄叶宁静地落在大门前地上。阴兆时穿着夹大衣，轻悄悄地打开门。阴太太赶出来似乎问他到哪里去。

阴兆时 （对太太）到法院。

〔乐声不停。

〔画面叠化入。

〔漫天风雪，阴兆时顶着风埋头前进。路上只有一二行人，迎面走来一个女子，低着头，从他身边擦过。阴站住回头，看出是堇修，走过去在她的肩上拍了一下，堇修一惊抬头。

阴兆时 （拉她一同走）到法院。

〔乐声不停，渐趋森然。

〔画面叠化入。

〔阴卧室里黑黝黝的，床前一盏台灯用布遮上。阴忽然从浓睡中跃起。

阴兆时 （惊慌，低声）到法院！

〔乐声中忽然一片杀气，混乱错杂。

〔昏黑中从远远近近各个角落发出无数阴兆时的声音逐渐洪亮地嚷着："到法院，到法院，到法院，到法院！"

〔乐声突然静止，岑寂无声。

〔画面渐显。

〔无天无地，冷落空洞，灰濛濛一片。

〔金焕吾，杨大远远出现，金在前面，杨在后紧跟着，两人仿佛足未着地似地缓缓向前走进。

〔冷寂中，金，杨二个人慢慢低下头来向前步行，渐走渐近，几乎到了我们的眼前。

〔蓦地他们脸前一扇粗重的铁栏门碰唧一声关上。

〔二人猛然抬头，脸上露出恐怖与绝望。

〔乐声轻快欢愉。

〔杨柳树的嫩枝条抽出新芽，在和煦的春风里摆动。

〔法院开庭，五位法官入坐。法警嚷“起立！”“坐下！”

〔在旁听席的第一排坐着魏卓平，堇修，阴太太，姚三错和员外。

〔阴兆时站在原告栏。

〔金焕吾，杨大立于被告栏。

审判长 （宣读判决文）金焕吾等汉奸一案宣告判决。（立起）金焕吾，通谋敌国，反抗本国，处无期徒刑。

〔金焕吾愀然变容。

〔堇修高兴地拉着阴太太的手，魏和员外全神贯注地听着，三错拍了一下手，员外用手臂碰碰她，她立刻放下手，旁听的人们高兴但又抑压着，寂静无声。

审判长 褫夺公权终身，全部财产除酌留家属生活必需费用外，均予没收。杨大兴通谋敌国反抗本国，处有期徒刑十二年，褫夺公权十四年，全部财产除酌留家属生活必需费用外均予没收。

〔杨大怒目垂视。

〔退庭。

〔人们欢呼。

〔阴一面向外走一面向听众中的许多熟人点头招呼。记者们跟着他。

〔董修等被挤得无法走近。

魏卓平 （挤上前拉着阴的手）兆时！

阴兆时 （望着他）民庭也宣了判，孤儿院发还。

魏卓平 （喜极不知如何表示）发还！

〔董修等走过来，他们刚要说话，记者们已将阴包围起来。

记者 阴先生，对于这次的判决您有什么感想？

阴兆时 （微笑）我没有什么感想，我就是快活，快活，快活！

第九本

『嗯，不远了。』

当晚八时许，在一条小街和黑巷的转角处，巷口电线杆子上街灯昏黄，魏坐在电杆旁一块石头上气呼呼的直喘。

堇修和周二人漫步低语，走到小巷口。

魏卓平 （向他们叫）堇修！

〔二人赶上去。

阴堇修 （不见阴，关心地）叔叔呢?

魏卓平 （还喘呼呼地）我追不上,（指黑巷）他一个人直跑。

阴堇修 （着急）他喝醉啦怎么能一个人走啊!（望着黑巷）这么黑!（向周）快点,（跑着）叔叔，叔叔!

周秉望 （跑过堇修前）阴先生，阴先生!

〔小巷里，黑漆漆地没有一点光亮，只衬着夜晚的天空模糊地看得出一堵高墙的边缘。

〔阴喝得醉醺醺地，沿着墙根下，一个人摇摇晃晃地向前迈着方步。忽然他撩开西装衣襟，手一扬，做着挥马鞭的姿势，飘然疾走。

阴兆时 （放声大唱）“一马离了啊——”

〔高墙上，离他两三步距离，露出一个人影，慢慢站起来，举起一块大石头等待着。

阴兆时 （声调悠扬）“西凉——”

〔墙上人用力将石头狠狠向他身上一砸，即行隐去。

〔阴一声未响，踣倒地下。

阴堇修 （从后面追上来）叔叔，叔叔！（突然止步）

〔堇修，周二人跑近前，堇修蹲下，周也蹲下抱住他上半身。二人仔细一看，地上一小摊血和一块石头。

〔一小时后，卧室里。阴兆时头上扎着白纱布，闭着眼，仿佛有点昏沉沉的，靠在一叠被褥枕头上。周弯着腰，站在床边细心地摸他的脉搏。魏忧虑地坐在床边上，望着阴太太一脸泪痕，立在床头盯望着他。堇修在阴太太身后正把一碗水交替倒着弄凉了，递给阴太太。阴太太弯腰把水轻轻送到他嘴边。

阴兆时 （眼睛微微张开一下，摇摇头低声）不喝。

〔阴太太一阵心酸，走开坐到桌前椅子上，转身流泪。

〔堇修回头同情地望望阴太太，又焦虑地看着周，等候他的诊断。

〔门把扭动，员外轻轻推开门，探望一下，踮着脚轻悄悄地走进。三错蹑手蹑足跟在后面。

〔阴太太看见他们，默默地站起来。

〔员外忧形于色，走到床前，对阴望了半天，又回头望望大家。三错随在他身后也是一脸忧愁。

员　外 （对阴太太低声）这会儿怎么样？

阴太太 （摇摇头擦泪）

〔周摸完脉，把阴的手小心地放进被里，走到一旁。魏立刻站起跟过去。

阴堇修 （望着周低声）怎么样？（走近周）不危险了吧？

周秉望 （有点难色，低声）现在还难说。

〔堇修回头望望阴，忍不住低泣。

〔阴太太又掉泪，三错，员外，望着阴太太，不知用什么话来安慰她，三错扶着阴太太的手臂，也擦着泪。

阴太太 （望着他们）他得罪的人太多了。

〔阴家大门前小巷口，一个傻傻的老人，驾着一辆殡仪馆的尸车，高踞在车座上，口中衔着旱烟袋。一匹瘦弱的白马拖着车拐进巷子，寂寞的巷内响着石子路上的马蹄声，车子缓缓朝阴家大门走去。

老　者 （注意望望路旁的门牌，知道前面就是了，把烟袋从嘴上拔出，顺手在座沿上敲敲）

〔卧室内。员外和三错站在阴太太面前，摇头叹气。周沉思着，堇修擦着泪走到阴太太身边。

〔魏站在窗前，望着外面，落下泪来。

阴兆时 （忽然伸出手）哼！

〔大家回头，阴太太赶快过去。

阴兆时 （无力地）渴的很。

〔堇修递碗水给阴太太，阴太太拿给阴喝。

阴兆时　（喝了口水）刚才喝多啦。

〔堇修上前扶着阴太太，二人脸上微露欣慰。

〔魏不动，擦着泪，眼睛盯望着他。

员　外　（走到床边）阴先生！

阴兆时　（霎霎眼低弱地）又三缺一啦？

员　外　（点头安慰他）啊，啊，就等您好了打牌啦。

姚三错　（站在员外旁，温和地）是啊，阴先生！

阴兆时　（微微一笑）哼，阴先生这次怕真要"阴魂不散"啦。（闭上眼）

〔阴太太哭。

〔忽然有人乱敲大门高声嚷："阴太太在吗？"

〔大家听见一愣。

阴兆时　（睁开眼）有人找你？

〔阴太太慌张走出。

〔阴书房门外过道。

〔阴太太打开门，老者带着两三个人一涌而进。

〔堇修走出书房门。

阴太太　你们找谁的？

老　者　我们是殡仪馆抬尸首来的。

阴太太　抬尸首？

阴堇修　（惊叫）啊？

〔周，三错，员外匆匆走出书房门。

老　者　（愣头愣脑）嗯，抬尸首来了。

〔周顺手关上房门。

〔卧室内。

阴兆时　（手臂撑着身子，半坐着谛听，对魏）你听！（指指自己）抬我来啦！（一跃而起）

魏卓平　（着急拦他）干什么，干什么？（拦不住）

阴兆时　（光着袜底，在屋中乱找）

魏卓平　（急切跟着他）什么，什么呀，你要什么呀？（扶他）

〔阴一把抓起凳子上放的简板。

阴兆时　（回头）他们要我死啊，我偏不死！（甩开魏，愤怒地踱进书房，摇摇晃晃，一直走向通过道的门。魏在后面追着喊："老弟！老弟！"）

〔过道上。

老　者　你们有电话来。

〔过道门推开，又有四五个人拥进，提着许多纸钱，香烛，寿衣和孝衣。

送纸钱人　（冒冒失失）您这儿办丧事？

老　者　你看！

〔阴忽然推开书房门，迈入过道。魏跟在他身后。

阴太太　　　　　　　　　兆时！

阴堇修　（想不到，同声）叔叔！

周秉望　　　　　　　　　阴先生！

阴兆时 （目光向来人等一扫）尸首来了！（举起简板闷头就打）

阴堇修 （同时）叔叔！

周秉望 （同时）阴先生！

老　者 （慌张失措，闪躲着）哎呀，弄错了！

阴太太 （同时急叫）兆时！兆时！

魏卓平 （同时急叫）兆时！

阴兆时 （不理他们，向来人等，噼啪乱打）

姚三错 （一声不响，顺手抓起一根拖把，对准他们，没头没脑地乱扫）

众　人 （闪躲，乱嚷）哎，哎，别打人别打人！

〔众人挤着叫着向门外拥出。

〔卧室内。

阴兆时 （站在床前，兴奋地）哼！我偏不死！我偏不死！（有些不支，阴太太和魏赶忙扶住他）

〔卧室，翌晨八时。

〔窗子上洒满了阳光，阴躺在床上宁静地闭着眼。阴太太轻轻地替他加上一床毯子。

〔魏坐在桌前椅子上翻看一本中医书。堇修把窗子打开一点，放进新鲜空气。三人脸上都有点睡眠不足疲惫的神气。

〔窗外屋檐下一只麻雀吱吱叫着，跳来跳去，又飞了。

〔周轻轻推开门。他们回头，周赶快走到床前。

周秉望　（细心地摸脉，露出喜色，轻声对他们）奇怪，他真地好些了。

〔惊蛰过，春雷鸣，雨后田野里一片清新，微风吹动碧油油的禾浪，池塘里涨满了水，一群鸭子自在地悠游。树枝上隔夜的雨水在温暖的朝阳里闪着光。

〔半个多月后清晨九时，书房内。

〔阴兆时靠在沙发里，腿上盖着毯子，面容较前稍显丰腴，头上的伤处只贴着一小方白纱布，他露着恬愉的微笑，慢慢地拍着渔鼓。旁边小矮桌上放着一碗热腾腾的肉汤。

〔孤儿院的钟声又响了，他停止渔鼓谛听着。

〔孩子们在唱歌，他抱着渔鼓站起来，光着袜底轻轻走到窗前瞭望。

〔厨房里。

〔阴太太正在洗着菜。

阴太太　（愉快声音）兆时，兆时，你在干什么呢？

〔书房内。

阴兆时　我在躺着呢！（立刻又拍着渔鼓）

〔太太的声音：兆时。

〔阴又轻轻走回沙发。

〔阴太太端了一碗豆浆走进。

阴太太 （温和地）这才对了，一个人弹着唱着，伤就好了。

阴兆时 （放下渔鼓）太太，我已经好了，你看。（他站起要走）

阴太太 （赶快放下豆浆，要扶他）别乱起来走路，你给我靠着，打你的渔鼓，唱你的道情，再养几天。这回我再也不许你多管闲事了。

〔堇的声音：（在院子里嚷）叔叔！

阴兆时 （面露喜色抬头朝外望）

〔堇修与魏卓平进来。

魏卓平 （提着一包点心，走近阴，关心地望着他）兆时，今天怎么样？

阴兆时 看吗，（又站起来）完全好了。（挺起胸做出强壮的样子）

阴太太 （又过去按他坐下，像对一个顽皮的孩子）坐下！（转对魏）翘翘她们都好吧。

魏卓平 （高兴地）都好都好，（把一张支票交给阴太太）这又是一笔捐款，报馆替你们收下的。

阴堇修 叔叔，你看多少读者关心您，他们都希望您快好，好了以后您再继续——

阴太太 堇修！你别又鼓动他啦！

阴堇修 （笑嘻嘻地）不会，不会。

阴太太 我该做饭去了。（对堇修）别叫你叔叔乱动。（对魏）魏大哥今天在我们这吃饭啊！

魏卓平　好。

〔阴太太走出。

阴堇修　叔叔您真地完全好了吗?(把桌子上豆浆递给阴)

阴兆时　(喝两口豆浆)我偷偷下地走了好几天了。(喝完豆浆把碗交给堇修)

阴堇修　(接下碗盯着他)有精神吗?

阴兆时　(翻翻眼)我什么时候没精神过?

阴堇修　(小声)叔叔,我告诉您一件实在气人的事。

魏卓平　(笑责)你又来了。

阴兆时　(非常感觉兴趣的)你说。

〔厨房里。

〔阴太太忙着做菜。

阴堇修　(蹲在阴腿边,兴奋地说着)您看这气人不?

阴兆时　(谛听着点点头)

魏卓平　躺着吧!

阴兆时　(忽然把毯子掀开)走。

阴堇修　(惊讶起立)走?远得很哪!

阴兆时　(站起)咱们就走。

魏卓平　(上前要拦他)兆时你——

阴兆时　(把渔鼓向他手里一塞)拍!(按他坐下)

魏卓平　(不由他不接)

阴兆时　(从地下一堆书里翻出鞋,提在手里)走!

魏卓平 （看着他也忍不住要笑）

阴堇修 （也笑着又有点担心）好吗？

阴兆时 （腿一扬，精神抖擞，对魏）怎么样？还年轻吧？（对堇修）咱们轻轻的（指着通过道门）从这边。

〔阴和堇修二人向门走。

魏卓平 （站起）兆——

〔太太声音：兆时你在干什么呢？豆浆喝了吧？

阴兆时 （高声）喝了，我在打渔鼓呢！（对魏做拍渔鼓势）

魏卓平 （不觉地又坐下望着他们，老老实实拍起渔鼓）

〔堇修和阴二人走出门。

〔堇修和阴二人在大门前。

阴堇修 （伸手一让）叔叔请！

阴兆时 小姐请！

〔二人同时走出大门。

〔周走过阴家大门。

阴兆时 （好心情地）咦，周先生。

周秉望 （惊讶高兴地）阴先生，您怎么都出来啦？

阴兆时 （一本正经地）我有事。

阴堇修 （对周眨眨眼）你不跟我们一块去吗？

周秉望 （举起医药皮包）我要到孤儿院给孩子们检查身体。

阴兆时 也好，等着，等我的头再打破了好找你。

周秉望 （恍然，笑笑，向他们挥挥手）再见！

阴兆时
阴堇修 再见!(挥着手走)

〔厨房里。

〔阴太太在淘米。

〔渔鼓声从书房中传出来。

〔阴太太带着很愉快的样子。

〔书房里。

〔阳光从玻璃窗射进来照着魏。他端坐在沙发上，索性痛痛快快，起劲打着渔鼓。

〔阴和堇修二人在旷野大路上向前走，堇修脚步逐渐慢下来。

阴兆时 (望望她)累了吗?

阴堇修 (又提起精神爽快地)不累，您呢?

阴兆时 我?走!

〔二人向前走。

〔阴和堇修二人又走了一程，堇修停住。

阴堇修 (望阴)快到了吧?

阴兆时 (举手遮住日光，向前眺望)

〔碧蓝的天空，无垠的旷野，宽畅的黄土路上高高低低起伏着一些小土岗。天边上飘着白云，远远地平线上隐约望得见一点树影。大地洒满了阳光。

阴兆时 （其实什么也没看见，却点头笑嘻嘻地）嗯，不远了。

〔二人并肩举步。

〔隐约的乐声逐宏亮，亢奋快乐，渐渐充塞了整个的空间。

〔堇修愉快地随着乐声哼唱，眉眼间洋溢着朝气，阴兆时昂着头满脸兴奋和严肃，二人大步向前迈进。

富小田人工

【题注】据1951年1月《北京文艺》第1卷第5期初刊本排印。

人　物

田小富——三十上下，××炼钢厂的工人。简称“富”。

田富有——其父，五十余岁，老工人。简称“有”。

田妻——二十五岁，简称“妻”。

亲家母——田小富之岳母，五十余岁，农村妇女，一个“好劳动”的妇女，简称“岳”。

工会主任——四十岁，简称“工”。

张大夫——工人医院的女医生，三十岁。

教员——工人子弟学校的女教员，三十上下，简称“教”。

工人们。

保姆们。

一群小孩子。

几个美国兵。

其他外景所必需的人员。

时　间

一九五〇年的冬天。

景：　　× × 钢铁厂。

冬天的早晨，太阳初升。

山脚下，一大片工厂，烟囱林立。

钢铁厂的全景：巨大的鼓风炉、送风管、碾矿机，堆积成山的钢管铁块，动转着的火车和机器。

我们听见汽笛的声音。

独　白　“我叫田小富、一个工人。

“这是我的钢铁厂，我做工的地方。我爱它，因为它出着最好的钢。我爱它，因为这里边的弟兄们，好多都是好样的劳动模范。我爱它，因为我从这里学了本事、受了教育，我成了个好工人。

“这是我的家，工厂给我们盖的新宿舍。

景：　　一排排舒适合用的新房，从门口望进去：

“我有父亲，

景：　　结实的田富有正在收拾饭盒子。

“我有老婆，解放后新娶的媳妇；我还有刚刚满月的儿子。

景：　　笑着的田妻逗弄着在床上躺着的小孩，小孩乱踢，一脚踢开了被头。

“小家伙欢腾的像个小汽锤。我爱他们，像爱我的厂，爱我的工人弟兄们一样。

“那一天，是十二月二日，一清早——

景：　田妻把饭盒交给富。他愉快地笑了笑，又望了望笑着的孩子，伸手拧了他的小脸一下，走出大门口。

“她把饭盒交给我，我看了看我的小汽锤。得赶紧上工去了。在道上，我看见了工人子弟学校的孩子们。

景：　一所房子，门口木牌上写着：“××钢铁厂工人子弟学校”。一群孩子正在玩的高兴，富停立门外，看着他们。

“这帮小家伙，他们真赶上个好时候，真有福气！

景：　保姆抱着更小的孩子喂奶，看见富，举起孩子的小手向他招呼，他也招呼。

“赶明儿我女人一上工，一定把我儿子也送到这儿来，真带劲，哟，教员怎么今儿这么高兴！

景：　学校的女教员，拿着报纸，老远就喊：“小田，好消息！好消息！”

“你看，一出门就是好消息！

景：　教员跑近了，把报纸递给富。

教　员　小田，你看！

田小富　（赶紧接过来看）哟吓！（报纸上赫然的大标题：“朝鲜人民军与我志愿部队，发动反攻，击溃麦克阿瑟的总攻势”，（十二月二日人民日报）美国鬼子，这不完了吗？

教　员　可不，大家都高兴的又跳又唱，你瞧——

景：　远处腰鼓、秧歌正闹的起劲。

教　员　报送给你了，我还得布置祝捷大会去呢。（她兴冲冲地跑去，富也加快步子走向工厂）

“我真高兴，赶紧就跑，到了厂里。

景：　工人们奔走相告，黑板报上一幅大地图，两个箭头像钳子一般聚在一起，前边聚拢了人，富也挤进去。

“可不是，好消息大伙都知道了，这地图比报上还大！

景：　工会主任拍拍小田的肩膀。

工会主任　小田，你看，还用得着你到前方去吗？想想，一个月前你那点着急的样！（富笑着歪歪头）

“哼，可不是，一个月以前，我是有点子着急，可叫谁，谁不着急？那时候，大家都要报名参加志愿军，工会办公室挤满了人。

景：　一屋子人，工会主任满头大汗，连声高喊：“慢慢来，慢慢来，一个挨一个！”但是——没用。富挤到桌子跟前，已经有人在报名册上签了名。

“谁都争着要报第一个名，我挤了两下子，好不容易报上名，第十二名，可我一看报名册上第一个名字。

景：　很结实的三个大字：“田富有”。

“哟，是我爸爸，我赶紧到炼钢厂找他。

景：　马丁炉旁，有正拿着蓝玻璃看钢液的火头，旁边几个工人正聚精会神地在望着他。

“他正忙着哪。我真高兴，老头也邪兴，还那么沉的住气，也不告诉我一声。

景： 富过去拍了拍有的肩膀。

田小富 爸爸，您报了名了！

景： 有没理他，依然望着火头，把手一举说："上料。"

田小富 您还报了头一名？

田富有 （慢腾腾地）怎么，有意见？

田小富 您怎么早不告诉我？

景： 有又举起蓝玻璃。

田富有 别瞎吵吵！（幽默地望他儿子一眼）没看见我这儿有事。

田小富 可爸爸，您要一走，咱们这家——

景： 但是，有没等他说完，把他一推。

田富有 去！回压钢间做活去，回头下了班，咱们有话谈。

景： 他只好走开。

"您瞧我这爸爸。好吧！我在压钢间干了一天。

景： 汽笛响，工人们三三两两走出厂房，纷纷议论。

"下班了，大伙还研究这报名的事，到门口，正碰上我爸爸。

景： 夕阳西下，远处炊烟升起，爷儿俩走在路上。

田富有 孩子，今天活干的怎么样？

田小富 不大离，保证完成任务。

田富有 那么咱们爷儿俩商量个事——你也报了名？

田小富 （笑嘻嘻地）比您差个十二号。

景： 有看他一眼，掏出烟来。

田富有 来根儿？

田小富 得，爹，有话您说吧！

景： 有自己默默地点上烟。

田富有 孩子，你老婆可快要坐月子了！

田小富 我知道。

田富有 要是真批准你去，家里可没男人！

田小富 我的爹，您别这么说，要是真批准了您去，家里可没老的。

景： 老头还是沉住气。

田富有 （慢条斯理地）你不能去，孩子，你还是得好好的学你的手艺。

田小富 我知道，学手艺的时候多着哪。打完仗再学不晚，可打美国人就这一回啦。爹，您是老技工；出钢离开您不成，厂里不会放您走，您去不了，只有我们这些年轻的小伙子有份。不让我去，我就得闹情绪，我决定了，我！（他一口气说下去）

田富有 （望望他）你少发“谬论”！

景： 儿子没吭声[1]，走了两步。

田富有 没你“嚼”的！

田小富 哎哎，咱们还“民主”不“民主”？

田富有 民主？当然，不民主找你商量！孩子，你有老婆，就要坐月子，我没什么牵挂，一个人——

田小富 您不想看看您的孙子啦！

田富有 （笑了）我盼了这么多年了，老的还有不爱小的？就为这孩子，我也得去，这个时候看到看不到，也罢。没共产党咱

---

1 “吭声”底本作“啃声”，当作“吭声”。

们翻不了身，没新中国咱们也不能成家立业，我这报名是报仇呵！你年纪轻，不知道什么叫帝国主义，前几年，你在外边的时候——

景：　他们走在旷野里，西风衰草，一片荒凉。

老头若有所思地停住。

田富有　就在这个地方，美国鬼子修飞机场。

景：　铁丝网，一双大皮靴践踏着草地。往上看去，手枪、皮带、印着U. S. A.，手里的皮鞭，钢盔下边一双狞恶的眼睛。远处，贴了封条的工厂大门。

田富有　工厂关了门，我跟你妈，你弟弟，没吃没喝，你妈还正害着病。我带着你弟弟，到这儿来，捡点破罐烂铁。

景：　有带着他十二岁的小儿子，背着个破麻袋，偷偷地从这里走过。美国兵喝住他们，小孩害怕，回头就跑，美兵喊"站住！"。有也喊，美国兵掏出手枪，嘴角带着狞笑，放射——孩子倒在地上。有跑上去跟美兵拼命。美兵举起皮鞭，一顿抽打，把有打晕在地下。

田富有　你弟弟就这样死的。

景：　富眼里含住泪瞪视。

田富有　我把你弟弟的尸首抱回家，不要脸的国民党屁也不敢放一个，在路上，我看见——

景：　一群美国兵围着一个绑好的工人，正在用汽油浇在他身上，有抱着孩子无神地走来，望见。

田富有　这是怎么回事？

景：　一个美国兵把蘸着汽油的棉花点着，向工人扔去。

有痛苦地扭过头闭上眼，美国兵们在哈哈大笑。

田富有　我跑回来，抱着你弟弟的尸首回到家。

景：　一间用泥和草堆成的小棚，一个女人躺在床上，有抱着孩子踉跄而入，看见床上的女人，一愣，孩子抱不住了，有快步跑到床前，用手去摸女人的鼻息……

田富有　你妈也已经死了。

景：　父子二人已走到家门口，儿子的眼睛蓄满了泪，有站在门外。

田富有　就是这个地方，我们从前的破棚子不见了，工厂给我们盖的新房子。如今，咱们有吃有穿，坏日子过去了，就是这！什么叫保家卫国？难道还不是现在到朝鲜，把这些强盗们打死！

“我听我爹这段话。谁去呢？谁不去呢？我盘算了半天，还是忍不住——

田小富　爹，那么咱爷儿俩一道去吧！都去！

景：　有看他一眼！

田富有　我说不服你。得，上级叫咱们怎么办，咱就怎么办！

景：　他推开门。

“我们进了屋。

景：　卧室，穿白衣服的张大夫在整理接生的用具。

“工人医院的张大夫来了。

景：　岳母端着盆热水。

“我的丈母娘也从乡下赶来了。

景：　田妻躺在舒适的木床上，忍着疼微微地呻吟，看见富[1]，向他微笑，但阵疼又使她皱起眉头。

“看见了我的老婆，快了，快生了。她看见我，还不知道我已经报了名，我也不愿意讲。

景：　岳母瞪着他。

“可是我看我丈母娘的眼神，像是知道，又像不知道。

景：　有仍望着他。

“我爹还是瞪着我。

景：　有走近岳。

田富有　（打起精神，笑着讲）亲家，你看咱们工会（指张），现在添个孩子都有大夫了。

亲家母　（气鼓鼓地）知道，我姑娘到你们家来是福气。（看富一眼）亲家，咱们出去拉拉话！

“我知道是有点毛病，他们到外屋叽叽喳喳了半天，准是说我的事。

景：　富走向床边，坐下看妻。

田　妻　你怎么啦？累啦！

田小富　不累，你好点吧！

田　妻　好点，刚才疼了一阵，你歇会吧，别出去了，在家里待着吧！

景：　富默然地回过身。

“你听，我老婆的话，在家待着？谁知道他们娘儿俩搞些什

1　“富”底本作“有”，当作“富”。

么鬼，果不其然，我爹叫我呢！

景：　有在外屋门口。

田富有　小富。

田　妻　你去吧。

景：　富走到外屋，有和岳正坐在桌旁。

亲家母　您说吧，亲家，跟他说吧。

田富有　我没用。

亲家母　您没用，我这妇道人家就有用啦？

田富有　我管不了他。

田小富　咱别在这儿吵（望屋里），她不是还不知道?！

亲家母　（翻翻眼）她不知道，我知道，没听说过，老婆要生孩子，做男人的当天晚上就出门。

田小富　当天晚上？谁说的？

亲家母　人家张大夫偷偷给我说的，上午报了名，下午厂里就决定，一批准当时就走！

田富有　我倒没想到这么快！

亲家母　（对富）反正你不能走，你一走，家里就剩个老的，眼看着还来个小的，祖孙三代没个年轻人，怎么行！

田小富　（急了，索性）您不知道，我爸爸也去。

亲家母　（站起，瞪圆了眼）什么，亲家？

田富有　（慢腾腾地）嗯，要是都批准了，劳您驾，亲家，搬到我们这儿来住！

亲家母　好啊，你们爷儿俩真有心思。我们家里还在闹生产呢，响应号召，支援前线，告你说，乡下也没闲着！

田小富 爹，我没法说，您来。

田富有 （幽默地）她是你丈母娘。亲家，我跟您意思满都一样，小富不去，对！

亲家母 （拍手）瞧，你爹够多明白！

田小富 （企图大力说服）老人家，您知道这是什么时候？

亲家母 （干脆）抗美援朝、保家卫国。

田小富 对呀，美国鬼子在欺负咱们，侵略咱们，不让咱们过安生日子，怎么您，您还这么顽固呢？

亲家母 （恼了）我顽固？我分了地、买了牛，好好地搞生产；我四个儿子两个是解放军。你们爷儿俩到今儿才想着上前线啊。还说我顽固！好，你们去，你们去，你们爷儿俩都去。告你说，孩子生下来，过三天我就得走，我家事也忙着哪。这会乡下谁家不是想生产发家，好，我顽固，我顽固……

“一句话说溜了嘴，丈母娘冒了火了，一直吵下去（隐隐岳母滔滔不绝地陈述）我就只当没听见，吵了半天，毫无结果！

景： 灯亮了，外边已是暗夜，远处有狗叫，富和有在外屋枯坐。

“半夜了，我跟爹在外屋等着，等着厂里的信，也等孩子下地。

景： 岳母不停地出入，又是弄热水，又是弄火盆。

“丈母娘更忙了。

景： 屋子里来了一群人，拿着被包、水壶，在兴奋地低声谈论。

“报了名的兄弟们都在准备行装。屋子里来了一大堆人，大伙儿说，厂里正开紧急会议呢，不知道讨论些什么？

景： 有抽完了最后一根烟，不安地踱来踱去。

“爹也沉不住气了，坐也坐不住，站也[1]站不稳。

景： 有拿起帽子。

田富有 小富，我到厂里看看去，你们等我回来听信，

“他倒走了，我们就一直在等。

景： 屋里的人逐渐地减少，最后只剩下富一个人。

“时候过的是真慢哪。

景： 里屋门开，张大夫满头大汗，富走向前想问，张摇摇头，又进去。富在里屋门站一站，又到门口去张望，东方已显灰白，富不安地在屋里转。

“孩子还没生下来，张大夫可流了汗了，我心里就两件事翻来覆去的；又是孩子，又是参军。

景： 丈母娘忙忙从屋内走出，富几乎和她碰上。

“对了，还有我这个丈母娘！

景： 天已渐亮，富站在门口，有从远处跑来。

“等到天明，我爹可回来了，老头干吗这么高兴，大概齐批准了。

景： 有走进屋来。

田富有 孩子，搞通啦。

田小富 怎么？

---

1 “也”底本作“在”，当作“也”。

田富有　走，到厂里去！

田小富　就去？

田富有　自然！

田小富　有我？

田富有　没你，办得了事！

田小富　那么，走。

田富有　（刚要出门）哎，你媳妇——

景：　屋里传来了婴儿的哭声，爷儿俩呆住。

景：　岳母欢天喜地地从屋内走出。

亲家母　成了，成了，成了，可哭了！

田小富
田富有　生了！

亲家母　生——了，又是个炼钢的，祖孙三辈。

景：　爷俩欢欣地对着，说不出话。

亲家母　傻站着干什么？还不进去看看去！

景：　他们一同走进内屋。

景：　疲乏又是欣喜的母亲旁边，露出了这个新生命的小脸。

“我看见了我的孩子，这个小汽锤，娘儿俩都好。

田富有　（满心喜悦）生的好，生的好，生的是个好日子。

田　妻　爹，给他起个名吧！

亲家母　（突然）我看叫“出钢”，田出钢。

田富有　这叫什么名字？

田小富　要不叫“生产”。

田富有　意思倒对，就是不像个名儿，要不然就叫“大生”吧，扩大生产那个意思。（全家欣笑）

景：　工厂的厂间，工人们聚在一起听工会主任讲话。

工会主任　……我们就要扩大生产，工厂就是我们的战场。马丁炉就是我们的大炮，汽锤就是我们的炸弹；多出一吨钢，就是多打一个胜仗；多压一根钢条，就是抽美国鬼子的一根筋。现在要大家把生产计划搞好，为了回答我们前方的胜利，我们要超额完成任务，提前完成任务。同志们提出来，钢锭合格率要达到百分之九十八以上，修炉补炉，要研究改善，提高使用寿命，要用到三百次以上。党告诉我们，我们要认真记住，工厂就是我们的战场。

景：　工人一阵骚动。

工会主任　我们就在工厂里配合前线，决定胜利；劳动英雄赵国有已经向东北的工友们提出了爱国主义生产竞赛的挑战。

景：　工友们兴奋的眼神。

工会主任　全国的生产竞赛已经有显著的成绩。

景：　富早从人丛中挤进，站在有的身边，偷偷地问：

田小富　这是怎么回子事？

田富有　没听见吗？

田小富　怎么，不去了？不到前方去了？

田富有　（笑）谁告诉你要去？

田小富　刚才您——

田富有　我叫你到工厂里来，看看我们那口号。

景：　　一条大红布上边：“把愤怒化为生产力量，热烈响应赵国有的爱国主义生产竞赛！”

工会主任　我们能不能做好？

景：　　无数举起的手臂和张开的嘴：“没问题。”“提前完成任务。”

工会主任　希望每个车间的同志能提出具体办法来！

景：　　大家分组开会，热烈地讨论。

在有的那一组内，工笑着问有：

工会主任　老田头，还要走吗？

田富有　头三个钟头，我就搞通了，咱们生产就是打仗！

景：　　一片掌声。

工会主任　咱们怎么办？

田富有　再研究上料的办法，大伙出主意。

小组的人　对吗，田头？

景：　　一个工人在喊：“我把我要带走的棉衣捐给前方的战士们！”

许多工人　“还有我的”“棉衣一套”“棉裤”……

“我一看大家都弄明白了，干的好起劲啊！

景：　　飞转着的机器，迅速的天车。

“机器在动，天车运着料。

景：　　压钢厂通红的钢条，出钢的火星……

“压钢的压钢，锻钢的锻钢，出钢的出钢，我也不能再磨烦了，跑到我汽锤旁边一看，吓，丈母娘来了。

景：　　岳提着包袱，四下找人。

“见了我，二话没说。

田小富　您？——

亲家母　我？送你参军来啦。我告诉你媳妇了，这孩子她倒满不在意，她说你去的对。这不，她老早就给你做好了棉衣裳，算我多管闲事，大概齐、兴许我是有点顽固。

田小富　顽固？得，您比我搞的通，我们现在要“生产”了。

亲家母　不去了？

田小富　哎——我们要大“生产”！

亲家母　那么这——（举起包袱）

田小富　干脆，劳您驾，送隔壁工会，捐了！

“兄弟们没一个不卖劲，我开起了汽锤，压钢，快压钢，要压的好，压的多，就像汽锤下边是美国鬼子，我一锤一锤地打下去，打下去！

“这是件小故事，极普通的事。可是我知道全中国千千万万的工人弟兄们都经历过这种感情，现在他们也正和我一样地加油干。你看：

景：　辽阔的原野上，有一长列火车迎面开来，车头上金字：“毛泽东号”。机车里，露出来李永沉着的脸，往后看，好长的车身！

“劳动英雄，老英雄李永正在发起超轴运动，快跑，多拉！

景：　火车拉着长笛，风驰电掣地过去。

细纱间，转的飞快的纱锭[1]、织布梭。

1　“纱锭”底本作“沙锭”，当作“纱锭”。

“纱厂的弟兄，加速提高质量，一个人管着五台织布机。

景: 码头，起重机伸着长臂，工人们迅速地装运。

“码头上的弟兄，多装多卸，比以前又超出一倍。

景: 田野上，一队笑容满面的老农赶着牛，牛身上背着水车正走向前去。

“农民弟兄们，添买了水车、耕牛，准备明年春耕。

景: 煤矿底层，工人在挖着煤层。成车的煤从矿口出来，一车跟一车。

“一车跟一车，一车跟一车，谢谢我们的煤矿弟兄，叫我们所有的机器转起来！

“就是这些弟兄，我们这些聪明、勇敢、团结的，英雄的工人弟兄，就这样百倍努力的工作，让我们人民的志愿部队打到哪里，胜利就跟到哪里，为了不让帝国主义侵犯我们一丝一毫，为了我们的祖国，为了我们可爱的孩子们，孩子们。

景: 一群孩子们笑着、叫着，围着他。一个孩子过来。

孩　子 田二叔，汉城解放了！

田小富 好！（抱起孩子来，亲他）

景: 汽笛在响。

孩　子 二叔，跟我们一块游行去。

景: 汽笛响的更高昂了。

田小富 不，我得上工去！（拔脚就跑）

景: 马丁炉旁，有正在看火头，富匆匆跑进。

田小富　爹，汉城解放了！

景：　有继续看。

田小富　（兴奋地）我们志愿部队跟朝鲜人民军一块，又打了大胜仗！

田富有　（依然沉住气）嚷什么，干活去！

田小富　对，回头见！

田富有　（骄傲地望着富走向压钢间，回头，忽然）出钢！

景：　火花四溅，沸腾的熔液把周围的脸都照红。

汽锤在飞快地压着通红的钢，富满眼自信，盯视着。

“大家都在踏踏实实地干，我也是他们中间的一个，极平常的一个，就这样，我们打垮美帝国主义。”

景：　太阳升起，所有的烟囱都在冒烟，鼓风炉顶有一面国旗飘扬！

孩子们在唱歌。

（完）

图书在版编目（CIP）数据

曹禺全集. 第六卷 / 曹禺著. — 北京 ：北京十月文艺出版社，2023.6

ISBN 978-7-5302-2262-1

Ⅰ. ①曹… Ⅱ. ①曹… Ⅲ. ①曹禺（1910–1996）— 全集 Ⅳ. ①I216.2

中国版本图书馆CIP数据核字（2022）第155338号

曹禺全集 6

CAOYÜ QUANJI 6

曹禺　著

出　版　北 京 出 版 集 团
　　　　北京十月文艺出版社
地　址　北京北三环中路 6 号
邮　编　100120
网　址　www.bph.com.cn
发　行　新经典发行有限公司
　　　　电话 010-68423599
经　销　新华书店
印　刷　北京盛通印刷股份有限公司
版　次　2023 年 6 月第 1 版
印　次　2023 年 6 月第 1 次印刷
开　本　700 毫米 ×980 毫米　1/16
印　张　49.5
字　数　547 千字
书　号　ISBN 978-7-5302-2262-1
定　价　136.00 元
如有印装质量问题，由本社负责调换
质量监督电话　010-58572393